Guide du
MONTRÉAL
multiple

Les Éditions du Boréal
4447, rue Saint-Denis
Montréal (Québec) H2J 2L2
www.editionsboreal.qc.ca

Jean-Christophe Laurence
Laura-Julie Perreault

Guide du
MONTRÉAL
multiple

Vivez au rythme
des communautés culturelles

Découvrez les mille visages
de la métropole

Boréal

Les Éditions du Boréal reconnaissent l'aide financière du gouvernement du Canada par l'entremise du Programme d'aide au développement de l'industrie de l'édition (PADIÉ) pour ses activités d'édition.

Les Éditions du Boréal bénéficient du Programme de crédit d'impôt pour l'édition de livres du gouvernement du Québec.

Les Éditions du Boréal tiennent à remercier le Ministère de l'Immigration et des Communautés culturelles (MICC) pour sa contribution financière à la réalisation de ce guide.

Couverture : Christine Lajeunesse

Diffusion au Canada : Dimedia
Diffusion et distribution en Europe : Volumen

Catalogage avant publication de Bibliothèque et Archives nationales du Québec et Bibliothèque et Archives Canada
Laurence, Jean-Christophe, 1970-
    Guide du Montréal multiple
    Comprend des réf. bibliogr.
    ISBN 978-2-7646-2023-6
    1. Montréal (Québec) – Guides. 2. Minorités – Québec (Province) – Montréal. 3. Événements spéciaux – Québec (Province) – Montréal – Guides. 4. Montréal (Québec) – Répertoires. I. Perreault, Laura-Julie, 1975-   . II. Titre.

FC2947.18.L38   2010   917.14'28045   C2010-940631-1

Tous immigrants, **tous montréalais**

Les Montréalais ont tous une chose en commun : ils portent l'immigration dans leur ADN. Un Montréalais sur cinq est né à mille lieues de la rue Sainte-Catherine, dans une contrée plus ou moins lointaine. Des centaines de milliers d'autres ont vu le jour quelque part au nord du 46e parallèle, mais ont choisi de faire leur vie dans la métropole québécoise. Tous les autres ont dans les ramifications de leur arbre généalogique un ancêtre voyageur qui a posé sa besace à Montréal il y a 30 ans, 100 ans, 400 ans.

Ainsi en est-il du visage montréalais. Couche par couche, la ville s'est construite par l'apport de cultures différentes. Ces arrivées ont forgé sa culture propre et son caractère. Lui ont donné la couleur qui la caractérise. Par delà les « eux » et les « nous », les « votes ethniques » et les accommodements raisonnables, il y a surtout une île, un petit coin de terre où tout le monde est venu tenter sa chance.

Reconnaître cette identité multiple, c'est être en position de force dans un monde de moins en moins homogène et aux cultures de plus en plus interpénétrantes, un monde dont l'avenir sera métissé serré ou ne sera pas.

Montréal n'est pas Toronto, véritable mecque de la multiethnicité canadienne. Mais notre tissu social et culturel est unique au monde, puisqu'il réunit, sur un même lopin de terre, des migrations d'expression francophone et anglophone, sans compter tous les autres qui ne parlaient ni l'une ni l'autre de ces langues à leur arrivée.

D'AUTRES PORTES, D'AUTRES CLÉS

Mais que connaissent vraiment les Montréalais de la multiplicité qui les entoure, et dont ils font irrémédiablement partie ? Souvent, pas grand-chose. On fréquente le marché Atwater et quelques restaurants vietnamiens. On fait du yoga ou du karaté. Mais on hésite encore à entrer dans un café maghrébin de la rue Jean-Talon ou dans la gurdwara sikhe de LaSalle. Ou encore à se pointer aux célébrations du Nouvel An chinois.

Ce livre propose de donner à ceux qui le consulteront les outils nécessaires pour mieux explorer la ville et pour établir des contacts plus vrais, plus profonds, avec des Montréalais de toutes origines. Car plus on en sait sur son voisin, plus on se rend compte qu'il nous ressemble.

D'ailleurs, notre guide propose des dizaines de portraits de Montréalais issus des grandes communautés culturelles, qui contribuent à faire de la métropole québécoise un endroit cosmopolite et branché qui suscite (parfois) l'envie du monde. Esthéticiennes, propriétaires de resto, entrepreneurs, auteurs, chefs d'orchestre, militants des droits de l'homme : ils mettent quotidiennement un peu d'eux-mêmes au service de Montréal et du Québec. Loin d'être un poids, leur bagage culturel, parfois complexe, leur donne un angle unique sur le monde.

Nous refusons de parler de la diversité montréalaise comme d'un phénomène qui ne touche que les nouveaux arrivants et leurs enfants : pour nous, la diversité montréalaise est liée à la fondation même de la ville et inclut autant la souche autochtone que l'apport des descendants des premiers immigrants français. Montréal a été bâti par l'immigration et, en ce sens, nous considérons que tous les Montréalais sont des immigrés... à commencer par les deux auteurs, nés «dans le bout» de Québec, une région bien jolie, mais bien blanche...

Notre emploi comme journaliste à *La Presse* a aussi un impact important sur ce livre. Tous deux, nous avons couvert de façons différentes l'immigration, l'intégration et la diversité montréalaises.

MONTRÉAL, UNE ŒUVRE EN CONSTRUCTION

Ce guide du Montréal multiple ne prétend pas faire le tour des questions parfois complexes en matière d'immigration, et ne prétend pas non plus y répondre. Ce n'est pas un plaidoyer en faveur du «tout le monde il est beau, tout le monde il est gentil» ni une annexe cool au rapport de la commission Bouchard-Taylor. Ce n'est pas un guide de restaurants ni un bras consulaire. C'est une clé pour voyager dans sa propre ville. Pour explorer un autre Montréal, parallèle, parfois underground, souvent méconnu et généralement étonnant, avec ses commerces, ses personnages et ses histoires.

Nous avons fait de notre mieux pour déterrer les perles, tout en sachant qu'il est impossible de tout couvrir. Dans un univers en constante mutation, frappé autant par les *success stories* que par la crise économique, nous n'avons pas le contrôle sur l'ouverture des restos et la fermeture des magasins. Nos connaissances sont à l'image de ceux qui ont accepté de nous ouvrir leur carnet d'adresses, et nous restons ouverts à vos suggestions pour une deuxième mouture de *Montréal multiple*. N'hésitez pas à nous écrire et à consulter notre blogue (www.montrealmultiple.com).

Ce livre s'adresse à la fois aux Montréalais de longue date, qui pensent connaître (parfois à tort) la ville dans ses moindres recoins, et aux nouveaux arrivants. Il s'adresse à l'hindou qui veut s'offrir une séance de vaudou. À la pâtissière polonaise qui aimerait connaître l'art de la boxe thaïe. Et au fan de poutine qui a un petit faible pour la danse du ventre. En fait, il est destiné à tous ceux qui veulent tirer le meilleur de ce que le Montréal du 514 et du 450 a à offrir.

Comment **consulter ce guide**

Ce guide est à l'image de Montréal... et de son célèbre boulevard Saint-Laurent, sa *Main*. Il suit le courant des diverses vagues d'immigration qui ont échoué d'abord dans ce qui est aujourd'hui le Vieux-Montréal, pour remonter graduellement vers le nord et s'étendre en banlieue.

Les Autochtones ont été les premiers, les Européens les seconds. Les Juifs, les Asiatiques et les Arabes ont suivi pas très loin derrière. Les Antillais, les Latino-Américains, les Africains et les Maghrébins ferment la grande marche de la création urbaine.

Nous avons consacré un chapitre à chacune de ces vagues d'immigration. Pour rendre le livre plus facile à consulter, nous avons construit tous ces chapitres de la même façon: un texte de présentation, un calendrier d'événements impor-

tants, un carnet d'adresses et un répertoire médiatique. La rubrique «En savoir plus» est pour les durs de durs qui veulent gratter plus loin sous la surface. Mais la diversité n'entre pas dans une boîte, et nos chapitres non plus. Nous avons intercalé au fil des pages des encadrés et des portraits qui nous semblaient à la fois pertinents et excitants. Enfin, chaque chapitre présente quelques mots de base qui vous permettront de faire votre chemin dans les communautés. Un *Xie xie* chez les Chinois ou un *Spassiba* chez les Russes peut parfois ouvrir des portes insoupçonnées.

Dans le carnet d'adresses, qui inclut les restos, les bars, les cafés, les épiceries, les magasins, alouette, nous avons indiqué la station de métro la plus proche afin de vous aider à vous retrouver rapidement. Cependant, les distances sont parfois longues entre la station et ledit lieu et, avant d'entreprendre votre tournée, il est toujours préférable de vérifier votre destination dans Google Maps ou sur le site de la STM (qui vous permet de planifier votre parcours en transport en commun).

Dans chaque chapitre, nous avons donné des statistiques. Elles ne sont pas parfaites. Il n'existe pas des milliers de manières de chiffrer la diversité. Tous les cinq ans, lors du recensement, Statistique Canada demande aux Canadiens d'identifier leurs origines ethniques. Si un Montréalais né au Mozambique décide de dire qu'il est italien, libre à lui. Souvent, les individus et les organismes qui nous ont parlé de telle ou telle communauté avaient des statistiques complètement différentes de celles de l'organisme national. Problème de compilation ? Immigration illégale qui n'apparaît pas dans les statistiques ? Migration entre deux recensements ou exagération pure et simple de la part d'organismes trop enthousiastes ? Difficile à dire. Mais les données de Statistique Canada nous semblaient les plus objectives, même si elles sont imparfaites. Celles que nous avons utilisées remontent à 2006, sauf celles liées à la religion : les plus récentes ont été compilées en 2001.

LÉGENDE :

 population

langues principales

religions principales

Le véritable
Montréal de souche

1.

LE MONTRÉAL
AUTOCHTONE

 18 000

 Chaque nation autochtone a sa langue. Les plus parlées à Montréal
sont le mohawk, le cri, le montagnais, le micmac, l'abénaquis et l'inuktitut.

christianisme, croyances traditionnelles

Aujourd'hui, à Montréal, la majorité francophone a jeté son dévolu sur l'expression «de souche» pour se différencier des Montréalais qui peuvent encore trouver dans leur album de famille les traces d'une immigration récente. Mais le terme «de souche» a de quoi énerver plus d'un Amérindien, dont les ancêtres ont été témoins de l'arrivée des premiers bateaux européens à Hochelaga.

De quoi avait l'air le véritable Montréal d'origine? Qu'en reste-t-il? Il faut se tourner vers les archéologues et l'histoire orale pour répondre à ces questions simples en apparence, mais extrêmement compliquées en pratique, puisque le Montréal d'origine, celui que Jacques Cartier a visité en 1535 et qui portait à l'époque le nom d'Hochelaga, a disparu dans les 60 années qui ont suivi ce premier contact avec les Autochtones qui habitaient au pied du mont Royal.

Dans un des principaux ouvrages de vulgarisation sur le sujet, l'archéologue Roland Tremblay explique que le village d'Hochelaga était habité par les Iroquoiens du Saint-Laurent, un peuple sédentarisé qui vivait principalement de la culture du maïs, des haricots et de la courge, et qui se différenciait des Hurons-Wendats et des Iroquois habitant le littoral du lac Ontario.

Selon les observations de Jacques Cartier, Hochelaga était au sommet de la hiérarchie sociale et politique de la nation iroquoienne, qui s'étendait de Québec au lac Ontario. Le capitaine malouin, qui y a fait une visite éclair, n'a pas laissé de carte précise de l'endroit, si bien qu'encore aujourd'hui on ignore l'emplacement exact qu'occupait sur l'île de Montréal l'importante bourgade d'Hochelaga, composée de maisons longues encadrées de champs labourés.

Des archéologues ont retrouvé quelques objets de ce passé disparu, notamment dans le secteur de Côte-des-Neiges, où ils ont mis au jour des sépultures iroquoiennes. Des restes vieux de 4 000 ans ont aussi été trouvés dans une ruelle du Vieux-Montréal. Mais ces trouvailles ne permettent pas de localiser Hochelaga.

L'histoire orale, elle, ne peut venir au secours des historiens, puisque les Iroquoiens du Saint-Laurent ont été rayés de la carte au 16e siècle.

Là encore, il n'y a pas d'explications claires à cette disparition. Seulement des hypothèses: les conditions climatiques, une épidémie apportée par les premiers colons et les conflits intertribaux.

Certains historiens croient que les membres dispersés de la nation iroquoienne seraient allés grossir les rangs d'autres tribus et auraient ainsi été assimilés, notamment par les Mohawks, dont une partie habitent aujourd'hui Kanesatake et Kahnawake, dans la périphérie de Montréal. Leur trace a disparu.

Mais la disparition mystérieuse des premiers habitants de Montréal n'a pas mis fin à l'histoire autochtone de la ville. Avant même que Maisonneuve et Jeanne Mance fondent Ville-Marie, d'autres Autochtones y venaient régulièrement, principalement pour faire du commerce. D'ailleurs, c'est leur présence sur l'île qui attira les fondateurs de Montréal, venus «convertir les sauvages».

Or, lors des premiers contacts, les colons français étaient plus fortement attirés par le mode de vie autochtone que les Amérindiens, eux, ne l'étaient par les rites européens. «Il est plus facile de faire un sauvage d'un Français qu'un Français d'un sauvage», avait dit Marie de l'Incarnation au 17e siècle, alors qu'elle travaillait à franciser des Autochtones dans la région de Québec.

Les relations entre colons français et Autochtones ne restèrent pas au beau fixe dans la région de Montréal. Dès le début de Ville-Marie, les attaques des Iroquois se firent nombreuses, les Français ayant fait le pari de s'allier à leurs ennemis, les Algonquins et les Hurons. Ces guerres, qui durèrent près de 70 ans, ne se terminèrent qu'en 1701, grâce à la signature à Montréal d'un traité de paix avec 39 nations amérindiennes.

Longtemps ignoré, cet épisode remarquable de l'histoire diplomatique a été célébré en grande pompe en 2001, lors de son 300e anniversaire. On trouve aujourd'hui dans le Vieux-Montréal la place de la Grande-Paix, tout juste à l'ouest du musée d'archéologie et d'histoire de Pointe-à-Callière. Cette place se trouve là où jadis coulait la rivière Saint-Pierre, le meilleur accès en canot aux marchés entourant la place Royale de Montréal.

Sinon, il reste bien peu de traces du Montréal autochtone, si ce n'est la rue Chagouamigon, qui a conservé son nom d'origine. Au temps de la Nouvelle-France, on y échangeait denrées et fourrures. Cette rue, parallèle à la très touristique rue Saint-Paul, mais cachée parmi des édifices désaffectés, est à l'image de la conservation du patrimoine autochtone à Montréal: désolante. L'hiver, la neige n'en est point retirée, et des immondices s'y empilent.

MIGRATIONS AUTOCHTONES

Si, après la disparition des Iroquoiens, l'histoire autochtone de Montréal a été largement liée au commerce, aujourd'hui, c'en est une de migrations.

Des 108 000 personnes qui ont déclaré une identité autochtone au Québec en 2006, 18 000 vivent à Montréal. Cette statistique, issue du recensement, est cependant contestée par plusieurs organismes, qui estiment à plus de 50 000 le nombre de membres des Premières Nations, d'Inuits et de Métis qui font leur vie dans la métropole québécoise.

Nombreux sont ceux, disent-ils, qui habitent Montréal mais qui, lors de recensements, donnent toujours comme lieu de résidence l'endroit dont ils sont originaires et où ils se rendent encore fréquemment. Ils sont venus dans la grande ville pour étudier, trouver un emploi ou être soignés dans les hôpitaux, mais leur cœur est souvent au fond des bois, parmi les leurs.

Autre explication aux statistiques boiteuses: le taux alarmant d'itinérance au sein de la population autochtone urbaine. De 300 à 1 000 personnes vivraient dans la rue, selon différents rapports préparés par des associations qui travaillent auprès des sans-abri. Résultat: si les Autochtones ne constituent que 3 % de la population du Québec (et 0,5 % de la population montréalaise), ils représentent 10 % des itinérants.

UNE FENÊTRE SUR LE QUÉBEC

Mais la présence autochtone à Montréal n'est pas marquée que par la misère. La métropole offre aussi une vitrine importante à plusieurs organismes et individus qui ont le vent dans les voiles.

De plus, on observe une diversité parmi la communauté autochtone qui n'a pas d'égale ailleurs au Québec. En plus de Kahnawake et de Kanesatake, les deux communautés mohawks qui sont à quelques kilomètres à peine de Montréal, on trouve sur l'île et dans ses banlieues proches des membres des 11 grandes nations amérindiennes ainsi que des Inuits et des Métis. Cette richesse, trop souvent ignorée, est néanmoins accessible à ceux qui veulent bien se donner la peine de sortir des sentiers battus.

PARLEZ-VOUS...?
Chacune des nations amérindiennes ainsi que les Inuits ont leur propre langue. Voici comment saluer dans quelques-unes de ces langues.

Cri➤ Tansi

Attikamek➤ Kwey

Inuktitut➤ Aii'

Mohawk ➤ Shé:kon ou Kwé

1 DANS LE CALENDRIER

Journée nationale des Autochtones : 21 juin

Cette fête a une longue histoire. Décrétée d'abord par les Premières Nations, elle fut par la suite reconnue par le gouvernement du Québec et par le gouvernement fédéral, changeant de nom à maintes reprises.

Mais aujourd'hui, la controverse est levée, et la Journée nationale des Autochtones est fêtée le 21 juin, jour du solstice d'été. À Montréal, les célébrations ont lieu à la place Émilie-Gamelin, dans le cadre du festival Présence autochtone (voir page suivante).

Pow-wow

Grandes célébrations amérindiennes, les pow-wow se tenaient à l'origine au printemps, mais ont lieu aujourd'hui à tout moment de l'année. La danse, le tambour et le partage de nourriture sont souvent au cœur de ces festivités, qui peuvent durer de quelques heures à quelques jours.

Le pow-wow de Kahnawake est l'un des plus établis dans la province. Il se déroule à la mi-juillet. Une grande compétition de danse s'y tient chaque été. Tous y sont bienvenus.

www.kahnawakepowwow.com

Le Centre d'amitié autochtone de Montréal tient lui aussi un pow-wow annuel. Les terrains de l'Université McGill sont mis à contribution pour cet événement d'une journée, qui se tient au début de septembre. C'est le parfait moment de l'année pour s'adonner à une autre pratique typiquement amérindienne : l'épluchette de blé d'Inde.

 ÉVÉNEMENTS

Festival Présence autochtone : 10 au 21 juin

Ce festival est apparu quand le Québec en avait le plus besoin : en 1990. Cet été-là, la province en entier a retenu son souffle alors que les Mohawks de Kahnawake et de Kanesatake bloquaient l'accès au pont Mercier et tenaient tête à l'armée canadienne, après que le maire d'Oka eut autorisé la construction d'un terrain de golf sur un cimetière mohawk ancestral. « Ce conflit a profondément marqué Montréal et les relations entre les Blancs et les Premières Nations », se souvient le fondateur du festival, André Dudomaine. De mère innue, il rêvait depuis longtemps d'une vitrine culturelle montréalaise pour les communautés autochtones.

C'est d'abord un festival de films qu'il a mis sur pied avec ses collaborateurs. Depuis, le festival a grandi, et il s'apprête à passer le cap des 20 ans. Les arts de la scène et les arts visuels côtoient aujourd'hui le cinéma et la musique lors des 10 jours de festivités, qui culminent avec la Journée nationale des Autochtones.

À noter : on trouve une foule d'informations intéressantes – notamment des informations historiques – sur le site de Terres en vues, l'organisme qui organise Présence autochtone. Le travail de plusieurs artistes visuels y est mis en vedette.

514 278-4040 • www.nativelynx.qc.ca

Carnet d'adresses

 MANGER

Montréal attend encore l'ouverture de son premier restaurant autochtone. Mais cela ne signifie pas pour autant qu'il est impossible de goûter à la cuisine amérindienne. Vous devrez simplement y mettre plus d'efforts.

Repas communautaires

Tous les mois, le Centre d'amitié autochtone tient un grand souper. La plupart du temps, des plats traditionnels y sont servis. Quelqu'un a rapporté un caribou de son dernier voyage dans le Nord ? C'est ici qu'il sera mangé, en communauté. Le Centre est ouvert à l'idée d'inclure de nouveaux convives, mais il vous est chaudement recommandé d'apporter un plat à partager. Ça facilitera grandement votre intégration !

Les Inuits ont eux aussi un repas mensuel. Il faut s'informer auprès de l'Association inuite de Montréal, qui se trouve dans l'édifice de la Corporation Makivik. La diète nordique comprend notamment de la viande crue et de la baleine, comble de l'exotisme arctique.

Le Cabaret du Roy

Dans ce restaurant qui célèbre la gastronomie de la Nouvelle-France, on a fait une petite place aux mets autochtones. On y sert notamment une salade Wendake, une casserole de cerf aux pommes et une soupe huronne, la sagamité.

363, rue de la Commune Est
(au marché Bonsecours) • 514 907-9000
www.oyez.ca • Ⓜ Champ-de-Mars

Et pourquoi pas chez vous?

Le manque de restos autochtones ne doit pas vous décourager de découvrir cette gastronomie. Dans le livre *PachaMama*, récemment paru aux Éditions du Boréal, le chef Manuel Kak'wa Kurtness propose pour la première fois en français une tonne de recettes amérindiennes.

 SORTIR

Jardin des Premières-Nations

Il est tout jeune, le Jardin des Premières-Nations, mais il a déjà de la gueule. S'inspirant de la relation des Amérindiens et des Inuits à la nature, ce jardin de 2,5 hectares est plus contemporain que folklorique. L'été, plusieurs activités d'interprétation sont offertes par des guides autochtones. Se trouve aussi sur les lieux la réplique d'une maison longue, habitation traditionnelle des Iroquoiens. Cet été, on devrait y voir un *sweat lodge,* qui sera mis à la disposition des Amérindiens de Montréal souhaitant l'utiliser pour des raisons spirituelles.

Jardin botanique • Entrée: rue Sherbrooke Est et boulevard Pie-IX
www2.ville.montreal.qc.ca/jardin/
premieres_nations/premieres_nations.htm
Ⓜ Pie-IX

Musée McCord

La collection permanente du musée contient bon nombre d'objets amérindiens, certains remontant aux premières rencontres entre les Autochtones et les Blancs, d'autres contemporains. Le musée détient aussi une importante collection d'art inuit. On y présente occasionnellement des expositions qui traitent de la place des Autochtones dans l'histoire canadienne.

690, rue Sherbrooke Ouest
514 398-7100 • Ⓜ McGill

Musée Pointe-à-Callière

Ce musée d'archéologie a déployé beaucoup d'efforts pour mettre au jour le passé autochtone de Montréal. Plusieurs objets sont exposés au sein de la collection permanente. Des œuvres d'art autochtone sont aussi en vente à la boutique du musée.

350, place Royale • 514 872-9150
www.pacmusee.qc.ca • Ⓜ Place-d'Armes

Musée des beaux-arts de Montréal

Le musée a une salle d'art inuit. Des œuvres de peintres autochtones font aussi partie de la collection d'art canadien. L'entrée au musée est libre pour qui souhaite visiter la collection permanente.

1380, rue Sherbrooke Ouest
514 285-2000
Ⓜ Peel ou Guy-Concordia

 FAIRE L'ÉPICERIE

Le Marché des saveurs du Québec

Cette boutique qui se spécialise dans la vente de produits du terroir a sur ses tablettes des produits autochtones, dont une variété de tisanes inuites. On y trouve parfois de la terrine de caribou. La marque Gourmet sauvage est aussi d'inspiration autochtone.

280, place du Marché-du-Nord, marché Jean-Talon • 514 271-3811
www.lemarchedessaveurs.com
Ⓜ Jean-Talon

 MAGASINER

Guilde canadienne des métiers d'art

À la fois magasin, musée et galerie d'art, la Guilde est l'un des meilleurs endroits pour voir le travail des artistes autochtones et inuits et pour les rencontrer.

1460, rue Sherbrooke Ouest, local B
514 849-6091
www.canadianguild.com/index.php
Ⓜ Peel

Indianica

Ce magasin du Vieux-Montréal appartient à une famille d'origine grecque, mais est chaudement recommandé par les responsables du Centre d'amitié autochtone. Des mocassins en cuir retourné aux attrapeurs de rêves, vous y trouverez un peu de tout.

79, rue Saint-Paul Est • 514 866-1267
www.indianica.com • Ⓜ Champ-de-Mars

À surveiller :

Les créations de Kim Picard

Jeune designer innue de la communauté de Pessamit, Kim Picard se taille doucement une place dans le monde de la mode montréalais. À ses débuts, elle a travaillé pour d'autres marques, dont Roots Canada. Récipiendaire de plusieurs prix, elle prépare maintenant sa propre collection.

 MÉDIAS

Journaux

The Nation

Ce journal hebdomadaire cri est aussi publié en anglais sur le Web.

514 272-3077
www.beesum-communications.com/nation

The Eastern Door

Cet hebdo indépendant anglophone est distribué sur la réserve de Kahnawake.

www.easterndoor.com

Radio

K103,7 Kahnawake

Cette chaîne de radio diffuse surtout de la musique en anglais et des talk-shows. Plus de 10 fois par semaine, des joutes de bingo y sont aussi transmises.

www.k103radio.com

Mohawk-radio

Ce poste est diffusé seulement sur le Web.

www.mohawk-radio.com

CBC North

L'équipe de journalistes de CBC North couvre aussi bien les nouvelles du Yukon, des Territoires du Nord-Ouest et du Nunavut que celles du Nord-du-Québec et de diverses nations amérindiennes d'un océan à l'autre.

www.cbc.ca/north

Télévision

APTN – Réseau de télévision des peuples autochtones

Lancé en 1999 pour donner de la visibilité aux peuples autochtones dans le grand monde audiovisuel, le Réseau de télévision des peuples autochtones a un bureau à Montréal, où des émissions originales sont produites aussi bien en anglais qu'en français.

Bureau de Montréal : 514 495-6183
www.aptn.ca

Mohawk TV

Diffusée en mohawk, cette chaîne web est une source indépendante de nouvelles. Dans la communauté de Kahnawake, l'émission est diffusée à la télévision sur la chaîne 4.

www.mohawktv.ca

Internet

Conseil de bande de Kahnawake

Le site web du conseil de bande contient une foule de renseignements sur Kahnawake et des liens vers tous les médias de la réserve.

www.kahnawake.com

En savoir plus

Centre d'amitié autochtone

L'édifice situé au coin du boulevard Saint-Laurent et de la rue Ontario est autant un lieu de socialisation qu'un port d'appel à l'aide. Une quinzaine d'intervenants sociaux y travaillent.

2001, boulevard Saint-Laurent
514 499-1854
www.nfcm.org/francais/qui_famille.htm
Ⓜ Saint-Laurent

Société Makivik

Chargée d'administrer les indemnités destinées aux Inuits, la société Makivik a plusieurs mandats, dont celui de lutter contre la pauvreté au sein de la population qu'elle dessert. À Montréal, c'est le point de chute de tous les Inuits. Ils s'y rendent notamment pour recevoir des denrées provenant du Nunavik.

1111, boulevard Dr.-Frederik-Philips,
3e étage Ville Saint-Laurent
514 745-8880

Société culturelle Avataq

Cet institut culturel se consacre à la protection et à la promotion de la langue et de la culture des Inuits du Nunavik. Le bureau administratif est à Westmount.

215, avenue Redfern, bureau 400
Westmount • 514 989-9031
www.avataq.qc.ca/fr • Ⓜ Atwater

Femmes autochtones du Québec

Cette organisation milite pour améliorer le sort des femmes autochtones à travers le Canada, notamment pour enrayer la violence à leur endroit.

Business Complex, River Road
Kahnawake • 450 632-0088
info@faq-qnw.org

Dans les universités

Les organisations suivantes, en plus d'offrir du soutien aux étudiants autochtones, organisent une foule d'activités visant à mieux faire connaître les enjeux auxquels les Autochtones du Canada et d'ailleurs font face aujourd'hui.

First People's House

Les étudiants des nations autochtones ont à leur disposition une véritable maison à l'Université McGill. Ils peuvent y recevoir des conseils et y socialiser. Le First People's House organise aussi bon nombre d'activités sur le campus.

Université McGill, 3505, rue Peel
514 398-3217 • www.mcgill.ca/fph

Cercle des Premières Nations

Cette association organise de nombreux événements et conférences traitant des enjeux touchants les Autochtones, notamment dans le cadre de la Semaine des droits des peuples autochtones, en février.

UQAM, 320, rue Sainte-Catherine Est 3e étage, local DS-3223 • 514 987-3000, poste 6793 • cpn.uqam.ca

Centre pour l'éducation autochtone et Études autochtones

Concordia abrite plus d'étudiants autochtones que toutes les autres universités réunies. Il y existe donc un service spécial d'encadrement pour ces étudiants. Cette université propose aussi un programme d'études autochtones, comprenant des cours d'histoire, de cinéma et de théologie.

Université Concordia, 1455, boulevard de Maisonneuve Ouest Édifice Hall, local H-641 514 848-2424, poste 7326 supportservices.concordia.ca/nativecentre Ⓜ Guy-Concordia

Dans la grande réserve : **Samian**

« **M**ontréal, c'est une grande réserve. On y vient pour étudier, pour y faire carrière. Mais quand on en a marre du béton, on saute dans notre char et on s'en va chez nous. »

Ainsi parle Samian. Le jeune rappeur abitibien, de mère algonquine, a quitté la région qui l'a vu grandir pour s'installer à Montréal en 2005. « Je voulais un contrat de disque. Je savais que je trouverais des collaborateurs. Et ça a marché. Mais le plus ironique, c'est que j'ai signé un contrat avec une boîte de production abitibienne », dit-il en riant.

Après avoir obtenu un contrat, c'est le succès qu'il a réussi à trouver à Montréal. Son premier disque, *Face à soi-même*, a reçu une nomination à l'ADISQ. Une chanson qu'il a endisquée avec le groupe Loco Locass a été au top du palmarès à Musique Plus pendant des semaines.

Mais malgré les apparences, le succès n'est pas tombé du ciel pour Samian. Et ça s'entend. Ses chansons parlent d'injustices historiques, de pauvreté, d'alcool, de cocaïne, de décrochage scolaire, ainsi que des séquelles laissées sur ses proches par des agressions sexuelles subies dans les pensionnats où des centaines de jeunes Algonquins ont été internés.

La souffrance qu'il exprime n'est pas que celle des autres. À 12 ans, Samian, qui s'appelait à l'époque Samuel, consommait et vendait de la cocaïne. Sa mère et sa grand-mère avaient aussi des problèmes de consommation.

Mais tous les trois, grâce à beaucoup d'acharnement, ont réussi à se libérer de leur dépendance. Résultat : à 15 ans, déjà une vieille âme, Samian remportait un concours de poésie.

Quelques années plus tard, il a participé au projet Wapikoni mobile de la cinéaste Manon Barbeau, dont il est même devenu le porte-parole. À l'aide d'un studio de production mobile, la cinéaste montréalaise et ses collaborateurs forment de jeunes Amérindiens à la création musicale et vidéo. Le produit de leur travail est ensuite diffusé dans leurs propres communautés, mais aussi à travers le monde. «Ce projet a sauvé ma vie», dit le rappeur, sans censure.

Aujourd'hui, Samian est heureux de voir que sa création plaît aux gens de la ville, mais il ne manque pas une occasion de porter son travail dans les communautés amérindiennes.

VITRINE CULTURELLE

Montréal est souvent un tremplin pour les artistes autochtones. Parmi ceux qui se sont le plus illustrés, on compte la cinéaste Alanis Obomsawin. Cette dernière a réalisé plus de 10 documentaires, la plupart du temps à l'Office national du film. Elle a été maintes fois décorée pour son travail. www3.nfb.ca/portraits/alanis_obomsawin

L'ONF héberge aussi le projet Wapikoni mobile de la cinéaste Manon Barbeau. Chaque année, les Rendez-vous du cinéma québécois organisent en février une soirée spéciale mettant en vedette les films produits par les jeunes Autochtones.

www3.onf.ca/aventures/wapikonimobile/excursionWeb/index.php

Côté musique, la chanteuse Elisapie Isaac a attiré les regards avec l'album de Taïma, réalisé avec le guitariste Alain Auger. Innue adoptée à la naissance par une famille inuite, Elisapie Isaac sait aussi manier la caméra. www.taimaproject.com/french/index.shtml

Au théâtre, la troupe Ondinnok de Yves Sioui Durand fait sa marque avec des spectacles puisant dans la riche culture amérindienne. Ondinnok offre aussi des ateliers divers, dont des cours de danse autochtone.

514 593-1990 • www.ondinnok.org/fr/index.php

Premières semences

2. LE MONTRÉAL D'EUROPE DE L'OUEST

La diversité montréalaise tire d'abord sa source de l'apport européen

S i les Autochtones furent, il y a plus de 30 000 ans, les premiers habitants du Canada, ce sont les Français et les Britanniques qui, à compter du 17ᵉ siècle, ont jeté les bases du Québec actuel – lequel, faut-il le rappeler, fut pendant 150 ans une colonie française (1608-1763), avant de passer sous le joug des Britanniques.

Pendant plus de deux siècles, ces grands pays colonisateurs ont fourni l'essentiel de l'immigration au Québec. En 1867, année de la Confédération, on estime que 90 % de la population avait des racines françaises, anglaises, irlandaises ou écossaises. Ces quatre ethnies sont d'ailleurs dûment représentées par le lys français, la rose anglaise, le trèfle irlandais et le chardon écossais sur les armoiries de la Ville de Montréal.

Ce mélange de cultures, de langues et de religions a certainement donné le ton à la diversité montréalaise qui, en tant que pôle commercial grandissant, ne cessa par la suite de s'enrichir par de nouvelles vagues d'immigration venues des «Vieux Pays». Jusqu'aux années 1980, Grecs, Italiens, Portugais, Espagnols, Allemands sont ainsi, successivement, venus refaire leur vie dans ce «Nouveau Monde» plein de promesses. Pour plusieurs, Montréal ne sera qu'une escale avant de poursuivre jusqu'en Ontario, jusqu'aux provinces de l'Ouest ou même jusqu'aux États-Unis. Mais bon nombre décideront d'y poser leurs bagages.

Ce flux migratoire ne sera pas régulier. S'il semble bien entamé au début du 20ᵉ siècle, il chute radicalement pendant les années 1930 et 1940, la Grande Dépression et la Seconde Guerre mondiale incitant le gouvernement canadien à resserrer sa politique d'immigration. Le mouvement reprend toutefois de plus belle après la guerre. Fuyant un continent économiquement dévasté, des dizaines de milliers de Grecs, d'Italiens et de Portugais (surtout), mais aussi de Français, d'Allemands et d'Espagnols vont venir s'installer au Canada, où les possibilités d'emploi sont encore nombreuses.

De foi chrétienne et de race blanche, les Européens représentent une immigration naturelle pour le Québec d'alors. C'est aussi une main-d'œuvre à bon marché, idéale pour la province en pleine croissance. La plupart de ces nouveaux arrivants vont trouver du travail dans les champs, les manufactures, la construction du chemin de fer ou le développement des infrastructures urbaines.

Montréal, qui se modernisait à vitesse grand V, a tout particulièrement profité de cette force brute, non spécialisée et peu scolarisée. Alors que les Grecs investissaient le secteur du commerce et de la restauration, Portugais et Italiens se tournaient vers celui de la construction et de la voirie.

Dans la foulée d'Expo 67, on assiste aussi au retour de l'immigration française, plutôt discrète depuis la conquête britannique.

Dans les années 1970 et 1980, l'immigration ouest-européenne décline, au profit de nouvelles vagues de réfugiés politiques et économiques venus d'Haïti, d'Asie et de pays latino-américains. Bien enracinés, Portugais, Italiens et Grecs de deuxième ou troisième génération délaissent progressivement les «jobines», qui seront désormais occupées par des immigrants africains, latino-américains ou maghrébins. En 2001, on estimait que la part de l'immigration européenne – incluant celle des anciens pays communistes – avait chuté à 17 %.

Avec le temps, la plupart de ces communautés se sont pleinement intégrées à la société québécoise, se renouvelant de l'intérieur bien plus que par l'immigration. Si certaines sont encore associées à des quartiers particuliers (les Italiens dans Saint-Léonard, les Grecs dans Parc-Extension...), d'autres se sont totalement fondues dans le paysage. C'est le cas des «peuples fondateurs», comme les Écossais, les Irlandais et les descendants des premiers colons français (dits les «pure laine»), qui ont eu plusieurs siècles pour s'assimiler au tissu social montréalais.

Pour peu qu'on ouvre l'œil, leur trace reste cependant visible un peu partout, que ce soit dans les structures civiles ou le paysage urbain. Avec ses monuments historiques, ses vieux édifices et ses noms de rues rappelant le passé de la métropole, le centre-ville demeure à cet égard un témoin privilégié des balbutiements du multiculturalisme montréalais.

Le club de danse Arco Baleno, Saint-Léonard

LE MONTRÉAL
«canadien-français québécois d'Amérique du Nord francophone»

Il n'existe pas de statistique exacte, mais de 2 à 2,8 millions est une estimation réaliste pour la région métropolitaine.

 français

 catholicisme; la majorité se dit agnostique ou athée

Ils ont tendance à s'appeler les «pure laine», mais dans les faits ils sont des enfants d'immigrants ou des migrants eux-mêmes. Que leurs ancêtres aient quitté Saint-Nazaire, en France, par bateau au 17e siècle ou qu'ils aient eux-mêmes déménagé le sofa usagé de leur tante Alberte de Québec, Matane ou Sept-Îles pour le réinstaller dans un 3½ du Plateau-Mont-Royal, ils ont tous dans leur code génétique la migration et le mélange des genres. Souvent, sans le savoir.

D'ailleurs, l'histoire des premières vagues d'immigration francophone de Montréal ressemble à s'y méprendre à celle de l'immigration contemporaine: un gouvernement à la recherche de main-d'œuvre lance une campagne pour convaincre des travailleurs de mettre leur métier dans leur besace et de prendre la direction de Montréal. La différence? Le calendrier indique 1653.

Avant cette date, on ne compte à Ville-Marie (le nom de la colonie à l'époque, le nom de l'arrondissement du centre-ville aujourd'hui) qu'une centaine d'habitants, dont les fondateurs de la colonie, Paul de Chomedey, sieur de Maisonneuve, et Jeanne Mance.

Arrivés en 1642, ces derniers en viennent à la conclusion, près de 10 ans plus tard, que, sans l'importation de nouveaux bras, Ville-Marie va disparaître. Le violent conflit avec les Iroquois fait des ravages dans la toute petite communauté de déracinés français.

Fondatrice de l'Hôtel-Dieu de Montréal, et fort occupée à soigner les colons, les Autochtones et la vie de la colonie, Jeanne Mance encourage son cofondateur à mettre les voiles pour la France.

Ce dernier se donne comme défi de recruter 100 nouveaux colons, sans quoi il devra possiblement mettre la clé sous la porte de Ville-Marie. Son entreprise, qui prend le nom de «Grande Recrue», est couronnée de succès. Il revient deux ans après son départ avec 117 nouveaux colons, dont quelques femmes, la plupart originaires de La Flèche, près de La Rochelle.

« C'est cette Grande Recrue qui a donné à Montréal le premier bassin de population qui a permis de faire grandir Ville-Marie », souligne Louise Pothier, du Musée Pointe-à-Callière.

Cette première vaguelette est vite suivie de plusieurs autres. La plus importante est l'arrivée des 1 300 soldats du régiment de Carignan-Salières en 1665 et de 770 filles du roi, débarquées en Nouvelle-France entre 1663 et 1673. Ils se marient et ont de nombreux enfants. Aujourd'hui, leurs descendants se comptent par millions à travers la province.

Entre l'arrivée du contingent de Carignan-Salières et la capitulation de Montréal devant les Britanniques, peu d'immigrants viennent s'installer à Montréal, qui reste d'abord et avant tout une bourgade de commerce. En 1760, quand la ville capitule sans qu'un seul coup de canon soit tiré, Montréal ne compte que 8 000 habitants.

LES MIGRATIONS INTERNES

Les prochaines grandes vagues de migration francophone vers Montréal commencent presque 100 ans plus tard, avec l'industrialisation à grande vitesse de la ville. Entre 1852 et 1901, la population de Montréal quadruple, passant de 58 000 à 267 000 habitants. L'apport de nouveaux bras vient des campagnes.

Les plus jeunes fils des familles d'agriculteurs, conscients qu'il n'y aura pas assez de terres pour eux, viennent s'installer notamment dans les quartiers ouvriers de Saint-Henri et de Pointe-Saint-Charles. Le roman *Bonheur d'occasion*, de Gabrielle Roy, raconte la dure vie que ces travailleurs mènent dans la grande ville.

C'est au début du 20ᵉ siècle que Montréal devient la métropole du Canada, surpassant Québec. La migration en provenance des campagnes et des villes s'accélère.

Encore aujourd'hui, environ 25 000 Québécois des autres régions (dont les deux auteurs de ce livre) choisissent chaque année de s'établir à Montréal. Les quatre universités de la ville y sont pour beaucoup. Les emplois, la scène artistique florissante et l'attrait de la grande ville comptent pour le reste.

Il y a un hic, cependant. Depuis 2001, Montréal perd plus de descendants des premiers colons français, alias les « pure laine », qu'elle n'en gagne. Néanmoins, elle demeure la deuxième ville francophone du monde.

Carnet d'adresses

Vous voulez goûter, sentir, expérimenter tout l'«exotisme» de la culture francophone de Montréal ou retrouver des petits bouts des quatre coins du Québec dans la métropole? De nombreux commerces et établissements vous permettent de replonger vos racines dans le sirop d'érable ou de découvrir le meilleur du terroir québécois.

 MANGER

Petites tables

La Binerie Mont-Royal

Rendue célèbre par le roman *Le Matou*, la Binerie Mont-Royal est le premier lieu qui vient en tête lorsqu'on prépare un tour du Montréal «pure laine». La cuisine traditionnelle québécoise y règne toujours en maître, même si le vénérable établissement a aujourd'hui un site web. Sur le menu, pâté chinois et pouding chômeur jouent du coude avec les «bines».

367, avenue du Mont-Royal Est
514 285-9078
www.labineriemontroyal.com
Ⓜ Mont-Royal

Café Pamplemousse

Un petit coup de blues du Lac-Saint-Jean? Il faut venir ici pour planter sa fourchette dans la tourtière. La vraie de vraie.

1251, rue Ontario Est
514 227-3206 • Ⓜ Beaudry

Grande gastronomie

Aix cuisine du terroir

Les chefs de ce restaurant, situé dans le chic hôtel Place d'Armes, ont choisi comme sources d'inspiration les meilleurs produits du terroir…

et les quatre saisons. L'été, la terrasse sur le toit offre une vue imprenable sur le centre-ville et le Vieux-Montréal. L'hiver, on y installe un bar tout en glace.

711, côte de la Place-d'Armes
514 904-1201 • www.aixcuisine.com
Ⓜ Place-d'Armes

Restaurant DNA

Ici, on connaît la provenance de chaque aliment. Les pousses de laitue viennent du jardin de M. Untel, les pétoncles immenses du pêcheur XYZ des Îles-de-la-Madeleine. On connaît aussi très bien le charcutier: toutes les cochonnailles sont faites maison. Et comble de l'exotisme, on trouve parfois sur le menu de l'oreille de porc croustillante. Oui, oui, des oreilles de Christ, mais version classe. Tout ça dans un décor d'aéroport des plus déroutants, mais ô combien réussi!

355, rue D'Youville • 514 287-3362
www.dnarestaurant.com
Ⓜ Square-Victoria

Au pied de cochon

Martin Picard a été le premier à redonner à la poutine ses lettres de noblesse, en la garnissant d'un immense morceau de foie gras poêlé. On ne s'en lasse pas! Ni du reste du menu, d'ailleurs, servi dans ce bistro toujours plein de la rue Duluth.

Au printemps dernier, le chef a décidé de planter ses pattes encore plus profondément dans la cuisine traditionnelle en ouvrant sa propre cabane à sucre à Saint-Benoît-de-Mirabel, à moins de 45 minutes du restaurant.

536, rue Duluth • 514 281-1114
www.restaurantaupieddecochon.ca
Ⓜ Sherbrooke

SORTIR

Swing la cabane!

Mélange parfait du savoir-faire autochtone et de la cuisine du terroir, la cabane à sucre fait un retour en force dans le paysage montréalais. Vous n'avez pas de voiture pour vous rendre dans les Laurentides ou dans les Cantons-de-l'Est? Il y a quand même d'intéressantes options pour profiter à Montréal du meilleur que le printemps a à offrir (hormis les longues heures d'ensoleillement): la tire sur la neige.

L'Érablière urbaine

Mise sur pied par Mario Bonenfant, un cinéaste mordu de nature (il a été candidat pour le Parti vert), cette cabane à sucre s'installe dans le parc Molson, à Rosemont. On y entaille quelques érables pour enseigner aux enfants la fabrication du précieux sirop.

La Cabane à sucre électronique

C'est la plus techno de toutes les cabanes à sucre de la planète! Un brunch complètement cabane (fèves au lard, jambon dans le sirop, oreilles de Christ), mais avec de la musique électronique en bonus... et beaucoup de beau monde. Et on peut s'y rendre en métro.

Les Piknics électroniks ont aussi (en fait, surtout) lieu les dimanches ensoleillés d'été, de mai à la fin septembre, sous la statue de Calder, dans le parc Jean-Drapeau. La vue sur Montréal est imbattable.

Brunch: restaurant Hélène de Champlain, île Sainte-Hélène.

Musique: place de l'Homme, parc Jean-Drapeau.

Ⓜ Jean-Drapeau
www.piknicelectronik.com

Les Dimanches du conte

En échange d'une contribution de 10 $, on peut s'en faire conter des vertes et des pas mûres (mais souvent, des très amusantes) le dimanche soir à partir de 20 h. Vous pourrez vous emplir les oreilles tout en mangeant des grillades de gibier, comme au temps de la Nouvelle-France, au restaurant Le Cabaret du Roy. Des spécialités autochtones y sont aussi servies. À fréquenter si vous n'êtes pas allergique aux costumes d'époque.

Le Cabaret du Roy
363, rue de la Commune Est
514 907-9000
www.oyez.ca • Ⓜ **Champ-de-Mars**

Vices et Versa – bistro du terroir

Bières de microbrasseries, fromages québécois, saucisses et charcuteries artisanales: le menu de ce pub n'est pas exactement léger, mais sur la grande terrasse (chauffée), située juste derrière le bistro, on oublie de compter les calories. Le mercredi, c'est la soirée de la musique traditionnelle.

6631, boulevard Saint-Laurent
514 272-2498
www.vicesetversa.com • Ⓜ **Beaubien**

 FAIRE L'ÉPICERIE

Le Marché des saveurs

Des canneberges apprêtées à toutes les sauces, de la purée d'églantier, du sucre d'érable, du cidre de glace et du pâté de wapiti: on trouve à peu près tout ce que le Québec fait de produits artisanaux dans cette boutique sans cesse grandissante du marché Jean-Talon.

280, place du Marché-du-Nord
marché Jean-Talon • 514 271-3811
www.lemarchedessaveurs.com
Ⓜ **Jean-Talon**

Marchés publics de Montréal

Les marchés publics (Jean-Talon, Atwater, Maisonneuve, Lachine) sont ouverts à l'année, mais c'est surtout les week-ends d'été qu'on peut y rencontrer les producteurs agricoles de la province.

www.marchespublics-mtl.com

En savoir plus

Société Saint-Jean-Baptiste

Fondée en 1834 par Ludger Duvernay, la Société Saint-Jean-Baptiste organise depuis ses débuts les célébrations de la fête nationale du Québec et le défilé traditionnel. L'organisation, profondément souverainiste, intervient dans tous les débats reliés à la survie de la langue française au Québec, et tout particulièrement à Montréal. Un petit quelque chose d'anachronique flotte dans la permanence de l'organisation, où l'on peut notamment se procurer divers produits dérivés aux couleurs de la fête nationale des Québécois.

82, rue Sherbrooke Ouest
514 843-8851 • www.ssjb.com
Ⓜ Saint-Laurent ou Place-des-Arts

Cercle des conteurs de Montréal

Il n'y a pas que Fred Pellerin qui aime conter les péripéties abracadabrantes des habitants de son coin de pays. Tous les troisièmes jeudis du mois, des mordus du conte se rassemblent aux Ateliers d'éducation populaire du Plateau-Mont-Royal pour une soirée de bonnes histoires.

4273, rue Drolet
Ⓜ Mont-Royal

Association québécoise des loisirs folkloriques

Vous aimez la gigue, le rigodon et les chansons à répondre ? Vous trouverez des amis au sein de cette association qui s'est donné pour mandat de repopulariser le folklore québécois auprès... des Québécois. On trouve sur le site web de l'organisation des liens vers tous les groupes québécois de musique traditionnelle rejazzée, dont Mes Aïeux et La Bottine Souriante.

4545, avenue Pierre-De Coubertin
514 252-3022
www.quebecfolklore.qc.ca

Le groupe Mes Aïeux

Se plonger **dans le passé**

Que reste-t-il du passage des premiers immigrants français à Montréal ? Peu de choses, mais toutes sont concentrées dans le Vieux-Montréal.

Vieux séminaire de Saint-Sulpice (1684-1687)

Le Séminaire – le plus vieil édifice français à Montréal – n'est pas ouvert au public, mais on peut admirer sa devanture de la rue Notre-Dame. Il est orné d'un très beau clocher et d'une magnifique horloge.

130, rue Notre-Dame Ouest
Ⓜ **Place-d'Armes**

Maison de mère d'Youville (1693)

Il ne reste plus qu'un mur de l'hospice et couvent des Sœurs grises, construit à partir de 1693. Sur réservation, on peut y visiter le musée des Sœurs grises de Montréal.

Musée des Sœurs grises
1185, rue Saint-Mathieu
514 937-9501
Ⓜ **Square-Victoria**

Château Ramezay

Datant de 1705, le château Ramezay a été bâti pour l'un des gouverneurs de Montréal, Claude de Ramezay. Il a subi de nombreuses modifications par la suite, puis des restaurations successives. Le jardin qu'on trouve à l'arrière, conçu pour rappeler un potager de la Nouvelle-France, est particulièrement agréable. L'été, un café le surplombe.

280, rue Notre-Dame Est
514 861-3708
www.chateauramezay.qc.ca
Ⓜ **Champ-de-Mars**

En savoir plus

Le site internet du Vieux-Montréal offre un inventaire complet de ses édifices et de leur histoire respective. L'évolution du quartier est répartie sur six périodes distinctes. Un bijou pour les amoureux d'architecture et d'histoire!

www.vieux.montreal.qc.ca/inventaire/hall.htm

Centre d'histoire de Montréal

Ce musée est situé sur la place D'Youville, dans une ancienne caserne de pompiers. Les nouveaux arrivants qui suivent les cours de français du gouvernement du Québec viennent tous y passer un après-midi. On leur raconte alors, en français, l'histoire des vagues d'immigration qui les ont précédés. Rénové en 2008, le centre songe maintenant à revoir sa mission. D'ici peu, il deviendra le musée de la Société montréalaise. Déjà prédominante, l'histoire de l'immigration devrait en devenir le sujet principal.

335, place D'Youville
514 872-3207
Ⓜ **Square-Victoria**

Maison Saint-Gabriel

Cette magnifique maison de pierres a été la demeure de Marguerite Bourgeoys, la fondatrice de la congrégation Notre-Dame, une communauté de religieuses non cloîtrées qui avaient la tâche d'éduquer les premiers colons français. C'est dans la maison Saint-Gabriel, sise au milieu de grandes terres agricoles, que mère Bourgeoys a reçu les filles du roi fraîchement arrivées de France et qu'elle les a préparées à à leur nouvelle vie d'épouses dans la colonie. Aujourd'hui, la maison abrite un musée et est toujours administrée par les sœurs de la Congrégation. L'été, les jardins de cet établissement de Pointe-Saint-Charles comptent parmi les endroits les plus originaux de la ville pour pique-niquer.

2146, place Dublin
514 935-8136
www.maisonsaint-gabriel.qc.ca
Ⓜ **Charlevoix**

Musée Pointe-à-Callière

Musée d'archéologie et d'histoire de Montréal

Construit sur le lieu exact de la fondation de Montréal, ce musée est une fenêtre ouverte sur le passé de la ville... et sur son avenir. En plus de présenter des vestiges de la Nouvelle-France dans l'exposition *Ici naquit Montréal*, le musée consacre une exposition permanente aux apports de l'immigration dans l'île, *Les Amours de Montréal*. Pour trouver l'expo, au deuxième étage de l'ancien édifice des douanes, vous devez d'abord vous dérober au magasin du musée, qui regorge de pièces artisanales, de beaux objets et de livres sur l'histoire de Montréal.

350, place Royale
514 872-9150
www.pacmusee.qc.ca
Ⓜ **Place-d'Armes**

LE MONTRÉAL **anglais**

 148 000 (d'origine anglaise)

anglais

protestantisme (% non disponible)

Contrairement aux Écossais et aux Irlandais, qui continuent d'entretenir joyeusement leur patrimoine, les Anglais d'Angleterre se font plutôt discrets dans le paysage culturel montréalais.

En effet, on ne trouve ici ni organisme aux armoiries de saint Georges, ni célébrations marquantes entourant la fête nationale, ni rassemblements collectifs d'envergure pour la communauté. Celle-ci semble avoir, et depuis longtemps, fait le choix de l'intégration totale.

Il faut comprendre que, historiquement, les Anglais furent les conquérants et non les conquis, ce qui explique en partie cette moindre propension à cultiver leur distinction.

Mais qu'on ne s'y trompe pas : bien que moins apparente, leur contribution à la société québécoise, et montréalaise en particulier, reste fondamentale, notamment au chapitre des structures civiles. Des réseaux scolaires et médicaux (hôpital Royal Victoria, commission scolaire English Montreal) au fonctionnement de la démocratie municipale, en passant par le parlementarisme et le système judiciaire, le « modèle britannique » reste à la base de notre société.

« Ce fut une influence massive, résume Paul-André Linteau, qui enseigne l'histoire de l'immigration au Québec à l'UQAM. Mais on l'a tellement intégrée à la culture québécoise qu'on ne s'en rend plus compte. »

Cette influence est très marquée sur le plan de l'architecture, ajoute M. Linteau. Bien que moins important que celui des Écossais, le patrimoine bâti de création anglaise reste non négligeable. Pensons au pavillon central de l'Université McGill (néo-classique), à l'église anglicane Christ Church (néo-gothique), aux anciens entrepôts du Vieux-Montréal (style victorien) ou aux maisons néo-Tudor de la rue University, dans le ghetto McGill.

UN PEU D'HISTOIRE

Paradoxalement, il semble que la communauté anglaise ait mis du temps à se développer à Montréal. Ainsi, dans le siècle suivant la Conquête (1763-1863), ce sont surtout les Écossais et les Irlandais qui migrent au Québec, exode de masse motivé essentiellement par des raisons socio-économiques.

L'Angleterre, alors en pleine révolution industrielle, garde sa main-d'œuvre pour elle. Ceux qui partent visent les États-Unis, où les perspectives d'emploi sont plus attrayantes.

Mais à la fin du 19e et au début du 20e siècle, les tendances s'inversent. Des succursales de grandes entreprises anglaises émergent à Montréal. Leurs patrons, spontanément peu enclins à engager des francophones, recrutent leurs employés directement au pays de saint Georges. Cadres, ingénieurs, professeurs, contre-maîtres et ouvriers qualifiés débarquent en masse pour travailler dans les usines, les banques, les compagnies d'assurance ou les écoles. La frange ouvrière de cette immigration s'établira dans le secteur Viauville (Hochelaga-Maisonneuve), pour y créer un véritable «quartier anglais».

En 1871, les Anglais représentaient le quart de la population britannique à Montréal. Trente ans plus tard, c'était le tiers. En 1921, ce pourcentage avait augmenté à 60 %. Ainsi, il semble que les Anglais aient formé, jusqu'aux années 1960, la plus grande part de l'immigration à Montréal, après les Italiens. Un mouvement qui, selon Paul-André Linteau, ne ralentira qu'après 1976, année de la première élection du Parti québécois.

C'est, depuis, l'histoire d'une intégration globale et d'une présence plutôt dis-crète. Comme le dit si bien Philip Gorick, de la Chambre de commerce britan-nique de Montréal, «nous tendons à cacher notre identité et à nous fondre avec les autres. Pourquoi? L'Histoire et le temps qui passe, sans doute...»

 DANS LE CALENDRIER

Fête nationale (St. George's Day):
23 avril

Victoria Day: 26 mai

 ÉVÉNEMENTS

Hudson British Car Show: mai

Chaque année, à la fin mai, les amateurs de vieilles anglaises se regroupent à Hudson pour se pavaner dans leurs voitures de collection. Si vous tripez Morgan, Triumph, Jaguar, Rolls, Mini Austin ou vieux taxis londoniens, ce jamboree automobile devrait vous en mettre plein la vue. L'événement est organisé par le

Club d'autos antiques de Hudson, qui pro-pose aussi des rencontres le premier lundi de chaque mois d'hiver au restaurant Mon Village, à Hudson.

www.hudsonantiquecarclub.com

Carnet d'adresses

 MANGER

Boire une bière

Burgundy Lion

Ouvert depuis l'automne 2008, le «Lion de la Petite-Bourgogne» offre une gamme complète de bières anglaises dans un décor *brit* à souhait. Côté bouffe, on y sert une foule de plats typiques revus à la sauce moderne (*scotch egg, bangers and mash, shepherd's pie, Yorkshire pudding,* soupe aux pois, *fish'n'chips*), ainsi que quelques mets plus audacieux, comme la poutine au fromage Stilton. Ajoutez les jeux de dards et les matchs de foot en direct, et vous aurez le plus anglais des pubs montréalais (pour ne pas dire le seul du genre).

**2496, rue Notre-Dame Ouest
514 934-0888
www.burgundylion.com
Ⓜ Lionel-Groulx**

Prendre le thé

Le Montréalais
(hôtel Reine Elizabeth)

La tradition – très féminine – du *high tea* est toujours vivante à Montréal. Chaque jour entre 14 h et 17 h (de 15 h à 17 h le dimanche), le restaurant Le Montréalais offre un service de thé d'après-midi à l'anglaise, avec scones et crème Devonshire, mini-sandwichs au concombre et tartelettes aux fraises. Attention : on demande de réserver 24 heures à l'avance.

**900, boulevard René-Lévesque Ouest
514 954-2261
Ⓜ Bonaventure**

MAGASINER

Bramble House

Si toute l'Angleterre pouvait entrer dans une boutique, ce serait probablement ici. Bramble House tient toute la gamme des produits typiquement *brit* importés du Royaume-Uni, qu'il s'agisse de produits alimentaires (Marmite, un genre de Bovril en purée, oignons marinés, relish de marque Branston, liqueur Ribena, toffees, etc.) ou culturels (drapeaux, chandails de soccer, produits dérivés de la série *Coronation Street*). Ça vaut le détour.

**57, avenue Donegani, Pointe-Claire
514 630-6363 • www.bramblehouse.net**

Nicholas Hoare Bookstore

Cette librairie spécialisée en littérature britannique présente à l'occasion des conférences d'auteurs britanniques.

**1366, avenue Greene • 514 933-4201
www.nicholashoare.com • Ⓜ Atwater**

LIEUX DE CULTE
Christ Church Cathedral

Il y a 33 églises anglicanes sur l'île de Montréal. La plus ancienne est celle de Saint-Stephen, à Lachine, mais la plus connue est sûrement la cathédrale Christ Church, au centre-ville. Construite en 1859 par l'architecte britannique Frank Wills, cette église de style néo-gothique compte aujourd'hui 300 fidèles. Le service a lieu le dimanche à 8 h et à 10 h. À noter que depuis 1987 l'édifice surplombe un centre commercial souterrain (Promenades de la Cathédrale) où l'on trouve entre autres une librairie religieuse et un accès direct au métro.
1444, avenue Union • 514 843-6577 • www.montreal.anglican.org • Ⓜ McGill

LE MONTRÉAL écossais

 119 000 (d'origine écossaise)

anglais

catholicisme (54 %), protestantisme (31 %)

L'immigration écossaise est une des plus anciennes du Québec. En quelque 250 ans, cette frange distincte de la Grande-Bretagne a fait sa marque de façon durable à Montréal, laissant en héritage d'importantes institutions (Université McGill, hôpital Royal Victoria), des bâtiments historiques (hôtel Windsor, édifice Bell, musée McCord) et plusieurs noms de rues (Hutchison, Mackay, Drummond, Simpson) associés à des personnages-clés de l'histoire montréalaise.

UN PEU D'HISTOIRE

Le pêcheur et agriculteur Abraham Martin, qui donnera son nom aux plaines d'Abraham, à Québec, est un des premiers *Scots* connus à s'établir en Nouvelle-France, et ce, dès le début du 18e siècle. Mais ce n'est qu'après la conquête britannique (1763) que le mouvement prend de l'ampleur.

Les premiers immigrants sont, pour beaucoup, des agriculteurs poussés au chômage par la révolution industrielle et des réformes agraires controversées (*Lowland* et *Highland Clearances*) qui touchent l'Écosse. Si certains ont les moyens de se racheter une terre au Québec, la plupart vont refaire leur vie en ville, et plus particulièrement à Montréal.

Doués pour les affaires, les Écossais ne tardent pas à tirer leur épingle du jeu. On les retrouve d'abord dans le commerce des fourrures, puis dans l'import-export, le transport ou la haute finance. Ainsi naîtront des compagnies durables comme la Banque de Montréal, la Redpath Sugar, la Standard Life du Canada et la compagnie Morgan & Co., qui sera éventuellement vendue à La Baie, en 1960.

Leur rôle sera tout aussi important dans le développement du Montréal commercial et industriel. C'est à un certain John Young qu'on doit la construction du pont Victoria et l'agrandissement du lac Saint-Pierre, qui permettront au port de Montréal de jouer dans les ligues internationales à partir de 1853. Sans oublier le chemin de fer du Canadien Pacifique (CP Rail), qui n'aurait peut-être pas vu le jour – en 1886 – sans la persévérance de trois Écossais : Lord Mount Stephen, Lord Strathcona et R.B. Angus.

Nombre de ces redoutables hommes d'affaires en profiteront pour tâter de la politique et de la philanthropie. C'est ainsi qu'après avoir fait fortune dans le commerce de la fourrure un certain James McGill financera la création de l'université qui porte son nom. Un autre McGill, Peter celui-là, sera le premier maire anglophone de Montréal, de 1840 à 1842.

Cette indiscutable réussite explique en partie le dynamisme de la haute société écossaise de Montréal, qui brille depuis plus de deux siècles dans le quartier du Golden Square Mile (près de l'Université McGill) ou sur les contreforts de Westmount. Et si, aujourd'hui, l'immigration écossaise a bien cessé au Québec, la communauté, elle, continue d'entretenir sa culture et de se manifester ponctuellement, par des événements qui ne lésinent ni sur le kilt, ni sur la cornemuse, ni sur le bon scotch.

DANS LE CALENDRIER

Robert Burns Day : 25 janvier

Poète et auteur lyrique (1759-1796), Robert Burns est un véritable héros national pour les Écossais du monde entier. Chaque 25 janvier, on lui rend hommage par un repas spécial (le *Burns Night Supper*), qui inclut le fameux *haggis*, une mixture d'avoine et d'abats de mouton, cuite dans un estomac de brebis. À Montréal, une statue de Robert Burns se dresse depuis 1930 au square Dorchester.

St. Andrew's Day : 25 novembre

La fête nationale des Écossais se souligne à Montréal depuis 1816 par le bal de St. Andrew. Entre collecte de fonds et événement mondain, cette soirée est organisée depuis 1871 par la Société St. Andrew. Un pittoresque polaroïd de la société écossaise *old school*.

ÉVÉNEMENTS

A Taste of Scotland : octobre

L'Écosse produit au-delà de 500 sortes de scotchs ou, si vous préférez, de whisky single malt. Cette soirée de dégustation annuelle permet d'en découvrir une quarantaine – et le repas est fourni, à titre préventif ! Commandité par la Société St. Andrew, l'événement se tient à la caserne du régiment Black Watch, au 2067, rue de Bleury.

www.standrews.qc.ca

Montreal Highland Games : août

Ce festival d'hommes forts typiquement écossais a lieu à Pierrefonds, le dimanche précédant le premier lundi du mois d'août. Si vous voulez voir des colosses en kilt lancer des poteaux de téléphone (épreuve du *caber toss*) ou écouter des concours de cornemuse, vous êtes au bon endroit ! Cet événement très pittoresque dure une journée et attire plus de 10 000 personnes chaque année.

www.montrealhighlandgames.qc.ca

Carnet d'adresses

MANGER

Salon de thé celtique Gryphon d'Or

Gryphon d'Or compte à peine 28 places, mais son menu pourrait nourrir une armée.

Spécialisé en «bouffe confort», ce petit resto propose des plats typiques des îles britanniques, comme le *Dingle fish chowder* irlandais ou le poulet Balmoral écossais. On peut aussi se contenter du thé de l'après-midi, avec biscuits sablés ou scones et confiture. La boulangerie du même nom est située deux portes plus loin. Attention aux heures d'ouverture. Fermé le dimanche.

**5968, avenue de Monkland
514 485-7377 • Ⓜ Villa-Maria**

En savoir plus

Quebec Thistle Council (Conseil québécois du chardon)

Chapeaute la plupart des organisations écossaises de Montréal. Votre meilleur point de départ.

514 849-4134 • www.thistlecouncil.com

Société St. Andrew

Fondé en 1835 pour aider les immigrants écossais, cet organisme caritatif gère notamment le fameux bal de St. Andrew's, et œuvre à la promotion du Montréal écossais. Un classique.

514 842-2030 • www.standrews.qc.ca

Black Watch Regiment

Créé en 1862, le régiment Black Watch est le bataillon écossais le plus ancien du Canada encore en activité. Il a combattu en Afrique du Sud lors de la guerre des Boers et s'est illustré dans les deux guerres mondiales ainsi qu'en ex-Yougoslavie. On peut entendre son corps de cornemuses dans certains défilés, comme la Church Parade (premier dimanche de mai) et celui de la Saint-Patrick. Des cours de cornemuse sont aussi donnés à la caserne du 2067, rue de Bleury. Avis aux intéressés : une cornemuse coûte entre 1 000 $ et 10 000 $!

**www.army.dnd.ca/blackwatch/
(bientôt en ligne)**

Ensemble musical 78e Fraser Highlanders (musée Stewart)

Le 78e Fraser Highlanders a joué un rôle important dans la conquête britannique de la Nouvelle-France. Ce régiment écossais a été recréé au musée militaire Stewart, sur l'île Sainte-Hélène, pour des reconstitutions historiques de certaines batailles de la conquête. Présenté l'été, dans la cour du Vieux Fort.

**20, chemin du Tour-de-l'Isle
514 861-6701
www.stewart-museum.org
Ⓜ Jean-Drapeau**

Musée McCord

L'édifice du musée McCord, qui a été conçu par un Écossais, abrite la collection du juge David Ross McCord, qui était d'origine irlandaise et écossaise. Il contient aussi quelque 400 000 négatifs du photographe d'origine écossaise William Notman, un des premiers chroniqueurs photographes de Montréal, à l'ère victorienne.

**690, rue Sherbrooke Ouest
514 398-5045
www.mccord-museum.qc.ca
Ⓜ McGill**

LE MONTRÉAL **irlandais**

400 (nés en Irlande), 200 000 (d'origine irlandaise)

anglais, gaélique

catholicisme (75 %), protestantisme (14 %)

Les racines des Irlandais au Québec sont si ramifiées et remontent à si loin qu'il est difficile de mesurer l'étendue de leur contribution à l'histoire de la province.

On peut toutefois affirmer que Montréal n'aurait pas été le même sans cette présence fondatrice, qui constitue l'une des immigrations les plus anciennes de la ville, juste derrière les Français et les Anglais. Pas étonnant que le trèfle irlandais (*shamrock*) soit représenté sur les armoiries municipales, à côté des symboles de l'Écosse, de la France et de l'Angleterre !

La langue et la religion expliquent en partie cette présence de longue date. À la fois anglophones et majoritairement catholiques, les Irlandais ont pu trouver, au Québec, une terre d'accueil doublement favorable. Mais cette immigration de masse ne fut pas pour autant un conte de fées.

GROSSE FAMINE

Au 16e siècle, plusieurs mercenaires irlandais servent déjà dans l'armée française. Certains d'entre eux seront cantonnés en Nouvelle-France, formant ainsi le premier noyau de la communauté irlandaise dans la colonie.

Au 18e siècle, on estime que plusieurs centaines d'habitants de la Nouvelle-France ont des origines irlandaises. C'est encore peu. Mais ce nombre augmentera de façon spectaculaire après la conquête britannique. À tel point qu'en 1871 les Irlandais forment la deuxième population en importance de la province, après les Canadiens français.

Il faut savoir que, entre 1816 et 1860, près de 600 000 Irlandais vont débarquer au pays. Cette spectaculaire vague d'immigration est, pour l'essentiel, imputable à la famine qui ravage l'Irlande de 1845 à 1850. Pauvres et malades, des milliers de réfugiés viennent chercher leur salut au Canada, destination moins coûteuse que les États-Unis.

Plusieurs, hélas, ne verront jamais la terre promise : décimés par le typhus, des milliers d'Irlandais mourront à Grosse-Île, où on les a mis en quarantaine. Au cours de la seule année 1847, quelque 17 500 immigrants – pour la plupart irlandais – vont décéder en arrivant au Canada. Cinq mille trouveront une sépulture à Grosse-Île, et 5 000 autres seront enterrés près des hangars de Pointe-Saint-Charles, à Montréal, où se dresse aujourd'hui une pierre noire commémorative. Des centaines d'orphelins seront toutefois adoptés par des familles catholiques francophones, qui leur permettront de conserver leur nom irlandais.

Cette hécatombe n'empêche pas le Montréal irlandais de se développer à vitesse grand V. Au milieu du 19ᵉ siècle, on estime qu'au moins le tiers de la population de la ville est irlandaise ou d'origine irlandaise.

Chose certaine, le nombre d'immigrants en provenance de l'Irlande est assez grand pour justifier la création de plusieurs institutions spécifiquement irlandaises, comme la basilique St. Patrick en 1847 (« l'église des Irlandais », toujours située au 454, boulevard René-Lévesque), le Collège Loyola en 1896 ou l'hôpital St. Mary en 1924.

Cette immigration, souvent peu scolarisée, s'établit en grand nombre dans le quartier ouvrier de Griffintown, où elle investit notamment l'église Sainte-Anne, qui sera détruite en 1970. Elle va contribuer de façon significative au développement de la ville, en participant à la construction d'infrastructures capitales, comme le canal Lachine (1821-1825), le pont Victoria (1854-1859) et le chemin de fer du Grand Tronc (1852).

D'autres Irlandais, plus privilégiés, se distinguent par ailleurs dans les domaines de la finance (ce sont eux qui fondent, avec des francophones, la future Banque Laurentienne), de la politique (Montréal comptera six maires d'origine irlandaise au cours du seul 19ᵉ siècle) et même du sport organisé (le club de hockey Shamrock de Montréal, composé de joueurs irlandais, a précédé de 20 ans la naissance du Canadien).

À la fin du 19ᵉ siècle, l'immigration irlandaise décline et tombe pratiquement au point mort, cédant le pas aux Grecs, aux Italiens et aux Juifs d'Europe de l'Est, qui vont à leur tour transformer le visage de la métropole québécoise. Dorénavant, le Montréal irlandais se renouvellera de l'intérieur.

DES MILLIERS DE VEINES

Il n'y aurait pas, aujourd'hui à Montréal, plus de 400 Irlandais nés en Irlande. En revanche, il ne fait aucun doute que le sang irlandais coule dans des centaines de milliers de veines. Certains avancent que 30 % de la population québécoise aurait des ancêtres irlandais !

Ce « mélange », ne s'est pas fait du jour au lendemain. Car si Irlandais et Canadiens français avaient de gros points en commun (la foi catholique, le ressentiment antibritannique), la barrière de la langue a certainement freiné la rencontre entre ces deux mondes.

Le défilé de la Saint-Patrick

« Sur le terrain, c'était plutôt une relation aigre-douce, résume Simon Jolivet, chercheur au Centre d'études canadiennes irlandaises. Il y avait des conflits pour les emplois. Et même pour la religion. Parce qu'ils étaient anglophones, le clergé catholique a mis longtemps avant de donner aux Irlandais une paroisse. »

En fait, le problème irlandais était assez simple : ils étaient trop anglos pour les francos et trop cathos pour l'establishment protestant ! Cette position inconfortable a – pour un temps du moins – provoqué le repli de la communauté. Mais cela ne l'a pas empêchée de s'intégrer, à l'usure, et de laisser une profonde empreinte sur l'identité, la société et même la musique traditionnelle québécoise.

De la culture de la bière à la culture tout court (Émile Nelligan, Georges Dor, Mary Travers, alias La Bolduc), en passant par la politique (Daniel Johnson, Claude Ryan, Jean Charest), il ne fait aucun doute que le trèfle irlandais est profondément enraciné en terre fleurdelisée.

DANS LE CALENDRIER

St. Patrick's Day: 17 mars

La fête nationale des Irlandais est soulignée par un défilé toujours très couru, qui se tient sur la rue Sainte-Catherine le dimanche le plus rapproché du 17 mars. C'est, soit dit en passant, le seul défilé irlandais au monde à n'avoir jamais connu d'interruption. Ce qui en fait du coup le plus ancien. Le premier a eu lieu en 1824!

www.montrealirishparade.com

 ÉVÉNEMENTS

Cine Gael Montreal: février-avril

L'Irlande produit entre 20 et 30 films par année. Cine Gael rend hommage à cette petite industrie depuis 1993. Le festival se tient tous les vendredis de février jusqu'à avril, au cinéma de Sève de l'Université Concordia et présente des films anciens et récents qu'on ne verrait pas dans les circuits commerciaux.

www.cinegaelmontreal.com

Ville-Marie Feis: mai

Fondée par l'école de Bernadette Short (voir page suivante), cette compétition de danse irlandaise se tient chaque mois de mai depuis 1981. Ce rendez-vous des amateurs de folklore est, pour les danseurs émérites, une première étape vers les championnats du monde de danse irlandaise.

Festival celtique international de Montréal

Bien qu'il n'ait pas présenté d'événements majeurs depuis 2002, le festival continue de produire des spectacles sur une base sporadique.

514 481-7408, poste 228
www.montrealcelticfestival.com

Carnet d'adresses

 MANGER ET BOIRE UNE BIÈRE

Hurley's Irish Pub

Tous les Irlandais vous le diront: Hurley's est le plus authentique des pubs irlandais à Montréal, et non pas un de ces *pubs in a box* qui n'ont d'irlandais que le nom. Bon choix de bières et de whisky irlandais, musique *live* tous les soirs. Le propriétaire, Bill Hurley, est réputé pour ses dons réguliers à différents organismes irlandais.

1225, rue Crescent • 514 861-4111
www.hurleysirishpub.com
Ⓜ Peel ou Guy-Concordia

McKibbin's Irish Pub

Les étudiants de McGill et de Concordia adorent McKibbin's pour ses 28 marques de bières importées et ses repas servis jusqu'à tard dans la nuit. Mention spéciale pour la succursale de Pointe-Claire, avec ses salles thématiques inspirées de la culture irlandaise (cottage, théâtre Abbey de Dublin, *Titanic*). Musique *live* tous les soirs.

1426, rue Bishop • 514 288-1580
Ⓜ Guy-Concordia
Complexe Pointe-Claire

6363, autoroute Félix-Leclerc
(ancienne route Transcanadienne)
514 693-1580
www.mckibbinsirishpub.com

 MAGASINER

Bramble House

Située dans le Village Valois, à Pointe-Claire, Bramble se spécialise dans les produits britanniques de toutes sortes. On peut y trouver un certain nombre de produits irlandais, comme les porcelaines Belleek, une marque vieille de 150 ans.

57, avenue Donegani, Pointe-Claire
514 630-6363 • www.bramblehouse.net

 MÉDIAS

Radio

The Irish Show (CJAD 800 AM)

L'émission des Irlandais de Montréal est désormais diffusée exclusivement sur Internet. On y reçoit – dixit le site web – «des acteurs hollywoodiens, des écrivains, des premiers ministres, des gagnants de la coupe Stanley et des Irlandais canadiens de la vie de tous les jours».

www.cjad.com

En savoir plus

Sounding Griffintown (A Listening Guide of a Montreal Neighbourhood)

Jusqu'à la moitié du 20ᵉ siècle, Griffintown était le quartier des Irlandais de la classe ouvrière. De 1963 à 1970, il a été rasé par la Ville et transformé en quartier industriel. Ce «nettoyage» n'a pas seulement forcé le déplacement de sa population, il a effacé une trace importante de l'immigration irlandaise à Montréal. Par un mélange de sons ambiants et de témoignages d'anciens résidants, ce guide audio de Lisa Gasior raconte l'histoire du quartier, qu'on appelle aujourd'hui le Faubourg des Récollets.

www.griffinsound.ca

École des études canado-irlandaises

Ce département spécial coordonne le programme d'études canado-irlandaises de l'Université Concordia. On y offre le certificat, la mineure et même le bac, à travers des cours d'histoire, d'anthropologie, de littérature et de musique.

514 848-8711 • www.cdnirish.concordia.ca

United Irish Societies of Montreal

Ce regroupement d'organismes irlandais produit chaque année le défilé de la Saint-Patrick. Son site web inclut beaucoup de liens utiles.

www.montrealirishparade.com

Société Saint-Patrick de Montréal

Le plus vieil organisme irlandais de Montréal fêtait son 175ᵉ anniversaire en 2009. Créée pour défendre les intérêts irlandais à Montréal, la société est connue pour son fameux bal à vocation caritative, qui se tient le vendredi le plus rapproché de la Saint-Patrick.

514 481-1346 • www.stpatricksociety.com

Comhrá Irish Language School

Dérivée du gaélique, la langue irlandaise est encore en usage de nos jours. Elle est parlée sur une base quotidienne par 3 % des habitants de la république d'Irlande, et plus de 40 % affirment la comprendre. On l'enseigne à Montréal à l'école Comhrá (prononcez «cora»), le mot irlandais pour «conversation».

514 795-8752 • www.comhra.org

Bernadette Short School of Irish Dancing

Si vous voulez giguer comme dans *Riverdance* ou *Lord of the Dance*, voici le bon endroit. Fondée en 1977, cette école dispense ses cours à Châteauguay, NDG et Beaconsfield, et organise annuellement le Ville-Marie Feis (prononcez «fesh»), une compétition pancanadienne de danse traditionnelle irlandaise.

514 697-4343 • www.montrealirishdance.com

Siamsa School of Irish Music

Les amateurs de musique celtique trouveront leur bonheur dans cette école traditionnelle où l'on enseigne toutes sortes d'instruments irlandais, dont la flûte, l'accordéon et le *bodhran*. *Siamsa* signifie «agréable diversion musicale» en irlandais.

514 486-2707 • www.siamsa.org

LE MONTRÉAL **français**

 41 220 (nés en France)

français

catholicisme (68 %)

Les Québécois n'ont pas toujours été tendres envers les «maudits Français».

Mais au-delà de cette relation parfois ambivalente avec les «cousins», force est d'admettre que leur apport historique a été fondamental pour l'identité québécoise. Pour tout dire, les premières vagues d'immigration française remontent à si loin qu'elles se confondent carrément avec la naissance de ce Canada qui s'est d'abord appelé la Nouvelle-France (voir la section sur le Montréal canadien-français en page 22).

Après la conquête britannique (1763), l'immigration française cesse complètement. Elle reprend progressivement dans la seconde moitié des années 1800, alors que les relations entre le Canada et la France se normalisent peu à peu. Signe des temps : *La Capricieuse* devient, en 1855, le premier navire militaire français à jeter l'ancre au Québec depuis la Conquête, annonçant l'ouverture du premier consulat en 1859.

Entre 1881 et 1914, des milliers de Français viennent s'installer au Canada. La moitié poursuit son chemin vers les grandes plaines cultivables de l'Ouest, quelques-uns vont défricher les terres du Nord (Abitibi, Lac-Saint-Jean), mais beaucoup s'enracinent à Montréal, où ils s'assimilent discrètement à la société québécoise. Ni vus ni connus ! Cette période correspond aussi à l'arrivée de plusieurs congrégations religieuses, quittant la France pour des motifs politiques.

Après une autre interruption, causée par les guerres de 1914-1918 et de 1939-1945, l'immigration française reprend de plus belle dans les années 1950.

C'est à cette époque que le Montréal français se cristallise. Outre diverses associations servant de point d'ancrage social, comme l'Union française (fondée en 1886), la communauté s'articule autour de ses institutions d'enseignement, notamment le collège Stanislas (1938) et le collège Marie de France (fondé en 1939), qui conserveront tous deux le programme scolaire français.

En 1961, on compte 36 000 Français au Canada, pour la plupart au Québec. Ce chiffre va doubler au cours des 10 années suivantes. Dans la foulée d'Expo 67, de la venue retentissante du général de Gaulle (« Vive le Québec libre ! ») et des accords Peyrefitte-Johnson de 1965, qui établissent une coopération tous azimuts entre le Québec et la France, 40 000 Français débarquent dans la province pendant la décennie 1960.

Cette vague soutenue, qui s'étirera jusqu'à la fin des années 1970, fera de Montréal une des villes hors de France abritant le plus de Français. Elle inclut notamment plusieurs « coopérants », ces jeunes diplômés universitaires (agronomes, ingénieurs, professeurs) qui troquent le service militaire national pour venir exercer leur profession dans un Québec en pleine émancipation.

UNE IMMIGRATION DE TRANSIT

Depuis le début de la décennie 1980, on peut dire que la communauté française grandit plus modestement, même si les échanges économiques, culturels et universitaires n'ont cessé de se multiplier entre ces deux pôles de la francophonie.

En fait, on parle maintenant d'une « immigration de transit » : si l'on venait jadis au Québec pour y refaire sa vie, on n'y passe désormais que quelques années, histoire de prendre de l'expérience, de garnir son CV ou simplement de vivre l'aventure nord-américaine en français. Ainsi, on estime que 75 % des Français venus depuis 10 ans sont repartis en France. Une désaffection qui s'expliquerait en partie par la faiblesse des avantages sociaux et une certaine difficulté à se trouver du travail, résultat de la non-reconnaissance des diplômes.

Fait à noter : alors que l'immigration française s'est longtemps limitée aux centres urbains, elle s'établit de plus en plus souvent en région, où les occasions d'emploi sont plus nombreuses. Plus que jamais, les mythes des grands espaces et de la « cabane au Canada » deviennent réalité.

 DANS LE CALENDRIER

Fête de l'appel du 18 juin

Le 18 juin 1940, le général de Gaulle faisait son premier discours à la radio après son exil à Londres. Cet appel à la résistance est, depuis, commémoré annuellement. À Montréal, on le souligne par une cérémonie au parc La Fontaine, près du monument du général de Gaulle (qui se trouve face à l'hôpital Notre-Dame).

Fête nationale : 14 juillet

La fête des Français est célébrée à Montréal sur une base protocolaire. Une réception est organisée dans un hôtel par le consulat. Elle peut être suivie d'un événement à l'Union française.

Saint-Yves : 19 mai

La fête nationale des Bretons est célébrée au collège Marie de France (4635, chemin Queen-Mary), le dimanche le plus rapproché du 19 mai. Une messe en breton est suivie de danses folkloriques et d'un repas traditionnel avec crêpes et cidre.

L'Union des Bretons organise par ailleurs un ou deux *festnoz* (fête bretonne) par année, généralement autour de l'Halloween et de la Saint-Patrick. Sûrement le meilleur endroit pour voir de la musique bretonne *live* à Montréal. Pour plus d'informations : **www.bzh.ca**

Carnet d'adresses

 MANGER

Le Paris

Un décor des années 1950, digne du *Fabuleux destin d'Amélie Poulain*. Une ambiance tout à fait parisienne. Et bien sûr, une carte typique : brandade de morue, maquereau frais au vin blanc, filets de hareng pommes à l'huile, foie de veau meunière, andouillette, boudin noir grillé, pommes de terre frites... Fondé en 1956, Le Paris reste un point de repère rassurant à Montréal, au même titre que Moishe's ou Beauty's.

1812, rue Sainte-Catherine Ouest
514 937-4898 • Ⓜ Guy-Concordia

Le Mas des Oliviers

Autre monument montréalais, ce resto sert depuis 40 ans des spécialités du sud de la France. Bienvenue dans le temple de la soupe de poisson, du pescadou, du steak sauvage, du thon bleu et des tartes tatin.

1216, rue Bishop • 514 861-6733
www.lemasdesoliviers.ca
Ⓜ Guy-Concordia

Le Bourlingueur

Particulièrement achalandé les midis de semaine, ce resto du Vieux-Montréal se spécialise dans la cuisine alsacienne. Un bon endroit pour tester la choucroute.

363, rue Saint-François-Xavier
514 845-3646 • www.lebourlingueur.ca
Ⓜ Champ-de-Mars

Ti-Breiz

Même si l'établissement appartient aujourd'hui à un restaurateur italien, Ti-Breiz demeure un incontournable de la crêperie bretonne à Montréal. Pour le repas, demandez votre crêpe au blé noir plutôt qu'au froment. Le choix de garnitures est vaste, mais la « complète » (œuf-jambon-fromage) demeure un classique.

933, rue Rachel Est • 514 521-1444
Ⓜ Mont-Royal

Alexandre et fils

Inspiré par les grandes brasseries françaises, Alexandre et fils offre un menu vaste et typique, incluant cassoulet, choucroute, confit, foie gras, etc. Un gros de la restauration française à Montréal. Cuisine ouverte jusqu'à 2 h du matin.

1454, rue Peel • 514 288-5105
www.chezalexandre.com • Ⓜ Peel

 SORTIR
ET PRENDRE UN VERRE

L'Barouf

Fort de ses matchs de soccer sur grand écran, L'Barouf reste le repaire favori des Français de Montréal. L'endroit a réouvert ses portes en 2009, après avoir été ravagé par les flammes en 2007.

4171, rue Saint-Denis • 514 844-0119
Ⓜ Mont-Royal • www.barouf.qc.ca

Le Massilia

Le bistro marseillais version montréalaise. On y vient surtout pour regarder les matchs de l'OM en sirotant un pastis. Non négligeable : il y a une allée de pétanque dans la cour arrière !

4543, avenue du Parc • 514 678-1862
Ⓜ Mont-Royal

 FAIRE L'ÉPICERIE

Les cochons tout ronds

La charcuterie française n'est pas rare à Montréal. Mais peu d'endroits mettent en valeur les spécialités corses. Ce petit comptoir du marché Jean-Talon est un des rares à offrir des figatelli, longs saucissons minces faits avec des abats et du piment d'Espelette. Ironique : le charcutier vient de Lyon et il est installé aux Îles-de-la-Madeleine !

7070, avenue Henri-Julien
514 904-2645
Ⓜ Jean-Talon

Pâtisserie Kouign Amann

Le kouign amann breton, cet incroyable gâteau feuilleté au beurre, est le plaisir coupable par excellence. À Montréal, vous en trouverez du très bon à la pâtisserie du même nom, avec option de déguster sur place. Déconseillé aux adeptes du régime minceur.

322, avenue du Mont-Royal Est
514 845-8813
Ⓜ Mont-Royal

Pâtisserie de Gascogne

Fondée en 1957, cette pâtisserie française poursuit, de père en fils, sa quête du « savoir-plaire » pour dents sucrées. L'établissement, qui compte aujourd'hui quatre succursales, fait autant dans la pâtisserie que dans la confiserie, la chocolaterie et la glacerie. Une institution.

237, avenue Laurier Ouest, Montréal
514 490-0235
Ⓜ Laurier

4825, rue Sherbrooke Ouest, Westmount
514 932-3511
Ⓜ Vendôme

1950, boulevard Marcel-Laurin, Montréal
514 331-0550

940, boulevard Saint-Jean, Pointe-Claire
514 697-2622
www.degascogne.com

En savoir plus

Union française de Montréal

Dans le passé, cet organisme privé a joué un rôle crucial dans la communauté, faisant office à la fois de filet social et d'œuvre de bienfaisance. Si elle a perdu un peu de son lustre aujourd'hui, l'Union demeure un point de rencontre et une référence pour les immigrants français d'une certaine génération. Les « anciens » du club La vie continue s'y retrouvent notamment tous les mercredis après-midi, pour jouer à la belote. Ou, par beau temps, à la pétanque au parc Lafontaine.

429, avenue Viger Est
514 845-5195
www.unionfrancaise.ca
Ⓜ Champ-de-Mars

Assemblée des Français de l'étranger

Présente partout dans le monde (la diaspora française se chiffre à plus de deux millions de personnes), cette organisation s'occupe de défendre les intérêts des Français à l'étranger, tant sur le plan social que sur le plan culturel. Chapeauté par le ministère français des Affaires étrangères, L'AFE gère un réseau d'enseignement de 450 écoles françaises dans le monde et travaille fort dans les coins pour la reconnaissance des diplômes français au Québec.

www.assemblee-afe.fr

LE MONTRÉAL allemand

 7 500 (78 000 d'origine allemande)

 allemand

catholicisme (60 %), protestantisme (21 %)

Le Montréal allemand est peu perceptible. Totalement intégrée, la communauté s'est depuis longtemps fondue à la société québécoise. Mais son apport n'en demeure pas moins historique.

L'immigration allemande au Canada remonte au 17e siècle. Il s'agit d'abord d'agriculteurs ou de commerçants venus vivre le Nouveau Monde.

Une seconde vague, constituée de mercenaires, vient combattre pour la Grande-Bretagne en 1776, alors que l'armée continentale des États-Unis a des visées sur le Canada. Sur les 10 000 soldats allemands qui passent par le Québec, près de 1 500 s'y établissent à la fin de la guerre de l'Indépendance américaine. Pour la petite histoire, c'est le commandant d'un de ces régiments, Friedrich Adolf Riedesel, qui introduira le sapin de Noël dans la colonie (1781).

Lentement mais sûrement, la communauté allemande prend racine. Au fil du temps, plusieurs familles germanophones franciseront leur nom afin de mieux s'intégrer à la réalité canadienne-française. C'est ainsi que les Schumpff deviendront les Jomphe, les Wolf les Leloup, les Maher les Maheu et les Besserer les Besré.

Au 19e siècle, l'immigration allemande produit un certain nombre d'agriculteurs, de commerçants et de gens d'affaires. Beaucoup sont des réfugiés économiques ou religieux (mennonites). À partir des années 1930, avec l'arrivée au pouvoir du parti nazi en Allemagne, des Juifs allemands viennent aussi grossir les rangs de la communauté.

Les deux guerres mondiales vont mettre un frein à l'épanouissement de la communauté germanophone canadienne. La guerre 1939-1945 sera tout particulièrement difficile pour elle : plusieurs Allemands du Canada, à l'instar des Japonais et des Italiens, sont enfermés dans des camps de manière préventive.

L'immigration reprend progressivement après la guerre, faisant passer la communauté allemande de Montréal de 5 000 personnes en 1951 à 28 000 personnes 10 ans plus tard.

Mais cette population a vite fait de s'assimiler. Les cicatrices de la guerre expliquent en partie ce désir de se fondre dans le paysage et de se disperser aux quatre coins de la ville.

De fait, il reste aujourd'hui bien peu de choses de l'ancien quartier allemand, qui se déployait jadis autour des rues Sherbrooke et Jeanne-Mance, si ce n'est les églises luthérienne et catholique, dont les messes en allemand drainent encore un petit nombre de fidèles.

Aujourd'hui, l'immigration allemande à Montréal se poursuit à petite échelle. Mais le mouvement reste timide, et force est d'admettre que la communauté se fait de plus en plus vieillissante. « Les nouveaux arrivants s'y identifient moins. Ils viennent vivre le rêve américain version québécoise et non intégrer la communauté allemande », explique Manuel Meune, professeur au Département de littératures et de langues modernes de l'Université de Montréal.

Même constat chez les descendants de deuxième et troisième générations, qui ont définitivement embrassé l'identité canadienne. Et cela, même si la « mémoire germano-québécoise » n'a pas complètement disparu.

PARLEZ-VOUS ALLEMAND?

Bonjour➤ Guten Tag

Merci➤ Danke

Au revoir➤ Auf Wiedersehen

 DANS LE CALENDRIER

Fête nationale : 3 octobre

La réunification des deux Allemagnes s'est faite le 3 octobre 1990, et l'on commémore depuis cette « journée de l'unité allemande ». À Montréal, ça se passe au consulat, sur invitation.

 ÉVÉNEMENTS

Oktoberfest : octobre

Contrairement à ce qu'on pourrait croire, l'Oktoberfest commence fin septembre pour se terminer début octobre.

Cette tradition bavaroise, qui remonte à 1810, est née des festivités entourant le mariage de Louis 1er de Bavière avec Thérèse de Saxe-Hildburghausen. Avec le temps, c'est devenu un gros *party* qui consiste à manger de la saucisse weisswurst (blanche) ou des bretzels géants tout en buvant de la bière dans des chopes d'un litre, jusqu'à plus soif.

À Munich, l'Oktoberfest peut durer jusqu'à 16 jours. Ici, la fête ne s'étire pas sur plus d'un week-end. Soit dit en passant, ce festival du houblon n'est jamais aussi typique que lorsqu'il se déroule à l'extérieur, sous une tente. Le restaurant Le Petit Munich, à Pierrefonds, organise depuis quelques années son propre Oktoberfest sur le terrain du complexe George-Springate (13800, boulevard Pierrefonds). On peut aussi opter pour celui de Mascouche (**www.oktoberfestdesquebecois.com**), auquel s'est associé le Bureau de la Bavière au Québec. Les universités McGill et Concordia tiennent également un Oktoberfest sur leurs campus. Enfin, le marché Atwater présente un Oktoberfest version réduite, le week-end de l'Action de grâce.

Carnet d'adresses

 MANGER

Le Petit Munich

Spécialisé en cuisine traditionnelle bavaroise, ce resto de Pierrefonds est à déconseiller aux végétariens. On y sert une belle variété de plats à la viande, du *schnitzel* (escalope) à la *rindsroulade* (roulade de bœuf), en passant par la choucroute garnie, le *sauerbraten* (rôti de bœuf mariné) et le *bayerischer schweine-braten* (rôti de porc bavarois). Le Petit Munich confectionne ses propres bretzels, dumplings et viennoiseries, et, ce qui ne nuit pas, le boulanger vient directement de Bavière.

4888, boulevard Saint-Jean (Pierrefonds)
514 626-8899

 SORTIR
ET PRENDRE UN VERRE

Stammtisch

La tradition du *stammtisch*, très répandue en Allemagne, consiste à se rencontrer autour d'un verre pour discuter et refaire le monde. Le mot lui-même fait référence à la table d'habitués qu'un établissement vous réservera chaque semaine, au jour et à l'heure dite. À Montréal, un important *stammtisch* se tient le mercredi soir à 21 h au bar Le Saint-Sulpice (1680, rue Saint-Denis), avec des étudiants qui désirent échanger dans la langue de Goethe.

 FAIRE L'ÉPICERIE

Atlantique Meat & Delicatessen

Depuis 1964, Atlantique est le paradis de l'alimentation allemande (et autrichienne) à Montréal. Saucisses en tous genres, *spätzle* (nouilles allemandes), *schnitzel* (escalope viennoise), *rote beete* (betteraves marinées), moutarde allemande (incluant la marque Löwensenf), raifort en tube, saumon fumé (fait maison), bière allemande (avec ou sans alcool), soupes et choucroute maison, sans oublier les desserts, du strudel au streusel. Ici, tout est fait sur place, sans agents chimiques.

5060, chemin de la Côte-des-Neiges
514 731-4764
Ⓜ **Côte-des-Neiges**

 MAGASINER

Librairie Das Buch

Installée dans le Goethe-Institut, cette petite librairie est un incontournable si vous lisez ou étudiez l'allemand. On y trouve des grammaires et des dictionnaires, des éditions en allemand de *Tintin et Milou* (*Tim und Struppi*) ou du *Petit Prince* de Saint-Exupéry, mais aussi des livres récents d'auteurs contemporains, comme Bernhard Schlink (*Le liseur*) ou Daniel Kehlmann (*Les arpenteurs du monde*). Le propriétaire est un Québécois spécialisé en traduction allemande.

418, rue Sherbrooke Est
514 499-0355
Ⓜ **Sherbrooke**

 MÉDIAS

Journal

Das Echo

Depuis la fermeture du *Kanada Kurier*, il y a quelques années, *Das Echo* est devenu le principal journal germanophone du Canada. Ce mensuel, distribué jusqu'à Vancouver, est fait à Pointe-Claire.

www.dasecho.com

En savoir plus

Goethe-Institut

Présent sur tous les continents, cet organisme à but non lucratif fait la promotion de la langue et de la culture allemandes dans le monde. En plus d'offrir des cours d'allemand et de posséder sa propre bibliothèque, cet institut dynamique présente des films en allemand (il a sa propre salle de cinéma) et commandite nombre d'échanges culturels entre l'Allemagne et le Québec (spectacles de danse, de théâtre). Dans un registre plus folklorique, le « Goethe » organise aussi une dégustation de vin chaud et de petits gâteaux chaque année autour de la Saint-Nicolas (6 décembre). Une tradition de Noël typiquement allemande.

418, rue Sherbrooke Est
514 499-0159
www.goethe.de/ins/ca/lp/knt/deindex.htm

Société allemande de Montréal

Fondée en 1835, la SAM est un des derniers témoins de l'âge d'or de l'immigration allemande à Montréal. Cette organisation caritative est réputée pour son bazar, tenu fin novembre à l'hôtel de ville de Mont-Royal. Vous y trouverez un menu allemand typique (choucroute, côtelettes de porc) et d'excellents *torten* (gâteaux allemands) faits maison par de vieilles dames très dignes.

www.deutschegesellschaftmontreal.com

Alexander von Humboldt Schule (école allemande)

Membre du réseau des écoles internationales, l'école allemande offre une éducation primaire et secondaire, ainsi que des cours de langue allemande pour jeunes « de 3 à 83 ans ».

216, rue Victoria, Baie-d'Urfé
514 457-4655
www.avh.montreal.qc.ca
www.germanschool.ca

Centre canadien d'études allemandes et européennes

Relié à l'Université de Montréal, le CCEAE est la tête chercheuse de la culture allemande au Québec. Il coordonne une mineure en études européennes et un diplôme complémentaire en études allemandes.

www.cceae.umontreal.ca

Schuhplattergruppe Alpenland

Le look Heidi ? Les shorts avec les bretelles ? L'accordéon bavarois digne de la plus mousseuse des *brauhaus* ? Le groupe Alpenland est le gardien de ce folklore pittoresque à Montréal.

www.amdomino.com/alpenlandmontreal
514 343-6763
www.cceae.umontreal.ca

LIEUX DE CULTE

Église luthérienne Saint-Jean

Saint-Jean est la plus ancienne des églises luthériennes allemandes de Montréal. La paroisse fut fondée en 1853 et l'église, construite en 1908. Les messes en allemand se donnent le dimanche à 9 h 30. Créée en 1581 par l'Allemand Martin Luther, l'Église luthérienne est à l'origine de la réforme protestante. Sa liturgie est proche de celle de l'Église catholique, mais sa structure institutionnelle en est assez différente (dans l'Église luthérienne, les autorités sont à la fois laïques et cléricales). Il y aurait environ 2 000 luthériens à Montréal (250 000 au Canada). La majorité sont allemands, mais on en trouve aussi des scandinaves, des estoniens, des lituaniens.

3594, avenue Jeanne-Mance
514 844-6297
www.saintjohnslutheranmontreal.org

LE MONTRÉAL italien

 250 000 (62 000 nés en Italie)

italien, anglais, français

catholique (90 %)

Que serait Montréal sans son visage vert-blanc-rouge ? Comptant plus d'un quart de million de personnes, la communauté italienne représente presque 10 % de la population de la région métropolitaine, ce qui en fait le groupe le plus important issu de l'immigration du 20ᵉ siècle.

Même s'ils sont implantés depuis trois, voire quatre générations, les Italiens ont jalousement conservé leur culture, leur langue, leurs valeurs et leurs particularités régionales. Intégrés sans être assimilés, ils ont contribué à bâtir et à colorer le Québec moderne, que ce soit en construisant une grande partie de la ville de Montréal ou en donnant naissance à des personnages publics bien connus.

De la politique (Alfonso Gagliano, John Ciaccia, Frank Zampino, Tony Tomassi) aux affaires (Guzzo, Catelli, Gattuso, Cacciatore, Saputo) en passant par les arts visuels (Guido Nincheri, Guido Molinari, Vittorio), le cinéma (Dino Tavarone), le journalisme (Pierre Foglia, Franco Nuovo), la mode (Marisa Minicucci, Salvatore Parasucco), la musique pop (Michel Pagliaro, Serge Fiori, Tony Roman, Angelo Finaldi, Gino Vanelli, Marco Calliari, Nicola Ciccone), le monde interlope (Vito Rizzuto, Frank Cotroni, Joe Di Maulo) et même la lutte (Gino Brito, Dino Bravo), la galerie des célébrités italo-québécoises est bien habitée, et depuis longtemps !

UN PEU D'HISTOIRE

Si l'on exclut l'explorateur Jean Cabot (Giovanni Cabotto), qui découvrit Terre-Neuve en 1497, les premiers Italiens du Canada ont probablement été les mercenaires au temps de la Nouvelle-France, qui s'étaient enrôlés dans les régiments de Carignan, Meuron et Watteville.

Cette première cohorte sera suivie de petites grappes d'exilés, qui jetteront progressivement les bases de la communauté. Mais la première véritable vague déferle au tournant du 20ᵉ siècle, avec l'afflux de travailleurs saisonniers qui finiront par s'installer pour de bon.

Venus de régions très pauvres comme la Sicile, la Calabre, le Molise ou la Campanie, ces immigrants fuient la misère en rêvant d'une Amérique prospère. Si la plupart mettent le cap sur New York, quelques-uns vont échouer à Montréal, qui par accident (ils croyaient arriver aux États-Unis !), qui attiré par des promesses d'emploi dans un territoire à majorité catholique. Plusieurs seront engagés par des compagnies de chemin de fer. D'autres se trouveront un job dans la construction, pilier de l'économie dans une ville alors en plein développement.

Le mouvement va s'échelonner de 1899 à 1914, puis ralentir au début de la Première Guerre mondiale, non sans avoir créé un noyau durable pour les générations à venir. Avec l'accession au pouvoir du parti fasciste de Mussolini en 1922 et l'adoption de nouvelles lois italiennes peu favorables à l'émigration, l'exode tombe temporairement au point mort.

En 15 ans à peine, le Montréal italien est passé de 2 000 à 13 000 personnes. Il s'est surtout très vite et très bien organisé, les nouveaux arrivants étant pris en charge par les missions catholiques, des familles d'accueil ou des organismes à vocation sociale.

Ne parlant ni anglais ni français, la communauté se constitue d'instinct en ghettos, autour de ses églises. Elle s'installe d'abord au centre-ville (paroisse Notre-Dame-du-Mont-Carmel) et près de la gare Windsor, où arrivent les trains en provenance d'Halifax, lieu de débarquement obligé pour la plupart des immigrants.

En 1919, une nouvelle église italienne est bâtie au nord de la rue Beaubien. C'est la naissance de la paroisse Notre-Dame-de-la-Défense, qu'on surnomme aujourd'hui la Petite Italie. Les familles italiennes migrent en masse vers ce territoire vierge et cultivable, qui devient bientôt le cœur de la communauté, accueillant commerces, restaurants, cafés, salles de réception ainsi que la fameuse Casa d'Italia, le premier centre culturel italien de Montréal, établi en 1936 (voir la rubrique En savoir plus, page 55).

DES ALLÉGEANCES FASCISTES

Si elle s'épanouit en beauté, la communauté connaît un épisode plus difficile pendant la Deuxième Guerre mondiale. Plus de 700 Italo-Canadiens – dont une majorité du Québec – seront enfermés au camp de Petawawa pendant deux, trois, voire quatre ans : on les soupçonne d'allégeance au parti fasciste italien. Cette « mesure préventive » va laisser des séquelles dans plusieurs familles et reste encore contestée aujourd'hui. Au moment d'écrire ces lignes, le Congrès des Italo-Canadiens tente toujours d'obtenir réparation auprès du gouvernement canadien.

Après la guerre de 1939-1945, l'immigration italienne vers le Québec reprend de plus belle. L'Italie est en pleine reconstruction. Les emplois se font rares, et l'Amérique est toujours pleine de promesses. La réunification familiale, favorisée par le gouvernement canadien, fera exploser la communauté italienne de Montréal, qui passera de 25 000 à 70 000 personnes entre 1947 et 1971, puis à 78 000 en 1980.

Cette nouvelle génération d'immigrants est surtout constituée d'agriculteurs. La plupart viennent du sud de l'Italie, plus pauvre que le nord industrialisé : Molise (encore en majorité), Abruzzes, Calabre, Sicile... Arrivée à Montréal, cette main-d'œuvre à bon marché se recycle principalement dans les manufactures, l'hôtellerie, la restauration et, plus que jamais, l'industrie de la construction, où elle développe une expertise qui ne s'est pas démentie depuis.

VERS SAINT-LÉONARD

Dans les années 1950, la communauté commence à migrer à l'est de la Petite Italie. Le mouvement s'articule autour de l'église de la Consolata, à l'angle des rues Papineau et Jean-Talon (1953), puis de l'église Notre-Dame-de-Pompéi (1967), à Montréal-Nord. Avec l'implantation de la nouvelle paroisse Notre-Dame-du-Mont-Carmel, en 1967, le quartier Saint-Léonard s'imposera comme la nouvelle Petite Italie de Montréal.

Les Italiens vont développer cette nouvelle portion de la ville presque à eux seuls. Les terrains vacants sont encore nombreux, et dès qu'elles en ont les moyens les familles se font construire une maison. Le fantasme du « bien refuge » prend la forme de duplex, de triplex, de quintuplex et de bungalows avec lions et colonnades d'un grand kitsch, assortis de parterres fleuris l'été et d'abris Tempo l'hiver.

Avec plus de 30 000 habitants d'origine italienne, Saint-Léonard est aujourd'hui considérée comme l'une des plus italiennes (sinon *la* plus italienne) des villes nord-américaines, toutes proportions gardées, bien sûr. Pas étonnant qu'on y ait érigé l'hôpital Santa-Cabrini, la première institution publique bilingue au Canada dont les langues de travail officielles sont le français et l'italien.

UNE TACHE DE SANG QUI EST RESTÉE

Depuis la fin des années 1970, l'immigration italienne a pratiquement cessé à Montréal, la communauté se renouvelant essentiellement de l'intérieur ou par la multiplication des mariages interculturels.

Outre Saint-Léonard et ses environs, plusieurs familles sont désormais installées à LaSalle, à Rivière-des-Prairies et à Laval. Bien peu, en revanche, semblent avoir choisi la Rive-Sud.

Et la Petite Italie ? Hormis quelques anciens qui cultivent encore leur jardin de tomates, les Italiens n'y habitent pratiquement plus. Dans le petit quadrilatère délimité par les rues Drolet, Saint-Zotique et Jean-Talon et la voie ferrée du CP, on ne compterait aujourd'hui pas plus de 200 familles italiennes, soit environ 20 % de la population totale du quartier.

Mais la Piccola Italia restera toujours la Piccola Italia. Car la majorité des commerces, eux, sont restés italiens. Venant des quatre coins de la ville, la communauté s'y retrouve encore, que ce soit pour le magasinage, le resto, le café, la *Settimana italiana* ou, une fois aux quatre ans, les matchs de la Coupe du monde de soccer, qui passionnent encore et toujours les *tifosi*.

Bien sûr, tout cela sent un peu le folklore. Mais on n'efface pas ainsi une trace aussi profonde. Comme le faisait remarquer le comédien Dino Tavarone, dans un article paru dans *La Presse* il y a quelques années : « Les Italiens ont laissé une marque très forte, une couleur très vive. C'est comme une tache de sang qui est restée... »

PARLEZ-VOUS ITALIEN ?

Bonjour ➤ Buongiorno, ciao

Merci ➤ Grazie

Au revoir ➤ Arrivederci, ciao

DANS LE CALENDRIER

Fête nationale de la République italienne : 2 juin

Soulignée par une réception au consulat.

Fête de la paroisse Notre-Dame-de-la Défense : 16 août

L'église de la Petite Italie honore la vierge par une procession annuelle, avec icônes, fanfare et *tutti quanti*, le deuxième ou le troisième week-end du mois d'août. Cette célébration religieuse se termine généralement par une petite fête au parc Dante, juste en face de l'église. La paroisse organise une autre procession le 21 juin, en hommage à saint Antoine de Padoue.

Sant'Anna : août

Dernier dimanche du mois d'août dans le quartier Ahuntsic : fête de la dévotion à Sant'Anna, en mémoire d'un tremblement de terre survenu en 1805 dans le village de Jelsi, dans la région du Molise. Procession à l'ancienne, avec chars allégoriques décorés en semences de blé. Pittoresque.

ÉVÉNEMENTS

Semaine italienne (*Settimana italiana*) : août

Cette grosse foire culturelle, présentée pendant la troisième semaine d'août, se déroule à Saint-Léonard, à LaSalle ou à NDG, pour culminer dans la Petite Italie. Bouffe, théâtre, musique, spectacles, expos d'art, défilés de mode sont au cœur de l'événement, qui se conclut par un opéra version réduite, présenté en plein air au coin de la rue Saint-Zotique et du boulevard Saint-Laurent. Une bonne porte d'entrée sur le Montréal italien.

www.semaineitaliennedemontreal.com

Carnet d'adresses

MANGER

Le Montréal italien est vaste, tout comme son choix de restaurants. Voici quelques suggestions à bas et moyen prix.

Pizzeria Napoletana

Bon, d'accord, il y a un petit côté « usine » à ce resto très populaire. Le service est expéditif, et il arrive qu'on « pitche » votre assiette sur la table. Mais il y a toujours cette ambiance du tonnerre, qui fait tout pardonner. C'est aussi le seul resto, à part Mikes, où vous avez une chance de croiser Ginette Reno! Bon choix de pâtes et de pizzas.

189, rue Dante• 514 276-8226
Ⓜ **Beaubien**

Bottega

Selon nos espions, la pizza la plus savoureuse à Montréal. N'oubliez pas de réserver. C'est fréquenté!

65, rue Saint-Zotique Est
514 277-8104 • www.bottega.ca

Trattoria dai Baffoni

Une institution, depuis 1960. On aime ce resto pour la moustache spectaculaire du patron, bien sûr, mais aussi pour le menu particulièrement varié, qui ne se contente pas du traditionnel tandem pâtes et pizza (essayez des plats plus régionaux, comme les *orecchiette* apprêtées à la manière de la Puglia, vous serez ravis). La grande terrasse, qui surplombe le stationnement, n'est peut-être pas la plus romantique, mais l'été vous aurez une vue imprenable sur la Petite Italie.

48, rue Dante • 514 271-0303
Ⓜ **Beaubien**

Tre Marie

Entre le chic et le folklorique, Tre Marie joue la carte populaire tout en maintenant son standing. Le menu est simple et les mets, particulièrement goûteux. On vous suggère le foie de veau à la vénitienne, du genre qui fond dans la bouche, ou la polenta. Bon roulement, service impersonnel.

6934, rue Clark
514 277-9859
Ⓜ **Beaubien**

Prima Luna

Un restaurant traditionnel dans un décor qui ne l'est pas. Avec ses murs vitrés donnant sur la circulation automobile, Prima Luna propose une ambiance moderne mais un menu typique. Si les gnocchis sont une spécialité de la maison (les patrons viennent des Abruzzes, berceau du gnocchi), on vous conseille vivement les légumes grillés, préparés à la perfection. Musiciens en direct la fin de semaine.

8310, boulevard Henri-Bourassa Est
514 494-6666

Tribu Terre bistro

Malgré son nom plutôt international, Tribu Terre se spécialise bel et bien dans la pizza et les *panzerotti*, un mets typique de l'Italie du Nord. On ajoutera que le menu est totalement végétarien, voire carrément végétalien, que la cuisine est bio, éthique, équitable, et que les contenants pour emporter sont 100 % recyclables. Jamais pizza n'aura été aussi altermondialiste.

2590, rue Jarry • 514 276-3999
www.tributerrebistro.com
Ⓜ **Saint-Michel**

SORTIR
ET PRENDRE UN CAFÉ

Ah! le café italien! Même les Français le reconnaissent: il a ce je ne sais quoi de plus... Latte, cappuccino, espresso: peu importe la forme, c'est le délice. Montréal regorge de cafés italiens. Quelques adresses, en vrac.

Caffe Italia

Le café italien le plus célèbre de Montréal a été fondé en 1956. Du décor (inchangé) aux crèmes à raser vintage vendues sur les tablettes, c'est l'endroit au complet qui semble sorti d'une autre époque. La patronne, une élégante septuagénaire nommée Luciana Serri, a hérité de l'établissement de son père. C'est elle qui ouvre le café en semaine, autour de 5 h 30. Mélange composite de jeunes et de vieux habitués, sa clientèle ne jure que par l'espresso, le latte et les glorieux sandwichs qui ont fait la réputation de l'endroit. Un must.

6840, boulevard Saint-Laurent
514 495-0059 • Ⓜ Beaubien ou Jean-Talon

Café Milano

Ouvert jour et nuit depuis 1971, le café Milano est une institution du quartier Saint-Léonard. Avec le temps, l'endroit a triplé de superficie et a allongé son menu, qui va du simple café aux sandwichs les plus variés. Arrivé à Montréal en 1965, le proprio, Matteo Paranzino, est un ancien soudeur. « Contrairement à ce qu'on pourrait croire, je ne viens pas de Milan, mais du Molise. Mais quand j'ai ouvert mon café, Milan était à la mode. Alors, c'est le nom que j'ai choisi ! »

5196, rue Jarry • 514 852-9452

Conca d'Oro

Artistes de passage et joueurs de cartes du troisième âge se croisent sans se parler dans ce café qui ne paie (vraiment) pas de mine, mais qui est un des secrets bien gardés de la Petite Italie. Oubliez les néons et commandez un café au lait. C'est un des meilleurs du quartier.

184, rue Dante • Ⓜ Beaubien

Olympico (Open Da Night)

Les fanions Ferrari et les vieilles photos délavées du FC Milan sont les derniers vestiges de ce qui était jadis un club sportif italien. Aujourd'hui, l'endroit est littéralement envahi par les *hipsters* du Mile-End. Mais il reste encore Vito, « l'homme qui fait 1 000 cafés par jour ». Observez sa technique. Un vrai pro.

124, rue Saint-Viateur Ouest
514 495-0746 • Ⓜ Laurier

 ## FAIRE L'ÉPICERIE

Fruiterie Milano

Voici l'épicerie la plus célèbre de la Petite Italie. Elle a été fondée en 1954 par Vincenzo Zaurini et continue de desservir une clientèle multiple, qui a depuis longtemps dépassé les limites de la communauté italienne. Promenez-vous entre les étagères de vinaigres balsamiques, les pyramides de boîtes de thon, les bacs de gnocchis et les étalages de panettones. Déambulez entre les fromages, les sauces tomate, les pâtes, les cafés, les charcuteries et les fruits secs. Errez entre les bulbes de fenouil, les rapinis, les bettes et les scaroles. Mais surtout, attention : si Milano n'est pas tout à fait une grande surface, son choix est si vaste qu'on peut s'y perdre facilement...

6862, boulevard Saint-Laurent
514 273-8558
Ⓜ Beaubien ou Jean-Talon

Pizza Motta

Situé à un jet de pierre du marché Jean-Talon, ce marché de « multibouffe italienne » offre un vaste éventail de produits typiques. Huiles d'olive, pâtes, fromages, charcuteries, pâtisseries et un bon choix de plats pour emporter, pas trop cher.

303-315, rue Mozart Est
514 270-5952 • Ⓜ Jean-Talon

Pasticceria Alati-Caserta

Cette caverne d'Ali Baba de la pâtisserie italienne, située juste en face de l'église Notre-Dame-de-la-Défense, est une référence depuis les années 1930. Choix affolant de desserts, dans un décor d'une autre époque.

L'endroit est notamment réputé pour sa *sfogliatella* (feuilleté fourré à la crème pâtissière à la ricotta), ses *cannoli* (tubes fourrés à la ricotta fraîche et aux pépites de chocolat), ses gâteaux à la pâte d'amandes, sa *torta* aux fruits des champs, ses gâteaux de mariage fabuleux et, bien sûr, son vaste étalage de biscottis.

277, rue Dante
514 271-3013 • Ⓜ Beaubien

 MAGASINER

Libreria italiana

Pour lire en italien, c'est ici que ça se passe. La Libreria propose de la littérature pour tous les goûts, du roman au magazine de mode, en passant par des BD et des journaux italiens faits ici ou en Italie.

6792, boulevard Saint-Laurent
514 277-1450
Ⓜ Beaubien ou Jean-Talon

Leon Vellone Dischi

Depuis 52 ans, c'est le repaire des adeptes de culture populaire italienne. Entre librairie, magasin de disques, club vidéo et boutique de souvenirs et d'images pieuses, Leon Vellone possède de bien beaux trésors d'une autre époque. Bonne note pour la section westerns spaghettis obscurs, importés d'Italie et inutilisables sur les lecteurs nord-américains !

1474, rue Jean-Talon Est
514 721-0082
www.dischiitaliani.com • Ⓜ Fabre

Ital video-disco 87

Bon choix de disques et de films au cœur de Saint-Léonard. Articles de sport et gilets de foot en prime.

5864, rue Jean-Talon Est
514 255-5374

 MÉDIAS

Journaux

Corriere Italiano

Cet hebdo imprimé à 30 000 exemplaires a été fondé en 1952 par un certain Alfredo Gagliardi, un monument du Montréal italien. Appartient depuis peu au Groupe Transcontinental.

514 899-5885
www.corriereitaliano.com

Cittadino canadese

Le journal italien le plus ancien du Québec a été créé pendant la Deuxième Guerre mondiale (1941). Son propriétaire, Marco Giordano, est le fils de Basilio Giordano, qui représente l'Amérique du Nord au Sénat italien. Nouvelles locales, nationales et italiennes. Distribution : 18 000 exemplaires.

514 253-2332
www.cittadinocanadese.com

Insieme

Plus récent que ses deux concurrents, *Insieme* a été créé en 1973 par un père scalabrien. Le journal consacre encore une page à la religion, mais traite aussi de politique, de société, d'affaires publiques et de sports. Imprimé à 18 000 exemplaires.

514 328-2062

Radio

CFMB (1280 AM)

Fondée en 1962, la station CFMB fut la première radio multilingue de Montréal. Elle diffuse dans une vingtaine de langues, mais reste avant tout la radio italienne de Montréal. Campée sur l'ancienne fréquence de CJMS, la station couvre les tournois de *bocce* (la pétanque italienne) et les matchs de foot, et retransmet en direct le mythique festival de la chanson de San Remo.

www.cfmb.ca

Télé

CJNT (canal 14)

Depuis que CJNT est passé à des mains ontariennes, des émissions à saveur socioculturelle comme *Ciao Montréal!* et *Siamo* ont disparu de la programmation. Mais il y a encore des films en italien le vendredi soir.

www.chtv.com/ch/cjntmontreal/index.html

En savoir plus

Congrès national des Italo-Canadiens (région Québec)

Cette vaste organisation chapeaute plusieurs associations italiennes du Québec et du Canada. Sa mission est de promouvoir la culture et la langue italiennes au pays et de veiller aux intérêts de la communauté. Organise la Semaine italienne de Montréal.

514 279-6357
www.italcongresso.qc.ca

Association pour la promotion de la Petite Italie

Pour tout savoir sur la Piccola Italia, quartier général du Montréal italien.

514 270-3715

Casa d'Italia

Le doyen des centres culturels italiens est chargé d'histoire. Il a été construit en 1936, avec le financement partiel du gouvernement Mussolini – et a été, à ce titre, réquisitionné par l'armée canadienne pendant la Deuxième Guerre. On peut encore voir, dans le hall d'entrée et sur les murs extérieurs, les fagots de branchages (*fascio*), ancien symbole du parti fasciste. Son style moderne art déco, remarquable de la rue, rend le bâtiment d'autant plus précieux. En 2010, la Casa a été restaurée et transformée en centre d'interprétation de la présence italienne à Montréal.

505, rue Jean-Talon Est
514 271-2524 • Ⓜ Jean-Talon

Centre Leonardo Da Vinci

Construit en 2002, ce gigantesque centre communautaire est un peu la nouvelle Casa d'Italia. Il abrite un terrain de soccer, des allées de *bocce*, un théâtre, une salle de cinéma, un restaurant et les bureaux de plusieurs organismes italiens importants. Il a été construit sur un terrain offert par l'arrondissement de Saint-Léonard, qui y loue des locaux et y a installé sa cour municipale.

8370, boulevard Lacordaire
514 955-8370
www.centreleonardodavinci.com

Institut culturel italien

Bras culturel du consulat italien, l'institut organise nombre d'activités visant à promouvoir la culture italienne à Montréal. On y donne aussi des cours d'italien et des conférences.

1200, avenue du Docteur-Penfield
514 849-3473
www.iicbelgrado.esteri.it/IIC_Montreal

Les *bocce*, hiver comme été

Les Français ont la pétanque, les Italiens ont les *bocce*. Ce «jeu de boules» convivial se joue surtout l'été dans les parcs. Mais l'hiver, si on est vraiment accro, on poursuit la saison au chaud.

À Montréal, deux ou trois endroits abritent des allées de *bocce* intérieures, le plus imposant étant le gigantesque centre Leonardo Da Vinci, véritable cœur de la vie culturelle à Saint-Léonard.

Tous les jours, de 9 h à 22 h, des Italiens plus ou moins jeunes (surtout moins!) viennent se délier les membres sur une des quatre allées de ciment, en s'asticotant gentiment. Pietro Borsellino, ex-camionneur et ex-concierge de 75 ans, est heureux de pouvoir continuer à jouer avec ses potes pendant la saison froide. Mais il l'avoue : il préfère quand même les bons vieux parcs. «À l'intérieur, dit-il, c'est plus dur pour les jambes.»

N'empêche. Ici, rien n'a été laissé au hasard pour le confort. Il y a un café tout à côté. Et des gradins surplombent le terrain pour qui veut assister aux matchs les jours de tournoi. C'est que c'est sérieux, les *bocce*!

La relève, hélas! se fait rare. Même si le centre Leonardo Da Vinci offre des cours pour les plus jeunes, les *bocce* traînent la réputation d'être un «sport de vieux». Vieux, peut-être. Mais un «sport»? «À 30 ans, oui, c'est un sport, répond M. Borsellino. Mais à 60 ans, c'est un passe-temps!»

Bocce au centre Leonardo Da Vinci
8350, boulevard Lacordaire • 514 955-8370

LIEUX DE CULTE

Pourquoi Mussolini au plafond de l'église ?

Montréal peut se vanter d'abriter l'une des dernières fresques au monde représentant le leader fasciste Benito Mussolini ! Cette peinture unique, œuvre de l'artiste Guido Nincheri, trône au plafond de l'église Notre-Dame-de-la-Défense depuis 1934. Elle commémore les accords du Latran (11 février 1929), qui ont permis la création du Vatican et fait du catholicisme la religion d'État en Italie. On peut y voir le Duce, princier sur son cheval, entouré de figures religieuses. Certains ont tenté de la faire détruire après la Seconde Guerre mondiale, mais le bâtiment a finalement été reconnu comme patrimoine historique national. Érigée en 1919 « pour la gloire de Dieu, le bien des dames et l'honneur du peuple italien », Notre-Dame-de-la-Défense est l'église italienne la plus vieille au Canada à être encore en activité. Sa fresque à connotation fasciste demeure aujourd'hui une raison de pèlerinage en soi. Rares sont les touristes italiens qui ne demandent pas à voir le fameux Duce de Nincheri ! Pour plus d'infos sur l'église et la paroisse Notre-Dame-de-la-Défense :

www.notre-dame-de-la-defense.com

« Switcher » à l'anglais
Les Italo-montréalais et la langue

Si la première génération d'immigrants italiens a dans une grande majorité appris le français, les vagues d'après-guerre ont, à l'inverse, choisi d'envoyer leurs enfants à l'école anglaise, souhaitant par là mieux les outiller pour le grand rêve nord-américain.

Dans un premier temps, ce choix ne semble pas avoir troublé le système d'enseignement francophone. Mais avec la Révolution tranquille et la question grandissante d'un Québec français, ce dossier a fini par refaire surface. En septembre 1969, il a même atteint des sommets de tension avec les émeutes de Saint-Léonard, qui mettaient face à face partisans d'une scolarité unilingue en français et tenants (italiens) du libre choix de la langue d'enseignement.

Ce débat politique complexe et délicat débouchera éventuellement sur la loi 63 (1969), accordant aux parents le choix de la langue d'enseignement. Résolution temporaire, puisqu'en 1974, en vertu de la nouvelle loi 22, le français devenait la langue officielle du Québec. La table était mise pour la loi 101.

Aujourd'hui, seulement 20 % des Italiens de Montréal ne parlent que français, alors que 70 % se disent bilingues. Trois pour cent ne connaissent que l'italien.

LE MONTRÉAL grec

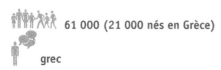 61 000 (21 000 nés en Grèce)

 grec

christianisme orthodoxe (85 %), catholicisme (10 %)

G rec et Québec riment depuis la fin du 19ᵉ siècle. Si les livres d'histoire rapportent l'existence d'un certain Grec traducteur aux côtés de Samuel de Champlain, les premières traces d'une immigration hellénique à Montréal remontent plus certainement aux années 1880, avec les arrivées successives de marins qui prennent racine autour du port de Montréal.

En 1906, le Montréal grec compte déjà 1 000 personnes. Ce sont pour la plupart des gens sans éducation, qui investissent avec succès le secteur de la restauration et de la pâtisserie.

Peu organisée jusque-là, la communauté fonde en 1907 la Koinotita, première association grecque orthodoxe de la ville. Aujourd'hui rebaptisée Communauté hellénique de Montréal, cette institution reste le principal gardien de la culture grecque dans la métropole, même si avec les années elle a été concurrencée par d'autres organismes répondant plus adéquatement aux besoins des nouvelles générations d'immigrants.

En 1934, on compte quelque 2 200 Grecs à Montréal. C'est encore peu. Si certains ont réussi en affaires, la plupart continuent de suer dans les cuisines de restaurants. Concentrée au centre-ville, à l'angle des boulevards Dorchester (aujourd'hui René-Lévesque) et Saint-Laurent, la communauté s'articule désormais autour d'une demi-douzaine d'associations, de cafés, d'écoles, sans oublier son église orthodoxe, située au 8, rue Sherbrooke Ouest – qui sera détruite par un incendie en 1986.

ICI TAXI CHAMPLAIN

Mais c'est après la Seconde Guerre mondiale que le Montréal grec prend véritablement son expansion. Cette nouvelle vague d'expatriés fuit le marasme économique et, surtout, la guerre civile, qui fera 150 000 morts en Grèce entre 1942 et 1949. Elle est constituée d'ouvriers non spécialisés et de femmes de ménage, mais aussi de jeunes gens plus éduqués venus chercher un autre avenir au Canada. Certains se dirigent vers les études ou les professions libérales, mais beaucoup échouent dans les manufactures (de fourrure notamment). Les autres investissent le monde des affaires, ouvrant épiceries, dépanneurs, bijouteries, boulangeries... et, bien sûr, d'autres restaurants. Dans les années 1950, ce sont des Grecs qui vont fonder le marché des 4 Frères, les supermarchés Mourelatos et la compagnie de taxi Champlain.

À partir de 1955, on estime que 3 000 Grecs viennent trouver refuge à Montréal chaque année. C'est l'âge d'or de l'immigration grecque à Montréal. Ce mouvement, qui se veut au départ temporaire, finit à son tour par prendre racine. Dans les années 1960, il s'accentue avec l'arrivée régulière d'immigrants illégaux et d'exilés politiques fuyant la dictature des colonels, qui durera de 1967 à 1974.

Cette arrivée massive et ininterrompue se reflète dans l'expansion et la multiplication des quartiers grecs à Montréal. De nouvelles organisations naissent, résultat de divisions tangibles entre immigrants de première, deuxième ou même troisième génération. On ne s'installe plus *downtown*, mais désormais plus au nord, sur le Plateau. Les Grecs remontent peu à peu l'avenue du Parc jusqu'au quartier Mile-End, où on trouve encore aujourd'hui une bonne concentration de commerces (restaurants, surtout) helléniques.

Vers la fin des années 1960, la communauté migre dans le secteur Parc-Extension, où seront construites trois églises orthodoxes encore en activité aujourd'hui : la Dormition de la Vierge, l'Annonciation de la Vierge et l'Église selon l'ancien calendrier.

Les familles plus aisées vont pour leur part migrer à Laval, à Saint-Laurent, sur la Rive-Sud et dans l'ouest de l'île, plus anglophone. Il faut savoir que les Grecs de Montréal parlent surtout anglais. Étant de religion orthodoxe, les enfants des premières générations n'ont pas été admis dans les écoles catholiques francophones et ont été obligés de se rabattre sur les écoles protestantes anglophones. (Depuis 1970, cependant, la Communauté hellénique de Montréal multiplie les efforts pour enseigner le français à ses membres. La langue de Molière occupe ainsi 62 % du programme dans les écoles Socrates, contre 10 % pour l'anglais.)

Au début des années 1970, l'Opération Mon Pays permet de légaliser le statut de tous les illégaux du Québec. Des milliers de Grecs vont profiter de cette chance avant que l'on instaure le système de points, qui fera considérablement ralentir l'immigration. En 1976, on compte 85 000 Grecs à Montréal. Ce chiffre retombera à 80 000 dans les années suivant l'élection du PQ, alors que de nombreux Grecs se redirigent vers l'Ontario.

UN VILLAGE GREC

Aujourd'hui, la réalité des Grecs de Montréal semble suivre celle de la société québécoise en général. Les enfants et petits-enfants d'immigrants ne sont plus seulement dans les affaires et la restauration, mais sont devenus médecins, dentistes, ingénieurs, politiciens, avocats ou comptables. Dans la communauté, les jeunes se désintéressent de l'Église et font moins d'enfants. Progressivement, ils cessent aussi de parler leur langue maternelle. Des églises grecques ont même adopté la messe en anglais dans l'espoir de rapatrier leurs ouailles...

Malgré cette intégration globale, la culture hellénique reste bien vivante dans le 514 et le 450. Sur les terrasses et dans les soirées, les Grecs ne craignent pas les clichés et montrent fièrement leur attachement aux coutumes du pays.

Avec plus de 35 000 personnes, la plus forte concentration de Grecs se trouve désormais à Laval, plus précisément dans le quartier Chomedey. Plusieurs ont toutefois gardé leurs commerces dans les « anciens quartiers », principalement l'avenue du Parc, entre les avenues du Mont-Royal et Van Horne, où l'on trouve encore de nombreux établissements fort pittoresques.

Avec sa population grecque vieillissante, Parc-Extension est pour sa part devenu un quartier cosmopolite, où Indiens, Pakistanais et Ghanéens effacent progressivement les traces de l'ancien quartier hellénique. « Avant, il y avait 60 % de Grecs dans Parc-Ex, résume Stefanos, flamboyant barbu rencontré au restaurant Kalavrita. Aujourd'hui, nous sommes tombés à moins de 15 %...»

PARLEZ-VOUS GREC ?

Bonjour ➤ Kalimera (matin), Yassou

Merci ➤ Efcharisto (prononcez «efharisto »)

Au revoir➤ Yassou (une personne), Yassas (plusieurs)

1 DANS LE CALENDRIER

Les fêtes grecques se rapportent principalement à la religion, mais on souligne aussi des événements politiques.

Fête de l'Indépendance : 25 mars

Le 25 mars 1821, la Grèce entamait sa guerre de libération contre l'empire ottoman. Cette date est d'autant plus commémorée qu'elle correspond à celle de l'annonce faite à la Vierge.

Le premier dimanche suivant le 25 mars, on célèbre le tout par une cérémonie à l'église de l'Annonciation, dans le quartier Parc-Extension (voir l'adresse en page 65) et un défilé sur la rue Jean-Talon, avec fanfares et membres des différentes associations grecques.

Pâques (Pasha) : avril

Résultat d'un compromis politique, Pâques est la seule fête grecque qui soit célébrée selon l'ancien calendrier (calendrier julien). Généralement, cela se passe début avril, une semaine après la pâque juive. Le vendredi soir, toutes les paroisses orthodoxes organisent une procession aux chandelles, avec l'épitaphe symbolisant l'enterrement de Jésus. Comme Parc-Extension possède trois églises grecques, cela fait du monde dans les rues ! Le samedi soir, c'est la messe de minuit, menant « vers le nouveau jour de la résurrection ». Et le dimanche, c'est le festin à l'agneau célébrant la résurrection du Christ et la fin du jeûne. Même si les jeunes se détournent de la religion, cette fête très importante est le moment de l'année où la plupart des Grecs renouent avec l'Église.

Fête de la Dormition (assomption de la Vierge) : 15 août

L'assomption – ou dormition – de la mère de Dieu est célébrée chaque année par une messe à l'église de la Dormition (voir l'adresse en page 65) et une procession dans les rues du quartier Parc-Extension. On termine le tout en beauté par une fête en face de l'église, avec troupes de danse folklorique et spectacles de chanteurs locaux.

Okhi : 28 octobre

Le 28 octobre 1940, la Grèce refuse de laisser entrer l'armée de Mussolini sur son territoire. Ce geste marque l'entrée du pays dans la Seconde Guerre mondiale et est à l'origine de cette fête grecque importante. On commémore Okhi (prononcez « Ohi ») à Laval et à Montréal par un certain nombre d'événements protocolaires, dîners, galas et services religieux.

 ÉVÉNEMENTS

La flamme hellénique : août

Ce festival culturel de trois jours a lieu début août au parc Jean-Drapeau, le week-end précédant la fête de la Dormition. Ses kiosques gastronomiques, spectacles musicaux, troupes de danse et soirées de type Bouzouki Nights (voir la page 63) en font un bon tremplin pour se familiariser avec le Montréal grec.

www.hcm-flame.com

Festival culturel grec de Laval : juin

La très grosse communauté grecque de Laval tient son festival depuis 25 ans, du 24 juin au 1er juillet. Cette semaine de fête se déroule au Smart Center, à l'angle des boulevards Daniel-Johnson et Saint-Martin. Il y a de la bouffe grecque, des jeux pour les enfants, des chanteurs pop, des troupes de danse et des DJ pour le *party*. Le Festival grec de Laval attire surtout les gens de la communauté, ce qui le rend un peu moins touristique que son équivalent montréalais.

Carnet d'adresses

 MANGER

Montréal ne manque pas de restaurants grecs. Il y en a pour toutes les bourses et pour tous les goûts. Du restaurant-minute au superclasse, à chacun de trouver ce qui lui convient. La liste suivante en vaut bien d'autres !

Elatos Souvlaki

Oubliez Aharova et la Casa grecque. Selon des sources bien informées, il se ferait ici le meilleur fast-food hellénique de Montréal ! Les Grecs de Parc-Extension y vont notamment pour le *gyros* et le *doner pita*. L'endroit ne paie pas de mine, mais c'est un secret bien gardé du quartier.

550, rue Jarry Ouest
514 273-5358 • Ⓜ Jarry

Philinos

C'est ici, dit-on, qu'on peut manger le meilleur *copanisti* (feta avec piment rouge) avec du pain frit (*tyganopsomo*). Mais la carte est beaucoup plus vaste. Déco chic et boisée, à saveur art nouveau, particulièrement chaleureuse.

4806, avenue du Parc • 514 271-9099
www.philinos.com • Ⓜ Mont-Royal

Mythos

Musique *live* les vendredis et samedis, décor digne de *L'Iliade* et de *L'Odyssée* (allez jeter un coup d'œil au deuxième étage) : idéal si vous avez l'âme touristique.

5318, avenue du Parc • 514 270-0235 www.mythos.ca• Ⓜ **Laurier**

Kalavrita

Ce n'est peut-être pas le plus chic, mais on a beaucoup aimé l'ambiance de ce resto-bar aux plafonds bas, à la déco kitsch et à la terrasse presque rurale. On y vient le jour pour manger des souvlakis et de la pieuvre grillée ou boire un coup avec la faune d'habitués, et les soirs de fin de semaine pour danser ou « karaoker » sur de la musique grecque. Belle sortie pour aventuriers urbains.

991, avenue Ogilvy 514 270-9636 • Ⓜ **Acadie**

Atomic

Le plus couru des grecs de Laval. Tellement couru, en fait, que même les Grecs de Montréal font un détour pour y aller ! Grandes tables, petits coins pour amoureux, service aimable et portions généreuses. Le dimanche, bouzouki *live* et *party* potentiel.

4637, chemin du Souvenir, Laval 450 688-6340

SORTIR ET PRENDRE UN VERRE, UN CAFÉ

La culture du café est encore assez vivante chez les Grecs. Les hommes s'y retrouvent pour jouer au backgammon, parler politique ou regarder la télé grecque. Demandez un café grec – mais surtout pas un café turc, même si le principe est le même (on le sert avec le marc). S'ils n'en font pas, allez-y pour le « frappé », un café au lait froid typiquement grec.

Café Cozmos

Attention : repaire masculin. Une faune d'un certain âge vient pour échanger, boire ou profiter de l'antenne satellite. Avec sa clientèle qui vieillit, l'endroit vibre moins qu'avant. Mais c'est toujours plein les jours de soccer alors que télé et musique grecque compétitionnent dans les haut-parleurs.

880, rue Jean-Talon Ouest 514 279-7144 • Ⓜ **Acadie**

Eftihios Makrymanolaki, poète officiel des Crétois de Montréal

Association des Crétois de Montréal

Les Crétois sont un des groupes les plus dynamiques de la communauté grecque. Ce club social est le théâtre de diverses activités communautaires ponctuelles, des spectacles folkloriques aux cours de danse pour les plus jeunes. N'hésitez pas à entrer prendre un café. Si vous êtes gentil, on vous offrira peut-être un verre de *tsipouros*, une eau-de-vie particulièrement mortelle ! Coutume crétoise : si on vous a offert le café en entrant, offrez-le à votre tour au client qui suit.

5220, avenue du Parc
514 270-2993 • Ⓜ Laurier

 SORTIR POUR DANSER

Bouzouki Nights

Il n'y a pas à proprement parler de disco-thèque grecque à Montréal. Par contre, les Bouzoukis Nights devraient satisfaire les « sorteux ». Ce concept, en vogue depuis une vingtaine d'années, propose des soirées *dance* avec DJ grecs locaux et nouveaux succès pop *from Greece*. Les Bouzouki Nights ont lieu dans différents bars de la ville, et sont généralement organisées en marge des grandes fêtes grecques comme Pâques, Noël ou la fête de la Dormition. Pour en savoir plus, syntonisez MIKE FM, la radio grecque !

 FAIRE L'ÉPICERIE

JPA Foods

On trouve de tout dans cette petite épicerie fréquentée par les Grecs de Parc-Extension, y compris certains produits grecs, comme de la feta, de l'huile, des biscuits et des *brikis*, ces petites casseroles qui servent à faire le café grec.

541, rue Saint-Roch
514 277-4777 • Ⓜ Parc

Mourelatos

Mourelatos, c'est un peu le Loblaws du Montréal grec. Cette institution, fondée en 1956, possède désormais six succursales à Laval, Pierrefonds, Saint-Laurent, LaSalle et Montréal, au centre-ville. Vaste choix de produits grecs et non grecs. Pour obtenir les adresses des succursales, consultez le site web.

www.mourelatos.com

Afroditi

Oasis de luxe dans le quartier Parc-Extension, cette boulangerie-pâtisserie ouverte en 1971 tient un appétissant comptoir de desserts grecs aux noms impossibles (*bougatsa, diples, ek mek, galaktobourikos, tsourekis*) et bien sûr, les incontournables *melomakaronas*, délicieux petits gâteaux enrobés de miel et de noix. Bon point pour la déco, style « lampe Tiffany ».

**756, rue Saint-Roch • 514 274-5302
www.afroditi.ca • Ⓜ Parc**

Piccadilly

Située à un coin de rue d'Afroditi, cette boulangerie existe depuis le milieu des années 1960. Piccadilly est peut-être moins classe que sa concurrente, mais ses pâtisseries n'en sont pas moins délectables. Selon certains Grecs, on y ferait les meilleurs *melomakaronas* en ville.

**542, avenue Ogilvy • 514 277-5705
Ⓜ Parc**

 MAGASINER

Variétés Delphi

Ce commerce d'une autre époque tient une intéressante section de livres, disques, revues et DVD grecs. Votre meilleure option dans le Mile-End.

**221, avenue Fairmount Ouest
514 273-2044 • Ⓜ Laurier**

Greek Bookstore

La librairie grecque de Parc-Ex ne vend pas seulement des livres (pour enfants et adultes), mais aussi des jouets éducatifs et des « cossins » à l'effigie des équipes de foot grecques. Serre-poignets, porte-monnaie, porte-clés, alouette...

696, rue Saint-Roch
514 272-6000 • Ⓜ Parc

Souvenirs Variety

Gros coup de cœur pour ce magasin « grec-lectique », situé à deux portes du resto Atomic à Laval. Disques, films, magazines, icônes religieuses, gilets de soccer, bébelles touristiques : tout y est. C'est aussi le meilleur endroit pour acheter un *koboloï*, ce fameux « chapelet » folklorique que les hommes grecs égrènent pour se défaire du stress. Prenez votre temps, ils en ont des centaines.

4621, chemin du Souvenir, Laval
450 687-4133

 MÉDIAS
Journaux

Vima BHMA

Tribune grecque canadienne/Greek Canadian Tribune

Vima, ou « La Tribune », est une institution du Montréal grec depuis 1964. Imprimé à 10 000 exemplaires, cet hebdo gratuit couvre l'actualité grecque d'ici et d'ailleurs, incluant la ligue de soccer grecque. Offert dans la plupart des commerces grecs.

514 272-6873 • www.bhma.net

Ta Nea (les nouvelles grecques canadiennes)

Ta Nea (« les nouvelles », en grec) se concentre en priorité sur les nouvelles locales. Plus récent.

450 978-9999 • www.tanea.ca

Radio

MIKE FM (105,1 FM)

CKDG est née en 2003 de la cuisse de CHCR, première radio grecque de Montréal. La station est dirigée par la non moins grecque Mary Griffith (ne vous fiez pas au nom), un petit rouleau compresseur au langage truculent, qui tient un *show* tous les jours de 11 h à 13 h.

Évidemment, la plupart des émissions sont en grec, mais beaucoup d'interventions se font aussi en anglais et en français. Outre la quotidienne de Mme Griffith, on vous suggère l'émission de Billy Galates, chanteur très populaire dans la communauté, qui fait jouer plein de bonne musique grecque les vendredis de 19 h à 21 h 45.

514 273-2481 • www.mikefm.ca/ckdg.html

Télévision

Edo Montréal

Les amateurs de télé grecque sont en deuil depuis la disparition de *Hellas Spectrum* à CJNT. Mais ils peuvent se rabattre sur Edo Montréal, gracieuseté de la chaîne satellite helléno-canadienne Odyssey TV. Ils ne seront pas trop perdus : cette émission socio-culturelle est présentée par George Kokonas, ancien animateur de *Hellas Spectrum*.

Dimanche 18 h 30 • Videotron, poste 253

En savoir plus

Communauté hellénique de Montréal

Si elle est loin d'être la seule organisation grecque de Montréal, la CHM est la plus ancienne et certainement la plus importante. Son réseau regroupe cinq écoles (baptisées Socrates), trois églises, un centre culturel, une bibliothèque et une foule de services sociaux destinés aux Grecs de Montréal.

514 738-7703 • www.hcm-chm.org

Centre d'études et de recherches helléniques du Canada

Cet organisme indépendant œuvre à la promotion et à l'enseignement du grec moderne. Sa revue éducative (*Études helléniques/Hellenic Studies*) touche autant à la politique qu'à l'histoire, à la sociologie, à l'éducation ou aux arts. Le CERHC a récemment réédité le premier livre publié en grec à Montréal, en 1837.

514 276-7333

Communauté grecque orthodoxe de Laval

Vitrine de l'énorme communauté grecque de Laval. Organise notamment le Festival culturel grec de Laval.

450 688-2088

LIEUX DE CULTE

Orthodoxes et très orthodoxes

L'Église orthodoxe est devenue indépendante de l'Église catholique au 11ᵉ siècle. Elle possède son propre pape, le patriarche de Constantinople, ainsi que ses particularités théologiques. Outre le fait que ses prêtres peuvent se marier, elle rejette certains dogmes catholiques, comme le purgatoire et l'Immaculée Conception. Sa liturgie orientalisante est aussi différente de celle de l'Église catholique.

À Montréal, on compte une douzaine d'églises grecques orthodoxes. Parmi celles-ci, on trouve la cathédrale Saint-George, sur Côte-Sainte-Catherine ; les églises de l'Annonciation (Evangelismos Tis Theotokou) et de la Dormition (Koimisis Tis Theotokou), dans Parc-Extension, les églises Saint-Nicolas et Sainte-Croix, à Laval ; et la plus récente église Saints-Constantin-et-Hélène, à Dollard-des-Ormeaux. Fait à noter : les prêtres orthodoxes de Montréal répondent de l'archevêque de Toronto, qui relève lui-même du patriarche de Constantinople.

Même si le nombre de pratiquants a tendance à diminuer, on estime que 99 % des Grecs sont d'obédience orthodoxe. Fait intéressant : alors que l'Église grecque orthodoxe a adopté le calendrier grégorien en 1923, une minorité d'irréductibles continue de pratiquer selon l'ancien calendrier julien, qui est en retard de 13 jours sur le calendrier grégorien. Cette «secte», comme la surnomment certains, possède sa propre église au 4585, rue Hutchison, dans le quartier Parc-Extension.

EN SAVOIR PLUS :

Église Saint-Nicolas
3780, chemin du Souvenir (Laval) • 450 973-3480
Église Saints-Constantin-et-Hélène
20, boulevard Brunswick (Dollard-des-Ormeaux) • 514 684-6462
Église de l'Annonciation (Evangelismos Tis Theotokou)
777, rue Saint-Roch • 514 273-9767
Église de la Dormition (Koimisis Tis Theotokou)
7700, avenue de l'Épée • 514 273-9120
Cathédrale Saint-George
2455, chemin de la Côte-Sainte-Catherine

LE MONTRÉAL portugais

 46 000 (18 000 nés au Portugal)

 portugais

 catholicisme (91 %)

L es Portugais, ces grands navigateurs, ont posé le pied au Canada il y a de cela fort longtemps. Mais le Montréal portugais, lui, n'a guère plus de 50 ans !

En un demi-siècle, cette communauté importante s'est bien enracinée dans la métropole québécoise et a fait sa marque de façon particulièrement visible sur la *Main*, où de nombreux commerces, cafés, magasins et restaurants portugais ont toujours pignon sur rue.

UN PEU D'HISTOIRE

Au commencement était la morue. Au 15e siècle, de nombreux pêcheurs portugais venaient faire le plein de poisson près des « côtes canadiennes ». Ils furent suivis en 1498 de l'explorateur João Fernandes Lavrador, qui laissa à la région le nom qu'on lui connaît toujours (Labrador).

Au début du siècle suivant, les frères Corte Real s'aventurent dans la région de Terre-Neuve et de la Nouvelle-Écosse, mais leurs voyages restent sans suite. D'autres Portugais participeront à la colonisation de la Nouvelle-France, aux côtés de Roberval et de Champlain, notamment l'interprète luso-africain Mathieu da Costa, reconnu officiellement comme premier Noir de l'histoire canadienne.

Pendant les trois siècles suivants, l'immigration portugaise se fait surtout vers le Brésil. Il faut attendre le début des années 1950 pour assister à l'établissement d'une véritable communauté au Canada, alors que le pays de la samba, sous le coup de la crise économique, a resserré ses frontières.

En 1953, une première vague importante met le pied au Québec en vertu d'une entente entre le ministère de l'Immigration du Canada et la Junta de emigração portugaise. À l'époque, le taux de chômage a atteint un seuil critique aux Açores et à Madère, deux archipels de l'Atlantique situés à l'ouest du Portugal. Le Canada, lui, est à la recherche de main-d'œuvre à bon marché, principalement dans le secteur de l'agriculture. Pour ces Européens sans travail en quête de renouveau, le Québec catholique offre une issue intéressante.

Des milliers d'Açoréens vont profiter de cette entente agricole. Mais l'isolement de la campagne, la barrière de la langue et la météo hostile ne leur conviennent pas. Très vite, ils quittent les champs pour s'établir à Toronto et à Montréal, rejoignant les Italiens dans les domaines de la construction et du chemin de fer.

Jusqu'à la fin des années 1950, l'immigration portugaise s'intensifie, notamment par la réunification familiale. Mais avec la fin du programme agricole, au début des années 1960, l'afflux ralentit et se diversifie : plus urbains et plus scolarisés, les nouveaux arrivants sont plutôt commerçants, techniciens ou ouvriers spécialisés.

Au début des années 1970, on compte 10 000 Portugais au Québec, dont la majorité à Montréal. Ce chiffre va doubler dans le courant de la décennie, avec l'arrivée de centaines de jeunes Portugais fuyant le service militaire. C'est l'époque des guerres d'indépendance au Mozambique, en Angola et en Guinée-Bissau. La décolonisation et la chute de la dictature au Portugal (la fameuse Révolution des œillets) entraîneront l'exode de milliers d'autres Portugais. Beaucoup vont s'installer au Brésil, aux États-Unis et ailleurs en Europe, mais plusieurs centaines choisissent la grande famille portugaise du Canada, où ils trouvent facilement du parrainage. Ce sera la dernière vague d'immigration portugaise au Québec.

GHETTOÏSATION, MIXITÉ

À leur arrivée, les Portugais n'ont pas tardé à prendre leur place dans le paysage montréalais. La communauté s'est d'abord implantée sur le Plateau-Mont-Royal, autour de l'avenue Duluth et de la rue Rachel, où se trouve toujours la très reconnaissable église Santa Cruz. Plusieurs familles se sont aussi installées près des rues Roy et de Bullion, à proximité de la poissonnerie Waldman, où plusieurs ont fini par trouver du travail.

Avec le temps – et l'argent –, les Portugais ont suivi le boulevard Saint-Laurent vers le nord (Mile-End, Villeray, Saint-Michel) puis vers Anjou et la périphérie, retapant nombre d'immeubles d'habitation au fil de leur migration urbaine. Plusieurs se sont éventuellement transplantés à Laval ou à Brossard.

Si la communauté a fait preuve d'une grande capacité d'adaptation, sa tendance à l'autosuffisance l'a parfois poussée à s'isoler volontairement. Très vite, on a vu apparaître des restos, des cafés, des boulangeries et des clubs sociaux spécialement tournés vers les Portugais. Cette ghettoïsation, ajoutée au fait que les Portugais furent longtemps confinés à un milieu de travail à forte concentration ethnique (manufactures, métiers de la construction avec les Italiens), explique en partie leur difficulté à apprendre la langue du pays. Encore aujourd'hui, de nombreux immigrants de la première génération ne font que baragouiner le français.

Selon Raùl Mesquita, chroniqueur au journal *A Voz de Portugal*, cette méconnaissance de la langue a considérablement « ralenti la montée professionnelle des Portugais dans la société québécoise ».

La nouvelle génération est cependant tout à fait intégrée, s'étant généralement distanciée de la communauté, de ses coutumes, de ses groupes folkloriques et même de sa religion. «La tradition se perpétue difficilement. La tendance est à l'oubli», observe M. Mesquita, ajoutant que plusieurs jeunes savent à peine parler leur langue maternelle. Éparpillés dans la ville, les Portugais se mêlent dorénavant au tissu social par le biais de mariages mixtes avec des Grecs, des Italiens et des «pure laine».

Ce qui n'empêche pas certains d'entre eux d'entretenir ce qu'il leur reste de fibre lusophone. La rappeuse Donzelle, petite-fille d'immigrants de première génération, en témoigne sur son disque *Parle parle, jase jase*, avec la chanson «D.D. Danse Luso», une toune rappée en portugais!

PARLEZ-VOUS PORTUGAIS?

Bonjour ➤ Bom dia (matin), Boa tarde (après-midi), Boa noite (soir)

Merci ➤ Obrigado (quand on est un homme), Obrigada (femme)

Au revoir ➤ Adeus, Até a la proxima (à la prochaine), Xau (ciao)

1 DANS LE CALENDRIER

Fête du Santo Cristo: mai

Tenue la troisième fin de semaine de mai, cette célébration d'origine açoréenne est avant tout religieuse. Mais la communauté en profite pour faire la fête pendant trois jours. Illuminée comme un cirque, l'église Santa Cruz de la rue Rachel se transforme en vaste scène musicale, accueillant une brochette de chanteurs populaires et de *filarmonicas* (fanfares) dans son stationnement, pendant que le sous-sol est réservé à des groupes de *pimba* (pop commerciale) pour la danse. Le dimanche, procession en honneur du Santo Cristo, le long des rues Clark et Saint-Urbain.

Fête de la Saint-Jean: 23 juin

Chez les Portugais de Montréal, la Saint-Jean se fête le soir du 23 juin. On vous suggère d'aller célébrer dans la cour de l'école Lambert-Closse (angle Bernard et Saint-Urbain), où le club sportif Benfica organise des soirées mémorables, avec sardines grillées et groupes musicaux.

On peut aussi aller fêter dans le quartier Côte-des-Neiges, où le Clube Orientale (4000, avenue de Courtrai) présente un spectacle de «démarches» chorégraphiées (*marchas*) assez pittoresque merci, où deux partenaires doivent avancer côte à côte tout en étant reliés par les extrémités d'un arc en bois!

Nossa Senhora do Monte (fête de Notre-Dame de la Montagne): août

Cette fête religieuse nous vient de Madère et se tient pendant le deuxième week-end du mois d'août, dans l'enceinte de l'église Santa Cruz. Avis aux amateurs de bouffe, c'est aussi une très bonne occasion de s'en mettre plein la panse. Essayez les super brochettes de viande, typiques de cette région du Portugal. C'est excellent avec du *bolo do caco*, le pain traditionnel de Madère.

Carnet d'adresses

 MANGER

On dit qu'il existe 365 recettes de morue dans la gastronomie portugaise. Demandez-la braisée, à la crème fraîche (*com natas*) ou aux patates et oignons (*bacalhau à gomes de sá*), vous ne pouvez pas vous tromper. Les amateurs de viande opteront plutôt pour le fameux poulet grillé sur feu de bois, le *carne alentejana* (porc avec palourdes et pommes de terre) ou le pot-au-feu à la portugaise (*cozido a portuguesa*), servi avec riz, bœuf, poulet, porc et *chouriço*.

Casa Minhota

Ici, le menu est varié. Chevreau, cochon de lait, *presunto* avec melon, fruits de mer, pieuvre grillée et bien sûr morue, puisque la Casa Minhota en a fait sa spécialité.

3959, boulevard Saint-Laurent
514 842-2661 • Ⓜ Sherbrooke

Tasca

Pour la musique *live*, les vendredis et samedis soirs, mais surtout pour son *carne alentejana* (porc aux palourdes) dont certains Portugais nous ont dit le plus grand bien.

172, rue Duluth • 514 987-1530
Ⓜ Sherbrooke

Chez Doval

Qui fait le meilleur poulet braisé? Beaucoup de gens vous répondront Chez Doval, à la fois pour le goût et pour l'ambiance. Mais attention, la concurrence est forte dans le domaine, principalement dans le secteur des rues Marie-Anne et Rachel. Certains disent que **Romados (115, rue Rachel Est, 514 849-1803)** est le secret le mieux gardé en ville, alors que d'autres ne jurent que par la **Rôtisserie**

Portugâlia (32-34, rue Rachel Ouest, 514 282-1519), où il est fortement conseillé de commander son poulet au moins cinq heures à l'avance les fins de semaine. Enfin, il y a **Michel, le Roi du Plateau (51, rue Rachel Ouest, 514 844-8393)**, bizness familial sans flafla et toujours convivial. Que choisir? Faites comme nous, essayez-les tous...

150, rue Marie-Anne Est • 514 843-3390
www.chezdoval.com • Ⓜ Mont-Royal

Braseiro

Situé à deux pas du parc Jarry, dans un secteur improbable de la rue Saint-Laurent, ce restaurant de quartier gagne en réputation. Bouffe portugaise authentique, du poulet braisé aux darnes de thon grillées en passant par la pieuvre et les calmars frits. Prix plus que raisonnables.

8261, boulevard Saint-Laurent
514 389-0606 • Ⓜ Jarry

 SORTIR ET PRENDRE
UN VERRE, UN CAFÉ

Le café portugais est un fief masculin. On y va pour jouer aux cartes, regarder la télé portugaise, manger une saucisse ou boire un bon café *com cheiro* (avec alcool). En général, ça ouvre tôt le matin et ça ferme tard le soir. Une saine rivalité s'est développée avenue Duluth, où l'on trouve les deux cafés de la communauté, pratiquement l'un en face de l'autre!

Café central portugais

Un troquet presque folklorique, à l'angle de la rue Saint-Dominique, fréquenté par une clientèle plutôt grisonnante. Passez les portes de saloon, au fond de la salle, il y a une petite salle à manger plus intime. Pittoresque.

4051, rue Saint-Dominique • 514 289-9367
Ⓜ Sherbrooke

Café Triângulo Português

N'hésitez pas à gravir les marches qui montent au Triângulo. Ce café authentique mérite bien le petit effort. Le menu du jour est inscrit sur le tableau, en haut des escaliers, et les portions sont dangereuses. Le sympathique barman de soir, Balthazar, est aussi accordéoniste. Demandez de goûter à son *aguardiente*...

20, avenue Duluth Est • 514 849-5571
Ⓜ Sherbrooke

 FAIRE L'ÉPICERIE

Soares et fils

Ouverte depuis presque 40 ans, cette entreprise familiale est le point de ralliement des Portugais du quartier comme des banlieusards qui reviennent la fin de semaine pour acheter le *chouriço* (ou chorizo, saucisson à base de porc), le fromage, les produits de marque Ferma ou les *couves*, le chou vert pour la soupe *caldo verde*. Ironique : l'épicerie mentionne « et fils », alors que les fondateurs n'ont eu que des filles...

130, avenue Duluth Est • 514 288-2451
Ⓜ Sherbrooke

Segal

Pour les prix compétitifs, les feuilles de morue séchée salée (qu'on dessale à la maison) ou les petites dames portugaises qui jouent du panier à épicerie dans les allées de l'établissement. Très fréquenté.

4001, boulevard Saint-Laurent
514 845-4716 • Ⓜ Sherbrooke

Bela Vista

La pâtisserie portugaise par excellence se nomme le *pasteis de natas*. C'est une tartelette aux œufs tout à fait délicieuse et c'est ici – tous les Portugais vous le diront – qu'on trouve la meilleure, parce qu'on y réussit

particulièrement bien la pâte feuilletée. Des variations au chocolat et au sirop d'érable sont également offertes, ainsi que le *pastel de feijão*, une tartelette aux fèves pas piquée des vers.

68, avenue des Pins Est
514 849-3609 • Ⓜ Sherbrooke

6409, avenue Papineau
514 227-1777 • www.pasteldenata.ca

Padaria Lajeunesse

Témoin de la présence portugaise dans Villeray, la boulangerie Lajeunesse offre un bon éventail de produits des Açores et du Portugal continental. Un connaisseur nous a vivement suggéré le *pao com chouriço* (pain au saucisson) et, en effet, c'est excellent pour boucher un coin. Côté sucré, outre les traditionnelles tartelettes aux œufs (*natas*), on vous conseille le *massa*, sorte de panettone portugais, que certains tartinent avec du pouding au riz (*arroz doce*).

533, rue Gounod • 514 272-0362
Ⓜ Jarry

 MAGASINER

Discoteca Portuguesa

Sans doute le meilleur endroit pour trouver les derniers tubes du chanteur *pimba* Quim Barreiros, mais aussi ceux des reines du fado comme Marisa, Bevinda ou la grande Amàlia Rodrigues. Revues, drapeaux, chandails de foot, bibelots folkloriques, articles religieux...

4134, boulevard Saint-Laurent
514 843-3863 • Ⓜ Mont-Royal

MÉDIAS

Journaux

A Voz de Portugal

Ce journal très lu est le seul hebdomadaire de la communauté. Actualités d'ici et du Portugal. Journal sur le web.

514 284-1813 • www.avozdeportugal.com

Lusopresse

Publié aux deux semaines, *Lusopresse* a été fondé par un ancien journaliste de *Voz de Portugal*. Nouvelles locales, contenu social, questions politiques. Une coche plus intello que son concurrent.

450 628-0125 • www.lusopresse.com

Radio

CINQ FM (102,3 FM)

Diffuse en portugais du lundi au jeudi, entre 17 h 30 et 19 h 30. Lundi, société et politique avec la journaliste vedette Elisa Fonseca. Mardi, *Rota de Ilhas* (pour les Portugais des Açores), et mercredi, *Recordar é viver* (poèmes et chansons d'amour). Le jeudi, grosse soirée musicale avec les émissions *Quinta do sol* (pop-rock lusophone) et la très cool *Repórter estràbico* (hip-hop, techno et nouvelles tendances musicales en portugais). Dimanche à 16 h, ne manquez pas *Discos Pedidos* et son festival de demandes spéciales, qui met le *pimba* à l'honneur.

www.radiocentreville.com

CFMB (1280 AM)

La radio italienne de Montréal présente l'émission *Portugalissimo*, tous les dimanches à 16 h. Tribune téléphonique, blagues salaces et blablabla. Animé par Rosa Velosa, un personnage bien connu dans la communauté.

www.cfmb.ca

Télévision

Montréal Magazine (FPTV)

Cette émission, produite à Montréal par la compagnie TVPM (Télévision portugaise de Montréal), est diffusée sur la chaîne payante FPTV, dont le siège social est à Toronto. On y ratisse tout ce qui concerne le Montréal portugais.

Samedi et dimanche 19 h
Videotron, poste 255

En savoir plus

Escola portuguesa do Atlântico

Une des trois écoles portugaises de Montréal. De la 1re à la 9e année.

514 387-1551

Centre communautaire de l'église Santa Cruz

Achevée en 1987, Santa Cruz est la seule église exclusivement portugaise de Montréal (il y a aussi l'église Notre-Dame-de-Fatima, à Laval). C'est là que se déroulent la plupart des activités importantes de la communauté (voir rubrique Calendrier). Son centre communautaire est un bon point de départ pour découvrir le Montréal portugais.

60, rue Rachel Ouest • 514 844-1011

LES «CLUBS SOCIAUX»

L a vie sociale des Portugais s'articule encore beaucoup autour des fameux clubs sociaux ou «associations». Au départ, ces lieux ont été formés selon les pôles d'intérêts, provinces d'origine ou affiliations avec des équipes de soccer afin de favoriser les rencontres. Aujourd'hui, ce concept est devenu vieillissant, et, faute de relève, il est à prévoir que d'ici quelques années une bonne partie de la vingtaine d'associations actuellement en activité auront fermé leurs portes. En attendant, ce sont encore les meilleurs endroits pour saisir l'atmosphère du Portugal authentique et populaire. Les clubs à caractère sportif sont particulièrement effervescents pendant les matchs de foot. Les associations culturelles organisent pour leur part des événements sur une base ponctuelle, qu'il s'agisse de repas spéciaux (fête des Mères, fête d'un saint) ou de collectes de fonds déguisées en soirées dansantes. Ces happenings sont annoncés dans les journaux de la communauté, mais le mieux est encore d'aller prendre un verre et de s'informer au bar sur les activités à venir. Si vous voyez que la porte est ouverte, entrez. On ne vous mangera pas!

Sport Montreal e Benfica

Club affilié à l'équipe du Benfica de Lisbonne, dont le symbole est un aigle doré sur fond rouge. N'allez pas là vêtu de vert, on va vous botter le derrière!

100, rue Bernard • 514 273-4389
Ⓜ Laurier

Sporting Clube de Montréal

Celui-ci est affilié à l'autre équipe de Lisbonne, le Sporting, dont la couleur est le vert. Même principe qu'au Benfica. Ici, pas de rouge. Bon point pour le serveur aveugle, dangereusement efficace. Si vous êtes gentil, il vous montrera comment différencier les billets de banque les yeux fermés...

4671, boulevard Saint-Laurent
514 499-9420 • Ⓜ Mont-Royal

Association portugaise du Canada

Située dans une ancienne synagogue, cette association portugaise serait la plus ancienne à Montréal. Soupers à 10 $ tous les vendredis soirs, concoctés par des petites madames de l'association. La vraie affaire.

4170, rue Saint-Urbain
514 844-2269 • Ⓜ Mont-Royal

Clube Oriental Portugues de Montréal

Situé dans le quartier Côte-des-Neiges. Souper offert le vendredi soir.

4000, avenue de Courtrai
514 342-4373 • Ⓜ Plamondon

LE MONTRÉAL espagnol

 56 000 (3 600 nés en Espagne)

espagnol

catholicisme (74 %), protestantisme (8 %)

La communauté espagnole a déjà été beaucoup plus nombreuse au Québec. Depuis le début des années 1980, cette immigration a chuté de façon nette, se limitant à quelques centaines de nouveaux arrivants par décennie. Mais il reste encore des traces de sa présence à Montréal.

À l'instar des Portugais, les premiers Espagnols à longer nos côtes ont été des pêcheurs et des navigateurs. Mais la première immigration officielle remonte au début du 20e siècle, avec l'arrivée de quelques centaines de voyageurs indépendants. Malgré son fort bassin catholique, le Québec n'est pas une destination prioritaire pour l'immigrant espagnol, qui, même en pleine guerre civile, lui préfère encore la France et l'Amérique latine.

La petite communauté va grossir au début de la décennie 1960, avec l'Opération Bisson, qui vise à recruter des agriculteurs pour les fermes québécoises. Une partie de cette immigration d'origine rurale (Galice, El Barraco, Villarquemado) s'installe en région. Mais la plupart des familles resteront dans le périmètre de Montréal, où le climat est moins rude et la communauté, mieux organisée.

Plus de 16 000 Espagnols vont immigrer au Canada entre 1960 et 1990, dont une majorité dans la foulée d'Expo 67. Ce sont principalement des immigrants économiques, en quête de meilleures conditions de vie. Mais il est probable qu'un certain nombre tentait aussi de se soustraire à la dictature franquiste. Quoi qu'il en soit, ouvriers spécialisés, femmes de ménage, professeurs, médecins, infirmières, garçons de table ou cuisiniers succèdent bientôt aux agriculteurs, diversifiant ainsi le profil de la communauté, qui s'installe en partie sur le boulevard Saint-Laurent, pas trop loin de son voisin portugais.

Avec la fin de la dictature (Franco meurt en 1975) et un lent retour à la prospérité, l'immigration espagnole ralentit, pour ne pas dire qu'elle tombe au point mort. En 1986, on compte à Montréal 15 000 Espagnols nés au pays. Aujourd'hui, ce chiffre a chuté à moins de 5 000. Déclin prévisible pour une communauté vieillissante, qui se réunit de moins en moins, sinon pour des occasions très spéciales, comme les matchs de foot et les fêtes nationales. Ce qui n'empêche pas – tant s'en faut – la nouvelle génération de se sentir très proche de ses racines. En d'autres mots : on peut sortir l'Espagnol d'Espagne, mais pas l'Espagne de l'Espagnol !

DANS LE CALENDRIER

Fête nationale : 12 octobre

Le « jour de l'hispanité » coïncide avec la fête de la Virgen del Pilar de Saragosse, sainte patronne de l'Espagne. On la souligne à Montréal par une messe à l'église Saint-Arsène (**1025, rue Bélanger Est, 514 271-2483**), le dimanche le plus proche de cette date. On en profite généralement pour fêter sainte Thérèse d'Avila, patronne de la mission espagnole de Montréal.

Noël : 6 janvier

Bien que les Espagnols soient de plus en plus nombreux à fêter Noël en décembre, l'Épiphanie reste traditionnellement le jour des cadeaux. Une messe a lieu le dimanche précédant ou suivant cette date à l'église Saint-Arsène, avec distribution de *regalos* par les trois Rois mages.

Carnet d'adresses

 **SORTIR, MANGER ET PRENDRE UN VERRE**

Montréal abrite une demi-douzaine de restaurants espagnols, dont quelques-uns à la mode « tapas chic ». On vous suggère personnellement les centres sociaux, moins branchés, mais avec une authentique ambiance de bar populaire à l'espagnole. Les trois clubs sont sur la *Main*, à trois pâtés de maisons l'un de l'autre. Essayez-les tous en un soir et comparez !

Club espagnol du Québec

Avec sa grande salle à manger aux allures de cafétéria, le Club espagnol peut accueillir de larges groupes. C'est particulièrement pratique pour les matchs de foot, toujours très courus dans la communauté. Le menu est basique (calmars frits, *boquerones*, pieuvre, *patatas bravas*, tortillas, paëllas, etc.) et l'ambiance, tout à fait espagnole. Super terrasse à l'arrière et spectacles flamencos tous les mercredis à 21 h.

4388, boulevard Saint-Laurent 514 849-1737 • Ⓜ Mont-Royal

Centre social espagnol de Montréal

Même si le centre appartient toujours à la communauté, le restaurant et la salle de spectacle du deuxième étage (Sala Rossa) sont désormais gérés par de jeunes branchés, qui ont heureusement respecté l'esprit des lieux. Ce qui explique la clientèle hétéroclite, composée d'artistes du Mile-End et de petites dames espagnoles qui jouent aux cartes ! Soirées flamencos le jeudi.

4848, boulevard Saint-Laurent 514 844-4227 • Ⓜ Mont-Royal

Centre Gallego de Montréal

La Galice, région au nord-ouest de l'Espagne, possède son propre centre social à Montréal. L'endroit est surtout fréquenté par des habitués et des joueurs de cartes quinquagénaires, mais les soirs de week-end sont plus animés. On vous suggère le potage *cardo gallego* (bouillon de porc, patates, chou, pois chiches), typique de ce coin de pays. Spectacle flamenco le vendredi et repas spécial le 25 juillet, pour la fête de saint Jacques, patron de la Galice.

4602, boulevard Saint-Laurent 514 843-3821 • Ⓜ Mont-Royal

MAGASINER

L'Española & libreria española

Depuis 35 ans, un point d'ancrage pour la communauté hispanophone de Montréal. Dans les années 1970, l'épicerie-librairie était surtout fréquentée par des Espagnols qui recherchaient des produits du pays. Avec un nombre croissant de Latinos à Montréal, ses stocks sont aujourd'hui à 50 % latino-américains. On y trouve quand même plusieurs classiques de la culture populaire espagnole, dont les *fabadas* (flageolets), le *turron* (nougat) et le supplément du dimanche du journal *El Pais*.

3811, boulevard Saint-Laurent
514 849-3383 • www.lespanola.com
Ⓜ **Saint-Laurent**

EN SAVOIR PLUS

ORGANISMES

Centre social espagnol de Montréal

Bien qu'il soit surtout réservé aux membres, ce QG du Montréal espagnol offre des cours de danse et de flamenco ouverts à tous.

514 510-5889

Centre de ressources de l'espagnol de Montréal

Relié à la Faculté des arts et des sciences de l'UdeM, le CREM est le pôle universitaire de la culture espagnole à Montréal. Conférences, films, bibliothèque et, bien sûr, cours.

514 343-5898
www.cre.umontreal.ca/index.html

LIEUX DE CULTE

Église Saint-Arsène/Institut espagnol de Montréal

La Mission catholique espagnole Sainte-Thérèse-d'Avila a été créée en 1956. Elle est installée à l'église Saint-Arsène depuis 2002. Les messes en espagnol ont lieu le dimanche à 11 h et à 13 h. Abrite aussi l'Institut espagnol de Montréal **(514 273-3601),** qui enseigne la culture espagnole aux enfants de la communauté (niveaux primaire et secondaire) et donne des cours de langue aux adultes.

1015, rue Bélanger Est
514 271-2483

BEAU, BON... CACHÈRE

3. LE MONTRÉAL JUIF

 90 000

 anglais, français, yiddish, hébreu, espagnol, russe

judaïsme (87 %), catholicisme (3 %)

Montréal ne serait pas ce qu'il est aujourd'hui sans l'influence profonde de la communauté juive. Présente au Québec depuis 250 ans, celle-ci a contribué de façon importante à la culture et à la construction de l'identité montréalaise, nous donnant des personnalités comme le chanteur Leonard Cohen, les écrivains Mordecai Richler et Naïm Kattan ou l'animatrice Sonia Benezra, ainsi qu'Habitat 67 (Moshe Safdie), les épiceries Steinberg, les chaussures Aldo, les indispensables bagels et le meilleur smoked meat à l'ouest de la Pologne.

«Les Juifs ont été les premiers Montréalais véritables, sans retenue, affirme tout simplement Pierre Anctil, coordonnateur des études juives canadiennes à l'Université d'Ottawa. Les francophones, ça leur a pris du temps. Pour eux, c'était une ville anglaise. Quant aux Anglos, elle n'était pas au cœur de leur identité.»

UN PEU D'HISTOIRE

Avec plus de 90 000 âmes, la communauté juive de Montréal est l'une des 15 plus importantes en Amérique du Nord, mais aussi, et surtout, l'une des plus anciennes.

Les premiers Juifs arrivent au Québec lorsque la colonie devient britannique en 1760. Leur première synagogue est inaugurée à Montréal par la congrégation Shearith Israel («les vestiges d'Israël») en 1768, ce qui en fait la première communauté non chrétienne et non autochtone du pays.

Malgré tout, le judaïsme restera longtemps sans statut légal au Canada, et il faudra attendre 1832 pour que cette religion et les droits civiques des Juifs canadiens soient officiellement reconnus par le gouvernement du Bas-Canada, 25 ans avant la Grande-Bretagne.

Hanoucca : allumage de la menora à Côte-Saint-Luc

En 1871, la communauté juive du Québec compte environ 500 personnes, pour la plupart des familles prospères venues de Grande-Bretagne. Mais ce paysage va changer radicalement à la fin du 19e siècle, avec l'arrivée massive de milliers de Juifs ashkénazes (d'Europe de l'Est), qui fuient l'antisémitisme, notamment en Russie.

Cette nouvelle population, pauvre et yiddishophone, fait décupler la communauté juive du Québec, qui passe de 7 000 à 60 000 membres entre 1901 et 1931. Bientôt, les Juifs forment la troisième communauté de Montréal derrière les Anglais et les Français, et le yiddish devient la troisième langue la plus parlée dans la ville.

Certains de ces nouveaux arrivants vont s'installer dans le nord-est de Montréal ou dans le Lachine industriel. Mais la majorité ne tarde pas à s'implanter sur le boulevard Saint-Laurent, haut lieu d'échanges et de mouvement urbain. À la jonction du Montréal franco et du Montréal anglo, la *Main* est un axe commercial stratégique. Sans compter qu'en s'établissant à cheval entre les deux «solitudes», la communauté juive ressent moins la pression de se conformer au catholicisme de l'un ou au protestantisme de l'autre.

Naturellement, toutefois, la communauté adopte un visage plus anglophone. Rappelons que, depuis 1903, les enfants juifs se font refuser l'accès à l'école catholique et ont dû se rabattre sur les écoles anglophones protestantes. Désormais, la communauté parle le yiddish, mais aussi l'anglais...

Économiquement, l'intégration est rapide. Désireuse de s'enraciner dans sa nouvelle société d'accueil, la communauté ne tarde pas à investir le domaine de la petite entreprise (textile, restauration, commerce au détail).

Socialement, c'est plus difficile. Parce qu'ils ne sont pas chrétiens, l'intégration des Juifs va lentement. La communauté finit par développer son propre réseau d'entraide sociale, incluant un bon nombre d'établissements culturels et religieux qui vont stimuler son épanouissement. On assiste à l'apparition de plusieurs synagogues, écoles et bibliothèques, sans oublier les nombreux mouvements syndicaux, héritage de son expérience européenne.

Avec la crise des années 1930, l'immigration en général, et juive en particulier, est freinée au Canada. Mais la fin de la Seconde Guerre mondiale va relancer le mouvement.

Quittant une Europe ravagée, des milliers de survivants de l'Holocauste débarquent à Montréal et font exploser la communauté, sur le plan tant démographique que culturel et économique. Cette vague est notamment marquée par l'arrivée des premiers hassidim, ces Juifs ultraorthodoxes, en quête d'une terre de liberté (voir à la fin de ce chapitre).

Dans la deuxième moitié des années 1950, une nouvelle population juive migre vers Montréal: ce sont les séfarades, venus d'Irak, d'Égypte, mais surtout du Maroc, qui vient d'obtenir son indépendance et qui n'est pas particulièrement ouvert au fait juif.

Cette nouvelle population francophone modifie quelque peu la perception des Canadiens français à l'égard des Juifs. Elle modifie aussi le visage de la communauté juive de Montréal, qui se retrouve dès lors plus composite. Ashkénazes et séfarades ne se côtoieront d'ailleurs jamais que sporadiquement. Si les deux groupes partagent la même religion, ils sont en revanche de culture et de langue très différentes. Mais aujourd'hui, alors que l'une et l'autre communauté sont en majorité bilingues, leurs échanges semblent plus fréquents.

En 1971, la communauté juive de Montréal atteint son sommet démographique avec plus de 130 000 âmes. Mais les changements sociopolitiques qui transforment le Québec vont entraîner un déclin progressif de cette population. Avec l'adoption des lois 22 et 101 et les deux référendums, plusieurs Juifs anglophones quittent Montréal pour des horizons plus «linguistiquement amicaux». Cette fuite démographique sera toutefois compensée par l'arrivée de nouvelles vaguelettes d'immigrants, venus d'Argentine, du Maghreb ou de France.

PLUS DIVERSIFIÉ QUE JAMAIS

Aujourd'hui, le Montréal juif compte quelque 90 000 personnes. Ce chiffre inclut environ 20 000 séfarades d'origine maghrébine et 12 000 hassidim. Si la communauté en général est moins forte qu'à Toronto (150 000 personnes) elle est aussi moins assimilée qu'aux États-Unis, entretenant jalousement sa culture et sa religion malgré son intégration. Ainsi, 90 % des Juifs montréalais savent toujours lire l'hébreu biblique et 30 % le parlent. Quant au yiddish, il n'est plus parlé que par la frange hassidique.

Plus diversifié que jamais, le Montréal juif demeure toutefois très concentré géographiquement. Normal : la pratique du judaïsme interdit de se rendre prier en voiture, ce qui favorise une certaine densité autour des lieux de culte.

Depuis les années 1960, suivant leur ascension sociale, les Juifs de Montréal ont naturellement migré à l'ouest du boulevard Décarie, dans des secteurs plus anglophones. On pense à Hampstead, Dollard-des-Ormeaux ou encore Côte-Saint-Luc qui, avec une population juive à 80 %, serait la ville la plus juive d'Amérique. Pas étonnant que la SAQ du Mail Cavendish abrite l'un des plus gros rayons d'alcool cachère à Montréal !

Progressivement délaissé, l'axe du boulevard Saint-Laurent garde encore quelques traces de la présence juive d'une autre époque, avec *delicatessen* Schwartz's (depuis 1928), la fabrique de pierres tombales L. Berson & Son (depuis 1922) ou le snack-bar Wilensky's (depuis 1932). Et si vous êtes chanceux, peut-être aurez-vous la chance de croiser Leonard Cohen au comptoir du Bagel Etc., à l'angle de la *Main* et de la rue Marie-Anne.

Bien qu'elle ait décliné en nombre, la communauté juive demeure une force vive – et unique – de la vie montréalaise. Bilingue à 80 %, elle est à la fois parfaitement intégrée et profondément à part, en raison de son réseau social, religieux et économique parallèle.

Le chanteur et musicien SoCalled (**www.socalledmusic.com**) incarne bien cette double appartenance culturelle. Ses spectacles, très courus, mélangent la musique klezmer avec le hip-hop, la chanson et même les *steel drums* caribéens. La diversité montréalaise en un seul homme...

PARLEZ-VOUS **YIDDISH**?

**Bonjour ➤ Shalom aleichem
(paix à vous)**

**Merci ➤ A hartzig gedank
(merci du fond du cœur)**

Au revoir ➤ Sholem

1 DANS LE CALENDRIER

Dans la religion juive, les mois sont basés sur le calendrier lunaire. Ainsi, la majeure partie de 2009 correspond, selon le calendrier judaïque, à l'année 5769. Les fêtes spéciales – pour la plupart religieuses – n'ont jamais lieu exactement à la même date.

Shabbat

Le Shabbat est le septième jour de la semaine, du vendredi soir au samedi soir. On le souligne avec des prières, des chansons, des repas, du bon vin, idéalement en procréant! Pendant cette fête, qui s'étend d'un coucher de soleil à l'autre, certaines activités sont théoriquement interdites, comme conduire, répondre au téléphone ou allumer manuellement la lumière.

Rosh Hashanah (Nouvel An juif)

Fêtée en septembre ou en octobre, Rosh Hashanah célèbre la création du premier homme: Adam. C'est le jour où Dieu juge la personne pour l'année qu'elle vient de passer. Après la prière à la synagogue, on mange en famille. La tradition veut qu'on déguste des pommes trempées dans du miel (pour demander que la prochaine année soit douce) ainsi que de la tête d'agneau ou de poisson.

Yom Kippour (Jour d'expiation)

Célébré dix jours après la fin de Rosh Hashanah, Yom Kippour commémore le pardon accordé par Dieu à la suite de l'incident du Veau d'or, dans la Bible. Ce jour-là, les synagogues sont pleines et les prières, particulièrement ferventes. C'est aussi le jeûne le plus sévère de toute l'année. Évidemment, on se tape une grosse bouffe quand tout est terminé.

Souccot (Fête des cabanes)

Commence cinq jours après Yom Kippour, et dure une semaine. La coutume veut que l'on construise des cabanes rudimentaires (de bois et de feuillages) à l'extérieur de la maison, et qu'on y vive comme à la maison... pourvu que les conditions climatiques le permettent! À Montréal, cette fête est aussi l'occasion de faire venir des chanteurs juifs de réputation internationale, qui se produisent gratuitement au parc Trudeau, dans Côte-Saint-Luc.

Hanoucca (Fête des Lumières)

Commémore la révolte des Juifs contre les Syriens, pendant l'Antiquité. Le chandelier à huit branches, qu'on appelle la menora, est le symbole de cette fête. Ces huit branches représentent les huit jours pendant lesquels une fiole d'huile avait miraculeusement éclairé le Temple libéré. Chaque soir pendant huit jours, on allume une nouvelle chandelle. À Montréal, il en va de même pour la menora géante qui se dresse devant la mairie de Côte-Saint-Luc. Ce rituel est généralement suivi d'un défilé de voitures, avec des menoras sur le capot, branchées dans l'allume-cigarettes! Considéré comme le Noël juif, Hanoucca a généralement lieu en décembre. Occasion, pour les enfants, de recevoir des gâteries, des cadeaux, des *dreidls* (toupies juives) ainsi que le fameux beigne cuit dans l'huile (*souvganiot*).

Pourim

Pourim est célébré chaque année pendant le mois hébreu d'Adar (février-mars). C'est une grande fête qui rappelle la délivrance du peuple juif, qui avait été menacé d'extinction par les Perses. On se réunit à la synagogue, on prie et, à la fin de la journée, on se donne des cadeaux. Pourim est un peu le carnaval, ou l'Halloween de la religion juive. Les enfants se déguisent en différents personnages, incluant les protagonistes de cet épisode historique. Quelques semaines avant Pourim, les magasins de *judaica* vendent des costumes et des masques à l'effigie de la reine Esther, du roi Assuerus ou de son méchant ministre Haman, qui avait lancé le décret d'extermination. Les rabbins déconseillent de se déguiser en Haman. Mais ce souhait n'est pas toujours respecté.

Pessa'h (la Pâque juive)

Célébrée au printemps, Pessa'h rappelle la libération des esclaves juifs en Égypte. Cette fête très connue est une succession de prières et de bonne bouffe. Attention : interdiction de manger tout produit issu de la fermentation de céréales ! Le pain est remplacé par une galette spéciale appelée *matza*. Plusieurs boulangeries montréalaises font venir leur *matza* d'Israël. Mais la compagnie Matzah Bakery, située à Outremont, fabrique son propre *matza,* et on dit que c'est le meilleur en ville !

Yom Haatzmaout (fête nationale)

Il n'y a pas de fête nationale des Juifs, sinon celle du pays dont ils sont citoyens. Par contre, la fête nationale d'Israël est le 14 mai, date de la reconnaissance du pays en 1948. Dans le calendrier juif, la date peut varier d'avril à mai. En 2009 par exemple, la célébration avait lieu le 29 avril. À Montréal, la communauté juive célèbre Yom Haatzmaout par différents rassemblements et une marche de solidarité entre le square Phillips et la place du Canada.

 ÉVÉNEMENTS

Festival séfarade : octobre-novembre

Le Festival séfarade existe depuis 1972. On y présente du théâtre, de la musique, des spectacles d'humour et des conférences plus sérieuses. Le Festival séfarade abrite aussi le Festival du film israélien, en association avec le Festival du film israélien de Paris.

514 733-4998, poste 3160
www.sefarad.ca

Carnet d'adresses

 MANGER

La gastronomie juive montréalaise ne se limite pas au bagel et au smoked meat. De la pizza au couscous, en passant par le sandwich au baloney, le menu est varié, et il y en a pour toutes les bourses. Certains restaurants offrent même une authentique garantie cachère.

Quelques *delicatessens...*

Montréal compte un nombre record de *delis*. Tous se spécialisent dans le smoked meat. La liste qui suit n'est que la pointe de l'iceberg.

Chez Schwartz's

Le plus célèbre des *delis* montréalais (voir autre texte pages 88 à 89)

3895, boulevard Saint-Laurent
514 842-4813 • www.schwartzsdeli.com

Main

Depuis 30 ans, le grand rival de chez Schwartz's, situé juste de l'autre côté du boulevard Saint-Laurent. Avis aux intéressés : le superbe documentaire *The Birth of the Smoked Meat*, de Jane Pope, fait une incursion dans les coulisses du *deli*. Avantage sur son vis-à-vis : Main sert de l'alcool. Si vous ne voulez pas faire la file, traversez...

3864, boulevard Saint-Laurent
514 843-8126 • Ⓜ **Sherbrooke**

Snowdon Deli

Au même endroit depuis 1946. Une des meilleures réputations en ville. Certains chuchotent même que le smoked meat serait meilleur que chez Schwartz's...

5625, boulevard Décarie • 514 488-9129
www.snowdondeli.ca • Ⓜ **Villa-Maria**

Lester's

Depuis 1951. Cachet rétro un peu artificiel. Mais ambiance sympa et bonne bière fraîche. Jeux pour les enfants.

1057A, rue Bernard Ouest
514 213-1313 • www.lestersdeli.com
Ⓜ **Outremont**

... et d'autres restos

Beauty's

Depuis 50 ans à la même adresse. Un *diner* style années 50, spécialisé dans le bagel et les déjeuners de compétition.

93, avenue du Mont-Royal Ouest
514 849-8883 •www.beautys.ca
Ⓜ **Mont-Royal**

Wilensky's

Mordecai Richler lui a rendu hommage. Nanette Workman, qui est juive, s'y est fait prendre en photo pour la pochette d'un de ses albums (*Nanette Workman*, 1976). Avec son décor qui n'a pas changé depuis un demi-siècle et son immuable « spécial » (baloney et salami frits servis sur un pain à la moutarde), ce petit resto d'une autre époque est un des derniers vestiges de l'ancien

quartier juif. Même les boissons gazeuses sont préparées à l'ancienne. Pittoresque.

34, avenue Fairmount Ouest
514 271-0247 • Ⓜ **Laurier**

Pizza Pita

Un genre de Pizza Hut version juive. L'endroit est tenu par un *hassid loubavitch*. Certifié cachère. Il y a même un service à l'auto.

6415, boulevard Décarie • 514 731-7482
www.pizzapita.com • Ⓜ **Plamondon**
Moishes Steak House

Depuis 1938, cette institution de la *Main* offre de la viande grillée « style cachère » – mais non garantie cachère – dans un environnement chic et vieux jeu. Plus cher.

3961, boulevard Saint-Laurent
514 845-1696 • www.moishes.ca
Ⓜ **Sherbrooke**

El Morocco II

Votre meilleur choix pour un couscous garanti cachère. À Montréal, seul restaurant haut de gamme pour Juifs séfarades pratiquants.

3450, rue Drummond • 514 844-6888
Ⓜ **Peel**

 SORTIR

Jam Nights au Ghettoshul

Dirigée par le rabbin Leibish Hundert, hassid de la branche Breslov, cette synagogue du ghetto McGill est unique à Montréal. Son ambiance « ultraorthodoxe-funk-klezmer-psychédélique » mélange prières et musique dans une ambiance vaguement hippie. Le vendredi, c'est la prière du Shabbat pour les étudiants juifs de l'université. Le mardi, ce sont les *jam nights*, avec Leibish (saxophone) et son groupe (claviers, guitare, basse et saxophone). Malgré les apparences, c'est ouvert à tous. L'entrée est gratuite et la bière n'est pas chère. Très cool.

3458, avenue du Parc • www.ghettoshul.ca
Ⓜ **Sherbrooke**

 FAIRE L'ÉPICERIE

Cheskie's Bakery

Incomparable comptoir de pâtisseries dominé par un roi : le *kokosh*, sorte de brioche roulée au chocolat dont on ne revient jamais complètement intact. Le patron, Cheskie, est un hassid venu de New York parce qu'il a épousé un membre de la communauté d'Outremont.

359, rue Bernard Ouest
514 271-2253 • Ⓜ **Laurier ou Rosemont**

Kosher Quality Bakery

Malgré son nom, Kosher Quality est beaucoup plus qu'une boulangerie. En fait, c'est une épicerie cachère complète qui s'adresse autant aux ashkénazes qu'aux séfarades. Le comptoir de plats préparés prêts à emporter est plutôt bien fourni, avec son *gefilte fish* (pâté au poisson servi froid, typique de la culture ashkénaze), son *cholent* (fèves cuites de Shabbat) ou ses salades roumaines à l'aubergine. Demandez qu'on vous explique. Le service est extrêmement courtois et, pour peu qu'on se montre intéressé, agréablement proactif.

5855, rue Victoria • 514 731-7883
Ⓜ **Plamondon**

Bentzy's épicerie casher

Pour les journaux, les magazines et, surtout, les bonbons, qui occupent une allée complète.

5540, rue Hutchison • 514 897-4901
Ⓜ **Laurier**

 MAGASINER

Les boutiques de *judaica* vendent d'abord des livres et des articles religieux. Mais certaines ont élargi leur marchandise aux disques, aux jouets et aux objets de la vie courante.

Fisher's Jewish Bookstore

Un antre à livres religieux, essentiellement en hébreu. Le patron, M. Fisher, hassid de la branche Satmar, est libraire comme son père. Il tient aussi des CD, des cassettes, des jeux de société, des kippas et des imperméables à *shtreimels* (le chapeau de fourrure hassidique).

1004, rue Saint-Viateur Ouest
514 276-1895 • Ⓜ **Parc**

Rodal's Hebrew Book Store & Gift Shop

Un bon magasin juif orthodoxe à Montréal. Beaucoup d'articles religieux, de peintures, de livres et de bébelles judaïques diverses. Si vous cherchez des disques de chanteurs pop hassidiques, c'est l'endroit. Accueil sympathique.

4689, avenue Van Horne
514 733-1876 • Ⓜ **Plamondon**

Victoria Gift Shop

Malgré son nom très anglo, voici une des rares librairies juives orthodoxes francophones à Montréal. Vaste choix de livres, de cadeaux, d'articles religieux.

5875, rue Victoria • 514 738-1414
Ⓜ **Plamondon**

 MÉDIAS
Journaux
Tribune juive

Mené de main de fer par Ghila Sroka, une Juive séfarade athée qui n'a pas la langue dans sa poche, ce magazine social, politique et culturel existe depuis 1983, à raison de six numéros par an.

514 737-2666

Canadian Jewish News

Depuis plus de 70 ans, cet hebdo couvre l'actualité juive montréalaise, canadienne et internationale, qu'il s'agisse de politique, de religion ou de culture. Les articles sont surtout en anglais, mais 15 % du contenu est en français, et il y a même une rubrique en hébreu. Le journal n'est offert que par abonnement, et il est actuellement distribué dans 20 000 foyers à Montréal.

514 735-2612 • www.cjnews.com

La Voix séfarade

Publié depuis 1976 par la Communauté séfarade unifiée du Québec, ce magazine trimestriel à 99 % francophone met l'accent sur la réalité juive en général et séfarade en particulier, qu'il s'agisse de sujets locaux ou internationaux. Il est tiré à 5 000 exemplaires.

514 733-4998 • www.csuq.org

Radio

Radio Shalom (1650 AM)

Première station 100 % juive d'Amérique du Nord, Radio Shalom est née en 1999, sur une bande sous-porteuse. En 2007, elle a fait le saut sur la bande AM. Sa programmation est à 60 % en français, à 30 % en anglais et à 10 % en hébreu.

514 737-4100, poste 201
www.radio-shalom.ca

Internet

Klezkanada

Cette organisation sans but lucratif vise à entretenir et à diffuser la culture juive au Canada, qu'il s'agisse de théâtre, de musique, de cinéma ou de danse. Si vous cherchez

où voir et entendre de la musique klezmer, consultez son calendrier de spectacles...

www.klezkanada.org

En savoir plus

Fédération de l'appel juif unifié (Canadian Jewish Appeal)

Ce « consortium » chapeaute une vingtaine d'organisations très actives, dont le mandat est de diffuser, promouvoir et défendre la culture juive. Parmi celles-ci, le Congrès juif canadien (fondé en 1919), la Communauté séfarade unifiée du Québec (CSUQ) et le Centre Hillel (pour étudiants).

1, carré Cummings • 514 735-3541
www.federationcja.org

Congrès juif canadien (région Québec)
514 345-6411 • www.cjc.ca

Communauté séfarade unifiée du Québec
514 733-4998 • www.csuq.org

Centre Hillel
514 738-2655 • www.chillel.com

Conseil de la communauté juive (Vaad Haïr)

Ce collège de rabbins, issus de diverses tendances orthodoxes, est la plus haute instance religieuse du Québec juif. Les bureaux du Vaad Haïr abritent notamment un important département de certification cachère (voir texte en page 88) ainsi qu'un tribunal rabbinique chargé de prononcer les divorces, d'entériner les conversions ou d'arbitrer les différends entre deux parties.

514 739-6363 • www.mk.ca

Centre commémoratif de l'Holocauste à Montréal

On estime qu'entre cinq et six millions de Juifs ont été exterminés par les nazis pendant la Seconde Guerre mondiale. Ouvert depuis 1979, ce musée sobre et grave tente d'expliquer l'inexplicable avec une série d'objets, de films et de témoignages de survivants – dont plusieurs qui ont refait leur vie à Montréal.

5151, chemin de la Côte-Sainte-Catherine
514 345-2605 • www.mhmc.ca
Ⓜ Côte-Sainte-Catherine

LIEUX DE CULTE

Il y aurait quelque 70 synagogues dans la région de Montréal, incluant Laval et la Rive-Sud. Toutes ne sont pas d'égale envergure. Il y en a de minuscules et de très grandes. Des fastueuses et des plus modestes. Certaines desservent la communauté séfarade, d'autres la communauté ashkénaze. La grande majorité, enfin, est d'obédience orthodoxe. Mais on compte aussi trois synagogues dites «conservatrices», ainsi qu'une synagogue «réformiste libérale». Quelques adresses:

Synagogue espagnole et portugaise de Montréal

Fondée en 1768, cette congrégation orthodoxe est la plus vieille institution juive du Canada, et donc de Montréal. Son bâtiment actuel, qui dessert autant les Juifs séfarades que les ashkénazes, date toutefois de 1947. Historique.

4894, avenue Saint-Kevin • 514 737-3695
www.spanishportuguese-mtl.org • Ⓜ Côte-Sainte-Catherine

Congrégation Shaar Hashomayim

La plus ancienne congrégation ashkénaze du Canada (1846) peut se vanter d'avoir la plus grosse et la plus prestigieuse synagogue de Montréal. Fréquenté depuis toujours par l'élite juive de Westmount (dont la famille Bronfman), cet immense complexe inauguré en 1922 inclut aussi une chapelle, une salle de réception, des salles de conférences, une école, un gymnase, un musée et même une boutique de souvenirs.

450, avenue de Kensington • 514 937-9471 • www.theshaar.org • Ⓜ Atwater

Temple Emanu-El-Beth Sholom

La première congrégation juive réformiste de Montréal est née en 1882. Comme dans les synagogues dites conservatrices, le temple permet aux femmes et aux hommes de s'asseoir ensemble pendant les offices. L'usage du micro est accepté et le service se fait en anglais plutôt qu'en hébreu.

4100, rue Sherbrooke Ouest • 514 937-3575 • www.templemontreal.ca

Congrégation Yetev Lev

Rendue célèbre par «l'affaire du YMCA», cette synagogue hassidique dessert avant tout la communauté satmar d'Outremont. Passez faire un tour le samedi matin afin de mesurer toute la ferveur religieuse des hassidim. Si vous êtes gentil et que vous mettez votre kippa, on vous laissera entrer sans problème. Avec un peu de chance, on pourrait même vous offrir un verre et des pâtisseries. Attention, les hommes en bas, les femmes en haut...

5555, rue Hutchison • 514 272-2757 • Ⓜ Laurier

LE BAGEL

Ce petit beigne non sucré venu d'Europe de l'Est, au début du 20ᵉ siècle, est un classique de la culture juive à Montréal, au même titre que le smoked meat. Il est roulé à la main, cuit sur feu de bois et assaisonné de graines de sésame ou de pavot. Il se mange généralement grillé et peut s'accompagner de fromage à la crème ou de saumon fumé. Aujourd'hui, le bagel se décline de plusieurs façons. On en trouve au pesto, aux multigrains, aux bleuets, aux tomates séchées, à la cannelle et aux raisins… Mais tout le monde vous le dira: le meilleur reste encore l'original. Avec ses deux fabriques bien connues (St-Viateur Bagel et Fairmount Bagel), le Mile-End demeure le meilleur quartier pour assouvir sa bagelomanie. Mais il y a aussi des fabriques de bagels dans l'ouest de l'île, à NDG et à Côte-Saint-Luc.

St-Viateur Bagel

Le St-Viateur Bagel Shop a été fondé en 1957 par Meyer Lewkowick, un boulanger originaire d'Europe de l'Est. Sa petite boulangerie artisanale s'est rapidement fait connaître comme l'une des références du bagel à Montréal. Pas étonnant que des stars de cinéma comme Jack Lemmon et William Shatner ainsi que le prince Charles s'y soient déjà arrêtés. Le propriétaire actuel, Joe Morena, a commencé à travailler dans la fabrique en 1962, à l'âge de 14 ans.

263, rue Saint-Viateur Ouest • 514 276-8044
www.stviateurbagel.com • Ⓜ Laurier

Fairmount Bagel Bakery

La première fabrique de bagels à Montréal fut fondée en 1919 par le Polonais Isadore Shlafman, dans une ruelle près du boulevard Saint-Laurent. En 1949, Isadore a déménagé sa fabrique sur la rue Fairmount, où on la trouve encore aujourd'hui. Reconnaissable par sa file d'attente perpétuelle, la Fairmount Bagel Bakery est ouverte nuit et jour, sept jours par semaine, ce qui est très pratique pour les oiseaux de nuit. On peut aussi faire livrer ses bagels en commandant une quantité minimale de cinq douzaines.

74, avenue Fairmount Ouest • 514 272-0667
www.fairmountbagel.com • Ⓜ Laurier

DAD's Bagel Inc.

Ne cherchez pas plus loin: DAD's Bagel est la seule fabrique de bagels à Montréal qui appartient à un sikh. Et pourquoi pas? demande Kashmir Randhawa en haussant les épaules. «Le Canada est un pays libre, à ce que je sache!» Ancien officier de l'armée indienne, celui qu'on surnomme «Kash» ou «Dad» a été livreur de pizzas, propriétaire d'un Mikes, commerçant à Miami, avant d'ouvrir sa propre fabrique de bagels en 1994. Pourquoi le bagel? Parce que le bizness est bon, tout simplement. «Pas besoin d'être juif pour manger le bagel. Pas besoin d'être juif pour fabriquer le bagel!»

5732, rue Sherbrooke Ouest • 514 487-2454 • Ⓜ Vendôme

☆ CACHÈRE

C'est quoi, donc, le cachère ?

Les plats dits «cachères» (en anglais: *kosher*) répondent aux règles strictes de la cacheroute. En gros, ces règles sont les suivantes:

- Il est interdit de mélanger dans un même plat les produits laitiers et la viande.

- Les seuls poissons permis sont ceux qui ont des écailles et des nageoires. Cela exclut les anguilles et les crustacés (eh non! pas de homard!).

- Le vin et tous les produits dérivés du vin doivent être certifiés cachères. Cela inclut le cognac, le vermouth, le porto. On peut boire du Coke ou de la vodka non certifiés, pas de problème.

- Les seules viandes autorisées sont les volailles et celles qui proviennent de ruminants à sabots cornés et fendus (autrement dit la vache, le cerf, l'orignal). Ces animaux doivent avoir été abattus rituellement par un *shoh'et* (abatteur rituel) et la viande, vidée au maximum de son sang (souvent par salaison).

Les Juifs les plus pratiquants ne mangent que de la bouffe cachère. Les autres sont un peu plus relaxes sur la question. Aux dernières nouvelles, Montréal comptait 17 restaurants strictement cachères. Tous les établissements cachères possèdent leur *mashguiah*, un surveillant cachère patenté. Le *mashguiah* s'assure que le menu est certifié cachère à 100 %, de même que tous les ingrédients utilisés. La certification cachère relève des autorités rabbiniques de chaque ville. Ce sont elles qui «étampent» (certifient) les produits cachères que l'on trouve en magasin. Le Conseil de la communauté juive de Montréal a créé l'agence de garantie MK (www.mk.ca/indexfr.html), et le Grand Rabbinat du Québec, l'agence KSR. Si vous voyez ces lettres sur une boîte de conserve, c'est qu'on l'a certifiée à Montréal. Si c'est écrit HKK, c'est que ça vient de Hong Kong.

Schwartz's
Montréal dans un smoked meat

Véritable institution montréalaise, ce petit *delicatessen*, situé au 3895, boulevard Saint-Laurent, est aussi connu à l'étranger que Céline Dion ou le stade olympique. Halte obligée pour les visiteurs, il est mentionné dans tous les bons guides de voyage. Politiciens, stars de cinéma et vedettes rock se font un devoir d'y faire un pèlerinage quand ils passent par Montréal. Certains clients font la route de Toronto, Ottawa ou Boston pour manger ses fameux sandwichs au smoked meat. Sans parler des Montréalais qui fréquentent l'établissement depuis 1928.

LE SECRET EST DANS LE *SHMUTZ* !

Qu'est-ce qui fait la si grande popularité de Schwartz's ?

Grande question, à laquelle ont tenté de répondre le cinéaste Gary Beitel et le journaliste Bill Brownstein. Chroniqueur au quotidien *The Gazette*, Brownstein a publié en 2007 *Schwartz's, The Real Story* (*Schwartz's, l'histoire vraie*, paru en français chez Parfum d'encre), un petit livre truffé d'anecdotes sur le célébrissime boui-boui. Quant à Gary Beitel (*Bonjour! Shalom!*), on lui doit le film *Chez Schwartz*, un documentaire style *human interest*.

À lire : *Schwartz's, charcuterie hébraïque de Montréal : l'histoire vraie*, de Bill Brownstein, Éditions Parfum d'encre.

À voir : *Chez Schwartz*, de Gary Beitel (www.chezschwartzfilm.com)

Les deux hommes sont d'accord sur un point : Schwartz's fait l'un des meilleurs smoked meats en ville, sinon LE meilleur. Un des seuls, disent-ils, qui ne soient pas piqués aux agents de conservation chimiques. «Tu peux sentir la différence», lance Gary Beitel, rencontré dans le vieux *deli* de la *Main*.

Sont-ce les épices ? la marinade ? Impossible d'en savoir davantage. Chez Schwartz's, le secret du smoked meat est aussi bien gardé que Fort Knox. «C'était une des conditions avant le tournage, raconte Gary Beitel. Je ne devais en aucun cas chercher à divulguer la recette.»

Bill Brownstein n'a pas davantage percé le mystère. Mais selon lui, c'est le *shmutz* qui fait la différence ! Le quoi ? «Dans la culture yiddish, le *schmutz* fait référence aux vapeurs d'épices et de gras qui se sont accumulées dans le fumoir au fil des ans», explique M. Brownstein. «Cela fait presque 80 ans qu'on fait du smoked meat dans ce vieux fumoir. Alors, vous imaginez bien que le *shmutz*, il est carrément dans les murs !»

YAHVÉ HOCKEY

S'il est vrai que le hockey est une religion au Québec, personne ne l'applique mieux que Dov Harrouch.

Depuis 2006, ce rabbin pas ordinaire profite des matchs du Canadien de Montréal pour enseigner le judaïsme à ses jeunes ouailles. Une façon comme une autre, dit-il, de ramener les brebis égarées et de les mettre sur le bon chemin.

«Aujourd'hui, les jeunes sont un peu réticents à l'étude de la Torah, admet Dov Harrouch. Alors, il faut leur donner une atmosphère juive qu'ils aiment. C'est ce que je fais en jumelant le hockey et la théologie. La matière passe mieux dans ce contexte. Ça leur donne envie de savoir d'où ils viennent et quoi faire de leur vie face à la religion, tout en passant une belle soirée entre amis.»

Ces «gentils mardis», comme il les appelle, ont lieu au Centre pour étudiants juifs (Hillel) de Côte-des-Neiges. Les séances se déroulent généralement comme ceci : les jeunes se pointent pour le match et regardent la première période en buvant une bière. À l'entracte, on ferme la télé et on ouvre la Torah. C'est d'abord la prière, puis le cours. Quinze petites minutes rondement menées, avant de rallumer la télé. Au début de la deuxième période, le rabbin commande de la pizza pour tout le monde.

Hockey jusqu'au prochain entracte et cours à nouveau. La soirée se termine avec la prière du soir, une fois la partie terminée.

Le CH serait-il soluble dans la religion juive ? Pour Dov Harrouch, cela ne fait aucun doute. Ce dernier dit d'ailleurs s'inspirer abondamment du hockey lors de ses enseignements. Le retour au jeu de Patrick Roy, après une longue blessure, lui a été très utile pour illustrer la volonté et le courage du peuple juif. Tout comme le rôle des vétérans, la pression sur les recrues, les punitions pour avoir mal agi, la notion de défi : tout est bon pour alimenter son cours.

«Il y a un tas de parallèles à faire, explique-t-il. Et pas seulement avec la Torah. C'est aussi une façon de leur enseigner la vie.»

« DOV N'EST PAS COMME LES AUTRES »

Original, vous dites ? Pas autant que ce rabbin de 35 ans, qui porte une casquette de baseball et un chandail du Canadien. Né à Montréal de parents marocains séfarades (les Juifs d'Afrique du Nord), Dov Harrouch a grandi dans une atmosphère pas religieuse du tout, en tripant sur le Canadien. À 20 ans, il est parti suivre des cours de religion en Israël.

«L'année du départ de Patrick Roy», précise-t-il en souriant. Pendant 12 ans, il a complètement oublié le CH, se consacrant corps et âme à l'apprentissage du rabbinat. L'idée des «gentils mardis» lui est venue à son retour, quand il a vu que le hockey était *hot* en ville.

À sa connaissance, il est le seul rabbin à se servir du sport pour donner des cours. Cette idée, qui lui est apparemment «venue de Dieu», semble en tout cas avoir du succès. «Nous étions cinq l'an dernier. Nous pouvons être 25 ou 30 aujourd'hui», lance-t-il en évoquant l'efficacité du bouche à oreille.

Des jeunes qui sont âgés de 16 à 25 ans et qui fréquentent le cégep ou l'université. Ce sont majoritairement des gars. Mais l'autre soir contre Boston, on pouvait compter une demi-douzaine de filles. Certains sont déjà pratiquants. D'autres ne le sont pas, mais cherchent une façon de renouer avec Yahvé dans une ambiance détendue. Tous voient dans ces gentils mardis une manière de joindre l'utile à l'agréable.

« C'est sûr qu'on y va d'abord pour le match, mais on s'attend quand même à recevoir un cours, explique Israël Cohen, qui en est à sa troisième visite. Moi, je viens d'une famille religieuse. Je suis pratiquant. Mais il y a toujours un petit manque pour me rapprocher plus [de Dieu]. Dov m'en donne l'occasion. Et en plus, j'aime bien sa façon d'enseigner. »

« C'était très dur pour moi de respecter la religion à 100 %, dit pour sa part Shlomo Cohen, portant fièrement son chandail du CH écrit en hébreu. Mais Dov n'est pas comme les autres. Il sait nous attirer avec ce qu'on aime. Et il sait nous faire rester. »

RABBIN COOL

Pas de doute, Dov Harrouch a le sens du marketing. Il le sait, et c'est sa force. Mais se servir du hockey comme d'un hameçon n'est-il pas une tactique, disons, déloyale pour rameuter la jeunesse ?

« Ce n'est peut-être pas la meilleure façon », admet ce membre de l'organisme Jewish Experience, dont le mandat est de redonner le goût de la religion aux jeunes Juifs. « Mais pour la génération actuelle, qui est inondée d'influences extérieures, je considère que c'est un bon outil. Les jeunes ont besoin de cette manière, sinon c'est trop lourd. C'est comme ça aujourd'hui, il faut être un rabbin cool. »

Et que pensent ses collègues plus orthodoxes, qui auraient sans doute préconisé une approche moins ludique ? « Ils ne peuvent pas être contre le fait que les jeunes reviennent sur le bon chemin ! » lance Dov, visiblement fier de son coup.

Chose certaine, son stratagème semble efficace. Non seulement le groupe des gentils mardis grossit-il, mais il attire maintenant des Québécois pure laine.

C'est le cas de Simon Saint-Pierre, qui est venu faire son tour pour un match contre les Bruins. Étudiant en sciences politiques à l'Université de Montréal, ce passionné d'ésotérisme se dit fasciné par la religion juive. Il fréquente les synagogues, lit la Torah et adore ces soirées communautaires autour du CH.

Croyez-le ou non, il a même songé à se convertir. « C'est toujours une possibilité, admet-il. Mais c'est certain que la circoncision me fait peur ! »

Juifs hassidiques
Différents mais semblables

On les croit sérieux, austères, ascétiques. Ce n'est qu'à moitié vrai.

Quand ils prient, les Juifs hassidiques peuvent avoir une approche très festive, voire exaltée.

Dans la vraie vie, c'est pareil. Comme nous, les hassidim ont une industrie du divertissement. Ils ont leur culture pop, leurs vedettes du disque, leurs jouets, leurs jeux de société, leurs pâtisseries, leurs destinations touristiques, leurs gadgets pour l'auto et leurs best-sellers en littérature.

La grande différence, c'est que chez eux, 99 % de la consommation culturelle tourne autour de la religion. Par exemple, au lieu d'aller voir la maison d'Elvis à Graceland, ils font un pèlerinage en Ukraine pour visiter l'ancienne demeure d'un rabbin mythique.

Comme nous, ceux qui en ont les moyens possèdent un chalet dans les Laurentides, où ils vont passer leurs étés. Ils envoient leurs enfants dans des camps de vacances à Val-Alain et se baignent dans des piscines publiques (réservées à leur communauté). Quand ils sont en famille, ils vont au zoo, dans des manèges et dans des foires.

Les femmes, de leur côté, peuvent dépenser des fortunes en crèmes de jour antirides, en maquillage et même en lingerie. «Chez elles, la notion de coquetterie est cachée, mais très forte», résume Myriam Beaudoin, auteure du roman *Hadassa,* qui a déjà enseigné le français dans des écoles juives.

Même si le tableau qu'ils font de leur communauté est généralement idyllique, les hassidim vivent les mêmes problèmes de société que nous. Inceste, violence conjugale, homosexualité (acceptée, mais interdite de pratique) et criminalité font aussi partie de leur réalité. «Il y a quelques années, j'ai connu deux fillettes dont les pères étaient en prison pour trafic de drogue», nous raconte une connaissance qui a déjà fréquenté les hassidim dans un contexte professionnel. «On pense que ce sont des saints. Mais ce sont des humains qui vivent au 21e siècle. Avec les perversions du 21e siècle.»

«Normal, ajoute William Shaffir, spécialiste de la question hassidique et professeur de sociologie à l'Université McMaster de Hamilton. Où il y a des saints, il y a forcément des pécheurs.»

Selon Julia Duchastel, des Éditions du Passage, plusieurs lecteurs du livre *Lekhaim!* (écrit par une juive ultraorthodoxe d'Outremont) auraient été surpris par les aspects presque banals de la vie hassidique.

Faut-il s'en étonner ? Même si ces gens vivent en vase clos, même s'ils « s'habillent bizarre » et qu'ils voient le monde à travers un prisme religieux extrêmement rigoriste, ils mangent, dorment et font des enfants de la même manière que nous... ou presque.

IDÉES REÇUES... ET DÉBOULONNÉES

Les femmes ne prennent pas la pilule.

Faux. Bien que la multiplication des pains soit une vertu mise de l'avant dans les familles hassidiques, les femmes peuvent aller voir le rabbin et lui demander l'autorisation d'utiliser des moyens de contraception. Elles peuvent ne pas être prêtes mentalement. Ou alors, il y a des problèmes d'argent. Si le rabbin est d'accord, la pilule et le stérilet sont autorisés. Par contre, le condom est formellement interdit. Tout comme l'avortement.

Les couples font l'amour à travers un drap.

Rumeur urbaine. La Torah commande de faire l'amour peau contre peau. Cette rumeur urbaine viendrait des *talit* (le petit poncho blanc que les hommes portent sous leur chemise), qui séchaient jadis sur les cordes à linge. Les non-initiés pensaient que ce poncho était un drap avec un trou au milieu. Ce qui est vrai, en revanche, c'est que les relations sexuelles ont lieu dans le noir total, et jamais avant le septième jour suivant la fin des règles.

Les hommes ne regardent pas les femmes.

Vrai et faux. Il est effectivement interdit de croiser le regard du sexe opposé, surtout au sein de sa communauté, où hommes et femmes sont habituellement séparés, que ce soit dans un autobus ou à la synagogue. En revanche, quelques Québécoises nous ont confié avoir été pesamment draguées par de jeunes hassidiques. « C'était très direct », confie l'une d'elles.

Les mariages sont arrangés.

Vrai. Mais les futurs époux ont voix au chapitre. Les parents envoient le dossier de leur enfant au marieur (*shatkhen*) afin de faire connaître sa personnalité et ses champs d'intérêt. À partir de ces précieuses informations, le marieur tentera d'arranger le meilleur *match*. L'opération sera reconduite tant et aussi longtemps qu'on n'aura pas trouvé la bonne combinaison. Les problèmes héréditaires sont prévenus par des tests d'ADN et par des mariages « interurbains ». Il est fréquent qu'une femme de Montréal épouse un New-Yorkais ou l'inverse. En général, c'est l'homme qui s'établit dans la ville de la femme. D'où la présence de plusieurs hassidim américains à Montréal.

Les juifs hassidiques ne boivent pas.

Faux. Pendant le sabbat, le vin est à l'honneur. Chez les Loubavitch, il est même coutume de boire un petit verre le matin après la prière. Quand on veut annoncer un heureux événement, on peut amener des bouteilles de whisky à la synagogue. Au printemps, enfin, pendant la fête de Pourim, l'ivresse est de rigueur. Les jeunes se déguisent pendant que les plus vieux trinquent. « Et pas seulement les Loubavitch, explique le rabbin David Lazzar (voir portrait en page 95). Tous les orthodoxes ! C'est une loi ! »

Les hassidim ne votent pas.

Faux. Comme tout le monde, certains s'intéressent à la politique, d'autres non. « Il y en a même qui votent pour le Parti québécois, dit Yakov, un hassid tenant boutique à Outremont. J'en connais. » En général, cependant, leur allégeance est plutôt libérale, parce que « ce sont les libéraux qui nous ont accueillis quand nous avons immigré ici », ajoute Yakov.

Hassidim un jour, hassidim toujours.

Faux. Bien que ce soit extrêmement rare – surtout ici à Montréal –, il arrive que des hassidim abandonnent la communauté pour diverses raisons. « Je connais au moins deux femmes qui sont sorties du cercle », raconte Myriam Beaudoin. « La première ne s'entendait pas avec son mari, la seconde voulait aller à l'université, mais son mari ne voulait pas. Elles ont été rejetées par la communauté et leurs enfants vivent aujourd'hui en garde partagée. »

PIEUX DEPUIS... 200 ANS

« Hassidim » veut dire « pieux » ou « fidèle ». Ce courant judaïque né en Europe de l'Est (Pologne, Ukraine) à la fin du 18e siècle préconise un rapport à Dieu axé sur le bonheur et l'exaltation. C'est une approche plus mystique qu'intellectuelle, où les lois de la Torah sont appliquées de façon extrêmement stricte. Par exemple, prier sans faute trois fois par jour, ne pas toucher au téléphone les jours de sabbat, rester fermé au monde extérieur. Choses qu'un Juif moins orthodoxe, lui, se permettra de faire. Détail : tous les hassidim sont des ultraorthodoxes, mais l'inverse n'est pas nécessairement vrai. Les hassidim ont la particularité d'être rassemblés autour d'une figure charismatique, le *rebbe*, équivalent à petite échelle du pape des catholiques. Aucune décision importante n'est prise sans la sanction du *rebbe* : il est l'interface entre Dieu et ceux de sa communauté. Chaque groupe hassidique possède son *rebbe*. Ce dernier est généralement établi à New York ou à Jérusalem. Exception digne de mention : le *rebbe* de la communauté Tash vit ici, à Boisbriand, depuis le début des années 1950. Il s'appelle Meshulim Feish Lowy. Survivant de l'Holocauste, ce Hongrois d'origine a aujourd'hui 88 ans. Par sa seule présence, Boisbriand est devenu une destination touristique sainte pour plusieurs hassidim.

Métal cachère L'improbable double vie du rabbin David Lazzar

David Lazzar – avec deux Z, comme dans «Ozzie» – est un des plus beaux excentriques de Montréal. Dans la vraie vie, il est rabbin. Quatre fois par semaine, il va dans les écoles de l'Ouest-de-l'Île pour enseigner la Torah à des ados juifs. Et les convaincre que la religion, ça peut être cool.

Mais dans ses temps libres, il chante du rock.

Vous avez bien lu. Avec une cassette, deux CD et plus de 10 ans de carrière sous sa kippa, David Lazzar est LE pionnier de ce qu'on pourrait appeler le «métal cachère», un style qui allie la musique trash et les préceptes judaïques.

«Je sais, ça paraît contradictoire, mais l'important, au fond, c'est que mes textes restent propres, explique le sympathique hassid de 40 ans, rencontré dans une pizzeria cachère du quartier Notre-Dame-de-Grâce. Je parle du messie, de mon peuple, de la foi. J'essaie d'envoyer une énergie positive et de parler aux *kids*...»

On s'en doute : ce n'est pas tout le monde qui apprécie. Si les jeunes y voient une façon intéressante d'interpréter la religion juive, les plus orthodoxes acceptent mal les «déviances» de celui qu'on surnomme le *Rock'n'rabbi*. Surtout quand il se pointe à la synagogue avec sa Harley Davidson !

«C'est vrai, les vieux rabbins n'aiment pas beaucoup ce que je fais, admet David. Sauf pour une chose. Une seule : je suis capable de ramener les jeunes vers leurs racines. Certains savent à peine ce qu'est un rabbin.»

Il faut dire que David Lazzar est un hassid de la branche Loubavitch – plus permissive que les autres. Rien à voir avec les messieurs à boudins du quartier Outremont : «Les Loubavitch ne sont pas refermés sur eux-mêmes, mais ouverts sur le monde extérieur.»

Pour la petite histoire, David Lazzar n'a pas été élevé dans l'orthodoxie juive. Ado, il écoutait Kiss, Metallica et Megadeth. C'est à 18 ans qu'il a eu son «réveil spirituel», auprès du grand *rebbe* Schneerson. Il est parti étudier dans une *yeshiva* (école «toranique») en Israël et a commencé à faire du rock, en marge de son apprentissage. La vocation et la passion seraient désormais menées de front...

Malgré son concept unique, le *Rock'n'rabbi* n'est jamais sorti de l'underground. Son groupe, entièrement juif, est basé à New York. Ce qui rend les spectacles plus compliqués à organiser. Il n'a pas d'agent et a produit ses deux disques à compte d'auteur. Depuis quelques années, sa carrière de chanteur tourne au ralenti. Mais il continue de «trasher» à la radio, où il anime l'émission *The Rocking Rabbi* tous les jeudis à 22 heures, sur les ondes de Radio Shalom (1650 AM).

www.myspace.com/davidlazzar

Nikolaï Kupriakov
artiste montréalais d'origine russe

Un brin d'Est
dans l'Ouest

4. LE MONTRÉAL D'EUROPE DE L'EST ET D'EUROPE CENTRALE

Un brin d'**Est** dans l'**Ouest**

Markov, Plekanec, Kostitsyn : en regardant les jerseys des joueurs des Canadiens, on croirait presque que Montréal est une ville d'Europe de l'Est ou d'Europe centrale. Et on n'aurait pas tout faux.

Plus de 225 000 Montréalais ont leurs racines dans ce qui a été à une époque le bloc de l'Est, soit l'équivalent de ce que la ville compte de citoyens d'origine asiatique.

Leur apport à la vie montréalaise est loin de se limiter à l'anneau de glace du centre Bell, même si on en trouve là le pan le plus spectaculaire. Les milieux des arts et universitaires ont été particulièrement enrichis par les vagues d'immigration qui ont commencé il y a un siècle.

Si, au tout début, la Pologne, la Roumanie, l'Ukraine et la Hongrie étaient les principaux pays de provenance, c'est aujourd'hui des anciennes républiques de l'Union soviétique qu'arrivent de nouveaux travailleurs qualifiés. Les turbulences politiques qu'a connues (et que connaît toujours) cette grande région du monde qui s'étend des frontières de l'Allemagne à l'Extrême-Orient, dans le cas de la Russie, ne sont pas étrangères aux vagues d'immigration successives entre la fin du 19e siècle et aujourd'hui.

Dans le paysage montréalais, la présence des Est-Européens est cependant assez discrète. Sur le boulevard Saint-Laurent, on trouve encore aujourd'hui une petite concentration de bouchers et de charcutiers polonais, slovènes et hongrois entre la rue Prince-Arthur et la rue Marie-Anne. Certains d'entre eux y sont depuis près d'un siècle. Les commerces russes sont regroupés près du métro Snowdon. Les organismes et les commerces ukrainiens sont pour leur part plus présents dans Rosemont, même si on est loin de pouvoir parler d'un petit Kiev.

Plutôt discret, donc, ce Montréal de l'Europe de l'Est et de l'Europe centrale, associé à l'immigration tantôt catholique, tantôt orthodoxe, tantôt juive. Discret, mais persistant. Quelques institutions nous le rappellent tous les jours. Le magasin Warshaw, qui a longtemps été au cœur de la vie de la *Main*, a fermé ses portes pour les rouvrir près du marché Atwater. Le café Sarajevo, haut lieu de la vie nocturne intello du Montréal des années 1990, a fermé ses portes sur la rue Clark, pour renaître dans La Petite-Patrie.

Osman Koulenovitch, instigateur du Café Sarajevo

LE MONTRÉAL
de la russophonie

 environ 70 000

Le Montréal russe : 35 800 ; le Montréal balte : 6 840 ; le Montréal
azerbaïdjanais : 300 ; le Montréal biélorusse : 970 ; le Montréal géorgien :
275 ; le Montréal de l'Asie centrale[1] : 2 150 ; le Montréal moldave : 1 515
(nés en Moldavie) ; le Montréal arménien (nés en Arménie soviétique) :
830 ; le Montréal ukrainien (voir section sur le Montréal ukrainien) : 26 150

 russe, ukrainien, lituanien, letton, estonien, azéri,
géorgien, tadjik, ouzbek, kirghiz, kazakh, turkmène, arménien

judaïsme, christianisme orthodoxe, islam

Il y a des passés qui marquent. Parlez-en aux 250 millions de personnes qui vivaient en URSS dans les années 1980. Ou aux dizaines de milliers de personnes qui sont arrivées à Montréal après avoir quitté l'immense espace postsoviétique après la tombée du communisme.

« Je reconnais les gens originaires de l'Union soviétique à des milles à la ronde », dit en riant Levon Sevunts. Il a lui-même quitté son Arménie natale pour Montréal en 1992. Depuis, il travaille comme journaliste. « Je pense que nous porterons le sceau de notre expérience toute notre vie. »

Comment se reconnaît-on entre anciens Soviétiques ? « C'est difficile à expliquer. C'est dans la démarche, le comportement, le fait que l'on sourit moins que les autres dans la rue. On se reconnaît, même si on est habillé en Versace. C'est peut-être la détermination à survivre qui a laissé des traces », tente-t-il en guise d'explication.

Présidente du Centre de référence de la communauté russophone du Québec, Svetlana Litvin abonde dans son sens. « Nous avons aussi en commun une manière de voir le monde, un certain rapport à l'autorité, aux médias, qui sont le résultat de notre vie sous le régime soviétique », précise celle qui aide les nouveaux immigrants russophones à connaître leurs droits dans leur pays d'accueil.

---

1. Ce chiffre représente les Montréalais nés dans les pays de l'Asie centrale et non ceux qui se sont déclarés d'origine ethnique kazakhe, kirghize, tadjike, ouzbèke ou turkmène. Ces catégories n'ont pas été déclarées lors du recensement de 2006. Il est fort probable qu'un grand nombre de personnes nées dans ces pays soient d'origine ethnique russe.

Une étude de la chercheuse Amélie Billette de l'Institut national de recherche scientifique (INRS), publiée en 2005, démontre que M. Sevunts et Mme Litvin ne sont pas les seuls à penser de la sorte.

La chercheuse, qui a étudié en profondeur les liens entre les immigrants de l'ancien espace soviétique, confirme qu'il existe bel et bien une communauté d'esprit entre les nouveaux venus, qu'ils proviennent de la Russie, de l'Ouzbékistan ou de la Géorgie.

Mais comment définir cette communauté au passé commun ? « On ne peut pas dire que c'est une communauté russe, parce que c'est beaucoup plus diversifié que ça. Il y a des juifs, des musulmans d'Asie centrale, des chrétiens, des gens de diverses origines ethniques. Le mot "soviétique" ne convient pas non plus, à cause de la connotation politique », estime Mme Billette.

Le terrain de rencontre est donc celui de la russophonie. « La grande majorité des immigrants de cette communauté avaient le russe comme langue maternelle ou langue seconde, et ce, même s'ils sont d'origine azerbaïdjanaise ou kirghize. Mais les liens sont beaucoup plus que linguistiques. Ils partagent d'abord et avant tout un passé commun, une expérience commune », souligne la chercheuse, qui partage elle-même sa vie avec un Montréalais d'origine ukrainienne. « Ironiquement, ce sont les Ukrainiens qui prennent le plus leurs distances du reste des russophones », ajoute-t-elle. (D'ailleurs, dans ce chapitre, ils font l'objet d'une section séparée.)

CENT ANS DE RUSSITUDE

Ces récentes vagues d'immigration, arrivées depuis 1991, sont loin d'être les premières en provenance de la grande russophonie. Au tout début du 20e siècle, bien avant le renversement du tsar par les bolchéviques, on parle déjà russe à Montréal. D'ailleurs, dès 1907, une première église orthodoxe russe ouvre ses portes dans la ville. La cathédrale Saint-Pierre et Saint-Paul existe toujours aujourd'hui. Son dôme en forme d'oignon ne laisse pas douter de ses origines. Des Ukrainiens arrivent presque à la même époque, mais, catholiques ou protestants pour la plupart, ils fondent des paroisses séparées.

La plus grande vague d'immigration en provenance de l'Union soviétique déferle beaucoup plus tard, dans les années 1970. Le gouvernement soviétique, qui contrôlait férocement les déplacements de ses citoyens, décide de laisser partir une partie de sa population juive afin qu'elle s'établisse en Israël. Or beaucoup préfèrent refaire leur vie en Occident, dont quelques centaines à Montréal. Ils sont originaires de toutes les républiques socialistes soviétiques.

Entre cette arrivée d'immigrants juifs russophones et le début des vagues post-soviétiques, il y a donc un décalage d'une vingtaine d'années, au cours desquelles peu d'immigrants russophones arrivent à Montréal. Les longs délais entre les diverses périodes d'immigration ont laissé des marques dans les rapports entre russophones, remarque Mme Billette dans son étude.

Un seul point commun sert de ralliement à la grande russophonie montréalaise, de la première à la dernière vague d'immigration : la culture.

Les Montréalais russophones se sont d'ailleurs maintes fois illustrés dans ce domaine. L'ensemble I Musici a à sa tête Yuli Turovski (voir portrait en page 107). L'actrice, écrivaine et conteuse Kim Yaroshevskaya a donné naissance au personnage télévisuel de Fanfreluche. Alexandre Marine, dramaturge et metteur en scène qui a fait sa marque dans son pays d'origine, réussit depuis près de 15 ans, au sein de la troupe de théâtre Deuxième Réalité, à présenter aux Montréalais des pièces fortement marquées par la signature scénique du pays de Tchekhov et de Stanislavski.

Depuis le début, M. Marine a choisi de présenter son travail en français, et ce, même s'il hésite encore à parler la langue de Vigneault en entrevue. « La communauté russophone ne nous déserte pas pour autant. Plusieurs lisent le texte de la pièce en russe et viennent voir le spectacle même s'ils ne comprennent pas le français », dit-il.

Assez fréquemment, des troupes de Moscou et de Saint-Pétersbourg font le voyage jusqu'à Montréal pour présenter leur dernier opus. Elles y trouvent un public enthousiaste, hautement éduqué et sans cesse grandissant.

Car une chose est sûre : le Montréal russophone est en pleine ébullition. De nouveaux restaurants, épiceries, *delis*, pâtisseries ouvrent leurs portes de mois en mois. On compte à Montréal près d'une demi-douzaine de publications en russe.

C'est près du métro Snowdon que se trouve la plus grande concentration de commerces. Peut-être que, bientôt, on parlera d'une « Petite Russophonie ».

PARLEZ-VOUS **RUSSE ?**

Bonjour ➤ Zdrastvoïtié ou Priviet (informel)

Merci ➤ Spassiba

Au revoir ➤ Da svidania

DANS LE CALENDRIER

Nouvel An : 1er janvier

Pendant l'ère communiste, le Nouvel An, qui n'a aucune connotation religieuse, est devenu la plus grande fête soulignée par les citoyens de l'Union soviétique. La tradition a survécu à la tombée du communisme. Les restaurants russophones de la ville organisent de grandes soirées pour marquer le coup.

Noël orthodoxe : 7 janvier

Les Russes orthodoxes fêtent Noël le 7 janvier. Longtemps mise de côté pendant la période soviétique, cette fête, comme l'Église orthodoxe, fait un retour en force en Russie depuis quelques années. Au Canada, elle est fêtée dans les églises.

Stari Novy God (ancien Nouvel An) : 14 janvier

Selon l'ancien calendrier russe, qui a un décalage de deux semaines avec le calendrier occidental, le Nouvel An arrive le 14 janvier. Pour beaucoup de jeunes Russes, c'est une excellente raison d'ouvrir une seconde bouteille de champagne pour fêter l'arrivée du Nouvel An... de nouveau.

Journée internationale de la femme : 8 mars

Autre legs de la période communiste, la Journée internationale de la femme est fêtée en grande pompe par les russophones. Ce jour-là, les femmes sont couvertes de cadeaux. Il est d'usage d'offrir du mimosa.

Journée de la Victoire : 9 mai

Ceux qui ont vécu sous l'empire soviétique ne s'entendent pas tous sur les événements à commémorer aujourd'hui, mais une date fait l'unanimité. Le 9 mai, les russophones célèbrent la victoire de l'Union soviétique contre l'armée nazie. Les vétérans de la Grande Guerre patriotique de 1941-1945 (le nom que porte pour les russophones la Deuxième Guerre mondiale) sont honorés lors de soirées spéciales dans les restaurants russes de la ville.

Carnet d'adresses

 MANGER

Le Géorgia

Gastronomiquement parlant, la Géorgie est dans la cour des grands. Et Montréal est la seule ville au Canada à pouvoir se vanter d'avoir un restaurant géorgien. Cet établissement du boulevard Décarie sert plusieurs spécialités de ce fascinant pays du Caucase, dont le *khachapuri*, un pain au fromage, et le *satsivi*, un plat de poulet cuit dans un magnifique mélange d'épices et de noix. On trouve aussi plusieurs plats russes au menu.

5112, boulevard Décarie • 514 482-1881
Ⓜ **Snowdon**

Ermitage

Ce restaurant, collé sur le métro Snowdon, sert les classiques de la cuisine russe, du bortsch au poulet à la Kiev.

5001, chemin Queen-Mary • 514 735-3886
Ⓜ **Snowdon**

Pogrebok (La Caverne)

Cette ancienne pizzeria transformée en brasserie russophone sert des plats des quatre coins de l'ex-URSS et de la vodka très, très froide. Le week-end, il y a beaucoup d'animation musicale – lire « synthétiseur et chansonnettes russes » (voir portrait en pages 106 et 107).

5184A, chemin de la Côte-des-Neiges
514 738-6555 • Ⓜ **Côte-des-Neiges**

Troïka

Il appartient à un Français, mais ce chic endroit est le temple de la gastronomie russe en ville. Les blinis recouverts de caviar valent le détour. Pour budgets extensibles...

2171, rue Crescent • 514 849-9333
Ⓜ **Peel ou Guy-Concordia**

Les Grillades Café Mir

Les Russes sont fous des *chachliks* (brochettes), et ce restaurant en a fait sa spécialité.

5976, avenue de Monkland • 514 489-3489
Ⓜ Villa-Maria

Restaurant Rasputin

Le menu de ce restaurant est garni de spécialités russes... qu'aurait pu manger le redoutable Raspoutine (avant de se faire assassiner). On y prépare notamment une «julienne aux champignons» qui consiste en un plat crémeux, réchauffé au four, ainsi qu'un *jarkoe*, un mijoté de bœuf parfait pour un dur soir d'hiver.

617, boulevard Décarie • 514 748-4921
www.restaurant-rasputin.com
Ⓜ Du Collège

 SORTIR, DANSER, BOIRE UN VERRE

Le Glamour

Le propriétaire de Pogrebok a lancé ce restaurant-discothèque à la fin de 2008. Ouvert seulement du jeudi au samedi, il est la version chic de la populaire taverne. Trois musiciens y jouent tous les soirs. Les plats offerts sont plus sophistiqués qu'au Pogrebok. Notamment, on trouve beaucoup de poisson fumé sur la carte.

5405, chemin Queen-Mary
514 738-6555
www.restoglamour.com • Ⓜ Snowdon

 FAIRE L'ÉPICERIE

Charcuterie Terem

Vous voulez des chocolats de l'usine Octobre rouge de Moscou, des biscuits de Saint-Pétersbourg, de la bière Baltika, de l'eau gazeuse de Borjomi, en Géorgie? Cette adresse vous permettra de faire le plein de *prodoukti*,

comme ceux vendus dans les *gastronom* («épiceries») de toute l'ex-URSS.

5655, boulevard Décarie
514 905-0786 • Ⓜ Snowdon

Magasin Saint-Pétersbourg

Une bonne adresse pour faire le plein de produits russes, mais aussi pour casser la croûte dans le petit café attenant.

5584A, rue Sherbrooke Ouest
514 369-1377 • Ⓜ Vendôme

Krazy Kris

On ignore d'où vient le nom étrange de ce marché, mais ce dernier est le bon endroit pour trouver tout le nécessaire pour préparer des tonnes de *zakouski* (des entrées) qui épateront vos invités.

4751, avenue Van Horne
514 733-8455

Vova

Dans cette pâtisserie de l'avenue du Parc, les propriétaires préparent le meilleur gâteau Napoléon en ville, avec une tonne de caramel qui dégouline de partout. Le pain noir à la mélasse et à la coriandre est aussi un must.

5225, avenue du Parc • 514 278-3411
Ⓜ Laurier

 MAGASINER

Russki Souveniri (Souvenir russe)

Ce club vidéo et disquaire a été l'un des premiers commerces russophones à ouvrir ses portes. On y trouve autant les derniers succès moscovites que les vieux classiques soviétiques pour cinéphiles russophones.

5321, boulevard Décarie • 514 482-5403
Ⓜ Snowdon

La Petite Russie

Ce magasin du 4953, chemin Queen-Mary vend autant des matriochkas (les fameuses poupées russes) que des livres, des services de thé, des chapeaux de cosaque et des foulards fleuris.

4953-4955, chemin Queen-Mary
514 737-0447 • www.lapetiterussie.com
Ⓜ Snowdon

 MÉDIAS

Journaux

Miesta Vstriechi Montréal (Rendez-vous à Montréal)

Ce journal hebdomadaire, publié uniquement en russe, existe depuis 1998. Le site web qui l'accompagne, lui aussi en alphabet cyrillique, est tenu à jour. On y trouve des nouvelles du Canada, de la Russie, mais aussi de toutes les anciennes républiques soviétiques.

5465, chemin Queen-Mary, local 310
514 369-4494 • www.russianmontreal.ca

Nacha Gazieta Montréal (Notre journal)

Cet hebdomadaire de format tabloïd est publié toutes les semaines en russe. Les pièces de théâtre, concerts et événements spéciaux y sont annoncés à côté de nouvelles sur la Russie, l'Ukraine, le Bélarus, l'Église orthodoxe et les vedettes de cinéma russe.

5184, chemin de la Côte-des-Neiges
514 817-7565

Radio

Programme russe – CFMB 1280 AM

Depuis 1994, une émission de 30 minutes permet aux Montréalais russophones d'en apprendre davantage sur les événements qui ont lieu dans la communauté, en plus d'entendre un peu de musique du pays.

Mercredi, 23 h 30 • www.cfmb.ca

Télévision

Webmir

Cette chaîne télévisuelle sur le net est destinée à la diaspora russophone de l'Amérique du Nord.

webmir.tv

Internet

Pages jaunes russes du Tout-Montréal

Vous cherchez un dentiste russe ou un professeur de ballet qui a étudié au Bolchoï? Ces pages jaunes bilingues (russe-anglais) dont il existe aussi une version imprimée sont fort utiles pour trouver les commerces et les professionnels russophones.

russianpagesallmontreal.com

Montréal Rus

Ces sites web, destinés à la communauté russophone montréalaise, publient des nouvelles, des portraits de membres de la communauté et de bonnes adresses culturelles montréalaises. Tout est en russe.

montrealrus.com • www.mtlru.com

En savoir plus

Associations

Bibliothèque Pouchkine

Abritée dans la cathédrale Saint-Pierre et Saint-Paul, cette bibliothèque a une importante collection de livres en russe. En échange d'un dépôt de 20 $, on peut y emprunter les classiques de Tolstoï tout comme les romans d'auteurs russes contemporains.

1151, rue De Champlain • 514 522-2801
peterpaul.sobor.ca/fr/?page_id=6
Ⓜ Papineau

La Maison russe (Russki Dom)

Cet organisme s'est donné pour mandat de resserrer les liens entre les diverses communautés russophones de Montréal, notamment par des gestes humanitaires.

1900, avenue Papineau, appartement 201
514 528-4369 • Ⓜ Papineau

Fondation canadienne de la culture russe

En plus d'enseigner le russe aux *malenki* (petits) comme aux *bolchie* (grands), la Fondation canadienne organise des événements à caractère culturel. En 2009, elle a monté une pièce de théâtre gastronomique dans la magnifique maison du consul de Russie avec l'aide de la compagnie théâtrale Kapostroff. L'organisation espère bientôt ouvrir un café qui mettra en vedette la cuisine de toute l'ex-URSS.

514 369-2137 • www.fccrmontreal.org

Fan-club russe du Canadien de Montréal

Elle est bien loin derrière, la folle concurrence entre les joueurs de hockey canadiens et la grosse machine soviétique sur patins. La preuve? Ce site web qui regroupe les fans russophones du Canadien de Montréal ici comme à Moscou et à Tachkent, en Ouzbékistan. Des photos d'Andrei Markov et d'Alex Kovalev (naguère les deux meilleurs compteurs de l'équipe... tous les deux russes) roulent en boucle sur le site.

canadiens.ru

Écoles

École des Beaux-Arts de Montréal Artus

En arrivant à Montréal pour y peindre, l'artiste d'origine russe Nikolai Kupriakov a vite réalisé que peu d'écoles d'art montréalaises offrent à leurs élèves la formation classique. « La plupart des étudiants n'apprennent jamais à dessiner. » Convaincu que ce curriculum artistique est un incontournable, l'artiste, qui a été formé dans une école d'art de Vilnius, s'est entouré d'autres artistes qui partagent sa vision de l'art.

5222, rue Saint-André • 514 799-4179
Ⓜ Rosemont

École russe Gramota

C'est à l'école Gramota, le samedi, que les petits Montréalais d'origine russe consolident leurs connaissances de la langue de leurs parents. Les cours sont offerts dans les locaux du collège international Marie de France (4635, chemin Queen-Mary). Une école d'art est aussi affiliée à Gramota. On peut notamment y apprendre à fabriquer sa propre poupée russe.

Pour joindre l'école :
514 369-2137 • www.gramota.com

Département d'études russes et slaves, Université McGill

Ce département enseigne la langue russe, du niveau débutant au niveau avancé, et la littérature du pays de Pouchkine.

688, rue Sherbrooke Ouest, bureau 0425
514 398-3639 • www.mcgill.ca/russian
Ⓜ McGill

LIEUX DE CULTE

Cathédrale Saint-Pierre et Saint-Paul

Fondée en 1907, cette église russe, une des plus anciennes de l'Amérique du Nord, est liée à l'Église orthodoxe en Amérique, qui a sa maison mère dans l'État de New York. Les origines de l'Église orthodoxe russe en Amérique remontent à la Mission orthodoxe russe, établie en Alaska vers la fin du 18e siècle, alors que cette région était toujours sous la gouverne de l'empire russe. Elle a pris son indépendance de l'Église orthodoxe de Russie dans les années 1970.

1151, rue De Champlain • 514 522-2801 • peterpaul.sobor.ca/fr/
Ⓜ Papineau

Cathédrale orthodoxe russe hors frontières Saint-Nicolas

Cette cathédrale est toujours sous les ordres du Patriarche de Moscou.

422, boulevard Saint-Joseph Ouest • 514 276-8322 • Ⓜ Laurier

Na Zdarovie! Un anniversaire dans la Russie de province, à Côte-des-Neiges

En descendant les marches qui mènent à La Caverne, ou Pogrebok, on a l'impression d'avoir quitté Côte-des-Neiges pour atterrir directement dans une taverne d'une ville russe de province. L'ours empaillé qui se tient bien droit sur ses deux jambes au fond du restaurant, les murs en fausse brique et le synthétiseur décoré d'un petit drapeau russe tricolore donnent le ton. Quand le pichet de vodka – vendue au gramme comme en Russie – arrive bien givré sur la table, accompagné d'un pichet de jus de canneberge, on sait qu'on est à la bonne adresse et on se retient pour ne pas chanter *Kalinka*.

Mais c'est le début de la soirée, et les convives sont encore bien sages dans la caverne. Notre petit groupe de six copines passe pour le moment inaperçu à côté de la table voisine, où une dizaine d'hommes et autant de femmes parlent russe en riant. Leur table est déjà couverte de *zakouski*, des entrées prenant la forme tantôt d'une salade de betteraves et de noix, tantôt de petits blinis aux champignons. Et que serait une table sans un plat de hareng salé, accompagné de ses traditionnelles *kartochkas* (pommes de terre) bouillies ?

Un coup de fourchette dans l'assiette, un toast à la santé des convives. À leur table comme à la nôtre, c'est un soir d'anniversaire. Le célébré a droit à une double ration de Moskovskaia, qui descend particulièrement bien.

Les *zakouski* sont venus et ils ont été engloutis quand la chanteuse et son musicien font leur apparition. Irina, une belle grande brune, entonne les chansons du répertoire russe et ne manque pas d'inviter les clients du restaurant à danser devant elle. À la table voisine, elle trouve bon entendeur. Le fêté fait danser sa femme et sa tante avant de retourner auprès de ses proches.

Nous sommes encore de pures spectatrices quand une montagne de raviolis arrive sur notre table. La Caverne se spécialise dans toutes les bouchées de pâte fourrée de viande et d'herbes : *pelmeni* russes, *vareniki* ukrainiens et *khinkali* géorgiens sont tous accompagnés de crème sure. Et encore de la vodka. Dans notre assiette, les conflits postsoviétiques n'existent plus.

Il est presque 22 h et d'autres clients commencent à affluer. Irina les salue de la tête et en profite pour inviter les deux jubilaires à venir faire quelques pas de danse à l'avant. Notre amie, Isabelle, qui fête ses 29 ans, n'hésite pas une seconde à se trémousser, pour le plus grand bonheur de sept jeunes hommes fraîchement arrivés. Ravie, Irina offre une boîte de friandises russes à la nouvelle star d'un soir.

Isabelle n'est pas encore assise qu'un de ses admirateurs vient l'inviter à danser. Ses amis suivent derrière. Ils lancent chacun leur dévolu sur l'une d'entre nous. Nous apprenons très rapidement qu'ils sont tous des officiers de la marine russe, de passage à Montréal pour une formation. Ils ont entendu parler de La Caverne par des Russes de Montréal et ils y ont passé toutes leurs fins de soirée. « On se croirait vraiment à la maison », me dit Sergeï.

Le groupe d'officiers pratique toutes les règles de la galanterie russe. Ils nous raccompagnent avec cérémonie jusqu'à notre table après chaque danse accordée, ils reviennent toujours chercher la même *dievouchka* et ils nous aident à mettre nos manteaux d'automne à la fin de la soirée.

L'immersion russe durera jusqu'à la dernière seconde. Lorsque nous payons notre facture ainsi que celle d'Isabelle, le serveur nous lance un regard ébahi. En Russie, les jubilaires paient pour tout le monde. Jamais on ne paie la traite au fêté. « C'est un anniversaire russe à la québécoise », dois-je expliquer au serveur qui me répond en haussant les épaules et en levant un dernier verre de vodka. « *Na zdorovie !* » À votre santé !

Yuli Turovski : à l'impossible, le maestro est tenu

« Les bonnes choses en Russie sont toutes nées de mauvaises choses : l'hospitalité russe est née de la faim. L'intimité dans les amitiés est née du danger de s'ouvrir aux autres pendant la période soviétique. »

Dans son salon de Notre-Dame-de-Grâce, le chef de l'orchestre de chambre I Musici ne fait pas que philosopher sur le pays qui l'a vu naître et devenir un musicien. Certaines des plus belles choses qui lui sont arrivées sont nées de l'adversité.

Petit, il habitait avec sa famille une petite pièce dans un demi-sous-sol. Devant la seule fenêtre, il y avait un arbre. « Les ivrognes venaient tous uriner là, se rappelle-t-il. Notre fenêtre donnait sur des latrines publiques. » Elle donnait aussi sur la cour du célèbre Conservatoire de Moscou, d'où de la musique s'échappait sans cesse.

La musique ne coulait pas dans les veines de la famille Turovski, mais un professeur du Conservatoire qui avait demandé conseil au papa avocat du jeune Yuli avait remarqué le bambin. En quelques semaines, elle l'avait préparé pour l'examen d'entrée au conservatoire qu'il avait – ô miracle – réussi du premier coup.

Mais quel instrument choisir ? « Elle m'a dit que ça m'était écrit dans le front. C'était le violoncelle. »

Le jeune homme devint un violoncelliste hors pair, un talent qui allait lui permettre de voyager alors que ses compatriotes étaient condamnés à ne pas pouvoir quitter l'URSS. La première fois qu'il est venu à Montréal, c'était avec l'Orchestre de chambre de Moscou.

Mais le privilège venait avec une étiquette : les musiciens étaient surveillés 24 h sur 24 par un agent du KGB. « Avant de partir, on nous faisait des séances d'endoctrinement », se rappelle-t-il.

Un jour, Yuli Turovski en a eu assez du régime soviétique. « J'ai fait la seule chose qu'il y avait à faire : partir. Je ne comprends toujours pas pourquoi les 200 autres millions de personnes qui vivaient dans l'espace soviétique n'ont pas fait la même chose », dit-il, mi-sérieux.

Alors que plusieurs de ses amis tentaient depuis 10 ans de quitter la Russie, le musicien, sa femme Eleanora et leur fille Natacha ont réussi à obtenir un permis en trois mois. Six mois plus tard, après un séjour à Vienne et à Rome, ils atterrissaient à Montréal. « C'était à la fin d'avril et il y avait encore de la neige souillée partout », se rappelle-t-il.

La grisaille n'a pas duré très longtemps pour les Turovski. Accueillis par la grande famille des musiciens montréalais, ils ont vite trouvé du travail. Quelques mois plus tard, les deux époux virtuoses devenaient chargés de cours au Conservatoire de Montréal. « Ils nous ont dit en août: "On vous embauche. Vous devrez enseigner en français." On avait seulement 10 jours pour apprendre la langue. C'est une Bulgare qui nous a donné des cours. C'est tout ce que j'ai eu de cours de langue. »

Plus de 30 ans après, Yuli Turovski enseigne toujours non seulement au Conservatoire, mais aussi à l'Université de Montréal.

Depuis 25 ans, il est aussi le chef d'orchestre et père spirituel d'I Musici, l'orchestre de chambre montréalais le plus connu dans le monde. « Quand j'ai voulu mettre sur pied l'orchestre dans les années 1970, tout le monde m'a dit que ce serait trop difficile, que je ne trouverais pas de financement. Mais en URSS, personne n'attendait après le financement pour faire quelque chose. Il n'y en avait pas. Ils se lançaient. J'ai fait pareil. » Comme en Russie, le meilleur a à nouveau triomphé de l'adversité.

Des sardines pour **Markov**

« Je peux vous aider ? »

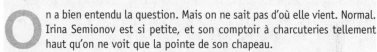

On a bien entendu la question. Mais on ne sait pas d'où elle vient. Normal. Irina Semionov est si petite, et son comptoir à charcuteries tellement haut qu'on ne voit que la pointe de son chapeau.

Finalement, la femme apparaît au bout de l'allée. Sourire bienveillant, poignée de main chaleureuse, elle est visiblement enchantée qu'on s'intéresse à sa boutique. « Venez, je vous fais visiter... »

À mi-chemin entre la charcuterie, la poissonnerie, la pâtisserie, la sandwicherie et même la pharmacie bio, Absolut Plus est l'une des épiceries russes de Montréal. On dit russe, mais on pourrait dire est-européenne en général. Parce qu'ici les produits viennent d'un peu partout, à l'image de la communauté fragmentée d'ex-Union soviétique, qui représente au moins 80 % de sa clientèle. Les 20 % qui restent sont composés de Montréalais d'autres origines, qui veulent retrouver la gastronomie de leurs voyages, précise-t-elle.

Sardines estoniennes, foie de morue et sprat de Lituanie, hareng fumé biélorusse, jambon polonais, cornichons soleil ukrainiens, sauce aux prunes géorgienne, caviar rouge russe, alouette, tout y est. Madame vend même du gras de porc pur, qu'elle dit excellent avec une biscotte et une bière, ainsi que des sardines séchées, idéales pour les 5 à 7. «La seule chose qui manque à nous, c'est la vodka!» dit-elle avec un accent russe à couper au couteau.

Cuisinière chevronnée (elle a même suivi des cours pour devenir chef cinq étoiles!), elle fait aussi ses propres sandwichs et un paquet de salades variées, de la traditionnelle salade russe («Chez nous, on dit "salade Olivier". C'est le nom du cuisinier qui l'a inventée») à la salade d'aubergines ouzbèke, moins connue, mais euh... plus piquante.

Et attention, il n'y a pas que du salé. Irina nous présente fièrement son abondant rayon de pâtisseries, un des plus fréquentés par sa clientèle. Puis, elle nous mène au frigo pour les boissons gazeuses. Intrigué, le goûteur de ces lignes attrape une canette de *kvas*, cola naturel fait à partir de pain selon un procédé vaguement alchimique. Puis, c'est l'arrêt confiserie, devant un immense comptoir à bonbons, aux emballages plus *vintage* les uns que les autres. «Les Russes, ils viennent ici pour retrouver une partie de leur enfance. Tiens, prends. Trrrès bon», dit-elle en nous mettant une cerise au chocolat de force dans la bouche.

Vous avez dit maternelle? Pas étonnant. Comme bien d'autres épiceries multiculturelles, Absolut Plus est une affaire de famille. Ancienne comptable, Irina a ouvert boutique il y a six ans avec son mari et ses deux filles, après avoir quitté l'Ouzbékistan, et transité trois ans par Israël.

Si les débuts ont été difficiles («On n'avait que nos valises»), les choses semblent aller rondement aujourd'hui, et ce, malgré l'emplacement plus ou moins stratégique du magasin, situé juste en face du boulevard Décarie. «Pas un prroblème, lance la patronne. Tout le monde il passe par ici...»

D'ailleurs, même les Russes du Canadien viennent faire leur tour chez Irina.

«Markov est un bon client. L'autre jour il est venu. Il a acheté de la crème pour les jambes. Je sais pas... C'était peut-être pas pour lui...»

LE MONTRÉAL **ukrainien**

 26 150

ukrainien, russe

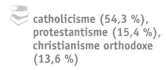 catholicisme (54,3 %),
protestantisme (15,4 %),
christianisme orthodoxe
(13,6 %)

U n Canadien sur 25 est d'origine ukrainienne. C'est du moins ce qui ressort du dernier recensement, où 1,2 million de personnes ont affirmé qu'elles avaient des racines dans les terres fertiles de l'Ukraine.

Bien sûr, cette importante diaspora n'est pas apparue du jour au lendemain. Il faut même remonter près de 200 ans pour retracer les premiers immigrants ukrainiens, qui, après avoir grossi les rangs de l'armée britannique pour la guerre de 1812, décident de rester au Canada.

PREMIERS ÉTABLISSEMENTS

Cependant, les Ukrainiens canadiens considèrent que c'est en 1891 que leur établissement au Canada a vraiment commencé. Les premiers arrivants, originaires de la Galicie et de Bukovnynia, viennent au pays avec l'idée de cultiver les grandes terres vierges de l'Ouest canadien.

Passant par Montréal avant de continuer leur voyage, plusieurs décident d'y poser bagage. À l'époque, Montréal vit son industrialisation. Les immigrants ukrainiens se joignent aux ouvriers de Pointe-Saint-Charles et à ceux de Rosemont, Ahuntsic et Côte-Saint-Paul.

À Pointe-Saint-Charles, les traces de ces premiers migrants sont encore très visibles, notamment sur la rue de Sébastopol. Sur cette rue, qui porte le nom d'un des principaux ports de Crimée, on peut toujours admirer les petites maisons d'ouvriers qu'habitaient les immigrants ukrainiens au tournant du siècle. Sur la rue du Centre et dans ses environs, une église et des commerces ukrainiens témoignent aussi de ce passé pas si lointain, somme toute.

INTERNEMENT

La communauté ukrainienne au Canada est encore bien jeune quand, de 1914 à 1920, elle vit ses heures les plus noires dans son pays d'accueil. À l'époque, une partie de l'Ukraine est sous le contrôle de l'empire austro-hongrois que les Alliés affrontent au cours de la Première Guerre mondiale. Le gouvernement du Canada, dans une crise de paranoïa, décide d'interner quelque 8 500 Canadiens d'origine ukrainienne. Au Québec, le plus grand camp d'internement se trouve en Abitibi, à Spirit Lake. Plus de 1 200 personnes y sont maintenues prisonnières.

La diaspora ukrainienne a dû attendre jusqu'en 2005 pour que le gouvernement canadien présente des excuses. Un premier montant de compensation de 2,5 millions de dollars a alors été attribué par le premier ministre Paul Martin. En 2008, Stephen Harper a récidivé et a ajouté 10 millions dans la cagnotte.

Malgré l'injustice dont ont été victimes ceux qui sont arrivés avant eux, les Ukrainiens n'ont pas cessé d'affluer au Canada après la guerre. De 1922 à 1939, bon nombre de travailleurs qualifiés et de réfugiés ont fait leur chemin jusqu'à Montréal.

DANS L'OMBRE DE LA FAMINE

Au cours de la même période, l'Ukraine vit le plus grand cataclysme de son histoire. Entre 1932 et 1933, de 7 à 10 millions d'Ukrainiens succombent à une famine, orchestrée par Joseph Staline. Ce dernier ne digérait pas la rébellion des paysans ukrainiens qui refusaient de voir leurs fermes collectivisées.

Les Ukrainiens du monde entier appellent cet épisode de leur histoire *Holodomor,* ou le génocide par la faim. Peu ont réussi à quitter l'Ukraine à l'époque, mais certains ont pu rejoindre leur famille au Canada.

La prochaine grande vague arrive au lendemain de la Deuxième Guerre mondiale. Entre 35 000 et 40 000 Ukrainiens, déplacés pendant le conflit, s'établissent au Canada. Cette fois, plutôt que de s'installer massivement dans l'ouest du pays, ils optent pour Montréal et Toronto, espérant retourner en Ukraine dès la tombée de l'URSS, qu'ils espèrent alors imminente.

Des immigrants scolarisés continuent d'affluer entre 1947 et 1960. Beaucoup d'artistes, de professionnels et d'intellectuels sont parmi eux. D'autres sont parrainés par l'industrie forestière en manque de bras vaillants.

Entre le début des années 1960 et la chute du régime communiste, c'est la panne sèche. Quelques centaines de personnes à peine arrivent par décennie. La communauté ukrainienne de Montréal continue néanmoins de grandir grâce aux naissances qui ont lieu ici. La vie sociale, organisée autour des églises, bat son plein. Rosemont est au cœur de la vie montréalo-ukrainienne.

LA DERNIÈRE VAGUE

En 1991, les Canadiens d'origine ukrainienne fêtent le premier siècle de leur présence au Canada. Cette fête, qui coïncide avec la disparition de l'Union soviétique, marque aussi la reprise de l'immigration ukrainienne. Entre 1991 et 2006, quelque 5 000 Ukrainiens mettent les voiles vers Montréal. Ces derniers se mêlent aujourd'hui à la grande communauté ukrainienne, composée de près de 70 % de natifs de Montréal qui, de génération en génération, ont gardé leur patrimoine culturel vivant. Parmi les visages connus de la deuxième et troisième générations, on peut penser à la chanteuse Luba et au joueur de hockey Mike Bossy.

PARLEZ-VOUS UKRAINIEN ?

Bonjour ➤ Pryvit ou **Zdoroven'ki bouly**

Merci ➤ Diakouyou ou **Spasibi**

Au revoir ➤ Do Pobachennia

[1] DANS LE CALENDRIER

Pâques ukrainiennes : printemps

Cette fête, célébrée autant par les catholiques que par les orthodoxes, est la plus élaborée du calendrier ukrainien. L'ensemble des festivités s'étire sur deux mois. Un carnaval et un bazar précèdent le début du carême, qui dure 49 jours. Ceux qui l'observent ne consomment ni viande ni produit laitier pour l'ensemble de cette période. Le jour de Pâques, les orthodoxes se rassemblent à l'église en soirée pour célébrer la résurrection du Christ. Les catholiques, eux, vont à l'église le matin du dimanche de Pâques. Le jour de Pâques, plusieurs plats traditionnels sont préparés. C'est aussi pour cette occasion que des artistes préparent les traditionnels œufs peints, les *pysankas*.

Commémoration de l'*Holodomor* : 4e samedi de novembre

C'est à l'église qu'est commémorée la mort de millions d'Ukrainiens lors de la famine de 1932-1933. En 2008, pour souligner le 75e anniversaire, une flamme symbolique, transportée par les Canadiens d'origine ukrainienne comme une flamme olympique, a traversé le Canada en entier.

Indépendance de l'Ukraine : 24 août

Un grand banquet a lieu au Centre de l'Association de la jeunesse ukrainienne.

Festivals

Festival ukrainien de Montréal : début septembre

Ce festival est la principale vitrine de la culture ukrainienne à Montréal. Il se tient annuellement au parc de l'Ukraine, dans le quartier Rosemont (coin Bellechasse, 12e Avenue). Danse, chants, artisanat et rencontres sont au menu de ces festivités organisées par l'association culturelle Saint-Volodymyr.

www.ukefestmontreal.org/index.php

Carnet d'adresses

 MANGER

Plusieurs restaurants en ville préparent le poulet à la Kiev et les *vareniki*, mais aucun ne peut se targuer d'être un restaurant ukrainien. Les Montréalais d'origine ukrainienne fréquentent les restaurants polonais lors de grands événements, dont le Mazurka de la rue Prince-Arthur. Des traiteurs d'origine ukrainienne préparent des plats traditionnels pour les grandes occasions. **Veronika Kalabachko** (514 743-8061) est l'une d'entre eux.

 SORTIR, BOIRE UN VERRE

Café SUM

Le café du centre qui abrite l'Association de la jeunesse ukrainienne (ou SUM en ukrainien) est un lieu de rencontre. L'endroit est privé, mais on ne vous mettra pas à la porte si vous venez dire bonjour.

3260, rue Beaubien Est • 514 728-8816
Ⓜ **Saint-Michel**

FAIRE L'ÉPICERIE

Zytynsky Deli

Ce *deli* a été mis sur pied en 1922 par un grand maître de la saucisse ukrainienne, la *kolbasa*. Sa recette est encore à la base du succès de ce commerce, qui appartient depuis trois générations à la famille Zytynsky.

3350, rue Beaubien Est • 514 722-0826
Ⓜ Saint-Michel

Quebec Smoked Meat

Les propriétaires sont très fiers de leur *kolbasa*, préparée avec amour dans cette charcuterie ukrainienne où l'on apprête aussi une des plus grandes spécialités montréalaises : le smoked meat. Sur les étalages, on trouve plusieurs produits utiles pour réussir une recette ukrainienne, dont de la moutarde au raifort.

1889, rue du Centre • 514 935-5297
Ⓜ Charlevoix

 MÉDIAS

Radio

Le temps ukrainien

Cette émission d'une heure, principalement en ukrainien, mais aussi parfois en anglais et en français, tient l'antenne depuis 1963. L'animatrice Valentyna Galash présente des nouvelles de l'Ukraine, des reportages et des entrevues, notamment avec les chefs religieux du Montréal ukrainien. Le site internet de l'émission est principalement en anglais, mais c'est une mine d'or de renseignements : les célébrations, les concerts, les cours de danse et de sambo (art martial) en plus des bonnes adresses ukrainiennes de la ville.

Samedi, 18 h • CFMB 1280
www.ukrainiantime.com

Site web

Le portail «Québec-Ukraine» présente en français la communauté ukrainienne de Montréal dans ses grandes lignes : ses églises, ses institutions éducatives et culturelles, ses groupes de danse. On trouve même une carte de Montréal où les zones à forte densité ukrainienne ont été indiquées.

www.quebec-ukraine.com/index_fr.html

En savoir plus

Associations

Ce ne sont pas les associations qui manquent au sein de la diaspora ukrainienne : on en compte plus de 200.

Congrès des Ukrainiens canadiens

Cette organisation pancanadienne a le mandat de représenter la grande communauté ukrainienne canadienne auprès des autorités. Sous divers noms, cette association existe depuis les années 1940.

ucc.quebec-ukraine.com

Zustrich

Cette association a été mise sur pied pour faciliter l'intégration des nouveaux arrivants ukrainiens à la vie montréalaise. Tous ceux qui s'intéressent à l'Ukraine sont conviés à une réunion le premier samedi du mois à 18 h. Seule la version ukrainienne du site web est à jour.

5213, rue Hutchison
zustrich@quebec-ukraine.com
zustrich.quebec-ukraine.com

Association des jeunes Ukrainiens (SUM)

L'édifice dont cette association est propriétaire abrite bon nombre d'activités de la communauté ukrainienne, dont un bazar annuel qui précède Pâques, des concerts et des spectacles de danse. Le mot d'ordre de l'association, qui a des divisions à travers le monde, est « Dieu et l'Ukraine ». Une troupe de danse (Troyanda), une chorale et un orchestre d'instruments à vent (Trembita) y tiennent leurs répétitions.

3260, rue Beaubien Est • 514 728-8816
www.cym.org/ca/montreal/about/index.asp
Ⓜ Saint-Michel

Écoles de langue, d'art, de danse

École de danse ukrainienne Marunczak

Le chorégraphe et danseur Peter Marunczak a fondé cette école de danse au lendemain de la Deuxième Guerre mondiale. On peut y être initié à la danse et au folklore ukrainiens dès l'âge de cinq ans.

405, avenue Fairmount Ouest
514 457-3177 • Ⓜ Laurier

Club Kozak

Ce club enseigne un art martial développé par l'Armée rouge, le sambo. Son nom est inspiré des guerriers cosaques du 15e siècle.

4850, rue Wellington • 514 812-8192
www.clubkozak.com
Ⓜ De l'Église ou Verdun

LIEUX DE CULTE

On trouve autour du parc de l'Ukraine, dans Rosemont, deux des principales églises ukrainiennes de la ville, la première orthodoxe, la seconde catholique.

Cathédrale orthodoxe ukrainienne de Sainte-Sophie

Derrière cette jolie église orthodoxe aux dômes multiples, on trouve un musée et les archives ukrainiennes. L'église a été bâtie au début des années 1950 par un architecte ukrainien, qui s'est inspiré de la cathédrale de Saint-Volodymyr, à Kiev. Une visite est de mise pour admirer les très belles icônes de la nef.

6250, 12e Avenue • 514 593-0715 • www.stsophiemontreal.org • Ⓜ Saint-Michel

Église catholique ukrainienne de l'Assomption-de-la-bienheureuse-Vierge-Marie

L'église catholique est juste de l'autre côté du parc. À Montréal, les Ukrainiens catholiques sont plus nombreux que les orthodoxes, alors qu'en Ukraine c'est plutôt l'inverse. La présence à Montréal de beaucoup d'Ukrainiens de l'Est, plus près culturellement des Polonais que des Russes, explique en partie cette situation.

6175, 10e Avenue • 514 729-8842 • Ⓜ Saint-Michel

Église catholique ukrainienne du Saint-Esprit

Au cœur du premier quartier ukrainien montréalais, cette église, hormis ses trois dômes en oignon, ne paie pas de mine de l'extérieur. Mais il faut voir l'intérieur grandiose et l'iconographie typiquement byzantine.

1770, rue du Centre • 514 935-9732 • Ⓜ Charlevoix

LE MONTRÉAL **polonais**

 51 920

polonais

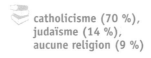 catholicisme (70 %),
judaïsme (14 %),
aucune religion (9 %)

Dans les archives canadiennes, il faut remonter jusqu'en 1752 pour trouver la première trace polonaise. Le premier arrivant s'appelait Dominic Barcz et il était marchand de fourrures. Montréal à l'époque n'était qu'un gros bourg, mais un centre de troc important.

C'est donc sur l'île que ce pionnier s'est installé, ouvrant la voie à des dizaines de milliers de Polonais qui allaient l'imiter au cours des deux siècles suivants.

De 1752 à 1880, la présence polonaise à Montréal était presque anecdotique. Des soldats appartenant aux régiments de Meuron et de Watteville se sont établis ici après avoir combattu pour l'Angleterre en 1812. Un chirurgien militaire, August Franz Globensky, a pratiqué dans les hôpitaux montréalais. Son fils, né ici, est devenu député à la Chambre des communes. D'autres Polonais arrivent en petits groupes alors que, dans la Pologne occupée, les mouvements de rébellion sont écrasés les uns après les autres.

La première grande vague d'immigration polonaise débute en 1880. Des centaines d'hommes viennent travailler à la construction du chemin de fer pancanadien. En 1901, il y a 6 300 ressortissants polonais au Canada. En 1914, ils sont 15 fois plus. Plus de 100 000 paysans originaires de la Galicie s'installent dans l'ouest du pays pour y cultiver la terre.

Lors du déclenchement de la Première Guerre mondiale – dont le sort de la Pologne est un enjeu majeur –, des immigrants polonais fraîchement arrivés joignent l'armée pour aller défendre leur pays d'origine.

Leur but est atteint : la Pologne devient un pays indépendant en 1918, mais l'instabilité y règne plus que jamais. Une deuxième grande vague d'immigrants se prépare et 52 000 Polonais arrivent au Canada. La plupart s'établissent à Montréal ou à Toronto. Majoritairement catholiques, les immigrants polonais s'intègrent plutôt facilement dans la métropole québécoise. Ils s'installent notamment dans les alentours du quartier ouvrier d'Hochelaga-Maisonneuve.

Quand la guerre éclate à nouveau en Europe, en 1939, les Montréalais d'origine polonaise répondent encore à l'appel. Ils sont des milliers à prendre les armes contre l'occupant nazi.

En 1941 et 1942, 400 techniciens et 265 scientifiques polonais viennent pour leur part renforcer l'industrie de guerre au Canada. L'Association des ingénieurs polonais qu'ils forment à Montréal est au cœur du combat pour l'indépendance de la Pologne.

Dans les années qui suivent, bon nombre d'intellectuels et de partisans du gouvernement polonais en exil affluent à leur tour. Craignant que la culture polonaise ne soit annihilée en Europe avec les bombes qui pleuvent sur Varsovie, un groupe d'entre eux se donne comme mandat d'assurer sa survie en Amérique du Nord. En 1943, ils mettent sur pied à l'Université McGill une bibliothèque et un institut polonais. À ce jour, ces institutions restent au cœur de la vie intellectuelle polonaise nord-américaine.

À la fin de la guerre, une troisième vague d'immigrants polonais déferle sur Montréal. Elle est composée de soldats démobilisés et de personnes déplacées par le conflit qui vient de prendre fin. Le roman d'Arlette Cousture *Ces enfants d'ailleurs*, qui a été porté à l'écran par Jean Beaudin, raconte leur histoire.

Le régime soviétique ayant refermé les frontières du bloc de l'Est, bien peu d'immigrants arrivent dans les années qui suivent. À Montréal, la communauté polonaise est quelque peu bicéphale, à la fois composée d'intellectuels – juifs, athées ou catholiques – très attachés aux idéaux européens et de travailleurs peu qualifiés, qui rattachent leur identité à l'Église catholique.

Les années 1980 viennent secouer cette dualité. Pour fuir le marasme politique et économique qui afflige leur pays, 5 000 Polonais se réfugient à Montréal.

Dans les années 1990, la chute de l'URSS et l'instauration d'une démocratie en Pologne enclenchent un processus inverse. Près de 10 % de la communauté polonaise montréalaise décide d'émigrer vers la Pologne.

Ces départs n'anéantissent pas le Montréal polonais pour autant. Ce dernier a d'ailleurs pris un peu de poids (démographique) entre les deux derniers recensements.

Parmi les symboles de la communauté, on retrouve la statue de Copernic, devant le Planétarium de Montréal, et l'église Saint-Michel-Archange dans le Mile-End.

PARLEZ-VOUS POLONAIS ?

Bonjour ➤ Dziendobry

Merci ➤ Dzie kuje

Au revoir ➤ Dowidzenia

 DANS LE CALENDRIER

Fête de la Constitution polonaise : 3 mai

Pendant la période soviétique, la plupart des Polonais fêtaient à contrecœur le 1er mai, fête internationale des Travailleurs, mais ils se reprenaient deux jours plus tard en fêtant la

Constitution polonaise. Cette dernière, signée en 1791, était la première constitution européenne libérale. Ce fier moment est souligné tous les ans à Montréal.

Fêtes religieuses

Les principales fêtes polonaises sont celles du calendrier catholique ou juif. Pour les catholiques, Noël et Pâques sont les deux célébrations principales. Pour les Juifs d'origine polonaise, Hanoucca et Pâque tiennent une place prépondérante.

 ÉVÉNEMENTS

Bazar polonais : novembre

L'église Saint-Antonin (4920, avenue Coolbrook, métro Snowdon) se transforme en grand bazar le temps d'un week-end.

Bal des débutantes

Cet événement est organisé par le Consulat de Pologne au Canada. Les jeunes Montréalo-Polonaises se préparent pendant des mois pour cette soirée fort attendue au cours de laquelle elles font la démonstration de leur maîtrise de la valse, mais aussi de la polka et de la mazurka.

Carnet d'adresses

 MANGER

Stash Café

Le piano, sis confortablement dans l'entrée du restaurant, donne le ton. Les murs de bois et les toiles font le reste. Le mot-clé ici est « réconfort ». On le trouve dans le décor chaleureux, mais aussi dans l'assiette. Le bortsch aux betteraves, agrémenté de légumes et de viande, est bien fumant. Les *pierogies* sont recouvertes de crème sure. La

croustade aux abricots complète le repas avec brio. Antidote certain aux blues hivernaux.

200, rue Saint-Paul Ouest
514 845-6611 • Ⓜ Place-d'Armes

Mazurka

Contrairement à la plupart des adresses sur cette célèbre rue, on ne peut apporter ni son vin ni sa vodka dans ce restaurant polonais. Ils en vendent sur place. Et pour arroser les assiettes généreuses de spécialités polonaises, où la viande, le chou, les pommes de terre et la saucisse tiennent une place de choix, une bonne rasade de Wyborowa est grandement conseillée.

64, rue Prince-Arthur Est • 514 844-3539
Ⓜ Sherbrooke

 SORTIR, DANSER, BOIRE UN VERRE

Café Chopin

Venez rejouer la romance de l'intempestive George Sand et du compositeur polonais Frédéric Chopin dans ce petit café du boulevard Décarie.

4200, boulevard Décarie • 514 481-0302
Ⓜ Villa-Maria

 FAIRE L'ÉPICERIE

Euro-Deli Batory

Cet endroit est à la fois une épicerie, une charcuterie et un café de quartier où l'on peut s'emplir la panse sans se ruiner. Le menu comprend une vingtaine de spécialités polonaises – les *krokiety* (crêpes frites), le *bigosz kielbasa* (un ragoût de choucroute et de saucisse), les *golabki* (chou farci) ou encore le *barszcz* (soupe claire aux betteraves). Vous voulez tout essayer ? La maison offre un plat de dégustation pour deux, la *polski talerz*.

115, rue Saint-Viateur Ouest
514 948-2161 • Ⓜ Laurier

Pâtisserie polonaise Wawel

C'est sur le quartier Sainte-Marie que Peter Sowa a jeté son dévolu en 1984 lorsqu'il a décidé d'ouvrir une pâtisserie-boulangerie. Il connaissait déjà bien son art : sa famille exploitait deux pâtisseries en Pologne. Le succès ne s'est pas fait attendre. En 2002, cinq autres Wawel ont ouvert leurs portes aux quatre coins de la ville. Tous vendent les babas sablés, la croustade aux cerises et le gâteau Stefanka au rhum. Côté boulangerie, on y pétrit autant la baguette française que le pain à la coriandre.

Quelques succursales :
Sainte-Marie : 2543A, rue Ontario Est
514 524-3348, • Ⓜ Frontenac
Centre-ville : 1413, rue Saint-Marc
514 938-8388, • Ⓜ Guy-Concordia
Pour les autres : www.wawelpatisserie.com

Goplana

Il y a toujours du monde à la pâtisserie Goplana. Les quelques petites tables près des grandes fenêtres sont trop invitantes pour qu'on n'y fasse pas une pause pour goûter un des gâteaux de la maison (croustade, gâteau au fromage, etc.), servis en portions gargantuesques. Sur les étalages, on trouve aussi une bonne sélection de produits polonais.

2188, rue du Centre
514 227-3766 • Ⓜ Charlevoix

 ## MAGASINER

Galerie Malbork

Cette galerie, qui se consacre à la sculpture, à la peinture et à la photographie, expose souvent des artistes polonais. On peut y acheter des affiches polonaises. D'ailleurs, plusieurs artistes de la galerie sont aussi exposés au Café Stash, de l'autre côté de la rue.

215, rue Saint-Paul Ouest
514 286-4244 • www.galeriemalbork.com
Ⓜ Place-d'Armes

Librairie polonaise Gazeta

Comme son nom l'indique, cette librairie est liée au journal du même nom. On y trouve des revues, des journaux polonais, mais aussi des livres, des DVD de films et de séries télé.

5181, boulevard Décarie
514 484-2008
www.gazetagazeta.com • Ⓜ Snowdon

 ## MÉDIAS

Journaux

Gazeta

Un des seuls journaux ethniques vendus, le *Magazyn Gazeta* rapporte hebdomadairement un condensé de nouvelles de Pologne, mais parle aussi de l'actualité dans la diaspora polonaise canadienne. Le bureau principal est à Toronto, mais les lecteurs de Montréal reçoivent un supplément qui leur est destiné.

www.gazetagazeta.com

Biuletyn polonijny

Moitié magazine, moitié bottin, le bulletin polonais publie quelques articles et beaucoup, beaucoup d'annonces de commerçants montréalais d'origine polonaise : dentistes, agents d'immeubles et, bien sûr, quelques plombiers. D'ailleurs, les mêmes éditeurs publient annuellement un annuaire téléphonique contenant toutes les adresses polonaises de Montréal. On y trouve même des pages blanches, listant les numéros personnels de centaines de Montréalais d'origine polonaise. On en trouve une version électronique sur le web.

www.biulpol.com

Radio

Émissions polonaises
CFMB 1280 AM

Deux émissions polonaises prennent l'antenne chaque semaine à CFMB 1280 AM, la radio multilingue montréalaise. La première, *Jedynka*, traite de l'actualité au sein de la diaspora polonaise, la seconde, *Polska Fala*, de la situation en Pologne.

Jedynka, **samedi, 16 h**
Polska Fala, **lundi, 22 h**
www.cfmb.ca

Polonia Hits

Toutes les semaines, une nouvelle émission est diffusée sur le web. La communauté polonaise de Montréal est le sujet principal. Comme son nom l'indique, on y joue aussi de la musique polonaise.

www.poloniahits.com

En savoir plus

Organisations

Bibliothèque polonaise et Institut polonais des arts et des sciences

Cet institut et sa bibliothèque ont été fondés en 1943 alors que nombre d'universitaires, de politiciens et de scientifiques polonais, poussés hors de Pologne par la guerre, affluaient à Montréal. Son mandat est, depuis sa fondation, la promotion de la culture polonaise et des droits de la personne. La bibliothèque de l'Institut regroupe aujourd'hui plus de 45 000 ouvrages, une banque d'œuvres d'art et d'importantes archives. Cette bibliothèque est l'une des meilleures sources d'information sur la Pologne et l'Europe centrale en Amérique du Nord. Sur le site web, on retrouve un lien vers divers catalogues.

Congrès polonais canadien

Fondé pour aider les associations polonaises à s'organiser pendant la Deuxième Guerre mondiale, le Congrès polonais canadien est devenu depuis le principal lobby de la communauté polonaise canadienne. L'organisation est présente à travers le pays.

63, rue Prince-Arthur Est, bureau 5
514 733-4417 • Ⓜ Sherbrooke

Corporation Québec-Pologne pour les arts

La Pologne a donné au monde une brochette impressionnante d'artistes d'exception. Dirigée par Barbara Bégin, cette organisation s'est donné comme mandat de faire connaître l'art polonais à Montréal et fait une place toute spéciale au septième art, dans lequel la Pologne excelle. En 2009, l'association a notamment participé à l'organisation d'une rétrospective du cinéaste Andrzej Wajda, qui a été présentée à la Cinémathèque québécoise.

75, rue Queen, appartement 5200
514 982-6001 • www.quebec-pologne.ca

LIEUX DE CULTE

Notre-Dame-de-Czestochowa

Les Polonais ont une longue histoire dans l'est de la ville et cette église catholique en est témoin. Elle joue toujours un rôle central dans la communauté des croyants.

2550, avenue Gascon • 514 523-6368 • Ⓜ Frontenac ou Préfontaine

Église Saint-Michel-Archange

Cette église et son énorme dôme aplati sont de véritables icônes du Mile-End. Ce statut a d'ailleurs été confirmé quand le groupe Arcade Fire, au sommet de sa gloire, a décidé d'y tenir un concert. Conçue par l'architecte Aristide Beaugrand-Champagne et décorée par l'artiste Guido Nincheri, cette église abrite une communauté polonaise depuis les années 1980. Les services en polonais ont lieu les matins de semaine à 8 h et le dimanche, à 9 h 45 et à 11 h. L'été, un étudiant en histoire servant de guide fait visiter cette merveille architecturale.

105, rue Saint-Viateur Ouest • 514 277-3300 • Ⓜ Laurier

Stefan Nitoslawski : aller-retour pour Lodz

Le soir du référendum de 1995, Stefan Nitoslawski était derrière la caméra quand le premier ministre de l'époque, Jacques Parizeau, a prononcé le discours de défaite de l'option souverainiste en montrant du doigt « l'argent et des votes ethniques ».

La phrase avait estomaqué le Québec en entier. Mais c'est une autre phrase, dirigée vers lui, qui a laissé Stefan Nitoslawski sans voix. « Quelqu'un avec qui je travaillais s'est retourné vers moi et m'a dit : Oui, on sait ben, les immigrants... »

Le commentaire lui avait paru presque absurde, mais ô combien révélateur ! « À partir de quand est-on un Québécois de souche ? » se demande celui qui est né à Montréal, a grandi à Westmount et habite aujourd'hui le Mile-End. « C'est une question à laquelle nous n'avons pas encore répondu comme société », dit-il.

Combinant les métiers de photographe, de directeur photo et de réalisateur, Stefan Nitoslawski se sent profondément montréalais. Mais tout aussi profondément polonais. Son grand-père, Tadeusz Romer, a été une figure importante de la Pologne moderne. Avant d'arriver à Montréal en 1948, il a été ambassadeur de la Pologne auprès de l'Union soviétique, puis ministre des Affaires étrangères du gouvernement polonais en exil à Londres. À Montréal, il a été au cœur des activités de la diaspora, qui voulait la libération de la Pologne occupée.

C'est donc par un grand-père ultrapolitisé et des parents idéalistes, rêvant de l'établissement d'une Pologne forte, que Stefan Nitoslawski a été élevé. Son père est même parti à la guerre pour défendre son pays d'origine. « Quand ils ont vu que l'Union soviétique avait pris le dessus, ils ont su que leur place était au Canada. La Pologne d'ici, c'est encore aujourd'hui la Pologne de l'entre-deux-guerres. »

QUESTION D'IDENTITÉ

Sa Pologne à lui n'est pas tout à fait la même. Enfant, c'était celle des scouts polonais de Montréal. Mais au début de l'âge adulte, il a connu une tout autre *Polska* en allant étudier le cinéma à Lodz. « Je suis arrivé en 1986, alors que la nourriture était rationnée. Je suis reparti en 1992, après le changement de régime, raconte-t-il. Je suis arrivé en Pologne plus canadien que polonais, je suis revenu à Montréal plus polonais que canadien. »

Depuis, il réfléchit aux bouleversements identitaires auxquels sont soumis les immigrants et leurs enfants, mais aussi à ceux que traverse la société d'accueil. En 2007, il a trouvé le sujet parfait pour pousser encore plus loin son exploration : la commission Bouchard-Taylor.

Caméra à la main, il a assisté aux audiences qui ont fait le tour du Québec. Le documentariste s'est attardé à deux personnages. Le premier : André Drouin, le conseiller municipal d'Hérouxville qui a fait la promotion des fameuses normes de vie que son village voulait imposer aux nouveaux arrivants. Le second : Samira Laouni, une musulmane voilée qui s'est rendue à Hérouxville pour rencontrer M. Drouin et qui a maintes fois pris la parole devant les commissaires. Aux dernières élections fédérales, elle s'est présentée sous la bannière du Nouveau Parti démocratique (NPD).

« Ce sont deux personnes qui se sont poussées à l'avant du débat et qui représentent des points de vue complètement différents », explique Stefan Nitoslawski. À ses yeux, malgré quelques dérapages, la commission sur les demandes d'accommodement était d'abord et avant tout un exemple extraordinaire de démocratie participative. C'est d'ailleurs ce qui ressort selon lui de son documentaire. « Le débat sur l'identité est peut-être clos, mais il n'est pas fini. Maintenant qu'on a évacué l'émotif, on va pouvoir parler des vraies questions à régler. » Et la vraie question, c'est celle qu'il se pose depuis 1995 : quand cesse-t-on d'être un immigrant ?

Pour plus d'info sur les multiples facettes du travail de Stefan Nitoslawski :

www.stefan-n.com

LE MONTRÉAL hongrois

 19 425

magyar

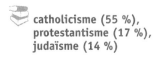 catholicisme (55 %),
protestantisme (17 %),
judaïsme (14 %)

Chaque printemps, quand les Montréalaises d'origine hongroise sortent leurs longues robes pour assister au traditionnel bal de Saint-Étienne dans un hôtel chic de la ville, il est bien facile d'oublier que ce sont à la base deux tragédies – une guerre et une révolution avortée – qui ont obligé des milliers de Hongrois à dire «*vizont látasr a*» (adieu) au Danube et à voguer jusqu'au littoral montréalais.

LA GUERRE D'ABORD

La Hongrie, qui fait partie de l'empire austro-hongrois au début de la Première Guerre mondiale, perd près des deux tiers de son territoire pendant ce conflit. À la fin des hostilités, 27 000 Hongrois arrivent au Canada. Quelques milliers s'installent à Montréal. D'autres Hongrois ayant immigré dans l'Ouest canadien à la fin du 19ᵉ siècle les rejoindront.

En 1930, ils sont 3 000 à se bâtir une vie dans la métropole. La *Main*, où s'agglutinent beaucoup de nouveaux arrivants, est au cœur de leur vie sociale. La première épicerie Steinberg, mise sur pied par une juive hongroise, y a déjà pignon sur rue depuis 1913. Une école hongroise est fondée en 1933 pour permettre aux enfants nés au Canada d'apprendre la langue de leurs parents, le magyar, particulièrement complexe.

La Deuxième Guerre mondiale amène à Montréal une seconde vague d'immigrants. Plusieurs intellectuels et déplacés de guerre en font partie.

SOLIDARITÉ OUTRE-ATLANTIQUE

Cependant, l'épisode le plus marquant de l'immigration hongroise au Québec a lieu en 1956. Cette année-là, un mouvement pacifique proteste contre la mainmise de l'Union soviétique sur la Hongrie.

Les manifestations font d'abord naître l'espoir à travers le monde occidental, apeuré par la guerre froide, mais l'éclaircie est de courte durée. En novembre, les tanks de l'Armée rouge envahissent les rues de Budapest. La répression sans merci est diffusée à la télévision.

Quand le gouvernement canadien décide d'ouvrir ses portes à 38 000 réfugiés hongrois, il a les médias et la population derrière lui. Des familles montréalaises accueillent chez eux les nouveaux venus, pour la plupart sans le sou.

Cette grande vague d'immigration change le visage du Montréal hongrois : les commerces et les organisations pullulent. La rue Stanley est couverte de bistros hongrois. C'est à cette époque qu'a lieu le premier bal de Saint-Étienne. «C'est la façon que la communauté hongroise a trouvée pour remercier les Montréalais de leur accueil. On n'avait pas un sou, on ne pouvait pas recevoir chez nous, mais on a néanmoins décidé d'organiser une grande fête», explique André de Gostonyi, président du bal de 2009 (voir page 127).

La Société historique hongroise de Montréal considère que les années 1960 et 1970 ont été celles de l'âge d'or du Montréal hongrois.

CHANGEMENT DE RÉGIME

L'afflux de nouveaux Hongrois diminue rapidement dans les années 1980 et devient presque inexistant après 1989, alors que le rideau de fer tombe et que la démocratie est rétablie en Hongrie, aujourd'hui membre de l'Union européenne.

Regroupant 35 000 membres à son apogée, le Montréal hongrois compte aujourd'hui dans ses rangs quelque 20 000 personnes, explique Andréa Blanar, présidente du Regroupement des artistes canadiens hongrois. «Il y a eu beaucoup de mariages en dehors de la communauté. Toute notre vie, nos parents nous ont incités à nous intégrer. C'est chose faite», dit en souriant l'artiste-peintre.

Plus modestes aujourd'hui, les institutions hongroises sont cependant toujours vivantes. Une partie de la vie sociale s'organise autour de l'école hongroise et de l'église Notre-Dame-des-Hongrois, qui se trouvent près du parc Jarry. Les Montréalais d'origine hongroise habitent principalement les quartiers plus anglicisés de Notre-Dame-de-Grâce et de l'Ouest-de-l'Île. Comme la plupart ont été obligés de fréquenter l'école anglophone avant l'avènement de la loi 101, plus de 40 % des Montréalais d'origine hongroise vivent aujourd'hui en anglais à la maison. Près de 80 % d'entre eux connaissent cependant autant le français que l'anglais, en plus du magyar.

PARLEZ-VOUS MAGYAR ?

Bonjour ➤ Yonapot

Merci ➤ Kôszônôm

Au revoir ➤ Vizant Latachra

 DANS LE CALENDRIER

Journée commémorative de la révolution de 1848 : 15 mars

En 1848, plus d'une dizaine de mouvements révolutionnaires ont vu le jour en Europe, dont un en Hongrie. À Montréal, une soirée de poésie et de danse, organisée par le Comité hongrois, souligne l'événement chaque année.

Journée de la République : 23 octobre

Cette journée commémore la révolution pacifique de 1956 contre l'occupant soviétique, durement réprimée.

Nouveau pain : 20 août

Cette fête, célébrée à la Saint-Étienne (patron et premier roi de la Hongrie), est soulignée dans les églises. On y célèbre la récolte et le nouveau pain. Des pique-niques sont organisés pour l'occasion.

 ÉVÉNEMENTS

Bal de Saint-Étienne : avril

(Voir page 127.)

In Situ : printemps

Une exposition d'artistes canado-hongrois a lieu tous les ans. En 2009, l'événement a pris un peu plus d'ampleur. Les œuvres feront le tour de galeries d'art en Hongrie avant de revenir à Montréal en 2010.

Pour renseignements : www.chaccanada.org

Festival de la saucisse hongroise : avant Pâques et Noël

L'église Notre-Dame-des-Hongrois invite deux fois par année les carnivores à venir préparer leur propre saucisse, selon la tradition hongroise. Tous sont bienvenus.

Foire de Noël : décembre

Le week-end précédant Noël, la Hungarian United Church (50, boulevard Graham) se transforme pendant trois jours en marché de Noël. On peut y acheter de la dentelle hongroise et de délicieuses pâtisseries faites maison.

Carnet d'adresses

 MANGER

Café Rococo

Ce petit café est une affaire de famille. De la famille Pragai, pour être exact. Maman est dans la cuisine, papa prépare les pâtisseries et les enfants font le service. La goulasch est à l'honneur dans le menu, en version carnivore ou végétarienne. Les pâtisseries y sont chaudement recommandées.

1650, avenue Lincoln • 514 938-2121 Ⓜ Guy-Concordia

Restaurant du Foyer hongrois

L'ancienne propriétaire du feu Café Mozart officie aujourd'hui dans les cuisines du Foyer hongrois, une résidence pour personnes âgées. Au menu : soupe Ujahazi et *schnitzler* de porc (servis en portions gargantuesques). La salle à manger est ouverte au public le midi.

2580, rue Saint-Jacques • 514 934-1777
Ⓜ Lionel-Groulx

 SORTIR, BOIRE UN VERRE

Pub Sir Winston Churchill

OK, on vous le donne, le nom de ce pub n'est pas très hongrois, mais son propriétaire, John Vago, l'est. Ce dernier a été le pionnier de la rue Crescent, aujourd'hui mecque de la vie nocturne anglophone de la ville.

1455-1459, rue Crescent • 514 288-3814
www.winniesbar.com • Ⓜ Guy-Concordia

 FAIRE L'ÉPICERIE

Pâtisserie Château-Euro

Cette pâtisserie de Notre-Dame-de-Grâce prépare les grands classiques hongrois. Les plus populaires sont le *dobos*, une génoise à la vanille recouverte de crème au chocolat et de caramel, ainsi que le *eszterhazy*, un gâteau sans farine aux noix de Grenoble.

5316, avenue Patricia • 514 844-9693
Ⓜ Vendôme ou Snowdon

Boucherie hongroise

Cette boucherie est une institution de la *Main*. Le bacon y est fait maison. Idem pour le jambon fumé. Les gros morceaux de charcuteries hongroises, polonaises et allemandes pendent du plafond.

3843, boulevard Saint-Laurent
514 844-6734 • Ⓜ Sherbrooke

 MÉDIAS
Journaux

Magyar Kronika (Chronique hongroise)

Ce journal de huit pages, publié essentiellement en magyar, est distribué au Foyer hongrois ainsi que dans quelques commerces hongrois.

514 482-8136 • www.magyarkronika.com

Internet
Les Hongrois de Montréal

Ce site web est celui du Comité hongrois de Montréal, qui regroupe toutes les organisations d'inspiration hongroise de la ville. On y trouve un calendrier d'événements très complet (mais aussi très en magyar) et plusieurs adresses.

www.montrealhungarians.ca
Pour joindre le comité : 514 387-9503

En savoir plus
Regroupement des artistes canadiens hongrois

Possédant son bureau principal dans la région de Montréal, cette association regroupe plus de 60 artistes d'origine hongroise du Québec, de l'Ontario et des Maritimes. On peut voir des œuvres et lire des biographies des membres sur le site internet.

514 697-0844 • www.chaccanada.org

Ensemble de folklore hongrois Bokréta

La danse folklorique hongroise en est une d'improvisation, et c'est sur cette tradition que Bokréta base son travail. Cette troupe, qui compte dans ses rangs plusieurs danseurs sans ascendance hongroise, est trilingue.

90, rue Guizot Ouest
514 842-5703 • www.bokreta.ca • Ⓜ Jarry

École hongroise

Une des plus vieilles institutions hongroises de Montréal, cette école enseigne la langue et la culture magyare aux petits Montréalais des troisième et quatrième générations.

90, rue Guizot Ouest
514 486-7620
Ⓜ **Jarry**

LIEUX DE CULTE

Notre-Dame-des-Hongrois

Cette église catholique est au cœur de la vie sociale montréalo-hongroise. Des services en magyar y ont lieu tous les dimanches. L'église organise aussi des pique-niques et des kermesses. Plusieurs organisations hongroises sont hébergées par le centre jeunesse contigu à l'église.

90, rue Guizot Ouest • **514 387-9503** • **www.paroissehongroise.com** • Ⓜ **Jarry**

Hungarian United Church

Cette église de Parc-Extension a été bâtie par les immigrants hongrois de la Première Guerre mondiale. Le dimanche, deux services y ont lieu : un en anglais et un en magyar.

50, boulevard Graham • **514 731-5732** • **pages.videotron.com/hunited**
Ⓜ **Acadie**

Église presbytérienne hongroise

La majorité des Montréalo-Hongrois sont catholiques, mais cette église presbytérienne reçoit des croyants depuis 1968.

7110, avenue De L'Épée • **514 272-7330** • Ⓜ **Parc**

Un air de bal

C'est en 1886 dans la grande salle de l'opéra de Budapest qu'a eu lieu le premier grand bal hongrois. À Montréal, c'est en 1958 qu'a retenti la première valse. Depuis, la tradition n'a pas changé. Le soir de cet événement spécial, les convives sont accueillis au champagne. À 20 h, la marche Rakoczi et les hymnes nationaux ouvrent la cérémonie. Les danses *Palotas* sont alors exécutées par des danseurs qui réchauffent la piste pour les reines de la soirée : les débutantes. Une vingtaine de jeunes femmes se sont préparées pendant de longs mois pour être présentées officiellement au Grand Montréal hongrois. Vêtues de robes blanches frôlant le plancher, elles ouvrent le bal. Tous les convives peuvent ensuite se joindre à la danse. À 23 h, le souper aux chandelles est servi. Le bal est pourtant loin d'être terminé. La fête se poursuit jusqu'aux petites heures du matin.

www.ststephensball.ca

LE MONTRÉAL roumain

 36 725

roumain

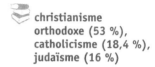 christianisme
orthodoxe (53 %),
catholicisme (18,4 %),
judaïsme (16 %)

En 1976, une petite tornade de 14 ans a volé le cœur des Montréalais. Raflant cinq médailles, Nadia Comaneci a été l'héroïne des Jeux olympiques. La Roumanie, son pays d'origine, s'est retrouvée sous les projecteurs. Les Montréalais d'origine roumaine, déjà nombreux dans la ville, ont célébré en bonne et due forme, se faisant du coup connaître du grand public.

Les premiers d'entre eux arrivent à Montréal au début du 20ᵉ siècle. Cette première bordée compte à peine une centaine de personnes, originaires des campagnes de Transylvanie et de Bucovine. Malgré leur petit nombre, les premiers Roumains de Montréal s'organisent en fondant en 1918 la plus grande église roumaine de l'est du Canada, l'église de l'Annonciation.

La deuxième vague suit de près les premiers arrivants : dans les années 1920, des immigrants roumains, qui s'étaient d'abord installés dans l'ouest du pays, convergent à Montréal, la métropole canadienne de l'époque. Plusieurs d'entre eux aident des membres de leur famille à immigrer.

La troisième vague déferle au lendemain de la Deuxième Guerre mondiale. L'Union soviétique impose ses volontés au petit pays d'Europe de l'Est et des milliers d'intellectuels et de professionnels réussissent à s'enfuir, malgré l'étanchéité du rideau de fer. Près de 4 000 personnes arrivent pendant la guerre froide, espérant trouver à Montréal un terreau plus propice à l'épanouissement que dans leur pays, sous l'emprise de Nicolae Ceausescu.

Nadia Comaneci est de ceux-là. En 1989, quelques mois avant la chute du dictateur, elle fait défection et choisit de s'installer à Montréal, où elle prend notamment les rênes d'un centre de gymnastique.

HÉMORRAGIE CONTINUE

Si, dans la plupart des pays d'Europe centrale et d'Europe de l'Est, la chute du communisme a stoppé en grande partie l'émigration, ce n'est pas le cas de la Roumanie. La pauvreté et la corruption qui affligent le pays depuis le début des années 1990 ont convaincu plus de 25 000 Roumains de refaire leur vie à Montréal.

En 2004, pour marquer l'importance de l'immigration roumaine, Montréal a renommé un parc du Plateau-Mont-Royal « place de la Roumanie ».

PARLEZ-VOUS ROUMAIN?

Bonjour ➤ Salut
Merci ➤ Multumesc
Au revoir ➤ La revedere

 ## 1 DANS LE CALENDRIER

Fête nationale: 1er décembre

Cette fête souligne l'annexion de la Transylvanie à la Roumanie en 1918. Le Consulat roumain à Montréal organise une réception.

Fêtes religieuses

Pâques: avril

La majorité des Roumains de Montréal étant chrétiens orthodoxes, Pâques est la principale fête religieuse du calendrier. Le carême dure 49 jours et est suivi de trois jours de célébrations. Le tout commence avec une rencontre au milieu de la nuit, chandelles en main, pour marquer la résurrection du Christ.

Noël: 25 décembre

Contrairement à la plupart des orthodoxes, qui célèbrent Noël en janvier, les Roumains soulignent la naissance de Jésus le 25 décembre. Pour avoir des cadeaux, les enfants doivent les mériter, notamment en frottant leurs bottes. Le repas de Noël comprend traditionnellement du chou farci et du rôti de porc. Le dessert de Noël s'appelle le *Cozonac*, une brioche farcie de fruits secs ou de chocolat.

 ## ÉVÉNEMENTS

Festival du film roumain: décembre

Ce festival, organisé par l'association Rocade, se tient depuis 2007 au Cinéma du Parc. C'est une des rares occasions de voir des films roumains.

www.rocade.ca

Carnet d'adresses

 ## MANGER

Maison Rustik

Ce petit restaurant de Notre-Dame-de-Grâce fait cavalier seul à Montréal avec ses spécialités roumaines. Parmi les spécialités de la maison, le chou farci et les *mititei*, des saucisses de bœuf assaisonnées à l'ail. Samedi et dimanche, une chanteuse anime l'endroit de chansonnettes tirées du répertoire roumain, mais en débordant largement.

5461, rue Sherbrooke Ouest
514 487-9990
www.lamaisonrustik.ca • Ⓜ Vendôme

 ## FAIRE L'ÉPICERIE

Charcuterie et pâtisserie Bucarest

Cette épicerie fine porte le nom de la capitale roumaine, mais sa marchandise, elle, s'étend aux produits de toute l'Europe de l'Est. Beaucoup de *kolbasa* (saucisses), donc, mais aussi du poisson fumé, des confitures de cerise à consommer avec le thé et des sucreries pour adoucir les durs soirs d'hiver.

4670, boulevard Décarie
514 481-4732 • Ⓜ Villa-Maria

MAGASINER

Librăria Pagini Românești

Cette librairie est liée au journal du même nom. C'est le meilleur endroit en ville pour faire le plein d'ouvrages roumains. La sélection de livres traitant du communisme est impressionnante. C'est cependant le CD de la chanteuse Anda Calugareanu qui tient le top du palmarès des meilleurs vendeurs.

4914, boulevard Décarie, numéro 2
514 343-1412 • www.cartiromanesti.ca

Magasiner en ligne

Made in Romania

Comme son nom l'indique, ce magasin en ligne vend une variété de produits faits en Roumanie. Chemises traditionnelles, poteries, icônes, livres et disques compacts.

www.madeinromania.ca

 MÉDIAS

Journaux

Pagini Românești (Pages roumaines)

Cet hebdomadaire montréalais est publié en roumain. On y parle de politique, de littérature roumaine et de vie montréalaise.

514 680-0506 • www.paginiromanesti.com

Ziarul Tău Acasă

Ce bihebdomadaire roumain a été mis sur pied en 2007 par des journalistes roumains qui ont récemment immigré au Canada. Il est distribué dans les grandes villes du pays.

www.acasamedia.com

Radio

Programme roumain

CFMB 1280 AM

En ondes depuis 2006, ce programme de 30 minutes s'adresse au Montréal roumain une fois par semaine. Les événements communautaires y sont annoncés.

Mercredi, 23 h • www.cfmb.ca

Aici România

Diffusée sur le web, cette radio s'adresse aux Canadiens d'origine roumaine 24 heures sur 24.

aiciromania.com

Internet

Magazine Terra Nova

Ce magazine web culturel se dit multilingue, mais ce qu'on y retrouve est surtout en français et en roumain, la langue maternelle de nombre de ses collaborateurs. Théâtre, littérature et musique en sont les principaux sujets.

www.terranovamagazine.ca

En savoir plus

Associations

Centre culturel roumain

Ce centre culturel, doublé d'une galerie d'exposition et d'une bibliothèque, organise fréquemment des activités culturelles.

8060, avenue Christophe-Colomb
514 272-6735 • Ⓜ Jarry

Fondation roumaine de Montréal

Cette fondation offre des cours de roumain et organise une grande variété d'événements.

3550, chemin de la Côte-des-Neiges
514 937-4473

De l'eau de rose
dans le Saint-Laurent

5. LE MONTRÉAL DU MOYEN-ORIENT

L e Moyen-Orient. Voilà un terme lourd de sens. En entendant ces deux mots, la plupart des Occidentaux les associent machinalement à deux autres : islam et culture arabe.

S'il est vrai que la religion musulmane y joue un rôle prédominant et que plus de 185 millions d'Arabes y vivent, cette simplification a pour résultat de nier l'immense diversité ethnique, religieuse, culturelle et linguistique de la région.

Qu'entend-on par Moyen-Orient au juste ? Au cours des années, la définition du terme a changé. La plus commune fait référence à l'immense région qui regroupe l'Égypte, la Turquie, les pays de la péninsule arabique (dont l'Irak et l'Arabie saoudite), les pays du Levant (Liban, Syrie, Israël et les Territoires palestiniens) et l'Iran. La nôtre s'étend aussi à l'Afghanistan, qui a longtemps fait partie de la zone d'influence perse, et à l'Arménie, puisque la majorité des Arméniens de Montréal sont originaires du Moyen-Orient.

Cette grande région qui a un orteil en Europe, un pied et une partie de sa tête en Afrique, mais le reste de ses membres en Asie, a vu naître les plus anciennes civilisations humaines et trois des principales religions monothéistes : le christianisme, l'islam et le judaïsme.

L'histoire commune du Moyen-Orient en a été une de conquête et d'empires concurrents : l'empire perse, l'empire ottoman et les puissantes tribus arabes ont tour à tour imposé leur loi dans diverses parties de la région, influençant la culture des uns et des autres.

Les parcours historiques des États qui existent aujourd'hui au Moyen-Orient sont conséquemment difficilement dissociable les uns des autres. En guise d'exemple, le Liban et la Syrie ne faisaient qu'un jusqu'à la fin de la Première Guerre mondiale, alors qu'aujourd'hui, les deux États sont empêtrés dans un complexe tango.

Le Montréal moyen-oriental est fidèlement représentatif de l'immense diversité du Moyen-Orient et de certaines de ses caractéristiques dominantes.

Au recensement de 2006, plus de 53 000 personnes ont reconnu avoir leurs origines dans la partie non arabe du Moyen-Orient – soit la Turquie, l'Iran, les régions kurdes, l'Afghanistan et le grand monde arménien –, mais la grande majorité des Montréalais qui ont des ancêtres au Moyen-Orient se sont dits d'origine ethnique arabe, soit quelque 100 000 personnes. Ces derniers ont en commun la langue arabe.

LE MONTRÉAL ARABE

Le Liban, auquel 54 000 Montréalais relient leurs origines, est le principal pays de provenance du Montréal arabe, aujourd'hui plus que centenaire. Les premiers immigrants du Levant sont arrivés à la fin du 19ᵉ siècle et, très rapidement, ils ont contribué au développement économique de la ville.

Le Montréal égyptien compte 16 555 membres, le Montréal syrien 13 450 et les Montréal palestinien et irakien respectivement 4 585 et 2 655. Les pays de la péninsule arabique, traditionnellement plus anglicisés, sont tous représentés à Montréal, même si en nombre moindre. On parle ici de quelques centaines d'individus.

Autre particularité du Montréal arabe, les chrétiens, qui sont une minorité dans le Grand Moyen-Orient, y tiennent une place prépondérante. Plus de 60 % des Montréalais d'origine arabe (excluant ceux d'origine maghrébine, qui font l'objet d'un autre chapitre) sont chrétiens, alors que dans les pays arabes ils ne forment qu'entre 5 et 10 % de la population totale, selon des chiffres des Nations Unies.

VIVRE L'ARABITÉ

C'est pour explorer toutes les nuances de l'arabité et pour les faire connaître du grand public montréalais que Joseph Nakhlé et des collaborateurs ont mis sur pied le Festival du monde arabe en 1999. « Nous voulions un lieu de rencontre où nous pourrions vivre l'identité arabe, mais dans le cadre de la société d'accueil, pas repliés sur nous-mêmes », explique celui qui assume la direction artistique du festival depuis ses débuts.

Selon lui, les Montréalais d'origine arabe – qu'ils soient juifs, chrétiens ou musulmans – sont un exemple éloquent d'intégration économique réussie. Les grandes entreprises qu'ils ont mises sur pied pullulent. Il a en tête les marques Bedo, Aldo et Dollarama, en plus des supermarchés Adonis. « Le peuple du Levant est un peuple de mythiques commerçants », dit-il en souriant. Le Montréal arabe a aussi beaucoup contribué à la vie universitaire et à l'enrichissement des grands établissements scientifiques de la ville, où ils sont nombreux à œuvrer.

Au chapitre de l'intégration culturelle, cependant, Joseph Nakhlé croit qu'il reste du chemin à faire. « La place de la femme reste plus conservatrice que dans la société en général. Beaucoup de gens vivent ici, mais restent pris dans les divisions politiques de là-bas », note-t-il.

Il est heureux de constater aujourd'hui que le festival qu'il dirige attire des Montréalais de toutes origines. Il a d'ailleurs été surpris de l'accueil réservé à l'événement, qui met en lumière des artistes originaires du Moyen-Orient et du Maghreb. Alors qu'au lendemain du 11 septembre 2001 une bonne partie du monde occidental tombait dans la méfiance à l'égard des immigrants arabes ou musulmans, le Festival du monde arabe, lui, ne cessait de prendre de l'ampleur.

« Mais nous avons nous aussi vécu notre propre 11-Septembre. Il a coïncidé avec la crise des accommodements raisonnables et les travaux de la commission Bouchard-Taylor. En 2007, nos ventes de billets ont chuté de près de 76 %. Alors que les Montréalais d'origine arabe représentent habituellement 20 % de nos spectateurs, cette année-là, ils étaient près de 80 % de ceux qui ont assisté au festival. Les autres nous ont désertés. »

Cette année difficile dans l'histoire du festival a prouvé à Joseph Nakhlé que les ponts sont encore fragiles entre le Grand Montréal et le Montréal arabe. Il espère que le 10ᵉ anniversaire fera vite oublier ce décevant épisode. «À long terme, je rêve de la création d'un espace Québec-monde arabe. Un projet a été soumis à la Ville. Cet espace ni religieux ni régional serait aussi utile pour les Montréalais d'origine arabe parce que ce serait le seul endroit de rencontre qui ne serait pas une mosquée ou une église!» Les autres Montréalais y retrouveraient une bibliothèque, une salle de spectacle et une discographie qui seraient accessibles à tous, rêve Joseph Nakhlé tout haut.

Reste à savoir si le concept pourrait faire une petite place aux Montréalais originaires du Moyen-Orient qui ne sont pas arabes – les Iraniens, les Turcs, les Kurdes, les Afghans et les Arméniens. Hormis les Arméniens, qui sont arrivés eux aussi au début du siècle dernier, la plupart des vagues d'immigration moyen-orientales sont récentes et les communautés qui y sont associées sont en pleine expansion et définition.

 DANS LE CALENDRIER

Chrétiens

Noël catholique ou orthodoxe?

Contrairement aux catholiques, qui fêtent Noël le 25 décembre, les chrétiens coptes et orthodoxes célèbrent la naissance du Christ le 6 ou le 7 janvier. Pâques est fêté par tous le même jour, au printemps.

Musulmans

Quel que soit leur pays d'origine, les musulmans du monde entier observent les mêmes fêtes.

Ramadan: dates variables

Pendant ce mois du calendrier islamique, qui se déplace d'année en année dans le calendrier, les musulmans jeûnent du lever au coucher du soleil. À la fin du ramadan, ils célèbrent l'Aïd-el-Fitr. Des prières communes ont lieu dans les mosquées.

Aïd-el-Adha: dates variables

À la fin du pèlerinage à La Mecque, soit 70 jours après la fin du ramadan, les musulmans célèbrent l'Aïd-al-Adha. Pour l'occasion, plusieurs sacrifient un mouton.

Achoura: date variable

Cette journée de deuil, qui a lieu au 10ᵉ jour du mois islamique de Muharram, est soulignée par les musulmans chiites seulement, nombreux dans les communautés libanaise, iranienne et irakienne. À cette occasion, ils commémorent le massacre du petit-fils de Mahomet, Hussein, à Karbala, en Irak. Il est commun de voir ce jour-là des chiites montréalais vêtus de noir déambuler dans les rues du centre-ville en silence.

ÉVÉNEMENTS

**Festival du monde arabe :
fin octobre-début novembre**

Mis sur pied par des Montréalais d'origine libanaise, ce festival ne cesse de prendre de l'ampleur. Des artistes de tout le grand monde arabe – de la péninsule arabique au Maghreb – s'y donnent en spectacle. Plusieurs artistes montréalais d'origine arabe y trouvent une plateforme exceptionnelle. (Voir l'introduction du chapitre.)

**1305, rue Mazurette, bureau 200
514 747-0000 • www.festivalarabe.com**

 MÉDIAS
Annuaire arabe

Ce bottin en ligne énumère des centaines de commerces appartenant à des Montréalais originaires du grand monde arabe.

www.abdo.ca

En savoir plus
Études du Moyen-Orient

Plusieurs universités montréalaises permettent d'apprendre les langues parlées dans le Montréal moyen-oriental ou d'en apprendre plus sur les pays d'origine des immigrants qui se sont installés à Montréal.

Université McGill

L'Université McGill a une solide expertise en la matière. L'Institut des études islamiques et le Département de sciences politiques regroupent plusieurs chercheurs experts et offrent une large variété de cours, dont des cours de perse, de farsi et d'hébreu.

www.mcgill.ca/mes

Consortium interuniversitaire pour les études arabes et moyen-orientales

L'Université de Montréal et l'Université Concordia ont elles aussi plusieurs ressources liées au Moyen-Orient. Le Consortium regroupe les experts des trois universités montréalaises. Il est dirigé par le politologue Rex Brynen, professeur à l'Université McGill.

**3465, rue Peel • 514 398-1246
www.mcgill.ca/icames • Ⓜ Peel**

Le Montréal **libanais**

 53 455

arabe, arménien

catholicisme (maronite et grec) (50 %), Église grecque orthodoxe (16 %), islam (23 %)

É té 2006. Le conflit éclate entre Israël et le Hezbollah, le mouvement chiite du sud du Liban. L'État hébreu décide de bombarder le Liban. Tous ceux qui ont un passeport étranger prennent la fuite. Des milliers mettent le cap sur la France, qui les évacue, mais des dizaines de milliers, munis d'un passeport unifolié, veulent rentrer au Canada. Abasourdi, le gouvernement canadien organise des secours de fortune. Personne n'avait prévu une telle demande.

Pourtant, il ne faut pas regarder bien loin pour voir que, depuis 100 ans, l'histoire du Liban est intimement liée à l'histoire de l'immigration au Canada. Et en tant que deuxième ville francophone au monde après Paris, Montréal est un des principaux points de chute de cette migration du Levant.

AH ! CES NOMADES

Tout commence à la fin du 19e siècle. Un conflit sanglant entre les Druzes et les chrétiens maronites qui vivaient à l'ombre du mont Hermon ainsi que des turbulences à l'intérieur de l'empire ottoman poussent plus de 300 000 personnes à chercher un abri ailleurs entre 1860 et 1915. Quelque 2 000 personnes originaires de la région de Rashayya al-Wadi, dans la Syrie d'alors (le sud-est du Liban d'aujourd'hui), décident de faire le voyage jusqu'à Montréal, un périple ardu de plusieurs semaines. La très grande majorité d'entre eux sont chrétiens.

Pour survivre, plusieurs mettent à profit leurs talents de commerçants. Ils deviennent marchands ambulants et voyagent denrées au dos. Les *kashahshin* arpentent tous les coins de la province. Certains décident même de s'installer en région. La population locale les appelle les «Syriens».

Malgré le nomadisme ambiant, Montréal reste le cœur de ce réseau commercial syro-libanais en pleine ébullition. Si nous avions écrit ce guide en 1925, nous aurions consacré un chapitre tout entier au quartier syrien libanais qui a vu le jour sur la rue Notre-Dame à la hauteur de la rue Berri. À l'époque, une trentaine de commerces y jouent du coude : des merceries, des importateurs d'aliments, des restaurants. Toute une classe de marchands s'y affaire. Le Syrian Oriental Café du 203, rue Notre-Dame Est est au cœur de la vie sociale de cette diaspora.

Après l'imposition de lois restrictives en 1908, l'immigration en provenance du Levant diminue grandement, mais les familles installées ici avant cette date, elles, sont de plus en plus prospères. Elles investissent plusieurs secteurs de l'économie, dont la boulangerie, le cinéma et le textile. Cette intégration a même des impacts linguistiques : certains noms arabes sont francisés. Les Rassy deviennent les Rossy et les Debbané, les De Bané.

Une deuxième vague d'immigrés libanais déferle entre les deux guerres et jusqu'en 1960. La plupart sont des proches des immigrants de la première génération. Ils viennent travailler à Montréal auprès des leurs.

L'immigration libanaise reprend aux alentours de 1970. Des étudiants libanais viennent compléter leur formation dans les universités montréalaises. Le gouvernement incite plusieurs d'entre eux à rester. Plusieurs médecins et professionnels acceptent l'offre.

Mais c'est de 1989 à 1991 que le Canada connaît le plus grand boom dans la migration en provenance du Liban. Pendant la guerre civile, le pays ouvre ses portes aux réfugiés. Ils viennent par milliers. Ils sont principalement chrétiens, mais pas uniquement. Les nouveaux arrivants, à la recherche d'un abri, sont issus de tous les groupes confessionnels qui se livrent une guerre sans merci au Proche-Orient.

Selon le consulat libanais de Montréal, la grande communauté libanaise montréalaise compterait environ 250 000 personnes. Mais elles ne sont pas toutes en ville. Détenteurs d'un passeport canadien, qui est devenu une porte de sortie en cas de reprise du conflit (comme le gouvernement a pu le constater en 2006), beaucoup de Libano-Canadiens vivent aujourd'hui dans leur pays d'origine ou font la navette entre Beyrouth et Montréal.

Au dernier recensement, un peu plus de 53 000 Montréalais ont déclaré avoir des origines libanaises. « C'est certain que nous sommes plus nombreux que ça. Regardez le nombre de commerces libanais. Il n'y en aurait pas autant si nous étions seulement 50 000. Plusieurs personnes ont dû répondre qu'elles étaient d'origine arabe ou arménienne », explique Raouf Najm, le rédacteur en chef d'un des hebdomadaires libano-montréalais, *L'International*.

Si le passé commercial syro-libanais de la rue Notre-Dame est aujourd'hui invisible, la présence libanaise, elle, est particulièrement remarquable dans l'arrondissement de Saint-Laurent, que plusieurs appellent « Saint-Liban ». L'an dernier, une rue y a été nommée en l'honneur de l'auteur du *Prophète*, l'écrivain mythique Khalil Gibran. En plus d'y tenir des commerces, près de 25 % des Montréalais d'origine libanaise y vivent. On y trouve aussi une concentration d'églises et de mosquées libanaises, qui, même en terre d'immigration, tiennent encore une grande place dans la vie sociale de ces Montréalais.

Mais dans cette grande communauté, il existe aussi amplement de place pour l'individualité. Le travail du dramaturge Wajdi Mouawad (*Incendies, Forêts*) et les romans de l'artiste multidisciplinaire Rawi Hage (*Parfum de poussière,*

Le Cafard) sont couronnés de prix autant à Montréal qu'à l'étranger. Leur œuvre est profondément marquée par la guerre civile libanaise, à laquelle ils ont assisté aux premières loges, tout autant que par l'expérience de l'exil. Dans cette dualité, des centaines de milliers de Montréalais se reconnaissent.

PARLEZ-VOUS LIBANAIS?

Bonjour ➤ Sabah El Khein

Merci ➤ Chokran

Au revoir ➤ Ila Al Likaa

1 DANS LE CALENDRIER

Jour de l'Indépendance: 22 novembre

L'accession du Liban à l'indépendance en 1944 est célébrée tous les ans par le consulat du Liban de Montréal.

Plusieurs fêtes religieuses sont célébrées par les différentes églises et mosquées libanaises.

Fêtes religieuses

Chez les chrétiens

Noël: 25 décembre (catholiques et protestants) ou 6-7 janvier (orthodoxes)

Près de la moitié des Libanais de Montréal, dont les maronites et les catholiques grecs, célèbre Noël le 25 décembre. Les chrétiens orthodoxes célèbrent pour leur part Noël au même moment que l'Épiphanie. Des célébrations ont lieu dans les églises, mais aussi dans les familles.

Saint-Maron: 9 février

Les chrétiens maronites, qui sont plusieurs milliers à Montréal, organisent annuellement une grande fête pour célébrer le saint qui a fondé leur église.

Chez les musulmans: Voir page 134.

 ÉVÉNEMENTS

CLAP: début mai

Lebanus organise tous les ans un festival de courts métrages libanais au cinéma de l'ONF.

Pour info: www.lebanus.org

Festival du Liban: mi-juin

Ce festival à caractère familial a lieu tous les ans dans la troisième semaine de juin, à la veille de la fête nationale des Québécois. Parrainé par la Ville de Montréal, cet événement de trois jours permet de s'imbiber de culture libanaise tout en prenant l'air dans le parc Marcelin-Wilson où il a lieu (11301, boulevard de l'Acadie).

Carnet d'adresses

 MANGER

Daou

Incontournable, ce restaurant est reconnu pour sa cuisine traditionnelle libanaise, préparée avec une grande constance. Les grillades y sont particulièrement prisées et les *mezzes* (hummus, baba ganoush, etc.), pour commencer le repas, sont copieux. Le restaurant offre aussi un service de traiteur.

Deux succursales:
Saint-Laurent: 2373, boulevard Marcel-Laurin
514 334-1199 • Ⓜ Du Collège

Villeray : 519, rue Faillon Est
514 276-8310 • Ⓜ Jean-Talon

Ezo

Ce restaurant, propriété d'Elizabeth Daou (oui, de la même famille que le restaurant Daou), a un décor beaucoup plus moderne, mais la carte y est tout aussi traditionnellement libanaise. Une attention particulière est portée au poisson.

9440, boulevard de l'Acadie
514 385-6777 • Ⓜ Henri-Bourassa

La Sirène de la mer

Comme son nom l'indique, ce restaurant flanqué d'une poissonnerie se spécialise dans le poisson et les fruits de mer, mais le tout est préparé à la libanaise. On y trouve aussi toutes les grillades traditionnelles : shish-kebabs, kefta-kebabs et shish-taouks.

114, avenue Dresden, Mont-Royal
514 345-0345 • Ⓜ Édouard-Montpetit
1805, rue Sauvé Ouest
514 332-2255 • Ⓜ Sauvé

Aux Lilas

Ce petit restaurant du Mile-End fait son petit bonhomme de chemin depuis 1980. Le couple libano-québécois qui en est propriétaire aime qu'on s'y sente chez soi. Le menu y est expliqué avec beaucoup de détails. Sur le site web, on trouve plusieurs recettes de l'établissement.

5570, avenue du Parc • 514 271-1453
www.auxlilas.com • Ⓜ Laurier

Kaza Maza

En plein milieu du Mile-End, ce café est bien plus qu'un resto, c'est un repaire pour la faune engagée et branchée à la fois (d'ailleurs, sur Facebook, ils sont des centaines à être fans de l'endroit). Des spectacles y ont lieu plusieurs fois par semaine. L'activité artistique et politique ne

semble pas divertir le chef de sa mission : les *mezzes*, chauds et froids, y sont excellents.

4629, avenue du Parc • 514 844-6292
Ⓜ Mont-Royal

Amir

Cette chaîne de restauration rapide libanaise ne cesse de grandir. D'un seul restaurant en 1983, dans ce qui était à l'époque le centre Eaton, les propriétaires exploitent maintenant 40 succursales à la grandeur de l'île.

www.restoamir.com

SORTIR, BOIRE UN VERRE

Les cafés libanais

Sur le boulevard Décarie, dans Saint-Laurent, entre les stations de métro Côte-Vertu et Du Collège, les cafés libanais abondent. On y vient pour regarder les nouvelles, le football ou... le hockey. La plupart servent des plats légers, des shish-taouks (poulet grillé), des shish-kebabs (agneau) et des *shawarmas* (sandwichs dans un pita grillé). On peut y fumer la *shisha*. (Voir page 143.)

Les restaurants dansants

Les Libanais aiment danser. Plusieurs restaurants se transforment donc en piste de danse au fur et à mesure que la soirée progresse. C'est le cas de Nuits d'Orient, à Laval. Le vendredi et le samedi, des musiciens accompagnent le service des plats libanais et une danseuse du ventre apparaît au dessert. Le restaurant Lordia, aussi à Laval, suit la même formule. Beaucoup de mariages y sont célébrés.

Nuits d'Orient
3481, boulevard Cartier Ouest, Laval
450 681-9191
www.restaurantnuitsdorient.ca

Lordia
3883, boulevard Perron, Laval
450 681-9999 • www.lordia.com

FAIRE L'ÉPICERIE

Marché Adonis

Adonis n'est pas qu'une chaîne de super-marchés, c'est l'institution libano-montréalaise par excellence. Chaque semaine, des milliers de Montréalais viennent y faire le plein de viande marinée, d'olives épicées, de légumes frais, de pain pita, de plats préparés, de pâtisseries et d'innombrables produits en provenance du Liban, mais aussi du reste du monde. Le magasin de la rue Sauvé, malgré ses 24 000 pieds carrés, a l'air d'une ruche les jours de fin de semaine. Idem pour les marchés de Roxboro et de Laval.

Et dire qu'il y a 30 ans Adonis était un dépanneur campé au coin des rues Faillon et Lajeunesse! Originaires de la ville côtière de Damour, les trois fondateurs (les frères Élie et Jamil Chéaïb et leur ami Georges Ghrayeb) avaient déjà la bosse de l'épicerie avant de quitter le Liban. L'expansion rapide de la communauté libanaise a vite fait de nourrir la croissance de leur commerce. Aujourd'hui, les marchés Adonis et les entrepôts connexes emploient 500 personnes.

Les frères Chéaïb et leur acolyte sont aussi propriétaires d'une autre entreprise. Les produits Phoenicia, qui commercialise une large gamme de légumineuses, de grains, de noix et autres produits alimentaires qui sont vendus à travers l'Amérique du Nord, notamment sous la marque Cedar. Phoenicia est approvisionnée par les fermes du Liban et du Québec.

Succursales:
Saint-Laurent: Place Vertu
3100, boul. Thimens • 514 904-6789
Cartierville: 2001, rue Sauvé Ouest
514 382-8606 • Ⓜ Sauvé
Ouest-de-l'Île: 4601, boulevard des
Sources, Roxboro • 514 685-5050
Laval: 705, boulevard Curé-Labelle
450 978-2333
www.adonisproducts.com

Les produits Phoenicia:
www.produitsphoenicia.com

Sami Fruits

Depuis que Sami Fruits a fermé ses portes au marché Jean-Talon, l'endroit n'est plus tout à fait le même. À elle seule, la fruiterie attirait des centaines et des centaines de Montréalais d'origines diverses, tous à la recherche de fruits et de légumes variés, offerts à prix imbattable.

L'aventure Sami Fruits a commencé il y a près d'un siècle, sur une petite terre du Liban où un dénommé Rafai Alasmar a décidé de s'établir. Le maraîcher enseigne son métier de producteur et de vendeur à son fils, qui l'apprend à son tour à son propre fils, Sami. Lorsque ce dernier immigre à Montréal, il perpétue la culture familiale en gérant un comptoir de fruits et légumes au marché Jean-Talon. Assez rapidement, son petit commerce prend de l'ampleur pour devenir un immense magasin. Aujourd'hui, Sami Fruits a deux succursales dans des arrondissements de Montréal avec de grandes densités de nouveaux arrivants.

Succursales:
400, avenue Lafleur, LaSalle
514 368-1333 • Ⓜ Angrignon

8200, 19ᵉ Avenue, Montréal-Nord
514 374-2215 • Ⓜ Saint-Michel
www.maisonsamifruits.com

Andalos

Cette boulangerie est campée au beau milieu d'un quartier industriel (GPS recommandé pour la trouver), mais cela ne l'empêche pas de faire des affaires d'or sur place, comme dans les marchés moyen-orientaux de la ville qui vendent son pain pita, ses *mankouchés* recouverts de thym et ses pâtisseries bellement dégoulinantes de sirop et de miel. Le propriétaire est le frère des patrons de l'épicerie Adonis.

200, rue Lebeau, Saint-Laurent
514 856-0983

Pâtisserie et boulangerie B Sweet

C'est l'endroit parfait pour faire une pause thé et pâtisserie libanaise après un passage au Marché central. Le décor, très contemporain, n'annonce pas d'emblée la fabrication sur place de sucreries et de pain pita selon la méthode traditionnelle libanaise, mais une bouchée suffit à convaincre.

9500, boulevard de l'Acadie
514 389-4007 • Ⓜ Sauvé

 MAGASINER

Librairie du Moyen-Orient

Cette librairie, ouverte depuis 1990, vend des livres en arabe, en français et en anglais. Des romans, mais aussi des livres de référence sur le Moyen-Orient, l'islam et les autres religions, ainsi que des livres de cuisine. On y trouve une large sélection de DVD de films en arabe ainsi que de CD de musique moyen-orientale. La librairie possède aussi un salon culturel, où des activités sont organisées à l'occasion.

877, boulevard Décarie, Saint-Laurent
514 744-4886
www.middleeastbookstore.com
Ⓜ Côte-Vertu

 MÉDIAS

Journaux

Al-Mustakbal (L'Avenir)

C'est le plus ancien des journaux libanais de Montréal. Il est publié toutes les deux semaines. Il s'est donné comme mandat de représenter tous les points de vue à l'intérieur de la communauté libanaise. Il publie aussi des nouvelles de la grande communauté arabe montréalaise et du reste du monde arabe.

514 334-0909 • www.almustakbal.com

L'International Al Hadath (Star Polo)

Ce journal est la création de Raouf Najm, anciennement lié à *Al-Mustakbal*. On trouve dans ce journal, publié en français et en arabe, des nouvelles du Liban et des textes d'opinion.

514 991-9550 • www.starpolo.ca

Founoun

Ce magazine, créé par le Groupe Founoun, spécialisé dans la production d'événements artistiques arabes à Montréal, mais aussi aux États-Unis, se consacre uniquement à la couverture de la scène artistique arabe en Amérique du Nord.

www.founoun.ca/NEWSPAPER/index.html

Phoenicia

Ce journal, fondé en 2003, est publié toutes les semaines en français, en anglais et en arabe. Surtout destiné à la communauté libanaise, il couvre aussi des nouvelles panarabes.

514 388-0006
www.phoenicianews.com

Radio

Radio du Moyen-Orient

CHOU 1450 AM

Mise sur pied par Antoine Karam, cette radio diffuse 24 heures sur 24 des émissions destinées à la grande communauté arabophone. Le contenu libanais y est prépondérant. On peut aussi l'écouter en ligne.

514 745-6789 • www.1450am.ca

Télévision

Magazine libanais

CJNT

Animée par Victor Diab et George Salomé, cette émission est un talk-show en arabe. Les artistes de la communauté libanaise s'y produisent fréquemment.

Lundi 22 h

Internet

Nahar Net

On trouve beaucoup de nouvelles en anglais sur le Liban et le Montréal libanais sur ce site web.

web.naharnet.com/default.htm

En savoir plus

Lebanus

Il y a beaucoup, beaucoup d'organisations politiques et religieuses dans la grande communauté libanaise de Montréal. Apolitique et non confessionnelle, Lebanus fait un peu figure d'exception. Organisation culturelle et humanitaire, Lebanus amasse des fonds pour fournir des bourses à des étudiants et organise un festival de cinéma (voir CLAP, page 138).

1415, chemin Canora, Mont-Royal
514 853-8585 • www.lebanus.org

Tollab

Cette organisation ombrelle regroupe toutes les associations étudiantes libanaises des diverses universités de Montréal. Malgré son jeune âge, Tollab fait dans l'hyperactivité.

Concerts, soirées de gala, hommages à Khalil Gibran, participation au Festival du monde arabe : la cour de Tollab est bien remplie. Son site web, à l'image de la génération qui forme Tollab, vaut le détour.

5122, chemin de la Côte-des-Neiges
514 945-4902 • www.tollab.ca

LIEUX DE CULTE

Chrétiens
Cathédrale Saint-Maron

Cette église est fréquentée par les maronites montréalais. La création de l'Église maronite remonte au 5ᵉ siècle. La langue de liturgie de cette Église est le syriaque.

100, boulevard Gouin Est •
Ⓜ Henri-Bourassa • 514 388-0800

Musulmans
Centre islamique libanais

À la fois mosquée et centre communautaire, ce centre dessert les Montréalais chiites d'origine libanaise. La plupart sont originaires du sud du pays, aujourd'hui contrôlé par le Hezbollah.

60, rue de Port-Royal Est
514 381-6827 • cilmontreal.org
Ⓜ Sauvé

Shisha, politique et shawarma

l est 19 h. Le soleil plombe encore sur la terrasse du café Chez Zaza. Pourtant, les conversations sont à l'orage.

Attablés sous des parasols, une *shisha* à la main, les propriétaires de l'établissement du boulevard Décarie et leurs clients discutent des derniers rebondissements de la politique libanaise.

Le jour de notre visite, des affrontements dans les rues de Beyrouth faisaient craindre le pire à tous les Montréalais qui ont un jour vécu et fui la guerre civile.

Ici, les nouvelles libanaises sont la soupe quotidienne. Elles alimentent les discussions... tout autant que les *shawarmas* qui font la réputation de ce lieu de rencontre de Saint-Laurent.

DANS LE MÊME PAIN

Autour des tables, le Tout-Montréal libanais a d'ailleurs sa place. Les chiites, les sunnites, les chrétiens. «Ici, on mange tous dans le même pain», laisse tomber Gaby Bedros, l'un des propriétaires de Chez Zaza. «Oui, c'est ça. On mange dans la même assiette», renchérit son partenaire d'affaires.

À eux seuls, les deux restaurateurs sont un bel exemple de dialogue intercommunautaire. Gaby Bedros, la jeune quarantaine, est chrétien. Il avait 17 ans quand sa famille a décidé de laisser derrière le Liban en guerre. Né à Montréal, Abdel Akkouche, à l'aube de la trentaine, est musulman chiite.

Les deux hommes se sont connus quand Gaby Bedros travaillait dans l'un des restaurants Basha dont le père d'Abdel est propriétaire. Depuis plus de cinq ans, malgré leurs religions et leurs opinions politiques divergentes, ils mènent leur barque ensemble.

Selon eux, les divisions communautaires qui font la pluie et le beau temps au Liban ne devraient pas exister à Montréal. À ce sujet, leurs clients sont plutôt d'accord. «Ici, autour d'une table, on refait le Liban tous les jours. On trouve des solutions. On se parle. Il faudrait que les politiciens au Liban prennent exemple sur nous», affirme Mohamed Faras avant d'éclater de rire.

Quand ça brasse au Proche-Orient, les deux écrans géants du café Chez Zaza diffusent les images en direct. Mais lors de notre visite, les nouvelles en arabe avaient déjà cédé la place aux chanteurs populaires libanais qui font carrière au Liban, mais aussi dans la grande diaspora libanaise, qui compte 12 millions d'âmes, selon certaines estimations.

Au plafond du café du boulevard Décarie, des drapeaux libanais flottent en permanence au côté d'un autre fanion : celui du Canadien de Montréal. «Ça montre qu'on est bien à Montréal», sourit Abdel Akkouche.

Chez Zaza
903, boulevard Décarie • 514 748-0404 • Ⓜ Côte-Vertu

Le Montréal **syrien**

 13 450 (en 2006)

 arabe

catholicisme (53 %), christianisme orthodoxe (19,1 %), islam (15 %)

L e Montréal syrien et le Montréal libanais sont quasiment soudés par la hanche. En fait, jusqu'en 1955, le gouvernement a mis les immigrants libanais et syriens dans la même catégorie. C'est après cette date que des statistiques distinctes ont été compilées pour les deux groupes.

À Montréal, les nouveaux arrivants syriens et libanais se sont toujours côtoyés. Encore aujourd'hui, ils fréquentent souvent les mêmes églises (la grande majorité des Montréalais d'origine syrienne sont chrétiens) et les mêmes commerces.

Après une première vague d'immigration au début du 20ᵉ siècle, qui a coïncidé avec la première vague d'immigration libanaise, bien peu de Syriens sont arrivés à Montréal, et ce, jusqu'à l'établissement du système de points.

De 1981 à 1990, l'immigration syrienne a connu un regain d'énergie. La plupart de ceux qui ont fait partie de cette vague étaient des travailleurs qualifiés. Depuis cette période, l'immigration syrienne n'a cessé de diminuer. Cependant, les descendants des premiers immigrants sont bien enracinés à Montréal. On peut notamment penser à René Angélil, mari et gérant de la chanteuse Céline Dion.

1 DANS LE CALENDRIER
Fête nationale : 8 mars

La fête nationale syrienne est célébrée surtout dans les ambassades et les consulats. On commémore alors le coup d'État qui a mené le régime baasiste au pouvoir.

ÉVÉNEMENTS
La Syrie à Montréal : mars à mai

Mise sur pied par la Société Gilgamesh, La Syrie à Montréal est un festival de cinéma syrien. En 2009, il a eu lieu au Centre des loisirs Saint-Laurent (1375, rue Grenet). Tous les week-ends du printemps, un film, souvent suivi d'une période de discussion, a été projeté.

gilgameshsociety.org/fr

Carnet d'adresses

 MANGER

Alep et Petit Alep

Propriété d'une Arménienne et d'un Syrien d'Alep et de leurs enfants, ces deux restaurants contigus préparent avec brio autant la cuisine arménienne que la syrienne. La gamme de mezzes y est faramineuse. Le *mouhamara* (un mélange de pâte de piment, de grenade et de chapelure) n'a pas son pareil en ville. On

va à l'Alep pour les grandes occasions et au Petit pour manger tout en prenant un verre entre amis. La carte des vins vaut elle aussi le détour. Oui, vous avez compris, c'est un petit coin de paradis à un jet de pierre du marché Jean-Talon.

Alep: 199, rue Jean-Talon Est
514 270-6396 • Ⓜ Jean-Talon
Petit Alep: 191, rue Jean-Talon Est
514 270-9361 • Ⓜ Jean-Talon

LIEUX DE CULTE

**Église Saint-Jacques
syriaque orthodoxe**

Le chef de l'Église orthodoxe syriaque, le Patriarche d'Antioche et de tout l'Orient, est basé à Damas, mais il délègue au Canada un archevêque qui habite et prêche dans l'église Saint-Jacques.

4375, boulevard Henri-Bourassa Ouest • 514 337-6371
www.syrianorthodoxchurch.com • Ⓜ Henri-Bourassa

Le Montréal **égyptien**

 (en 2006) 16 555
(très contesté par la
communauté, qui
considère que le chiffre
se situe entre
40 000 et 80 000)

arabe, français (37 %)

 catholicisme (48 %),
christianisme orthodoxe
(24 %), islam (14,5 %)

L'immigration égyptienne à Montréal a commencé au lendemain de la Deuxième Guerre mondiale. Dans les années 1960, ce sont surtout des gens d'affaires et des professionnels qui ont choisi Montréal comme ville d'adoption. «Ce sont des familles très bien nanties qui ont alors immigré à Montréal. Elles étaient hautement éduquées à leur arrivée et francophones», explique l'ex-consule de l'Égypte à Montréal, Wafaa El-Hadidy.

La seconde vague a suivi pas très loin derrière. Dans les années 1970, après la guerre avec Israël, des milliers d'immigrants économiques, eux aussi très éduqués, ont décidé de tenter leur chance sur les rives du Saint-Laurent.

Depuis le début des années 1990, cependant, le nombre de nouvelles arrivées en provenance de l'Égypte ne cesse de décliner. Entre 2001 et 2006, la communauté égyptienne a gagné à peine 1 000 membres. Plus anglicisés, les Égyptiens qui immigrent au Canada aujourd'hui préfèrent Toronto à Montréal.

Fait intéressant à noter: au pays des pharaons, les musulmans sont largement majoritaires. Ils représentent 90 % d'une population de plus de 83 millions de personnes. Ici, les fidèles de Mahomet sont minoritaires parmi les Montréalais d'origine égyptienne, majoritairement chrétiens (+ de 70 %).

Mais l'apport des Égyptiens de Montréal est loin de se limiter à la religion. Particulièrement instruits – 44 % d'entre eux ont un diplôme universitaire –, les Égyptiens de Montréal brillent surtout dans les milieux universitaire, médical et scientifique, trois domaines dans lesquels ils sont fortement représentés.

PARLEZ-VOUS ARABE ?

Bonjour ➤ Hi (chrétiens); Salam aleykoum (musulmans)

Merci ➤ Choukran

Au revoir ➤ Maasalama

 DANS LE CALENDRIER

Fête de l'Indépendance égyptienne : 23 juillet

Des événements sont organisés tous les ans pour commémorer la création de la République égyptienne en 1953.

 ÉVÉNEMENTS

Festival culturel égyptien : mi-novembre

L'association des Amis égyptiens des Canadiens organise tous les ans une soirée culturelle, qui est présentée dans un auditorium universitaire. Opéra, chant, théâtre se succèdent année après année. L'événement gratuit est publicisé dans les médias égyptiens, mais aussi dans les hebdos francophones locaux.

Carnet d'adresses

 SORTIR, BOIRE UN VERRE

On trouve bien peu de restaurants égyptiens à Montréal, et ce, malgré une riche tradition culinaire. Il y a cependant quelques cafés.

Arabesque

L'atmosphère des rues du Caire est recréée dans ce café de la rue Guy. Les nuages de fumée qui se dégagent des *shisha* donnent à l'endroit un petit air nostalgique. Les conversations, qui s'échauffent souvent, sont quasi uniquement en arabe.

1241, rue Guy • 514 933-3331
Ⓜ Guy-Concordia

Café Jounieh

Ce restaurant familial sert quelques spécialités égyptiennes, dans un cadre sans prétention.

595, chemin de la Côte-Vertu,
Saint-Laurent • 514 744-9898
Ⓜ Côte-Vertu

 FAIRE L'ÉPICERIE

Poissonnerie Rayan

Cette poissonnerie est populaire auprès de la grande communauté arabe montréalaise. On y vient pour acheter du poisson, certes, mais aussi pour le déguster sur place.

4528, rue Bélanger • 514 725-6868
Ⓜ Saint-Michel

Supermarché Amira

Cette compagnie se spécialise dans la préparation et la distribution de noix et de fruits séchés ainsi que dans la fabrication de produits moyen-orientaux. Une attention spéciale est accordée aux produits égyptiens, dont les épices à *kofta* et à *shawarma*. On peut se procurer les produits Amira dans beaucoup d'épiceries montréalaises, mais aussi directement auprès du producteur en se rendant au comptoir « Cash and carry » (« payer et emporter ») situé sur la rue Mazurette, près du Marché central.

Adresse comptoir :
1445, rue Mazurette • 514 382-9824
www.amira.ca

MÉDIAS

Journaux

El-Masri

Fondé en 1992, ce journal bimensuel, sous la gouverne d'Adel Eskander, a un tirage de 12 000 exemplaires. Fait à Montréal, il est aussi distribué à Ottawa. On y trouve des nouvelles égyptiennes et canadiennes en arabe ainsi que des articles touchant la culture et la famille.

514 944-2282 • www.el-masrionline.com

Magazine *El Mahrousa*

Publié par Les Amis égyptiens des Canadiens, tout comme *El-Masri*, ce journal publie quelques nouvelles, mais s'intéresse surtout aux nouvelles culturelles arabes : cinéma, musique, danse, littérature.

www.el-mahrousaonline.com

Magazine, radio, site web

Voice of Egypt

Voice of Egypt est l'œuvre de l'homme-orchestre George Saad. Ce dernier publie le magazine mensuel *Egypt & Arab World Monthly*, il anime l'émission de radio *From Egypt To Montreal* le mardi sur les ondes de la Radio du Moyen-Orient (AM 1450) et une émission de télévision qui porte le même nom, sur les ondes de CJNT (CH 14) le dimanche à 16 h. Il nourrit aussi un site web, sur lequel on retrouve des nouvelles locales montréalaises, mais aussi de l'Égypte, et des liens vers les médias du Caire.

1117, rue Sainte-Catherine Ouest, local 521
514 288-0188
www.voiceofegypt.com/index.htm
Ⓜ Peel

En savoir plus

PACHE (Partenaires de l'Association chrétienne de la Haute-Égypte pour l'éducation et le développement)

Malgré son nom, cet organisme à but non lucratif se dit laïque. Son but principal est d'amasser des fonds afin de collaborer au développement de l'Égypte en accordant des prêts en microfinance et en finançant des projets qui contribuent à l'élimination de l'analphabétisme en Égypte. PACHE organise tous les ans des événements culturels et mondains.

1555, rue Chabanel Ouest
514 388-7516

Réseau égyptien canadien des affaires

Ce nouveau réseau a pour objectif de compiler une base de données sur internet mettant en lien les gens d'affaires et les professionnels d'origine égyptienne.

4999, boulevard Saint-Charles, bureau 102
514 667-3777 • info@ecbn.ca
www.ecbn.ca

LIEUX DE CULTE

Chrétiens

Église Saint-Marc

Cette église copte orthodoxe dessert la communauté égyptienne. Les Coptes, qui suivent les enseignements de l'évangéliste Saint-Marc, forment la plus grande minorité chrétienne de l'Égypte. À Montréal, ils ont trois églises, dont celle de la rue Garnier. Cette dernière a une librairie qui vend de la littérature copte. Les services sont offerts en français, en anglais, en arabe et en langue copte.

7395, rue Garnier • 514 274-1589 • www.stmarkmontreal.ca

Église Notre-Dame-d'Égypte

Cette église est destinée aux Coptes catholiques d'Égypte.

3569, boulevard René-Lévesque, Laval • 450 682-8244

Musulmans

Conseil musulman de Montréal

Cette association est présidée par Salam El-Menyawi, un Montréalais d'origine égyptienne qui est imam dans les deux universités anglophones de la ville. Son conseil chapeaute de nombreuses activités dans les mosquées montréalaises, dont une journée portes ouvertes.

www.muslimcouncil.org

Le Montréal **arménien**

 21 765

christianisme orthodoxe
(57 %), catholicisme (23 %)

arménien, arabe

E n écrivant ce livre, la question s'est vite posée : mais où mettre la partie sur le Montréal arménien ? Avec l'Europe de l'Est et l'ex-URSS ? Peut-être. Le pays qu'on appelle aujourd'hui l'Arménie était jusqu'en 1991 une des 15 républiques socialistes soviétiques. Cependant, les Montréalais d'origine arménienne sont loin d'être majoritairement originaires de l'Arménie soviétique, campée dans les montagnes du Caucase et dont les frontières ont été dessinées par Staline.

Les vagues d'immigration arménienne en direction de Montréal ont leurs origines au Liban, en Syrie, en Égypte, en Turquie et en Iran. Ces Arméniens étaient eux-mêmes souvent le fruit d'un premier exil forcé, causé par le génocide arménien perpétré par les autorités ottomanes. Les historiens estiment qu'entre 600 000 et 1,5 million de personnes ont perdu la vie entre 1915 et 1917. Des millions d'autres ont dû quitter l'Arménie anatolienne et le mont Ararat, qui était au cœur de son identité.

CENT ANS DE MIGRATION

L'immigration arménienne à Montréal commence avec un autre épisode noir de l'histoire de l'Arménie : les massacres hamidiens, du nom du roi Abdul Hamid II, qui régnait à l'époque sur l'empire ottoman et qui a brutalement réprimé une rébellion arménienne, tuant entre 80 000 et 300 000 personnes.

À l'époque, des Arméniens fuient la violence. Des centaines d'entre eux réussissent à se faire un chemin jusqu'en Pennsylvanie. Certains, attirés par l'industrie minière naissante au Québec, troquent les champs de Pennsylvanie pour les chantiers d'un Montréal en pleine industrialisation. D'autres les rejoignent après le génocide de 1915. Cependant, en 1925, on ne compte à Montréal qu'une centaine d'Arméniens.

Dans les années 1930, 1940 et 1950, les vagues se suivent et ne se ressemblent pas. La première véritable grande vague arrive de Grèce dans les années 1930 après qu'un coup d'État s'y soit produit. Dans les années 1950, des Arméniens d'Istanbul débarquent.

Il faudra attendre les années 1980 pour que l'immigration arménienne reprenne, et elle est alors surtout originaire d'Iran, où la république islamique vient d'être proclamée en 1979, et puis du Liban, où la guerre civile fait rage. «Le Canada acceptait des chrétiens du Liban en grand nombre, bon nombre d'Arméniens se sont joints à ce groupe», explique Mheir Karakachian, professeur d'origine arménienne, très actif au sein de la communauté. Selon lui, les Arméniens de Syrie ont été parmi les derniers arrivés et parmi les seuls à immigrer pour des raisons économiques. C'est aussi le cas des vagues plus récentes d'immigrants arméniens en provenance de l'Arménie postsoviétique.

Cette immense diversité dans le Montréal arménien n'est pas sans conséquence. Dans ses organisations, la communauté est scindée en deux. L'origine de ce schisme remonte à 1441. Depuis, l'Église arménienne a deux grands chefs. L'un, le catholicos de Cilicie, est au Liban, l'autre, à Etchmiadzine, en Arménie. Cette division s'est exacerbée en 1937 alors que le catholicos d'Etchmiadzine se ralliait au régime soviétique, au grand dam de l'autre catholicos, qui réclamait l'indépendance de l'Arménie. Encore aujourd'hui, la plupart des associations arméniennes montréalaises sont fidèles à l'un des deux mouvements. La première faction se regroupe autour du Centre communautaire arménien de la rue Olivar-Asselin et de l'église Sourp Hagop à Cartierville ; la seconde, autour du centre culturel Tekeyan, qui se trouve sur la rue Manoogian à Saint-Laurent.

«Mais tout ça est en train de changer petit à petit. C'était une vieille bataille liée à la guerre froide, qui n'a plus lieu d'être. Les plus jeunes, ceux qui sont nés ici, ne comprennent pas trop cette querelle. Il n'y a pas de différences idéologiques entre les deux groupes», soutient Mheir Karakachian, qui a longtemps animé une émission arménienne sur CJNT.

Au-delà de leurs différences, les Arméniens ont beaucoup en commun. Notamment, une langue et un alphabet millénaire ainsi qu'une cause qui leur tient à cœur: la reconnaissance du génocide arménien et la responsabilité de l'État turc. À Montréal, un monument a été érigé en 1998 dans le parc Marcelin-Wilson à la mémoire des victimes de génocides. Au Canada, la reconnaissance du gouvernement a été acquise en 2004.

PARLEZ-VOUS ARMÉNIEN?

Bonjour ➤ **Parev**

Merci ➤ **Chnorhagaloutioun**

Au revoir ➤ **Tsdesoutioun**

 1 DANS LE CALENDRIER

Noël arménien: 6 janvier

Premier peuple à adopter le christianisme comme religion d'État, les Arméniens fêtent Noël le 6 janvier, soit le même jour que l'Épiphanie. C'est sous l'Empire romain christianisé que Noël a été reculé au 25 décembre, pour occulter les festivités du solstice d'hiver. À Montréal, le Noël arménien se fête dans les églises et en famille.

Commémoration du génocide: 24 avril

Plusieurs événements sont organisés chaque année pour commémorer le génocide de 1915. Jusqu'à tout récemment, des survivants du génocide pouvaient encore témoigner de leur expérience. Une manifestation a aussi lieu tous les ans devant l'ambassade de Turquie à Ottawa.

Fête de l'Indépendance arménienne: 28 mai et 21 septembre

Signe de la division au sein de la communauté arménienne, l'indépendance de l'Arménie est célébrée à deux dates différentes par les deux principales factions. Au centre communautaire Sourp Hagop, les célébrations se font en mai. Les autres marquent le coup le premier jour de l'automne, le 21 septembre.

 ÉVÉNEMENTS

Parlons génocides: avril

Organisé par l'artiste multidisciplinaire Lousnak Abdalian, Parlons génocides permet à des artistes de toutes origines de commémorer à leur manière les grands génocides du monde. Dans le passé, Richard Desjardins, Fredric Gary Comeau, Patrick Watson et Dobacaracol ont participé à cet événement qui prend des formes différentes année après année (voir page 156). **www.parlonsgenocides.org**

Kermesse de Laval: juillet

Pour la fête de Saint-George, quelque 6 000 Montréalais d'origine arménienne se retrouvent pour une grande kermesse qui se tient près du Centre communautaire arménien de Laval (397, boulevard des Prairies).

Kermesse Sourp Hagop: août

Marquant à la fois l'Assomption et la bénédiction des raisins, une autre kermesse a lieu dans le stationnement du centre communautaire de la rue Olivar-Asselin. On estime qu'environ 10 000 personnes y prennent part.

Carnet d'adresses

 MANGER

Chef Kebab

Ce café de Laval sert des brochettes préparées, selon les fans, avec une mixture magique (et très secrète) d'épices. Mais il y a beaucoup plus sur le menu: on y retrouve en effet un large assortiment de mezzes ainsi que les célèbres saucisses arméniennes, épicées à souhait. Les plus aventureux essaieront les amourettes d'agneau, cuites sur le charbon de bois.

4231, boulevard Samson, Laval
450 682-2433

Salle à manger du Centre communautaire arménien de Montréal

Beau, bon, pas cher, le restaurant est ouvert au public tous les soirs. Plusieurs événements communautaires y ont lieu.

3401, rue Olivar-Asselin • 514 331-4880
Ⓜ Côte-Vertu

Alep et Petit Alep

(Voir Le Montréal syrien, page 145)

 FAIRE L'ÉPICERIE

Marché Adonis

(Voir Le Montréal libanais, page 140.)

Lahmadjoune Beyrouth-Yerevan

Cette petite boulangerie porte aussi le nom de «Chez Apo». On y vient surtout pour les *lahmadjounes* que la famille prépare avec beaucoup d'amour. Ces «pizzas arméniennes» consistent en une fine croûte pétrie à la main, recouverte d'un mélange de viande épicée, de tomates et de poivrons. Tout le Moyen-Orient en raffole. Ici, elles ont un petit goût de r'venez-y souvent, surtout qu'elles sortent du four à bois.

420, rue Faillon • 514 270-1076
Ⓜ Jean-Talon

Boulangerie Arouch

Établie depuis 25 ans, la boulangerie Arouch ne cesse de prendre de l'ampleur. Ses *lahmadjounes* sont vendues un peu partout en ville, mais principalement dans les deux succursales, où l'on peut s'asseoir pour en déguster une, deux, trois, directement sur place. Pour les plus pressés, il y a un service à l'auto.

Montréal : 917, rue Liège Ouest
514 270-1092 • Ⓜ Acadie

Laval : 3467, boulevard Saint-Martin Ouest
450 686-1092 • www.arouch.com

Seta

Seta prépare les *lahmadjounes* au four à bois. Dans ses publicités, le patron promet que le *sou-beoreg*, un plat de pâte et de fromage typiquement arménien, y est offert en tout temps. On y vient aussi pour casser la croûte en toute simplicité. Seta est situé à l'extrémité du parc Marcelin-Wilson, à proximité du monument à la mémoire des victimes de génocides érigé en 1998.

1555, rue Dudemaine • 514 333-0173
Ⓜ Côte-Vertu

 MAGASINER

Ararat Rug

L'histoire de ce magasin de tapis orientaux est intimement liée à l'histoire de la communauté arménienne de Montréal. Fondé par Kerop Bedoukian sur la rue de l'Aqueduc en 1933, il a déménagé sur l'avenue du Parc en 1936 et s'y trouve toujours. Le fils de Kerop Bedoukian, Harold Bedoukian, a repris le commerce. Aujourd'hui, c'est avec fierté qu'il ouvre les archives de son paternel. Ces dernières racontent comment le marchand de tapis a aidé des dizaines de familles à immigrer au Canada en plus de les assister lors de leur arrivée.

3457, avenue du Parc • 514 288-1218
www.araratrug.com • Ⓜ Place-des-Arts

MÉDIAS

Journaux

Horizon Weekly

Cet hebdo, publié en arménien, a un tirage de 7 000 exemplaires. Il est notamment distribué au Centre communautaire arménien de montréal, auquel il est directement affilié. Sur son site web, uniquement en arménien, on trouve un lien pour Horizon Armenian, télé qui diffuse en direct sur le web.

3401, rue Olivar-Asselin
www.horizonweekly.ca • 514 332-3757
Ⓜ Côte-Vertu

Abaka

Cet hebdo est lié au centre culturel Vahan Tekeyan, situé sur la rue Manoogian. Il publie des nouvelles de la diaspora arménienne et de l'Arménie.

825, rue Manoogian, Saint-Laurent
514 747-6680 • Ⓜ Du Collège

Radio

Émission arménienne, CHOU 1450 AM

Une émission de deux heures, consacrée à la communauté arménienne, est présentée sur les ondes de la Radio du Moyen-Orient.

Lundi, 20 h • www.1450am.ca

Télévision

Monde arménien, CJNT

Cette émission qui se déroule principalement en arménien présente des entrevues avec des membres de la communauté, en plus de couvrir les derniers événements qui ont eu lieu dans la grande région métropolitaine.

Samedi, 22 h 30
www.chtv.com/ch/cjntmontreal/index.html

Internet

Hayk, l'Arménien avec le don d'ubiquité

Hayk connaît beaucoup de choses sur la grande diaspora arménienne aux États-Unis, en Australie, en Grande-Bretagne et au Canada. Le blogueur tient, en anglais, une liste très à jour des activités à venir au sein du Montréal arménien.

www.hayk.net

En savoir plus
Associations

Centre communautaire arménien de Montréal

Ce centre communautaire, connexe à l'église Sourp Hagop, abrite une dizaine d'organisations, dont le Comité national arménien, la Croix de secours arménienne, l'Association culturelle arménienne Hmazkaïne et les bureaux de l'hebdo Horizon. Ce centre communautaire publie un bottin téléphonique arménien qui fait la promotion de l'ensemble des commerces arméniens de la ville, en plus de donner les numéros de téléphone de centaines de Montréalais d'origine arménienne.

3401, rue Olivar-Asselin
514 331-4880 • Ⓜ Côte-Vertu

U.G.A.B. de Montréal

Cette organisation est très active. Elle organise des activités culturelles et sportives pour la grande communauté arménienne.

805, rue Manoogian, Saint-Laurent
514 748-2428 • Ⓜ Du Collège

Association culturelle Vahan Tekeyan

Ce centre qui porte le nom d'un poète arménien, mort à la fin de la Deuxième Guerre mondiale, fait la promotion de la langue, de l'histoire, de la musique et de la culture arméniennes.

825, rue Manoogian, Saint-Laurent
514 747-6680 • Ⓜ Du Collège

Canadian-Armenian Business Council

Cette association regroupe les gens d'affaires arméniens du Canada. Son siège social, comme la plupart de ses activités, est à Montréal. Son site web propose un bottin des entreprises canado-arméniennes.

805, rue Sauvé Ouest, local 302-2
514 333-7655 • www.cabc.ca

Écoles

École arménienne Sourp Hagop

Les enfants y suivent le curriculum du ministère de l'Éducation du Québec en plus d'y apprendre la langue et la culture arméniennes. L'école secondaire est dans l'édifice de la rue Nadon, alors que les élèves du primaire fréquentent l'école de l'autre côté de la rue, dans le centre communautaire arménien.

3400, rue Nadon • 514 332-1373
Ⓜ **Côte-Vertu**

École Alex Manoogian

Cette école privée est trilingue (anglais, français, arménien). Comme à Sourp Hagop, on y enseigne le curriculum obligatoire en plus de programmes d'enrichissement en arménien.

755, rue Manoogian, Saint-Laurent
514 744-5636 • www.alexmanoogian.qc.ca

LIEUX DE CULTE

Église arménienne apostolique Sourp Hagop

Fidèle à la prélature du catholicos du Liban, l'église Sourp Hagop a été établie à Montréal en 1958. C'est cependant en 1974 qu'une église est bâtie de toutes pièces sur la rue Olivar-Asselin. Décoré d'icônes, l'endroit que dirige le prélat Kagop Hagopian respire la tranquillité. L'accueil qui y est fait aux non-Arméniens est des plus chaleureux.

3401, rue Olivar-Asselin • 514 331-5445 • www.armenianprelacy.ca • Ⓜ Côte-Vertu

Cathédrale Saint-Grégoire-l'Illuminateur

Cette église sert de siège au diocèse arménien du Canada, fidèle au catholicos d'Arménie. Si l'extérieur est celui d'une église protestante, l'intérieur, lui, a été « arménianisé ». L'évêque Bagrat Galstanian veille sur ses ouailles. Le site web, uniquement en anglais, explique l'histoire de l'Église arménienne.

615, avenue Stuart • 514 279-3066 • www.armenianchurch.ca • Ⓜ Outremont

Lousnak : dans la lumière d'Ararat

N ovembre 2002. Yerevan. La plus élégante des salles de cinéma de la capitale de l'Arménie est comble. Tout le monde attend la projection du film *Ararat*, du cinéaste canadien Atom Egoyan. Dans les gradins, on entend parler arménien, mais anglais aussi. « Vous savez, la jeune femme qui joue la mère du peintre Gorky dans le film est aussi chanteuse. Elle donne un concert à New York ce soir », racontait fièrement un Arménien américain à ses amis. « Actrice et chanteuse ? s'est exclamée sa femme. Ça fait beaucoup pour une seule personne. »

Visiblement, elle n'avait jamais rencontré en personne la principale intéressée : Lousnak Abdalian. Le curriculum vitae de cette touche-à-tout, née au Liban, élevée entre le village de Anjar, Paris, Londres et Montréal, où sa famille a finalement élu domicile en 1982, donne quelque peu le tournis.

Fille d'un caricaturiste arménien, elle est aussi illustratrice et peintre. Une de ses toiles, qui a servi de couverture à un disque d'Yves Desrosiers, lui a valu un Félix en 2003.

Initiée à la sculpture au début de la vingtaine par Arto Tchakmakdjian, elle sait travailler autant la pierre que l'argile. Au moment de mettre ce livre sous presse, elle commençait le buste de l'artiste québécois Armand Vaillancourt. Elle est aussi occasionnellement graphiste pour divers magazines et projets artistiques. Et photographe (notamment pour certaines des photos de ce livre).

Quel que soit le médium qu'elle choisit, un thème principal relie une grande majorité des œuvres de Lousnak Abdalian : le génocide arménien. Cet événement tragique, qui a poussé la famille de sa mère à fuir le village de Kessab en Anatolie et celle de son père à abandonner Musa Ler, sans espoir de retour, elle le chante, le sculpte, le peint, l'illustre.

Électron libre, elle a choisi de ne pas se joindre à une des grandes associations arméniennes montréalaises pour faire connaître sa cause. Elle a créé son propre festival, Parlons génocides.

L'événement a pris naissance en 1999. Lousnak a convoqué des amis artistes pour un événement au Quai des brumes, sur la rue Saint-Denis. Elle avait choisi le 24 avril, date de la commémoration du génocide arménien. Depuis, elle marque le coup chaque année à l'aide d'un concert ou d'un happening culturel. En 2005, dans une version plus élaborée de l'événement, auquel elle a alors donné son nom actuel de Parlons génocides, Lousnak Abdalian a organisé des conférences, des expositions et un festival de cinéma en plus du traditionnel spectacle. En 2010, pour le 95e anniversaire du génocide arménien, l'artiste promet un événement à grand déploiement. Il n'y sera pas question que du sort des Arméniens. Le génocide rwandais, l'Holocauste, le génocide tzigane et la cause des Palestiniens trouvent tous un écho dans le cœur de Lousnak, « militante du souvenir ».

Le Montréal **afghan**

  environ 4 945

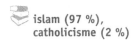 islam (97 %),
catholicisme (2 %)

dari, pachtoune

Tous les jours, notre petit écran nous envoie des images de l'Afghanistan. La plupart sont d'une tristesse inouïe : enfants tués par un bombardement, femmes se promenant sous la burqa afin de ne pas se faire remarquer, attentats suicide, risques de famine... la liste est longue. Mais on voit très rarement les autres images : celles de la vie afghane. De l'hospitalité qui a résisté à 25 ans de guerre, de la survie de la culture littéraire et musicale, dans un pays affligé par l'analphabétisme. Et ce n'est pas exactement le moment d'acheter un billet en classe économique pour aller faire du tourisme à Kandahar.

D'ailleurs, pas besoin d'aller aussi loin pour se frotter à la culture afghane. Elle est sous nos fenêtres. Selon Statistique Canada, environ 5 000 Afghans vivent à Montréal. Ils risquent d'être un peu plus nombreux. Certains ont pu déclarer une origine tadjik, hazâra ou pachtoune lors du dernier recensement, faussant du coup un peu les chiffres.

Les premiers Afghans sont arrivés à Montréal dans les années 1970. Le roi Zahir Shah venait de perdre son trône en Afghanistan. Pressentiment à l'approche du désastre ? Des membres de la classe aisée ont décidé de quitter Kaboul. « Je suis arrivé le 15 novembre 1976. Le soir où le Parti québécois a pris le pouvoir. Il faisait une tempête de neige pas possible », se souvient Faruk Ramich, aujourd'hui propriétaire du restaurant Khyber Pass. Une vingtaine d'Afghans à peine étaient arrivés avant lui.

La première vague conséquente n'allait pas tarder. L'invasion de l'Afghanistan par l'Armée rouge en 1979 est suivie d'effusions de sang et d'une forte migration. Quelque 150 Afghans arrivent à Montréal pendant cette première partie de la guerre.

Le retrait des troupes soviétiques de l'Afghanistan en 1989 ne va cependant rien régler. Une guerre civile éclate presque aussitôt. C'est à cette époque que le gouvernement canadien ouvre ses portes aux Afghans ismaéliens. Ces derniers appartiennent à une minorité ethnique et religieuse chiite particulièrement persécutée en Afghanistan. Environ 2 000 Afghans sont ainsi accueillis par leurs coreligionnaires, déjà installés à Montréal et les environs. Longueuil, Brossard et l'arrondissement montréalais de Saint-Laurent sont souvent leur premier point de chute.

Le flot de réfugiés afghans n'a pas cessé depuis. Près de 2 000 Afghans sont arrivés pendant le régime des talibans et un même nombre a trouvé refuge à Montréal depuis l'invasion américaine de l'Afghanistan.

D'autres ont fait le chemin inverse et ont décidé de participer à la reconstruction de leur pays d'origine. Mais ils gardent néanmoins un pied bien ancré dans leur nouvelle patrie, qui garantit une porte de sortie en ces temps difficiles.

PARLEZ-VOUS AFGHAN ?

Bonjour ➤ Salam (dari et pachtoune)

Merci ➤ Techerkurl (dari) ; Manana (pachtoune)

Au revoir ➤ Khoda hafiz (dari) ; Khodai de parman (pachtoune)

1 DANS LE CALENDRIER

Nowrouz : premier jour du printemps

Une grande fête est organisée chaque année pour marquer l'arrivée du printemps. Habituellement, les Afghans se retrouvent dans une salle de réception.

Jour de l'Indépendance : 19 août

En Afghanistan, cette fête a longtemps donné lieu à une semaine d'intenses célébrations. À Montréal cependant, vu l'état des choses en Afghanistan, elle passe souvent sous silence.

Fêtes religieuses

Pour la plupart musulmans, les Afghans célèbrent les mêmes fêtes que la grande communauté musulmane. Ils respectent le jeûne du ramadan, en soulignent la fin à l'Aïd-el-Fitr. Quelque 70 jours plus tard, ils célèbrent la fin du pèlerinage à La Mecque. Ceux qui le peuvent sacrifient alors un mouton. Les Arabes appellent cette fête l'Aïd-al-Adha ; plusieurs Afghans, eux, parlent de l'Aïd-o-Korban.

Carnet d'adresses

 MANGER

Khyber Pass

Ce restaurant est devenu une véritable institution de la rue Duluth. Hiver comme été, on vient y manger la cuisine traditionnelle afghane, fortement marquée par la coriandre, le cumin, la cardamome et le safran. Le Khyber Pass prépare notamment les raviolis afghans, les *mantoo*, recouverts d'une sauce au yogourt à la menthe. Une autre incontournable spécialité est le *Kabuli Palaw*, un plat de basmati brun, accompagné d'agneau et recouvert de carottes confites et de raisins secs.

À Montréal :
506, avenue Duluth Est
514 844-7131

À Laval :
1694, boulevard Saint-Martin
450 688-5907

Site web : 66.49.138.201

Kabab Express

Comme son nom l'indique, ce casse-croûte, campé dans la Place Portobello à Brossard, sert des brochettes et de la viande cuite sur la broche, mais on peut aussi y trouver une soupe aux lentilles à l'afghane et quelques autres spécialités.

7250, boulevard Taschereau, Brossard
450 466-3838

 FAIRE L'ÉPICERIE

Marché Watan

Cette épicerie vend tout le nécessaire pour se mettre à la cuisine afghane. Mais vous pouvez aussi acheter des plats afghans déjà cuisinés ainsi que des brochettes bien épicées.

1445, boulevard Provencher, Brossard
450 904-4900
www.4509044900.pj.ca

 SORTIR

À Kaboul, quand les Afghans veulent souffler un peu, ils se rendent dans un parc dans les collines du nord de la ville. À Montréal, ils font exactement la même chose : ils s'installent en famille dans le parc du Mont-Royal ou au parc de l'île Sainte-Hélène pour un pique-nique qui peut durer une journée entière. Le pique-nique à l'afghane n'est pas piqué des vers. Si les règles des parcs le permettent, ils apportent un petit barbecue sur lequel ils font griller des kebabs d'agneau et de poulet.

 MÉDIAS

Internet

BBC service persan

La BBC consacre un portail aux nouvelles en provenance de l'Afghanistan. Elles sont publiées en persan. Le service de nouvelles britannique est l'une des principales sources d'information des Afghans depuis le début de la guerre.

www.bbc.co.uk/persian/afghanistan

Afghan-web

Ce site en anglais, émanant de Californie, donne beaucoup d'information sur l'Afghanistan (sa musique, sa cuisine, les dernières nouvelles) ainsi que sur la grande diaspora afghane.

www.afghan-web.com

En savoir plus
Associations
Femmes canadiennes pour les femmes afghanes, chapitre montréalais

Fondée en 1996, cette organisation a pour mandat de faire mieux connaître la cause des femmes afghanes au public canadien.

4315, rue Saint-Hubert, appartement 6
514 527-3062
www.w4wafghan.ca

Association culturelle des Afghans du Québec et du Canada

Beaucoup d'Afghans vivent sur la rive sud de Montréal. Cette association les met en lien.

1762, rue Alfred, Brossard
450 443-0631

Le Montréal **iranien**

 11 290

 islam (72 %), aucune
religion (15 %), mouvement
baha'i, zoroastrisme

 farsi (persan)

E n juillet 2003, le même jour, deux manifestations avaient lieu à la même heure. La première, juste devant l'UQAM. La seconde, au square Phillips, en plein centre-ville. Les deux groupes de manifestants demandaient d'une même voix la démocratisation de l'Iran, leur pays d'origine, et la libération des prisonniers politiques. Mais là s'arrêtait le discours unique : les deux groupes n'avaient aucune envie de se parler.

Cet épisode est révélateur de la dissension qui règne au sein de la communauté iranienne de Montréal. « Une seule chose unit tous les Iraniens d'ici : nous sommes tous contre le régime islamique, mais ça ne se traduit pas toujours par des actions concertées de groupe », explique le journaliste Mohamed Rahimian, qui publie le journal bimensuel *Payvand* depuis près de 20 ans. La répression politique dans le pays des ayatollahs et les divisions idéologiques au sein de la communauté immigrante n'ont pas favorisé l'unité, reconnaît-il.

LA FIN DE L'HÉMORRAGIE

Selon Nima Machouf, qui œuvre depuis plus de 15 ans au sein de l'Association des femmes iraniennes de Montréal, il faut peut-être étudier la nature de l'immigration iranienne pour comprendre la méfiance qui règne dans le Montréal iranien. « La première génération d'Iraniens qui est venue s'installer à Montréal l'a fait par non-choix. C'était des gens de la gauche et des membres des Moudjahidines du peuple (un groupe islamo-marxiste) qui ont eu des problèmes politiques en Iran après la révolution de 1979 », raconte la docteure en épidémiologie.

Une bonne partie des Iraniens qui sont venus à Montréal dans les années 1980 ont quitté la métropole francophone pour Toronto, Vancouver et les États-Unis. La question linguistique n'était pas étrangère à ce choix. « Mais les nouveaux arrivants sont différents. Ces gens qui sont arrivés dans les années 1990 et au début des années 2000 sont moins politisés, mais ils ont choisi Montréal. Ils comptent faire leur vie ici », ajoute Mme Machouf. Ces deux vagues n'ont pas beaucoup de choses en commun.

AU PAYS DES SUCCÈS PERSONNELS

Le manque de cohésion dans la communauté iranienne ne freine en rien l'intégration de ses membres à la société québécoise. Les histoires de succès personnels au sein de cette diaspora, la chercheuse peut en énumérer des dizaines. Elle partage elle-même la vie du Montréalais d'origine iranienne le plus connu du grand public : Amir Khadir. Détenteur d'un doctorat en médecine, spécialiste en microbiologie, il est depuis décembre 2008 le premier et seul député à représenter le parti Québec solidaire à l'Assemblée nationale.

Les Iraniens de Montréal ont investi autant les affaires que les arts. «Il y a maintenant des photographes, des peintres, des chanteurs, des chorégraphes et des cinéastes de la communauté iranienne qui se font connaître», note Nima Machouf.

LE REFUS COMMUNAUTARISTE

Arrivé à Montréal alors qu'il n'avait que 14 ans, le directeur artistique de l'ensemble Constantinople, Kiya Tabassian, note que Montréal est en effet un terreau propice à la création et à l'échange culturel. «Je ne pourrais jamais retourner vivre en Iran. La vie que j'ai réussi à créer ici et l'entourage artistique me manqueraient terriblement», explique celui qui consacre son talent à la réinvention de la musique médiévale orientale et occidentale. Et qui ne rechigne jamais devant le métissage des genres.

Virtuose du *setâr*, il s'inspire tous les jours de la culture de son pays d'origine pour son travail sans pour autant ressentir le besoin de baigner dans la diaspora iranienne montréalaise. «J'ai amplement d'amis avec qui je parle ma langue maternelle.»

Selon lui, les immigrants iraniens qui sont arrivés pendant leur adolescence ou au début de l'âge adulte se sont vite intégrés. Kiya Tabassian avoue cependant qu'il espère que sa fille, la petite Payse, sera fière de se dire en partie iranienne. «Je lui parle en farsi. Je veux lui transmettre la culture de son père», souligne le jeune papa.

PARLEZ-VOUS FARSI?

Bonjour ➤ **Salam**

Merci ➤ **Merci ou Khilli mam noun**

Au revoir ➤ **Khoda hafez**

Carnet d'adresses

 MANGER

Téhéran

Une récente rénovation a rendu plus convivial ce grand restaurant iranien. Mais c'est d'abord pour les kebabs qu'on y vient. Au filet mignon, au bœuf haché ou au poulet safrané, ils sont préparés comme dans les restaurants de Téhéran. Le *asht* (soupe traditionnelle) qui est servi en entrée, le *tadik* (la croûte du riz, qu'il faut demander en supplément) et le *mirza ghasemi* (purée d'aubergines) valent le détour jusqu'à cet établissement situé à la frontière de Westmount.

5065, boulevard de Maisonneuve Ouest
514 488-0400 • Ⓜ Vendôme

Rumi

Quel beau mélange que ce Rumi ! Le grand poète perse soufi qui a donné son nom à ce restaurant atmosphérique aurait été enchanté par la variété de plats offerts, inspirés tantôt de la cuisine iranienne, tantôt du répertoire maghrébin. Une recommandation iranienne : le *fesenjoun*, un plat composé de poulet qui a cuit dans une riche sauce de grenade et de noix.

5198, rue Hutchison, Outremont
514 490-1999 • Ⓜ Laurier

Byblos, le petit café

Ce superbe café et ses grandes fenêtres qui donnent sur la rue Laurier ont été en vedette dans une dizaine de téléséries et de films. On y sert des plats légers, inspirés de la cuisine du nord de l'Iran. Le dimanche soir, on peut y manger le *dizi*, un plat mi-soupe, mi-hachis que les ouvriers iraniens vénèrent. C'est cependant au brunch que le Byblos brille le plus fort. Sur le Plateau, il y a beaucoup de mordus des omelettes au feta et du pain sucré servi avec de la confiture à l'eau de rose.

1499, avenue Laurier Est
514 523-9396
www.geocities.com/cafebyblos
Ⓜ Laurier

La maison de kebab

Restaurant familial aux prix alléchants. La soupe, offerte avec tous les plats principaux, est à se rouler par terre.

820, avenue Atwater • 514 933-0933
Ⓜ Lionel-Groulx

Khorasan Karab

Ce petit troquet de Notre-Dame-de-Grâce est vite devenu le lieu de ralliement des chauffeurs de taxi de la compagnie Atlas. Le proprio, un Afghan qui a travaillé de longues années dans les cuisines du restaurant Téhéran, maîtrise avec brio l'art du kebab, mais aussi des mijotés. Il en offre d'ailleurs un différent chaque jour. À ne pas manquer : la brochette de filet mignon. Parfaite avec sa grande assiette de riz safrané !

5700, rue Sherbrooke Ouest
514 488-9191 • Ⓜ Vendôme

SORTIR

Mekic

À la fois galerie d'art, librairie et maison d'édition, Mekic est d'abord et avant tout un lieu de rencontre. Les soirs de vernissage, on peut à peine bouger. Tout le gratin artistique iranien s'y entasse. La galerie organise fréquemment des conférences et des soirées de poésie.

4438, rue de la Roche • 514 373-5777
www.mekic.ca • Ⓜ Mont-Royal

FAIRE L'ÉPICERIE

Akhavan

Ce supermarché d'une propreté exemplaire attire autant la communauté iranienne que les habitants de Notre-Dame-de-Grâce qui viennent s'y ravitailler en noix, olives, dattes autant qu'en viandes et pâtisseries. On peut aussi y acheter une machine pour faire cuire le riz à l'iranienne (un art) et tout le nécessaire pour faire chez vous des kebabs à l'iranienne. Un bout du comptoir des desserts sert aussi des plats préparés qui peuvent être mangés sur place. Récemment, une autre succursale a ouvert ses portes à Pierrefonds.

NDG : 6170, rue Sherbrooke Ouest
514 485-4887
Ⓜ Vendôme

Pierrefonds : 15760, boulevard Pierrefonds
514 620-5551
www.akhavanfood.com

MAGASINER

Tapesh Digital

Pour un calendrier à 30 $ mettant en vedette feu le Shah d'Iran et sa femme, Farah Diba, pour un t-shirt sexy couvert d'inscriptions en persan ou encore pour les derniers tubes de la pop iranienne, c'est la bonne adresse.

6162, rue Sherbrooke Ouest
514 223-3336 • Ⓜ Vendôme
www.08tapesh.com

Galerie Ima

La joaillerie et l'artisanat iraniens sont en vedette dans ce magasin qui a un peu des airs de caverne d'Ali Baba.

3839A, rue Saint-Denis
514 499-2904 • Ⓜ Sherbrooke

MÉDIAS

Journaux

Payvand

Lancé en 1993, ce journal en persan est publié toutes les deux semaines. On y retrouve beaucoup de nouvelles, mais aussi des annonces pour tous les concerts et les fêtes iraniennes. Il est distribué dans les épiceries iraniennes.

514 996-9692
www.paivand.ca

HafteH

Ce magazine culturel est publié toutes les semaines. Il donne une grande place à la culture iranienne, mais aussi aux événements artistiques qui se déroulent à Montréal. Il y a aussi une bonne dose de nouvelles politiques. La table des matières est publiée en français.

6960, rue Sherbrooke Ouest, salle 15
514 787-8848 • www.chacavac.com

Radio
Programme perse
CFMB 1280 AM

Une émission en persan est diffusée tous les dimanches. Différentes personnalités du Montréal iranien y prennent part.

Dimanche, 21 h • www.cfmb.ca

En savoir plus

Associations

Association des femmes iraniennes à Montréal

Reposant en grande partie sur les épaules d'Elahe Chokrai, la belle-mère d'Amir Khadir, cette association est l'une des plus visibles de la communauté iranienne... et sans l'ombre d'un doute, la plus francophone. Ses membres participent à maintes manifestations pour les droits de la personne et organisent fréquemment des conférences. Un groupe de danse tradition-nelle émane aussi de ses rangs.

872, chemin de la Rive-Boisée, Pierrefonds
514 624-4648

Association de défense des droits de l'homme en Iran

Dirigée par Hossein Mahoutiha, l'Association iranienne des droits de l'homme travaille d'arrache-pied pour faire connaître la situation des prisonniers politiques en Iran.

www.hriran.org

Fondation Ziba Kazemi

(Voir portrait ci-dessous.)

Constantinople

Fondé par les frères Ziya et Kiya Tabassian, Constantinople est parmi les ensembles musicaux les plus actifs à Montréal. La musique classique orientale rencontre, par leur talent, plusieurs autres traditions de musique du monde. Chaque année, une série de concerts sont offerts à la salle Pierre-Mercure. Les musiciens de Constantinople donnent aussi des cours à l'occasion.

3960, rue Saint-Denis
514 286-8008
www.constantinople.ca

LIEUX DE CULTE

Centre baha'i de Montréal

Les adeptes de cette religion, fondée en Iran, disposent d'un local où ils se rencontrent toutes les semaines. On peut y obtenir de l'information sur cette religion qui compte de plus en plus de fidèles et qui fait grincer des dents le régime des ayatollahs.

177, avenue des Pins Est • 514 849-0753 • www.bahaimontreal.org • Ⓜ Sherbrooke

Association zoroastrienne

Le zoroastrisme est la plus vieille de toutes les religions monothéistes du monde. Elle est encore pratiquée aujourd'hui par des milliers d'Iraniens, mais aussi par des Indiens (les Parsis) et des Azerbaïdjanais. À Montréal, les zoroastriens ont une association.

38, rue de Brome, Kirkland • 514 656-2036

Centre islamique iranien

Ce centre, situé à Lachine, enseigne l'islam selon les préceptes chiites.

210, rue Saint-Jacques, Lachine • 514 364-5075

Shahrzad Arshadi: l'héroïne de l'ombre

En juillet 2003, le Québec s'est ému en apprenant qu'une Montréalaise d'origine iranienne, Zahra Kazemi, était décédée alors qu'elle était en prison en Iran.

Quelques jours plus tôt, elle avait été arrêtée devant la prison même où elle a été battue à mort par ses geôliers au cours d'interrogatoires sans merci. Quand les premiers rapports de son emprisonnement sont arrivés à Montréal, les journalistes cherchaient à en savoir plus sur cette femme, photographe pigiste, qui avait à quelques reprises publié son travail, mais que peu avaient rencontrée. Stephan Hachemi, son fils, était seul pour faire face à l'ampleur du drame qui lui

tombait sur la tête. Mais il n'allait pas le rester longtemps : avant même que la mort de Zahra Kazemi soit rendue publique, une autre photographe montréalaise d'origine iranienne allait l'épauler.

Depuis 2003, Shahrzad Arshadi porte la cause de Zahra Kazemi à bout de bras. Vous ne l'avez jamais vue à la télévision ? C'est que cette femme d'exception ne cherche pas la lumière, elle aime la laisser réfléchir sur les causes qui lui tiennent à cœur. Réfugiée politique, arrivée à Montréal en 1983, elle se bat contre la république islamique depuis l'adolescence. Résultat : elle n'avait pas 20 ans quand elle a quitté la ville de Rasht dont elle est originaire et elle n'y a jamais remis les pieds.

Mais même si elle vit loin de l'Iran depuis 30 ans, son pays l'a toujours habitée. Elle se bat au quotidien pour les droits des femmes iraniennes et, par le fait même, pour les droits des femmes à travers le monde. Elle ne le fait pas toujours de manière classique. La caméra est son principal outil de contestation. Elle aime photographier et elle aime filmer. Récemment, elle a réalisé des documentaires sur les femmes qui ont pris part à la rébellion armée au Népal et au Kurdistan.

Entre ses voyages à l'étranger, elle fait avancer la cause de Zahra Kazemi. Les caméras se sont éteintes depuis longtemps sur la cause de la photojournaliste, mais Shahrzad Arshadi est convaincue qu'en persévérant il sera possible de faire payer ses assassins. «Zahra Kazemi, ça aurait pu être moi», dit-t-elle quand elle parle de cette femme qu'elle n'a jamais rencontrée, mais pour laquelle elle se bat maintenant depuis six ans.

Pour saluer le travail de la Montréalaise disparue, Shahrzad Arshadi a créé avec Stephan Hachemi la fondation Ziba Kazemi. Encore une fois, le rôle central de Mme Arshadi n'est pas mis de l'avant. Il faut chercher dans la section contacts du site web de la fondation pour trouver son adresse courriel. Modestie, vous dites?

Pour voir le travail de Shahrzad Arshadi : **www.shahrzadarshadi.com**

Fondation Ziba Kazemi : www.zibakazemi.org

Nowrouz : premier jour du printemps

L a grande majorité des Montréalais savent que le printemps arrive chaque année autour du 21 mars. Mais personne n'attend aussi rigoureusement la fin de l'hiver que les Montréalais d'origine iranienne. Ils connaissent à la minute près l'heure de l'équinoxe printanier et célèbrent à cet instant précis la Nowrouz, le Nouvel An iranien.

À l'heure exacte de l'équinoxe du printemps, que l'on soit au milieu de la nuit ou à 7 h du matin, ils s'attablent autour du Haft Sin, une nappe recouverte de sept objets traditionnels qui commencent en persan par la lettre S. Après l'arrivée de la nouvelle saison, des sucreries sont distribuées aux convives pour «adoucir» leur vie. La fête se poursuit pendant les 13 prochains jours, consacrés à la visite des amis et de la famille.

Cette célébration, appelée Nowrouz (nouveau jour), est vieille de 3 000 ans et remonte à l'ère où le zoroastrisme, une religion monothéiste, était la religion de l'empire perse. Malgré la prédominance de l'islam en Iran aujourd'hui, Nowrouz est toujours la fête la plus importante du calendrier iranien.

À Montréal, la communauté iranienne célèbre sobrement cette fête nationale dans les familles, les écoles de langue de la région métropolitaine et dans quelques hôtels, où des vedettes de la musique populaire iranienne viennent donner des concerts. Depuis quelques années, des Iraniens organisent une petite fête familiale dans un parc du centre-ville.

Persévision: club vidéo iranien

Queue de cheval, crâne dégarni, lunettes d'intellectuel, Houshang Nazemi n'est pas peu fier de son commerce. Même s'il a quitté l'Iran en 1979 pour fuir la révolution islamiste, il n'a jamais cessé de rendre hommage à la culture persane. De fait, son club vidéo n'est pas seulement un endroit où louer des films iraniens. C'est une véritable cinémathèque en «persévision».

«En 1982, quand j'ai fondé cette boutique, je me demandais comment rendre service à mon pays, explique ce nostalgique de l'époque du Shah. J'ai réalisé que je pouvais le faire en sauvegardant la culture du passé, c'est-à-dire celle que Khomeiny et le régime islamiste tentaient d'effacer. Alors, je me suis lancé dans une mission de sauvegarde.»

Dans cet «esprit de conservation», M. Nazemi a fait le tour du monde, à la recherche de vieux films iraniens. D'Allemagne, de France, d'Angleterre et de Dubaï, il en a ramené plus de 800, dans tous les formats possibles! «J'y ai mis tout l'argent que j'avais», dit-il en parlant du coût exorbitant des transferts en VHS. «Cela m'a coûté 250 000 dollars!»

Aujourd'hui, M. Nazemi possède plus de 2 200 films. Si la majorité (plus de 1 500) est composée de classiques des années 1960 et 1970, il maintient son stock à jour en important une centaine de nouveautés par an, soit environ un sixième de la production moyenne iranienne. Question d'attirer des clients plus jeunes ou non iraniens, il tient aussi quelques *blockbusters* américains.

Malgré tout, les affaires sont de plus en plus difficiles, admet cet ancien homme d'affaires, qui a commencé sa carrière dans une entreprise de classeurs rotatifs. Comme beaucoup d'autres clubs vidéo, celui de M. Nazemi souffre de la forte concurrence du cinéma américain et de la télé satellite. Les films se louent de moins en moins, la clientèle vieillit et ne se renouvelle pas.

«Je compense en faisant des transferts de vidéos maison: mariages, anniversaires, vacances à l'étranger.» Cet «à-côté» est devenu son activité principale, puisqu'il compte pour 70 % de son chiffre d'affaires.

«C'est dommage, mais la nouvelle génération n'est pas intéressée par le cinéma iranien, se désole-t-il. Ils préfèrent aller voir *King Kong*...»

**International Sun Video • 5897, rue Sherbrooke Ouest
514 483-6017 • www.sun-video.com • Ⓜ Vendôme**

Le Montréal **turc**

 10 340

 islam (58 %), catholicisme
(15,7 %), christianisme
orthodoxe (8,6 %)

turc, kurde

L'histoire du Montréal turc est en train de s'écrire alors que vous lisez ces lignes. Timide jusqu'en 1980, l'immigration en provenance de la Turquie a réellement pris son envol après 1980. Avant cette date, on comptait moins de 1 000 personnes d'origine turque dans la province.

Les premiers immigrants ne sont pas tous venus à Montréal pour les mêmes raisons. Certains souhaitaient terminer leurs études dans les universités de l'île : McGill et Concordia sont deux pôles d'attraction importants pour les intellectuels de Turquie. Les autres fuyaient le conflit gréco-turc à Chypre ou les vagues de violence dans l'est de la Turquie, nées de la confrontation entre l'armée et le mouvement kurde.

Ces jours-ci, cependant, une partie des Turcs qui immigrent au Canada le font pour des raisons économiques. Hautement qualifiés, jeunes, urbains, ils viennent s'établir à Montréal pour y faire carrière. D'autres y arrivent comme réfugiés ou viennent rejoindre des membres de leur famille, déjà établis ici. Il en résulte une grande diversité.

Statistiquement, on peut facilement parler d'un boom dans la migration turque au cours des dix dernières années. Alors que moins de 5 600 Turcs vivaient au Québec en 2001, en 2006, ils étaient déjà le double à Montréal seulement. Au cours des dernières années, on a vu apparaître dans le paysage montréalais des restaurants, des organisations et des médias qui leur sont propres.

PARLEZ-VOUS TURC ?

Bonjour ➤ Mehraba

Merci ➤ Téchékur

Au revoir ➤ Goulé Guilé

 1 DANS LE CALENDRIER

Fête nationale de la souveraineté et des enfants : 23 avril

Cette fête marque la naissance du Parlement turc sous Atatürk. Une fête d'enfants est organisée par l'école Sogut pour l'occasion.

Commémoration d'Atatürk et Jour des jeunes et du sport : 19 mai

Personne n'a marqué autant l'histoire contemporaine turque que Mustafa Kemal, rebaptisé Atatürk. Père de la République turque, cet ancien chef militaire a imposé la laïcité à son peuple et enclenché un processus de modernisation. La fête du 19 mai commémore à la fois son anniversaire (il est né le 19 mai 1881) et le premier jour de sa bataille pour l'indépendance de la Turquie, au lendemain de la chute de l'empire ottoman, le 19 mai 1919. La célébration de cette fête prend la forme d'une fête familiale à Montréal.

Jour de la République : 29 octobre

On fête ce jour-là l'anniversaire de la Déclaration de la République de Turquie (1923). Le Consulat turc organise habituellement un événement.

Fêtes religieuses : voir page 134.

 ÉVÉNEMENTS

Festival turc : juillet

Ce festival, organisé par la Dialog Foundation, existe depuis deux ans seulement, mais il ne manque pas d'envergure pour autant. Pendant deux jours, à la fin du mois de juillet, l'événement se déroule au parc Jean-Drapeau. Spectacles de danse et de musique folklorique, stands de cuisine turque : c'est un bien bon moyen d'en apprendre un peu plus sur le Montréal anatolien.

Organisateur :
Fondation du dialogue
700, rue Marlatt, Saint-Laurent
514 313-8955 • www.festivalturc.ca

Carnet d'adresses

 MANGER

Su, cuisine turque

Élégant, ce restaurant de Verdun sert des dizaines de spécialités turques. L'agneau et la tomate sont à l'honneur dans la cuisine de Fisun Ercan (voir portrait page 171).

5145, rue Wellington • 514 362-1818
www.restaurantsu.com • Ⓜ De L'Église

Plusieurs restaurants appartiennent à des Kurdes, mais servent de la nourriture turque (voir Le Montréal kurde, ci-après, pour les descriptions).

Restaurant Avesta
2077, rue Sainte-Catherine Ouest
514 937-0156
Ⓜ Atwater ou Guy-Concordia

Restaurant Cappadocia
7101, avenue du Parc
514 270-3700

 FAIRE L'ÉPICERIE

Marché Turquoise

La communauté turque, en pleine expansion, a jeté son dévolu sur Montréal-Nord et ce supermarché tout neuf est un de ses lieux de ralliement.

9095, boulevard Pie-IX, Montréal-Nord
514 324-0404 • www.marcheturquoise.com

Marché Istanbul

Propriété de Montréalais d'origine arménienne, kurde et turque, le Marché Istanbul vend tout ce que l'Anatolie a à offrir – des épices, du thé noir parfumé, des confitures de cerises et des loukoums.

8780, boulevard Saint-Laurent
514 276-7930 • Ⓜ Crémazie

Pâtisserie Efes

Éphèse. Le nom évoque la mer et la présence romaine en Turquie. Mais il n'y a rien de romain dans cette pâtisserie qui prépare des baklavas et des *boreks*, entre autres spécialités turques.

689, rue Saint-Roch • 514 495-6535
Ⓜ Parc

 MAGASINER

Cappadoce

Cette boutique de cadeaux vend de bien jolies choses, dont des miniatures et de la céramique turque.

889, avenue Ogilvy • 514 277-8999
Ⓜ Parc

Depotium

Qu'a de turc cette entreprise d'entreposage? Le propriétaire. Les membres de la communauté turque ne sont d'ailleurs pas peu fiers du succès de leur compatriote, qui a gagné plusieurs prix d'entrepreneuriat au cours des ans.

www.depotium.com

 MÉDIAS

Journaux

Bizim Anadolu (Notre Anatolie)

Fondé en 1994 par Ömer Özen, ce journal est publié tous les mois. Le contenu, principalement en turc, est complètement montréalais et, fait rare pour un journal communautaire, inclut quelques pages en français.

514 593-8698 • www.bizimanadolu.com

Canadatürk

Ce bimensuel est surtout destiné aux Turcs de Toronto, mais on y retrouve néanmoins un peu de contenu montréalais.

416 462-1244 • www.canadaturk.ca

En savoir plus

Dialog Foundation

Fondée en 2003 par des musulmans d'origine turque, fidèles au penseur Fetulleh Gulen, cette organisation est responsable du Festival turc de Montréal ainsi que de diverses activités visant à promouvoir le dialogue interreligieux. Elle organise notamment un Souper annuel de l'amitié.

700, rue Marlatt • 514 661-1453
www.dialogfoundation.ca

École Sogut

Cette école préscolaire et primaire privée accueille une centaine d'enfants, la plupart d'origine turque. On y enseigne en français le curriculum du ministère de l'Éducation en plus d'offrir des cours de langue turque.

11280, avenue Jules-Dorion, Montréal-Nord
514 227-2006 • www.ecolesogut.ca

LIEUX DE CULTE

Association musulmane turque de Montréal

Cette association réunit les musulmans originaires de Turquie.

416, boulevard Neptune, Dorval
514 636-2827

Ambassadrice culinaire

U n coup de foudre. Pur et simple. Quand Fisun Ercan a fait ses premiers pas au centre-ville de Montréal, en 1998, elle a su qu'elle était chez elle. «J'ai un caractère décisif. Quand je décide quelque chose, je le fais», raconte, assise à l'une des tables de son restaurant, celle qui est aujourd'hui chef et propriétaire d'un des plus beaux établissements de Verdun, Su.

Mis à part le culte que son père voue à la nourriture et le talent que sa mère déploie pour apprêter tous les aliments qui lui tombent sous la main, peu de choses prédisposaient Fisun Ercan à devenir une ambassadrice de la cuisine de son pays d'origine.

À Izmir, sa ville natale, un endroit qui sent bon la Méditerranée, elle a été propriétaire d'une garderie. À son arrivée à Montréal, après avoir d'abord appris le français – «une occasion bien plus qu'une obligation», dit-elle –, elle est devenue analyste-programmeuse. Mais elle s'ennuyait. Les emplois de 9 à 5 ne convenaient pas à celle qui, à 29 ans, avait quitté la Turquie avec sa petite fille pour «explorer le monde». Le soir, pour se changer les idées, et pour «se faire de nouveaux amis», elle cuisinait, cuisinait et cuisinait encore. «Ce sont des amis québécois qui m'ont suggéré d'en faire un métier.»

Diplômée du collège LaSalle, elle est d'abord devenue traiteuse. «Je faisais de la nourriture française, italienne, mais je ne cuisinais jamais turc», raconte-t-elle.

En 2006, lorsqu'elle a voulu se louer un local pour déménager ses activités devenues trop encombrantes pour sa petite cuisine de l'Île-des-Sœurs, elle a découvert un ancien restaurant de la rue Wellington, à Verdun.

En mettant la clé dans la porte, elle s'est sentie investie d'une mission. «Les Italiens, les Chinois, les Indiens utilisent leur cuisine pour se faire connaître, mais pas les Turcs. J'ai donc décidé de redonner toute la place à la cuisine traditionnelle de chez nous et de l'offrir aux Montréalais.» Su était né.

Sur son menu, toutes les saveurs de l'Anatolie se font concurrence: agneau, aubergines, plats tomatés et relevés. Les murs du restaurant rappellent pour leur part *Mon nom est Rouge*, le plus célèbre des romans d'Oran Pahmuk, le lauréat turc du prix Nobel de littérature. La touche de finition se trouve dans les fines assiettes de porcelaine et les portraits d'anciens princes ottomans. Ce décor est totalement à l'image de la propriétaire des lieux: raffiné, contemporain et résolument montréalais.

Le Montréal **kurde**

 1 175    islam, judaïsme

les deux dialectes kurdes,
le sorani et le kurmandji

L a population kurde mondiale est à peu près égale à celle du Canada en entier : environ 30 millions de personnes. Cependant, la nation kurde, forte de 6 000 ans d'histoire en Mésopotamie, n'a pas d'État qu'elle peut appeler le sien. En 1920, les projets des Britanniques qui promettaient de créer un État kurde (Kurdistan) après la chute de l'empire ottoman ont été enterrés. Depuis, les Kurdes vivent éparpillés entre quatre États – la Turquie, l'Iran, l'Irak et la Syrie. Ces derniers leur sont ou leur ont été hostiles à divers moments. Les mouvements d'indépendance kurdes qui ont vu le jour au cours des 100 dernières années ont tour à tour été réprimés. Le pire de la répression a eu lieu en Irak, où Saddam Hussein a lancé des bombes biologiques sur le village kurde de Halabja, ainsi qu'en Turquie, où le gouvernement post-Atatürk a longtemps interdit aux Kurdes de parler leur propre langue et où un combat sans merci se poursuit aujourd'hui entre les autorités turques et le Parti des travailleurs du Kurdistan, le PKK.

Le bourbier politique dans lequel se retrouvent les Kurdes ainsi que les guerres successives qui ont secoué la région (dont les deux guerres du Golfe) ont forcé des millions d'entre eux à l'exil. On estime aujourd'hui à près de 6 millions les Kurdes qui vivent à l'extérieur des frontières non officielles du Kurdistan traditionnel. La France, l'Allemagne et la Suède sont les trois principaux pays d'accueil de ces réfugiés.

Le Canada n'est pas en reste. Lors du recensement de 2006, plus de 10 000 Canadiens ont déclaré avoir des origines kurdes. La majorité d'entre eux vivent en Ontario. Si Montréal a une petite population kurde – à peine 2 000 personnes –, on trouve quand même ici un bel échantillon de la diversité culturelle et linguistique qui caractérise ce peuple des montagnes. Arrivés pour la plupart après les années 1970, près de la moitié d'entre eux ont obtenu un statut de réfugiés, alors que les autres ont choisi de s'installer au Québec pour des raisons économiques.

PARLEZ-VOUS KURDE ?

Bonjour ➤ Roj bach

Merci ➤ Spasse ou Téchékur

Au revoir ➤ Arubu

 DANS LE CALENDRIER

Nevroz – 21 mars

Célébré au moment exact de l'arrivée de l'équinoxe du printemps, le Nouvel An kurde est le principal moment de réjouissance de la communauté. L'Institut kurde de Montréal organise habituellement un événement.

Carnet d'adresses

 MANGER

Cappadocia

Ce café appartient à un propriétaire kurde, mais sert des mets qui plairont autant aux Kurdes qu'aux Turcs : de la soupe aux lentilles, des brochettes, des salades bien méditerranéennes, du yogourt aux aubergines et des baklavas ultra frais. L'endroit est absolument sans prétention.

7101, avenue du Parc • 514 270-3700
Ⓜ Parc

Avesta

Difficile de ne pas s'arrêter devant ce petit bistro qui appartient à des Kurdes de Turquie : une femme est assise en vitrine, en train de préparer du pain. Parfait endroit pour casser la croûte avant d'aller au cinéma, Avesta offre des plats frais qui sentent bon le persil et la viande épicée. Des soirées de danse kurde y ont lieu à l'occasion. Sortez votre *halay* (foulard) et entrez dans la ronde !

2077, rue Sainte-Catherine Ouest
514 937-0156 • Ⓜ Atwater

 SORTIR, BOIRE UN VERRE

(Café Gitana, voir page suivante.)

 FAIRE L'ÉPICERIE

Marché Istanbul
(Voir page 169.)

Pâtisserie

Çiçek

Cette toute jeune pâtisserie peut déjà se vanter de faire d'excellents baklavas.

3656, rue Fleury • 514 303-5361

 MÉDIAS

Journaux

Mesopotamia

Tous les mois, le journal kurde *Mesopotamia* publie en turc et en kurde des nouvelles de la grande diaspora kurde et tout spécialement de celle de Montréal et de Toronto. On trouve aussi dans ses pages un peu de poésie nationaliste kurde.

Internet

Échange linguistique

Vous voulez apprendre le kurde ? Ce site web vous permet de le faire. En échange de cours de français ou d'anglais, votre partenaire d'échange peut vous apprendre le sorani ou le kurmanji.

www.mylanguageexchange.com/Learn/
Kurdish.asp

En savoir plus

Institut kurde de Montréal

Fondé par Lili Charoeva, l'Institut kurde de Montréal organise des soirées culturelles ainsi que des conférences. Son nom tire son inspiration de l'Institut kurde de Paris, qui fait la promotion de la question kurde depuis 1983.

514 368-4198

Une **pizza kurde** avec ça?

Arrivant souvent sans le sou dans leur pays d'accueil, les Kurdes, même bardés de diplômes, doivent souvent se trouver un petit boulot pour survivre. Certains passent leur chemin quelques années plus tard, d'autres prennent goût... au pepperoni de la pizza qu'ils préparent. À Vancouver, à Toronto, à New York et à Montréal, les Kurdes tiennent une part importante du marché de la pizza. Votre pizzeria du coin s'appelle Welat ou Med (pour Méditerranée)? Les chances sont que vous mangiez de la pizza kurde depuis un bon bout de temps. Pizza Med est le géant de la pizza kurde au Québec, avec 15 restos, la plupart en banlieue de Montréal.

Café **Gitana**

Entrer dans le café Gitana, c'est un peu partir. Partir ailleurs, loin des soucis du quotidien, des longues journées hivernales et des chaleurs d'été du Quartier Latin, dans lequel ce café a pignon sur rue depuis sept ans. C'est d'abord la fumée des *shishas* qui monte à la tête. Le décor chaleureux, tout de rouge et d'ocre, invite à la paresse et aux rêveries. Il y a aussi les conversations multilingues: à une table, trois étudiants turcs travaillent sur leurs ordinateurs portables, à une autre, deux artistes iraniens planifient leur prochain spectacle. À la troisième, des étudiants de l'UQAM boivent une bière entre amis.

L'ingrédient magique qui fait que cette tour de Babel n'a rien d'incompréhensible prend la forme de deux personnes: Irfan et Anna, les propriétaires. Originaires de l'Anatolie, les époux sont la synthèse même du mélange de cultures qui compose encore aujourd'hui cette région ancestrale qui se trouve maintenant en Turquie. Anna est née de parents kurdes alors qu'Irfan s'autodécrit comme le parfait cocktail Molotov anatolien. «Je suis kurde, je suis turc, je suis arménien, je suis grec. Ma mère était une chrétienne orthodoxe. Mon père avait des juifs et des musulmans dans sa famille.»

Ils se sont connus à Istanbul. Quelques années plus tard, ils élisaient domicile à Montréal.

C'est au 11-Septembre qu'ils doivent l'ouverture de leur café. «On avait moins de travail dans nos domaines respectifs après le 11-Septembre. On en a profité pour ouvrir le café dont nous rêvions», explique Irfan.

Le succès est venu rapidement. À l'époque, Montréal comptait bien peu de salons de *shisha* et les étudiants universitaires ont vite aimé l'aura bohème du Gitana. Les Kurdes et les Turcs de la diaspora s'y sont aussi vite sentis à l'aise. Mettant de côté les vieilles rivalités politiques de leur pays d'origine, ils fréquentent le café côte à côte. «Si quelqu'un veut faire de l'exclusion, le café Gitana n'est peut-être pas le bon endroit à fréquenter», prévient Irfan. Mais si vous aimez le thé turc, le café arménien et les rythmes kurdes, vous aurez peut-être trouvé une deuxième maison.

2080A, rue Saint-Denis
www.cafegitana.ca
Ⓜ **Sherbrooke**
ou Berri-UQAM

Le Montréal **palestinien**

 4 585

arabe

islam (64 %),
catholicisme (20 %),
christianisme
orthodoxe (7,3 %)

Dispersé à travers le Moyen-Orient – tout spécialement depuis l'établissement de l'État d'Israël en 1948 dans ce qui était à l'époque la Palestine –, le peuple palestinien vit depuis plusieurs décennies une situation d'instabilité intenable.

Sans État en bonne et due forme (les territoires palestiniens de la bande de Gaza et de la Cisjordanie sont occupés par l'armée israélienne), des millions d'entre eux sont contraints de vivre dans des camps de réfugiés. Bâtis comme abris temporaires dans les années 1960, les camps du Liban et de la Jordanie sont devenus des lieux de résidence permanente, sans pour autant bénéficier des infrastructures nécessaires.

La situation dans les camps tout autant que les violences liées au conflit israélo-palestinien ont forcé des centaines de milliers de Palestiniens vers l'exil. On estime que plus de 300 000 d'entre eux vivent en Amérique du Nord.

Montréal a une population palestinienne de 4 585 personnes. Les premiers sont arrivés dans les années 1960. On retrouve dans leurs rangs un mélange de réfugiés et de travailleurs hautement qualifiés. Plusieurs immigrants appartenant à cette deuxième catégorie ont immigré au Canada à partir des pays du Golfe, où ils avaient déménagé leurs familles.

Malgré la taille modeste de la communauté, il existe à Montréal plusieurs organisations qui défendent la cause des Palestiniens, ici comme au Proche-Orient. L'effectif de ces associations est loin de se limiter aux nouveaux arrivants. Plusieurs militants de la gauche, francophones et anglophones, y tiennent un rôle central. Leurs activités de protestation et de sensibilisation se concentrent autour de l'Université Concordia.

En savoir plus

Association Aide médicale pour la Palestine

Présidée par Edmond Omran, le conjoint de l'ex-ministre péquiste Louise Harel, cette organisation amasse des fonds et fournit de l'aide médicale dans la bande de Gaza et en Cisjordanie depuis le début de la première intifada. L'organisation dispose d'un centre de documentation sur la situation des Palestiniens. L'association commercialise aussi au Québec l'huile d'olive biologique Zeitouna, produite par les Palestinian Agricultural Relief Committees.

5722, rue Saint-André
514 843-7875
www.mapcan.org

Fondation canado-palestinienne du Québec

Cette fondation soutient plusieurs œuvres humanitaires, dont un programme de parrainage d'enfants. On trouve sur le site web des statistiques intéressantes sur la grande diaspora palestinienne dans le monde.

cpfq.org

Solidarité avec les droits humains des Palestiniens

Cette organisation anglophone est pan-canadienne, mais son siège social est situé à Montréal. Elle regroupe des étudiants de diverses universités qui s'intéressent à la cause palestinienne et aux violations des droits de l'homme au Proche-Orient.

514 999-1948
sphr.org

Palestiniens et Juifs unis (Montréal)

Cette organisation, qui s'oppose à l'occupation des Territoires palestiniens par l'armée israélienne, organise fréquemment des vigies devant le consulat israélien de Montréal. PAJU regroupe des Montréalais de religion juive et d'origine palestinienne ainsi que des sympathisants.

www.pajumontreal.org

Le Montréal **irakien**

 2 655

 islam (60 %), christianisme (15 %), judaïsme (13 %)

 arabe

A u cœur d'un incessant tumulte politique depuis plus de 50 ans, l'Irak connaît encore aujourd'hui des vagues importantes d'émigration. Si quelques Irakiens sont arrivés avant la première guerre du Golfe – surtout des chrétiens et des juifs –, la grande majorité des Montréalais d'origine irakienne sont arrivés à Montréal depuis les deux conflits orchestrés par les George Bush, père et fils.

Carnet d'adresses

 MANGER

Kan Zaman

Ce restaurant, qui appartient à un Montréalais d'origine irakienne, sert des brochettes et d'autres spécialités de la cuisine arabe. Tout y est halal.

1228, rue Drummond • 514 866-6692
Ⓜ **Peel**

FAIRE L'ÉPICERIE
Marché Mille Stars Plus

Cette épicerie vend tout le nécessaire pour la cuisine irakienne, dont les épices magiques qui permettent d'assaisonner à souhait les kebabs.

6435, avenue Somerled • 514 486-3359
Ⓜ **Villa-Maria**

En savoir plus

Centre communautaire irakien

Créé en 1986, le Centre communautaire irakien tente de rassembler les familles irakiennes de Montréal de toutes allégeances politiques et religieuses. Ses membres organisent à l'occasion des soirées culturelles.

1 888 514-IRAQ
www.iraqicommunitycenter.com

Des baguettes
au pays des fourchettes

6. LE MONTRÉAL DE L'ASIE DE L'EST ET DU SUD-EST

Cynthia Lam n'oubliera jamais Expo 67. Cette année-là, elle n'a pas découvert le monde, passeport à la main, comme la plupart des Québécois qui ont pris d'assaut les lieux de l'événement international. C'est plutôt le monde qui l'a découverte.

La jeune Chinoise élevée à Taïwan était une des hôtesses du pavillon de la Chine. Pendant six mois, l'étudiante s'est fait prendre en photo, a serré des mains, a assouvi la curiosité du Tout-Montréal, qui voulait en savoir plus sur l'empire du Milieu. «C'était un peu le monde des merveilles, dit-elle de sa voix cristalline. Tout le monde me regardait comme si j'étais la Chine en personne!»

À l'époque, se rappelle-t-elle, la présence asiatique à Montréal était des plus discrètes. La communauté chinoise, implantée depuis près de 100 ans, se remettait de ses pénibles débuts en sol canadien. Le Quartier chinois était au cœur de sa vie sociale et économique.

Ce Quartier chinois, Cynthia Lam, qui a immigré définitivement à Montréal en 1968 pour faire une maîtrise en travail social, l'a vu grandir et changer. Pendant 20 ans, elle a tenu les rênes du Service à la famille chinoise. Elle appelle le petit quartier, serti entre l'avenue Viger et le boulevard René-Lévesque, «son» Quartier chinois.

PAR-DELÀ LE QUARTIER CHINOIS

Aujourd'hui, ce Quartier chinois n'est plus que la pointe de l'iceberg culturel que représente la communauté originaire d'Asie de l'Est et du Sud-Est à Montréal. La communauté chinoise compte à elle seule près de 90 000 âmes, selon le dernier recensement. Et que dire des Vietnamiens (plus de 30 000 personnes), des Philippins (24 900), des Cambodgiens (9 200) et des Coréens? En tout, plus de 156 000 Montréalais peuvent retracer leurs origines dans cette région du monde.

Les communautés asiatiques ont transformé le visage de Brossard, investi Notre-Dame-de-Grâce, enrichi la diversité culturelle de Saint-Laurent et de Côte-des-Neiges et s'étendent désormais jusqu'à Dollard-des-Ormeaux.

«Dans les dernières années, le poids démographique des communautés asiatiques dans l'île de Montréal a augmenté énormément. Elles sont de plus en plus diversifiées et habitent le centre-ville, mais aussi les banlieues», explique Annick Germain, professeure et chercheuse à l'Institut national de recherche scientifique (INRS).

Depuis 1999, le Québec accueille plus d'immigrants provenant d'Asie que de tous les autres continents. La Chine et les Philippines figurent dans le top 10 des pays de naissance des nouveaux immigrants. Les enfants des immigrants sont maintenant présents dans tous les secteurs. «Le visage des communautés asiatiques change très vite. Tranquillement, les jeunes, qui ont boudé leurs racines pendant quelque temps, s'engagent de plus en plus dans différentes causes», poursuit Cynthia Lam.

LE PATRIMOINE ASIATIQUE CÉLÉBRÉ

Pour souligner annuellement l'apport culturel, économique et artistique des communautés asiatiques à Montréal, la Ville a désigné le mois de mai «Mois du patrimoine asiatique», emboîtant ainsi le pas à Toronto, Halifax et Vancouver.

La proclamation de ce mois de commémoration est l'aboutissement d'un long chemin pour Janet Lumb, l'âme du festival Accès Asie, qui prend l'affiche tous les ans en mai.

Saxophoniste, compositrice et militante issue de la troisième génération de la diaspora chinoise, Janet Lumb nourrit de sa vitalité, depuis 1995, ce festival qui met en vedette des artistes issus de toutes les diasporas asiatiques, du Japon... à la Turquie. Janet Lumb aime voir l'Asie dans son grand ensemble, allant du Proche- à l'Extrême-Orient.

«Chaque ville qui a un festival du patrimoine asiatique le fait à sa manière. À Montréal, c'est par les arts que nous passons notre message», dit l'artiste, attablée au Café Mei, restaurant chinois nouveau genre du quartier Mile-End.

À ce festival, la poésie peut avoir des saveurs iraniennes, les tambours des rythmes japonais, les tableaux des couleurs coréennes, les films des résonances chinoises, mais les interprètes, peintres, artistes, réalisateurs qui signent les œuvres, eux, sont montréalais. Leur travail est teinté autant par les influences de leur pays d'origine que par celles du pays d'accueil. Pour les enfants de la deuxième et de la troisième génération d'immigrés, l'identité devient un thème central, éclaté, moderne, note Janet Lumb, qui repousse du revers de la main la folklorisation des cultures.

FAIRE TOMBER LES MURS

En moins d'une décennie, Janet Lumb a vu le talent fleurir à Montréal. Avec ses collaborateurs, elle a déniché des artistes extraordinaires qui présentaient des spectacles dans de petits restaurants ethniques. «Nous avons pu les aider à trouver des subventions, à organiser des dossiers de presse, à accéder aux maisons de la culture. Certains d'entre eux ont maintenant des carrières internationales», dit-elle avec enthousiasme.

Elle pense notamment à Liu Fang, immigrante chinoise virtuose du *pipa* (un luth chinois), et à Pham Duc Thanh, homme-orchestre d'origine vietnamienne capable de manier plus de 30 instruments, tous deux découverts à Montréal.

«Nous avons fait tomber des murs entre les communautés, entre les générations, entre les disciplines artistiques, mais il reste encore des barrières pour les artistes de minorités visibles. Ils trouvent difficilement leur place dans les festivals *mainstream*. Nous rêvons du jour où le festival du patrimoine asiatique ne sera plus une nécessité», conclut Janet Lumb.

DANS LE CALENDRIER

Festivals

Festival Accès Asie

Le festival organise des événements toute l'année, mais c'est en mai qu'est concentrée sa programmation.

1200, rue de Bleury, bureau 7
514 523-1047 • www.accesasie.com

Fantasia : mi-juillet/début août

Il n'y a pas beaucoup de noms asiatiques parmi les organisateurs de ce festival de films extrêmement couru par la faune estudiantine et branchée, mais Fantasia fait toujours une belle place aux mangas et à une myriade de films, tous plus *gore* et étranges les uns que les autres, signés par des réalisateurs asiatiques.

fantasiafestival.com

Fêtes religieuses

Fête du Bouddha : en mai

La date de naissance du Bouddha, né Siddhârta Gautama, ne passe pas sous silence parmi les bouddhistes montréalais. Les festivités se déroulent dans les pagodes.

 MAGASINER

Marché clandestin

Plus grand centre de location de vidéos asiatique au Québec, le Marché clandestin voue un culte à la culture pop asiatique, à l'animation japonaise et à Jackie Chan. Si le premier étage met en vitrine 5 000 vidéos asiatiques, la librairie du deuxième étage est consacrée aux mangas, les bandes dessinées japonaises.

325, rue Ontario Est, local 101
514 282-3930
www.mcanime.com • www.mcmangaya.com

En savoir plus

Centre d'études de l'Asie de l'Est

Ce centre, établi il y a plus de 30 ans, rassemble 20 des plus grands spécialistes de l'Asie de l'Est. On peut y étudier tout autant l'histoire, l'anthropologie, la littérature et le cinéma que les langues est-asiatiques. On y trouve aussi un centre de documentation remarquable, qui compte sur ses tablettes des dizaines de milliers de documents sur la Chine, le Japon, la Corée et le Vietnam.

Université de Montréal
www.cetase.umontreal.ca
Pavillon 3744, avenue Jean-Brillant,
bureau 420 • 514 343-5970

Association canadienne des études asiatiques

Cette association met en lien tous les spécialistes de l'Asie au Canada. Leur expertise ne se limite pas à l'Asie de l'Est et du Sud-Est. Le sous-continent indien fait aussi partie des zones d'expertise de cette immense banque d'experts.

Université Concordia
1455, boulevard de Maisonneuve Ouest
514 848-2280
canadianasianstudies.concordia.ca/htm/
main.htm

Le Montréal **chinois**

 82 660

 aucune religion (50 %),
catholicisme (20 %),
bouddhisme (19 %)

 mandarin, cantonais,
ouïghoure

Difficile aujourd'hui de nier l'importance de l'immigration chinoise dans le paysage montréalais. Les deux grandes portes ornées de dragons qui sertissent le Quartier chinois font partie des emblèmes de la ville. Colorées, festives, à l'image du Montréal chinois d'aujourd'hui, ces deux arches racontent cependant bien peu de choses sur la difficile arrivée des premiers Chinois à Montréal et sur l'entêtement des autorités canadiennes à leur rendre la vie impossible.

Le tout dernier Montréalais qui aurait pu témoigner sur ce pan sombre de l'histoire de l'immigration canadienne, James Wing, est décédé en 2008, moins de deux ans après avoir reçu des excuses du gouvernement canadien et un chèque de compensation de 20 000 $.

Mais son histoire et celle de ses pairs, elles, ne se sont pas éteintes avec lui. Certains des enfants et des petits-enfants des immigrants chinois de la première génération conservent la mémoire des souffrances qu'ont endurées leurs aïeuls pour s'installer au pays. Ingénieur dans la quarantaine, William Dere est l'un de ceux-là.

Comme 15 000 Chinois, le père de William Dere a quitté la Chine pour échapper à la famine et à la sécheresse qui dévastaient le sud de l'empire du Milieu à la fin du 19e siècle. Comme les autres, son père a été embauché pour construire le chemin de fer du Canadien Pacifique dans l'ouest du pays. Il envoyait tout ce qu'il pouvait du demi-salaire que lui versait la compagnie à sa femme et à sa jeune famille. «Dans les villages en Chine, les gens se cotisaient pour envoyer tous les hommes en bonne forme à l'étranger. La survie des villages en dépendait», raconte William Dere.

Quelques mois après que le ruban du nouveau chemin de fer eut été coupé par une poignée de notables, le Parlement, qui voulait montrer la porte de sortie aux travailleurs immigrants, a imposé en 1885 une *head tax*. Chaque travailleur chinois voulant s'installer au Canada à plus long terme devait payer 50 $, un montant appréciable à l'époque. Mais réalisant que le subterfuge ne fonctionnait pas très bien, le gouvernement a maintes fois majoré cette taxe, jusqu'à ce qu'elle atteigne 500 $ en 1903, soit l'équivalent de deux ans de salaire. C'est ce montant que le père de William Dere et la majorité des 2 224 Chinois qui se sont installés à Montréal entre 1885 et 1923 ont versé.

La *head tax* n'a pas été le seul épisode difficile de l'établissement des Chinois au Canada. Quand la mesure fut abolie en 1923, c'était pour être remplacée par un acte d'exclusion qui touchait presque tous les Chinois et qui interdisait à ceux qui s'y étaient installés précédemment de faire venir leurs enfants et leurs familles.

Jusqu'en 1947, tout juste 50 personnes originaires de Chine purent s'établir au Canada. La petite communauté qui était déjà à Montréal, en grande majorité dans le quartier qui est devenu aujourd'hui le Quartier chinois, avait l'air d'une enclave de célibataires esseulés.

Les lois canadiennes auraient pu avoir raison de l'immigration chinoise. Mais c'était bien mal connaître une des principales caractéristiques des Chinois d'ici : la persévérance.

«Mon père ne m'a jamais raconté ce qu'il a vécu. Je l'ai appris après sa mort. Les hommes comme lui ont enduré leurs souffrances sans dire un mot», note William Dere, qui avait sept ans quand lui, sa mère et ses frères et sœurs sont arrivés à Montréal dans les années 1950, dès que la réunification des familles a été permise.

Si la première génération s'est résignée à accepter l'injustice, ses enfants, eux, n'avaient pas cette patience. William Dere et une cohorte de jeunes Sino-Canadiens ont décidé dans les années 1980 qu'il était temps d'obtenir des excuses. Avec l'aide du cinéaste Malcolm Guy, William Dere a immortalisé cette lutte de 20 ans dans un documentaire.

Aujourd'hui, l'ingénieur-militant-documentariste ne cache pas qu'il est heureux d'avoir arraché des compensations pour les survivants et leurs veuves au gouvernement canadien en 2006, mais il note que la bataille n'est pas terminée. Les descendants des victimes décédées de la *head tax* n'ont pas touché un sou. «C'est une demi-victoire», constate-t-il.

William Dere constate encore aujourd'hui que l'injustice dont ont été victimes les premiers Sino-Canadiens a ralenti leur intégration sociale. Rejetée, la première vague d'immigrants chinois a eu énormément de difficulté à s'intégrer, tout autant socialement que linguistiquement. Économiquement, cependant, son histoire en est une marquée par le travail acharné et le succès.

Dès 1885, mis à l'écart, les premiers Chinois de Montréal – à cette époque, la plus grande ville du Canada – se sont lancés dans les affaires pour survivre.

L'ouverture de la première buanderie chinoise, en 1877, sur ce qui est aujourd'hui la rue Jeanne-Mance, a été suivie de plusieurs autres.

Dès 1901, les commerces chinois étaient déjà concentrés dans le secteur du centre-ville qui porte encore aujourd'hui le nom de Quartier chinois, bien qu'on y trouve un nombre important de commerces vietnamiens et coréens aux côtés des restaurants, épiceries et magasins chinois. Puisque les premiers arrivants chinois provenaient en grande partie du sud de la Chine, la gastronomie chinoise montréalaise est encore aujourd'hui à l'image de cette région.

Une vingtaine d'années passèrent avant qu'une troisième vague de Chinois n'arrive sur les rives du Saint-Laurent. Expo 67, symbole de l'ouverture de Montréal sur le monde qui coïncida avec l'entrée en vigueur d'un système de points à Immigration Canada, a marqué le début d'une nouvelle ère de migration.

Des étudiants et des gens d'affaires furent les pionniers de cette nouvelle génération qui a afflué en grand nombre à Toronto et à Vancouver, et en plus petites cohortes à Montréal. Les hommes d'affaires, arrivés dans les années 1980, étaient en grande partie originaires de Hong-Kong. À la veille de la rétrocession de la ville par la Grande-Bretagne à la Chine, ils cherchaient un peu de stabilité. Beaucoup d'entre eux, à la recherche du rêve américain, choisirent de s'établir dans des quartiers résidentiels cossus de Brossard plutôt que dans les ruelles chaotiques du centre-ville. Ils représentent aujourd'hui 20 % de la population chinoise de Montréal. À la suite du boom économique qui a transformé la Chine depuis la moitié des années 1990, plusieurs ont fait le voyage de retour vers l'Asie, tout en gardant un pied dans la grande région de Montréal.

Leur remplacement ne s'est cependant pas trop fait attendre. La quatrième vague d'immigrants, en provenance de la Chine continentale, a commencé à atterrir à l'aéroport de Dorval à la fin des années 1990. Éduquée, choisie pour ses compétences professionnelles, cette population investit maintenant tous les secteurs de l'économie montréalaise et transforme le visage du Montréal chinois, notamment en parlant mandarin dans un quartier chinois où le cantonais a longtemps régné en maître.

Les données de Statistique Canada démontrent que les deux dernières vagues représentent près de 75 % de la population chinoise de Montréal. Et ce n'est qu'un début. Après le Maghreb, la Chine est le principal pays de provenance des nouveaux immigrants québécois.

Les plus jeunes de ces immigrants, avec l'aide des Sino-Montréalais de la deuxième génération, ont commencé depuis moins de dix ans à s'approprier eux aussi une partie de l'espace urbain. Tout près de l'Université Concordia, dans l'ouest du centre-ville, ils imposent leur rythme et leur manière de voir les choses. Ce Chinatown 2, ou Chinatown de l'Ouest, comme ils l'ont baptisé, nourrit tout ce qu'il y a de population estudiantine à l'ouest de la rue Peel avec d'immenses platées de poulet du général Tao à 4,95 $. On y parle le français, l'anglais, le cantonais et le mandarin en alternance, et parfois pêle-mêle.

PARLEZ-VOUS CHINOIS?

Bonjour ➤ Ni Hao

Merci ➤ Zàijian

Au revoir ➤ Xiè Xie

1 DANS LE CALENDRIER

Le Nouvel An chinois (ou fête du printemps): fin janvier, début février

Fête principale du calendrier chinois, le Nouvel An est célébré tous les ans lors de la nouvelle lune. Il y a toujours à Montréal une variété d'activités et de spectacles, dont un défilé du dragon qui a lieu bon an, mal an depuis 1951 dans le Quartier chinois.

C'est cependant surtout en famille que l'on fête le Nouvel An. Les enfants sont au cœur des célébrations. On leur offre des cadeaux et de l'argent dans des enveloppes rouges.

Fête des lanternes: deux semaines après le Nouvel An

Cette fête clôt les festivités du Nouvel An. La nuit tombée, les familles sortent pour une promenade, une lanterne à la main. L'origine de cette fête serait une légende chinoise. Le conseiller d'un empereur aurait lancé la rumeur que le dieu du feu comptait incendier la ville. Pour déjouer la colère divine, les habitants auraient accroché des lanternes rouges à l'extérieur de leurs maisons, faisant ainsi croire que l'incendie avait déjà débuté. Le subterfuge aurait cependant eu un but plus noble: tout le brouhaha aurait permis à une servante d'aller voir sa famille.

Fête des disparus: 1er vendredi d'avril

Ce jour est sacré pour les familles montréalaises d'origine chinoise. Elles se rendent dans les cimetières de la ville pour rendre hommage aux disparus en époussetant leurs tombes.

Commémoration du massacre de Tiananmen: 4 juin

Des manifestations sont organisées dans le Quartier chinois pour commémorer le massacre du Tiananmen. Le 4 juin 1989, l'armée chinoise est intervenue sur la grande place pékinoise pour disperser les manifestants. Près de 2 000 personnes ont été tuées, selon l'estimation de la Croix-Rouge chinoise.

Festival de la Lune: mi-août

Des événements ont lieu dans la communauté pour saluer l'arrivée de l'automne. Notamment, un grand banquet est organisé au Ruby Rouge.

 ÉVÉNEMENTS

Festival de la culture chinoise de Montréal

Cette association n'organise pas un festival à date fixe, mais plutôt un ensemble d'événements ponctuant le calendrier et coïncidant avec les grandes fêtes chinoises. Le Nouvel An fait toujours l'objet d'une attention particulière.

www.culturechinoisemtl.org

Course internationale des bateaux-dragons: fin juillet

Fin juillet, dans le bassin olympique de l'île Notre-Dame, des dizaines d'équipes de 20 à 48 rameurs mettent à l'épreuve des mois d'entraînement lors d'une des courses les plus populaires de Montréal, qui puise son origine dans le folklore chinois.

112, rue De La Gauchetière Ouest, local 200
514 866-7001
www.montrealdragonboat.com

La magie des lanternes : septembre à novembre

Alors que les jours rétrécissent dangereusement, le Jardin de Chine du Jardin botanique de Montréal offre un dernier refuge contre la noirceur. Chaque année, des milliers de lanternes chinoises y sont accrochées, faisant le bonheur autant des petits que des couples d'amoureux.

www2.ville.montreal.qc.ca/jardin/jardin.htm

Miss Chinese Montreal

Depuis 1985, un concours de beauté a lieu chaque année dans le Quartier chinois. La Montréalaise qui remporte le concours se rend ensuite au concours de Miss Chinese International, en janvier. Quelques récipiendaires montréalaises ont réussi à faire leur marque dans le grand monde chinois : Christy Chung (gagnante de 1993) et Angela Tong (1995), toutes deux de Montréal, sont aujourd'hui des visages célèbres dans l'empire du Milieu.

www.geocities.com/chinesepageantpage

Carnet d'adresses

 MANGER

Kam Fung

Les affaires de Kam Fung roulent si rondement que le restaurant ne cesse de prendre de l'expansion au deuxième étage du centre commercial où il est situé... et sur la Rive-Sud, à Brossard, où une deuxième succursale doit bientôt ouvrir ses portes. Ses *dim sum*, tous meilleurs les uns que les autres, méritent leur popularité et la file d'attente du week-end. Essayer les petits pains au porc barbecue, c'est les adopter à jamais.

1071 & 1111, rue Saint-Urbain, local M05
514 878-2888 • Ⓜ Place-d'Armes

New Dynasty

La plupart y viennent le midi pour une grande platée de poulet du Général Tao ou de *chow mein* cantonais à prix d'ami. Mais ce restaurant, ouvert jusqu'à très tard dans la nuit, mérite qu'on s'intéresse à son long menu de dizaines de pages, rempli de plats copieux. Certes, les classiques de la cuisine chinoise adaptée aux palais québécois s'y retrouvent, mais si vous fouillez un peu vous pourrez aussi plonger les dents dans l'exotique.

1110, rue Clark • 514 871-8778
Ⓜ Place-d'Armes

Little Sheep Mongolian Hotpot

J'ai gardé d'un voyage en Chine d'excellents souvenirs de soirées passées autour d'un *hot pot* mongolien à discuter de tout et de rien en grignotant des morceaux d'agneau, de serpent ou de tripes cuits dans un bouillon aromatique. Vous ne trouverez pas de serpent au Little Sheep, mais tout le reste y est : les fines tranches de bœuf et d'agneau, les montagnes de légumes, de nouilles et d'étranges boules de poisson sans nom. Après avoir choisi vos victuailles, il faut les lancer dans le bouillon frémissant et les repêcher quand elles sont prêtes. Les enfants adorent. Les grands enfants aussi. Parfait pour une sortie en groupe.

50, rue De La Gauchetière Ouest
514 393-0888 • www.littlesheephotpot.com
Ⓜ Place-d'Armes

Ruby Rouge

Ce restaurant a la plus grande salle de banquet de tout le Quartier chinois. Presque tous les événements de la communauté chinoise y ont donc lieu : banquets du Nouvel An, mariages, collectes de fonds. Parfois, simultanément. Le midi, on peut y manger des *dim sum*. Le soir, des spécialités du sud de la Chine et des *hot pots*.

1008, rue Clark • 514 390-8828
Ⓜ Place-d'Armes

Hors du Quartier chinois
Niu Kee

Il faut quitter le Quartier chinois et traverser la rue pour trouver Niu Kee. On y vient et on y revient pour le poulet Kung Pao et les aubergines à l'ail, les crêpes aux échalotes et les très surprenantes boules de sésame en dessert. Très pratique pendant le Festival de jazz et les Francofolies, puisque ce secret bien gardé est à l'abri des grandes foules.

1163, rue Clark • 514 227-0464
Ⓜ Place-d'Armes ou Place-des-Arts

Lao Beijing

Son nom veut dire « Vieux Pékin ». Il est l'un des rares restaurants à Montréal à servir les spécialités du nord de la Chine. On dit le plus grand bien de son canard laqué.

5619, chemin de la Côte-des-Neiges
514 731-8978 • Ⓜ Côte-des-Neiges

Mei Le Café chinois

Atmosphère : voilà le petit ingrédient qui fait défaut à la grande majorité des restos chinois de Montréal, qui ne jurent que par les nappes jetables en plastique. Mais ici, l'atmosphère fait le charme de ce petit bistro sans prétention, mais ô combien cool du Mile-End !

5309, boulevard Saint-Laurent
514 271-5945 • Ⓜ Laurier

Sur la Rive-Sud
Foo Wor

Une des meilleures adresses de Brossard pour les *dim sum*. Les pieds de poulet y sont fameux.

8080, boulevard Taschereau
450 671-8820

Jardin du Sud

Un bistro typiquement hongkongais dans un centre commercial typiquement hongkongais. Reconnu pour ses currys et son thé au lait, typiquement... oui, vous avez deviné, hongkongais.

8080, boulevard Taschereau, Brossard
450 923-9233

SORTIR, BOIRE UN VERRE

Magic Idea

Repaire des jeunes Sino-Montréalais, cet endroit est l'expert du *bubble tea* à Montréal. Plusieurs dizaines de saveurs de ce thé au tapioca ultra sucré y sont offertes.

30, rue De La Gauchetière Ouest
514 868-0657 • Ⓜ Place-d'Armes

Red Opium

Avez-vous une bonne oreille pour les tons ascendants et descendants qui composent la langue chinoise ? Vous pourrez le tester ici en chantant l'une des centaines de chansons offertes dans ce karaoké chinois.

124, rue Prince-Arthur Est
514 842-9388 • Ⓜ Sherbrooke

FAIRE L'ÉPICERIE

Kim Phat

Cette épicerie qui appartient à des Chinois du Cambodge est un incontournable. Ses trois succursales vendent à peu près tout ce que vous retrouveriez sur les étalages des marchés de Pékin, de Taïwan ou encore de Saigon. D'ailleurs, tous les Asiatiques y trouvent leur compte.

Trois succursales :
7209, boulevard Taschereau, Brossard
450 678-9988

3733, rue Jarry Est • 514 727-8919
Ⓜ Jarry

3588, rue Goyer
514 737-2383 • Ⓜ Plamondon

Wing Cheong Hong

Difficile de passer à côté de cette épicerie, qui se trouve dans le même édifice commercial que le Ruby Rouge. Le week-end, le gérant se munit d'un micro et y annonce ses bas prix à tue-tête. L'inspiration, dit-il, lui est venue du Japon.

1008, rue Clark • 514 879-6999
Ⓜ Place-d'Armes

 MAGASINER

Le Quartier chinois est toujours un excellent endroit pour faire des courses. Ici se côtoient autant la Chine kitsch avec ses ombrelles et ses lanternes que la Chine nouvelle, avec ses thés haut de gamme et ses vêtements branchés... *made in China*.

Tien Hua Librairie

On y trouve des livres, des disques et des films ainsi que des bandes dessinées. Le tout en chinois et en vietnamien.

1112A, boulevard Saint-Laurent
514 954-1112

My cup of tea

Les jeunes propriétaires ont la passion infuse du thé, un liquide sacré qu'ils apprécient pour ses vertus autant médicinales que... romantiques. Dans leur boutique, récemment déménagée, ils vendent des thés haut de gamme ne contenant aucun produit chimique en plus de jolies théières.

1057A, boulevard Saint-Laurent
514 393-8800 • www.mcot.ca

 MÉDIAS

Journaux

La Presse chinoise
(The Chinese Press Eastern Inc.)

C'est l'ancêtre des journaux chinois de Montréal. Il est publié de manière hebdomadaire. On y lit des nouvelles sur la communauté chinoise tout autant que sur l'empire du Milieu.

514 397-9969
www.chinesepress.com

Sino-Québec

Écrit en chinois contemporain, c'est le petit dernier parmi les hebdos chinois. Fait intéressant : des Chinois de Montréal y écrivent toutes les semaines des minibiographies, racontant l'histoire de leur immigration.

1 800 906-5996
www.sinoquebec.com

Xin Hua News Agency

Agence de presse internationale qui publie en anglais des nouvelles de la Chine, mais aussi de la grande diaspora chinoise.

www.xinhuanet.com/english

Radio

Radio Centre-Ville 102,3 FM

Chaque semaine, Radio Centre-Ville offre cinq heures de programmation en chinois, dont *Bonjour Montréal*, le dimanche à 8 h. Les mardi, mercredi et jeudi, les émissions chinoises sont en ondes à partir de 22 h 30.

Télévision

CJNT, câble 14

Deux émissions traitant des nouvelles dans la communauté chinoise montréalaise sont présentées sur la chaîne multiculturelle : *Sino-Montréal*, lundi, 20 h, en cantonais, et *Ni Hao*, lundi, 20 h 30, en mandarin.

La chaîne multiculturelle présente aussi *Oriental Variety*, mardi, à 14 h. Cette émission de variétés est enregistrée en Chine et met en vedette des danseurs, des acrobates, des chanteurs.

Internet

411 chinois

Ce site web met en ligne une grande variété de commerces chinois du Canada au grand complet. Pour Montréal seulement, il y a des centaines d'adresses répertoriées.

20.cn411.ca/main0201.aspx?AreaID=514

En savoir plus

Associations

Ce ne sont pas les associations qui manquent dans la communauté chinoise. On dit pouvoir en dénombrer près de 300, mais voici quelques incontournables.

Services à la famille chinoise du Grand Montréal

Cet organisme a pour mission de faciliter l'intégration des nouveaux arrivants chinois à Montréal, notamment en offrant des cours de francisation. Il s'occupe aussi des personnes âgées.

987, rue Côté, 4ᵉ étage • 514 861-5244
www.famillechinoise.qc.ca/fr/index.php
Ⓜ Place-d'Armes

Centre Sino-Québec de la Rive-Sud

Petit frère des Services à la famille chinoise, Sino-Québec est le principal point de service pour la communauté chinoise sur la Rive-Sud.

7209, boulevard Taschereau, local 108
450 445-6666
www.sinoquebec.ca/fr/index.php

Centre communautaire et culturel chinois de Montréal

Ouvert en grande pompe en 2005, ce centre communautaire et culturel offre un large éventail de cours destinés tout autant aux Montréalais d'origine chinoise qu'aux sino-curieux. On peut donc y apprendre le mandarin ou le tai-chi ou encore assister à une conférence sur l'Opéra de Beijing.

Aux nouveaux arrivants chinois à Montréal, le centre offre des soirées de cinéma québécois.

1088, rue Clark • 514 788-8986
Ⓜ Place-d'Armes

Comme les **Chinois**

Cédric Sam a deux dadas : le web – il est webmestre à Radio-Canada – et la Chine, un des pays qui coulent dans ses veines, mais aussi dans celles de ses deux parents, des immigrants chinois originaires respectivement du Vietnam et de Madagascar. Il y a quelques années, il a décidé de marier ses deux passions. «Comme les Chinois» était né. Mi-blogue, mi-carnet d'adresses, ce site web est un petit bijou pour en savoir plus sur ce qui se fait de plus créatif et de plus excitant dans la diaspora chinoise montréalaise. «Je voulais faire quelque chose pour les jeunes de la deuxième et de la troisième génération», précise-t-il. Musique, nouveaux restos, portraits de «*movers* et *shakers*», concerts intéressants et impressions sur la Chine d'aujourd'hui, on trouve un peu de tout sur ce site web bilingue (anglais et français) qui fait aussi un clin d'œil à l'autre culture dans laquelle Cédric Sam a grandi : le Québec des années 1980. «Quand j'étais petit, je me suis fait pas mal niaiser à cause de la chanson de Mitsou.» Plus maintenant! **commeleschinois.ca**

Esprit **entreprenant**

Assis dans un café du boulevard Saint-Laurent, Zhao Jian essaie depuis de longues minutes d'expliquer pourquoi, selon lui, la Chine ne compte pas beaucoup de multinationales. «Tu vois, si un Chinois voit qu'un autre a réussi, il se demande pourquoi lui n'a pas tout fait pour réussir aussi bien. S'ils travaillent pour toi, ils apprennent de toi, puis, dès qu'ils le peuvent, ils te laissent tomber et se lancent en affaires.»

Cliché raciste? Il s'en défend bien. Arrivé lui-même du sud de la Chine il y a à peine dix ans, avec en poche un baccalauréat en électronique et beaucoup d'ambition, il est l'incarnation même de l'immigrant chinois qui ne s'est pas tourné les pouces. À son arrivée à Montréal, il a constaté que la communauté chinoise avait déjà plusieurs publications, mais il a néanmoins décidé d'en lancer une autre : le journal *Sino-Québec*, ainsi que le site web qui l'accompagne. «Les autres journaux ne sont pas mauvais, mais ils sont tous écrits en chinois traditionnel. Nous utilisons le chinois standard», s'enorgueillit-il. En plus de publier des nouvelles de la communauté chinoise, il imprime un résumé de nouvelles montréalaises et québécoises et donne aussi la parole aux immigrants chinois, qui racontent leur parcours dans des minibiographies.

Ses affaires marchent particulièrement bien. Zhao Jian publie chaque semaine un journal d'une trentaine de pages, avec un tirage de 10 000 exemplaires (*Le Devoir* a un tirage de 30 000) et emploie quatre personnes à temps plein. Sa visibilité est assez bonne dans la communauté pour qu'il n'ait pas à solliciter les annonceurs. Ces derniers communiquent directement avec le journal.

Que pense-t-il du Montréal chinois d'aujourd'hui? « Qu'il est divisé. Il existe 300 associations. Chacun s'associe aux autres immigrants qui proviennent de la même ville ou de la même université que lui. Aussi, il y a un décalage énorme entre les plus vieux immigrants et les nouveaux. Il va falloir construire des ponts entre les deux. » C'est la mission qu'il s'est donnée.

SE FAIRE DU BIEN...

Herbes médicinales

Il existe de nombreux magasins d'herbes médicinales dans le Quartier chinois. La plupart y ont pignon sur rue depuis de nombreuses années. **Chi Liang Lo** est l'un de ceux-là. En plus d'y trouver toute une panoplie de thés curatifs à base de ginseng et autres mixtures chinoises, on y découvre aussi des médicaments beaucoup plus rares, gardés dans des bocaux. Champignons séchés, ailerons de requins et racines de curcuma sont vendus avec une série de conseils.

55, rue De La Gauchetière Ouest
514 904-0132 • Ⓜ Place-d'Armes

Association de médecine chinoise et d'acupuncture du Canada

Vous cherchez un acupuncteur certifié ou une bonne adresse pour acheter des herbes médicinales chinoises? Passez-leur un coup de fil. Ils peuvent vous aiguiller.

154, rue Wellington, London (Ontario)
519 642-1970

Le **Falun Gong**

Difficile de faire abstraction du Falun Gong, un groupe religieux qui s'oppose au régime de Pékin avec une énergie étonnante. Sa présence dans le paysage montréalais ne peut être ignorée. Ennemi juré du gouvernement communiste chinois, le Falun Gong publie un quotidien, *The Epoch Times*, qui est distribué en anglais et en français à Montréal.

On peut rarement se rendre sur la place Sun Yat-Sen du Quartier chinois sans tomber sur trois fidèles du mouvement, armés de pancartes sur lesquelles ils exposent des photos des atrocités commises contre leurs membres par le gouvernement chinois.

Le Falun Gong organise aussi de nombreux événements publics. En 2008, il a attiré plus que jamais l'attention publique alors que la cour tranchait en faveur de *La Presse chinoise*, le plus vieux journal chinois de Montréal, dans la poursuite que le Falun Gong lui avait intentée pour propagande haineuse.

Le crime que reprochait le mouvement spirituel au rédacteur en chef, Crescent Chau, était la publication de lettres dénonçant le fonctionnement du Falun Gong. Ces lettres, signées par des individus, étaient selon le Falun Gong de la propagande gouvernementale. La Cour en a décidé autrement. Au nom de la liberté d'expression, le juge a tranché en faveur du journal, qui exposait avoir simplement publié des lettres de Montréalais d'origine chinoise qui, après avoir tourné le dos au Falun Gong, avaient voulu s'exprimer.

LIEUX DE CULTE

De confessions multiples, les croyants chinois pratiquent dans nombre de temples bouddhistes et d'églises, dispersés aux quatre coins de la ville. Mais une virée dans le Quartier chinois permet de réaliser un survol spirituel de la Chine.

Église chinoise pentecôtiste de Montréal

100, rue De La Gauchetière Est • 514 861-8097 • Ⓜ Place-d'Armes

Temple taoïste de la Reine du temple du ciel

1065, rue de Bleury • 514 866-0257 • Ⓜ Place-des-Arts

Association bouddhiste chinoise de Montréal

1072, boulevard Saint-Laurent • 514 875-2038 • Ⓜ Place-d'Armes

Chinatown de banlieue

L'agent d'immeubles Raymond Tsim a quitté Hong-Kong dans les années 1980 pour échapper aux turbulences politiques qui entouraient son île. Homme de journaux, Warren See l'a suivi en 1994, trois ans avant que Hong-Kong ne soit rétrocédé à la Chine. Michel Wong Kee Song, lui, a immigré de l'île Maurice après y avoir bien réussi en affaires.

Deux choses unissent ces trois hommes qui ne se connaissaient pas avant d'arriver au Canada. Ils ont tous la bosse des affaires et ils ont été parmi les premiers immigrants chinois à s'établir à Brossard plutôt qu'à Montréal pour faire leur vie.

«Brossard m'a toujours rappelé ma vie à Hong-Kong. Prendre le pont Champlain pour aller au centre-ville de Montréal me ramène à l'époque où je devais prendre le traversier pour me rendre au travail le matin», se remémore Raymond Tsim.

Ils n'ont pas été les seuls à être séduits par cette banlieue de la Rive-Sud. Beaucoup d'hommes d'affaires de Hong-Kong se sont joints à eux en débarquant au Canada. Récemment, des immigrants de la Chine continentale – choisis pour leurs compétences professionnelles – ont jeté leur dévolu sur Brossard. Aujourd'hui, forte de plus de 8 000 âmes, la communauté chinoise compte pour 12 % de la population de Brossard.

Et sa présence ne passe pas inaperçue dans le paysage. Sur le boulevard Taschereau, une vingtaine de boutiques asiatiques s'entassent dans deux centres commerciaux. «On ne le recommande à personne, mais quelqu'un pourrait vivre à Brossard en ne parlant que mandarin ou cantonais», dit Raymond Tsim en souriant.

Les banques du secteur ont des employés et des gérants qui parlent chinois, les restaurants sont bondés de membres de la communauté chinoise à l'heure du lunch comme en soirée. Plusieurs épiceries, spécialisées en produits asiatiques, desservent aussi cette population aisée.

«Parmi les Chinois, la notoriété de Brossard est telle que beaucoup de gens m'appellent de Hong-Kong ou de Chine continentale et me demandent de leur trouver une maison avant de prendre l'avion. Quand ils arrivent, ils ramassent leurs clés», témoigne Raymond Tsim, qui vend des maisons sur la Rive-Sud depuis près de 20 ans.

Les trois hommes d'affaires croient que la population chinoise de Brossard grandira vite au cours des prochaines années alors que les Sino-Montréalais, qui travaillent d'arrache-pied pour accéder à un petit bout du rêve américain, continueront de s'enrichir. «Je ne connais personne dans la communauté, surtout parmi les immigrés de la première génération, qui travaille moins de 60 ou 70 heures par semaine», remarque Warren See.

Le Montréal **vietnamien**

 30 510

vietnamien

bouddhisme (50 %),
catholicisme (25 %), taoïsme,
caodaïsme

É tait-ce la voix chevrotante ou une retenue empreinte de dignité ? Difficile à dire, mais le témoignage de Thi-Cuc Than à la commission Bouchard-Taylor, en décembre 2007, n'a laissé personne indifférent. Même les plus cyniques avaient la larme à l'œil quand cette Montréalaise dans la quarantaine a raconté la saga qu'a été sa vie. Les adieux déchirants et les promesses à ses parents sur une plage du Vietnam alors qu'elle n'avait que 18 ans et qu'elle s'embarquait avec ses cinq frères et sœurs cadets comme des milliers d'autres sur un radeau de fortune, espérant dériver vers des eaux meilleures. Les bras ouverts d'une famille de Granby que le malheur des Vietnamiens avait touchée. Les mille petits boulots qu'elle a trouvés pour payer ses études, mais aussi celles de tous les membres de sa famille. Et le témoignage du sentiment de fierté incommensurable lorsque le petit dernier a reçu son diplôme.

Oui, difficile de ne pas s'émouvoir devant autant de courage et de débrouillardise, surtout en prenant conscience que l'histoire de Thi-Cuc Than est celle de milliers de Vietnamiens de Montréal. Et de milliers de familles et d'organisations montréalaises qui les ont accueillis, écrivant un des plus beaux chapitres de l'histoire de l'immigration au Québec.

Les 35 000 Vietnamiens de Montréal n'ont pas tous été des réfugiés de la mer comme Mme Than. Avant l'arrivée de 10 000 réfugiés entre 1977 et 1980, des centaines de Vietnamiens de familles éduquées avaient déjà immigré au Québec pour y faire des études. Ceux que les Vietnamiens de Montréal appellent toujours les «étudiants» sont arrivés avant 1975 et ils forment encore aujourd'hui un réseau tricoté serré.

Avec le début de la guerre et la chute de Saïgon aux mains des communistes en 1975, une vague de professionnels – dont des pharmaciens, des médecins et des avocats – a immigré au Québec.

Les réfugiés de la mer, pour leur part, étaient issus de toutes les strates sociales de la société vietnamienne. Professionnels, paysans et marchands se sont entassés sur des bateaux, mettant leur vie en péril, pour fuir la guerre que le Vietnam menait contre le Cambodge. Le plus célèbre de tous ces réfugiés à s'être installé à Montréal a été le général Dang Van Quang. Le Vietnam communiste qu'il a fui l'accusait de s'être livré à la torture pendant la guerre.

Cependant, la plupart ne venaient pas au Canada pour échapper à la loi, mais pour fuir la pauvreté. Du Canada, ils étaient autorisés à envoyer de l'argent à leurs proches, ce qui leur aurait été impossible à partir des États-Unis. D'autres ont préféré faire venir leurs familles. De 1982 à 1990, des maris ont retrouvé leurs femmes et des enfants leurs parents dans le Montréal qui était déjà devenu leur nouvelle patrie.

Depuis les grandes arrivées de réfugiés des années 1980, Montréal n'a plus connu de grandes vagues d'immigration vietnamienne. À peine 25 % des Montréalais d'origine vietnamienne sont arrivés après 1990. La plupart d'entre eux ont immigré pour des raisons économiques.

INTÉGRATION PROFONDE

La place qu'occupent les Vietnamiens à Montréal est plus qu'évidente. Tout comme les Anglais qui ont fait du poulet *tikka masala* leur plat national, tout bon Montréalais qui se respecte connaît les secrets de la soupe *phò*. Le nom de famille Nguyen est le plus répandu au Québec, après Tremblay.

Mais l'intégration de la communauté vietnamienne montréalaise n'est pas que commerciale, comme ont pu le constater deux anthropologues, Éric Richard et Louis-Jacques Dorais, qui ont étudié des membres de la communauté pendant près de 20 ans, avant de publier en 2007 l'essai *Les Vietnamiens de Montréal*. Les auteurs constatent que l'intégration des immigrants vietnamiens et de leurs enfants est une histoire à succès bien montréalaise, ayant peu d'égales dans les autres lieux où les immigrants vietnamiens se sont établis.

Le taux d'obtention d'un diplôme universitaire en dit long. Alors que 14 % des Québécois détiennent un diplôme d'études supérieures, près de 30 % des Montréalais d'origine vietnamienne peuvent dire la même chose. Le domaine des sciences est particulièrement respecté dans la culture vietnamienne.

Linguistiquement, les Montréalais d'origine vietnamienne connaissent en très, très grande majorité (plus de 80 %) le français. Une personne sur deux parle aussi l'anglais.

Selon les deux anthropologues, les interactions constantes avec la société d'accueil autant que la force des associations vietnamiennes expliquent en partie cette intégration réussie. Le travail acharné des individus de la trempe de Thi-Cuc Than est fort probablement l'autre ingrédient magique.

UNE DEUXIÈME GÉNÉRATION SUPERSTAR

Les enfants de ces premiers travailleurs acharnés semblent avoir eux aussi la fibre du succès dans le sang. Ils sont très présents dans le milieu de la santé, mais plusieurs s'éloignent des sentiers sur lesquels leurs parents ont évolué depuis leur arrivée au Québec.

Une des figures de proue de cette génération est le designer de mode Andy Thê-Anh, chouchou du vedettariat québécois qui aime faire parader ses robes lors de galas de toutes sortes. On peut aussi penser à Kim Nguyen, réalisateur de *Truffe*, mettant en vedette Céline Bonnier et Roy Dupuis. Ou encore à Sue-Ann Pham, créatrice des sacs à main Concubine.

PARLEZ-VOUS VIETNAMIEN?

Bonjour et au revoir➤ Chaò Bà (femme), **Chaò Ông (homme)**

Merci➤ Cam On

1 DANS LE CALENDRIER

Fête du Têt, le Nouvel An vietnamien: fin janvier, début février (1ᵉʳ jour du calendrier lunaire)

Le plus important du calendrier vietnamien, le Nouvel An se fête surtout en famille, mais chaque année, bon nombre d'événements publics ont aussi lieu. Le traditionnel gâteau de riz du Nouvel An est un incontournable.

Fête des sœurs Trung: en mars (6ᵉ jour du 2ᵉ mois du calendrier lunaire)

La mémoire de ces sœurs, qui ont dirigé une révolution vietnamienne il y a 2 000 ans, est encore respectée par plusieurs en mars.

Fête des enfants: fin septembre, début octobre (15ᵉ jour du 8ᵉ mois du calendrier lunaire)

Deuxième plus grande célébration après le Têt, la Fête des enfants est célébrée au début de l'automne. Des plats spéciaux sont préparés pour les petits et des jeux leur sont réservés.

Journée des *boat people*: 30 avril

Des événements rappelant le sort des milliers de réfugiés de la mer se déroulent ce jour-là.

Fête de l'Indépendance du Vietnam: 2 septembre

L'événement célébré fait référence à un discours de Ho Chi Minh, prononcé en 1945. Ce jour-là, le leader communiste a déclaré l'indépendance du Vietnam du Japon et de la France, les deux puissances étrangères qui y sévissaient. Cependant, les Vietminhs allaient mettre 30 ans de plus avant de se débarrasser de l'occupant occidental.

Carnet d'adresses

 MANGER

Qui dit Montréal dit *soupe phô*, la soupe que les Vietnamiens aiment manger au petit-déjeuner, mais que les Montréalais ont adoptée à l'heure du lunch. Il y a des dizaines d'endroits où elle est servie dans l'île, mais certaines se démarquent.

Tay Ho

On devient vite accro à ce restaurant vietnamien, fréquenté tout autant par la faune de La Petite-Patrie que par les familles vietnamiennes. Si vous vous y pointez le dimanche matin, vous verrez beaucoup de gens sur leur 36, tout frais sortis d'une des pagodes de la ville. Essayez le plat de porc servi dans une sauce relevée ou le plat de poisson, tous deux très originaux. La terrasse y est fort sympathique.

6414, rue Saint-Denis
514 273-5627
Ⓜ **Beaubien**

Souvenirs d'Indochine

On y vient autant pour les plats raffinés que pour le chef, le charmant M. Hà. Il ne lésine jamais sur la qualité des aliments utilisés autant dans les plats en sauce que dans la soupe *phò*.

243, avenue du Mont-Royal Ouest
514 848-0336 • Ⓜ Mont-Royal

Phò Bac 97

Les journalistes de *La Presse* en ont fait leur cafétéria. Un bon endroit pour se réchauffer avec une soupe *phò* l'hiver ou pour planter les dents dans un rouleau printanier, bourré de menthe fraîche, de vermicelles et de crevettes l'été.

1016, boulevard Saint-Laurent
514 393-8116 • Ⓜ Place-d'Armes

Hoai Huong

Ce restaurant offre des plats que la plupart des autres restos vietnamiens n'ont pas au menu, dont les crêpes. Un délice sans prétention !

5485, rue Victoria
514 738-6610 • Ⓜ Côte-Sainte-Catherine

Dao Vien

Cet établissement de Côte-des-Neiges, où la communauté vietnamienne est très présente, est recommandé chaudement pour ses galettes de riz à la vapeur.

5623A, chemin de la Côte-des-Neiges
514 341-7120 • Ⓜ Côte-des-Neiges

 FAIRE L'ÉPICERIE

Près du marché Jean-Talon, aux intersections des rues Saint-Denis et Jean-Talon, on trouve plusieurs épiceries vietnamiennes. Il y a aussi une autre concentration de commerces sur l'avenue Querbes, dans Parc-Extension.

Marché oriental

C'est propre, ça sent bon et on y trouve absolument tout pour se concocter un repas vietnamien sans fausse note, de la soupe au dessert (les fruits exotiques y pullulent) en passant par les feuilles de riz.

7101, rue Saint-Denis • 514 271-7878
Ⓜ **Jean-Talon**

Marché Saigon

Cette épicerie vend aussi d'excellents sous-marins vietnamiens.

7099, rue Saint-Denis • 514 272-1332
Ⓜ **Jean-Talon**

 MAGASINER

Boutique Andy

C'est ici que l'on vient pour acheter... ou admirer les vêtements haut de gamme de Andy Thê-Anh. Ou pour voir une vedette magasiner pour le prochain gala.

Les Cours Mont-Royal
1455, rue Peel, local 313, 3ᵉ étage
514 842-4208 • www.andytheanh.com
Ⓜ **Peel**

Kim Video

Situé en plein cœur d'Outremont, Kim Video loue des films vietnamiens et chinois.

1246, avenue Van Horne
514 271-8348 • Ⓜ Outremont

Acheter en ligne

Concubine

Les créations de Sue-Ann Pham font tourner les têtes. Pigeant dans l'esthétique asiatique, mais résolument contemporains, ses sacs à main ornent les pages des revues féminines, de *Elle Québec* à *Clin d'œil*.

www.concubine.ca

 MÉDIAS

Journaux

Thoi Bao

Hebdomadaire publié dans plusieurs villes du Canada, il est distribué dans les restaurants vietnamiens de la ville. Les événements spéciaux, dont les concerts, y sont annoncés. En vietnamien seulement.

www.thoibao.com

Quôc-Gia

Ce bimestriel est publié par l'organisation Communauté vietnamienne de Montréal. L'essentiel du contenu est en vietnamien, mais on trouve aussi une section en français sur le site web.

514 340-9630 • www.vietnam.ca

Radio

Émission vietnamienne

FM 103,3

Tous les dimanches après-midi, la radio de la Rive-Sud cède l'antenne aux Vietnamiens du Grand Montréal pour une émission de cinq heures. Des entrevues, de la musique et des nouvelles. Tout ça se déroule en vietnamien.

Dimanche à 14 h

Nouvelles vietnamiennes

CFMB 1280 AM

Sur les ondes de cette radio consacrée aux communautés culturelles, une heure est réservée aux nouvelles de la communauté vietnamienne chaque semaine.

www.cfbm.ca

Radio TNVN

Un lien pour cette station de radio se trouve sur le site du journal *Thoi Bao*. Au menu : musique vietnamienne, nouvelles et talk-shows.

www.thoibao.com

En savoir plus

Centre culturel vietnamien Hong Duc

Ouvert en 2007, ce centre culturel abrite une école de langues, une bibliothèque et des troupes artistiques. Même s'il est tout neuf, ce centre culturel a déjà beaucoup d'histoire. La chorale Viet-Nam en chœur rêve de fonder un lieu de promotion de la culture vietnamienne depuis 1990. En plus des cours de vietnamien, on y offre des cours de taï-chi et de Qi-gong, un art martial vietnamien.

5789, rue d'Iberville • 514 374-6888
www.hongduc.org • Ⓜ Iberville

Petit fait cocasse

Le chiffre chanceux des Vietnamiens est le 9. Il représente la plus haute carte au jeu de *bakao*, très populaire au Vietnam.

De réfugié politique
à **réfugié artistique**

«**P**our venir ici, les immigrants font souvent un chemin difficile. Ils font énormément de sacrifices. Il n'y a rien de pitoyable à immigrer», raconte en sirotant un thé vert Thien Vu Dang. Réservé, l'artiste dans la trentaine, qui a pendant un certain temps évolué sous le nom de VJ Pillow, n'était a priori pas très chaud à l'idée de contribuer à un guide sur l'apport de l'immigration à Montréal. «Je ne suis pas très impliqué dans la communauté vietnamienne», avait-il avoué au téléphone, avant d'accepter l'invitation. Pourtant, sa propre histoire en dit long sur les Vietnamiens de Montréal. Thien Vu Dang est arrivé à Montréal avec la vague des réfugiés de la mer, après un voyage excessivement périlleux au cours duquel il a été repêché par un pétrolier indo-japonais.

Ses parents ayant choisi de s'établir dans le quartier Hochelaga-Maisonneuve, Thien est vite tombé dans la soupe aux pois. «Je suis plus Montréalais que Vietnamien. J'ai pu le constater quand j'ai fait mon premier retour au Vietnam en 2003», confie-t-il.

Et Montréalais, il l'est jusqu'au bout des doigts. Amoureux de l'image, magicien du montage, il considère que la très branchée Société des arts technologiques (SAT) est sa deuxième famille, et Monique Savoie, la directrice, sa mère artistique. «J'ai tout appris à la SAT. J'y ai été un réfugié artistique pendant trois ans», dit-il en riant.

Au début, il a trouvé un premier public pour ses montages vidéo dans les *raves* et les *after-hours* de la métropole. Mais à la SAT, il est passé de VJ à artiste visuel. Et c'est là qu'il a fait la rencontre de Jerry Snell, le metteur en scène et artiste interdisciplinaire canadien-anglais.

Ce dernier lui a proposé une aventure faite sur mesure : participer à un spectacle marquant le 30e anniversaire de la fin de la guerre du Vietnam. «Nous sommes rentrés dans la tête de Kissinger. Les parallèles avec l'Irak étaient assez faciles à faire», raconte Thien.

La collaboration, qui les a menés devant un public vietnamien, a duré trois ans. Thien en est revenu changé. Au retour, il s'est mis à apprendre la langue de ses parents et à s'intéresser à l'histoire de son pays d'origine.

Depuis, il travaille souvent en Asie. Mais il garde un pied bien à terre à Montréal.

Pour voir son travail :
www.vjpillow.com
www.minutemoments.com

LIEUX DE CULTE

Pagode Chùa Huyên Không

Lorsque les premiers immigrants vietnamiens se sont installés à Montréal, ils n'avaient nulle part où pratiquer leur religion. C'est donc dans le salon d'un d'entre eux, chez Ho Si Hiep, qu'est née la communauté bouddhiste qui a maintenant pour point de rencontre la pagode Chùa Huyên Không. Construite dans un ancien atelier de meubles, la pagode brille aujourd'hui comme un sou neuf, avec ses planchers immaculés et son immense statue de Bouddha. Les Vietnamiens y viennent prier Bouddha, mais depuis peu, des Sri Lankais et des Laotiens se sont joints à eux.

1292-1298, boulevard Rosemont • Ⓜ Rosemont

Pagode Quan Am

Le jardin de cette pagode, située en plein cœur d'un quartier industriel, est une véritable oasis de fraîcheur. La pagode, construite selon le modèle vietnamien, est ouverte aux questions des visiteurs. Mais nous avons été un peu surpris, lors d'une visite, de nous faire expliquer par un moine que le sort privilégié des hommes blancs de ce monde découle du destin karmique...

3781, avenue de Courtrai • 514 735-9425 • Ⓜ Plamondon

Église Saints-Martyrs-du-Vietnam

Plus de 600 familles fréquentent cette église catholique de Rosemont. Les services du dimanche se déroulent en vietnamien.

1420, rue Bélanger • 514 598-9648 • Ⓜ Fabre

Temple caodaïque de Montréal

Mélange de bouddhisme, de taoïsme et de confucianisme, le caodaïsme est né dans le sud du Vietnam. Cette religion, qui a pour guides spirituels Sun Yat-Sen, Victor Hugo, Jésus et Binh Khiem Nguyen, compte environ 70 adeptes à Montréal, où se trouve le seul temple caodaïste au pays, installé depuis plus de 10 ans dans une synagogue reconvertie.

7161, rue Saint-Urbain • 514 738-5160 • Ⓜ De Castelnau

Le Montréal **philippin**

 24 900

 catholicisme (85 %),
protestantisme (12 %)

 tagalog

Les mots « Philippines » et « migration » doivent certainement rimer en tagalog, la langue locale. Aucun pays au monde ne compte plus sur l'émigration des siens pour nourrir son économie et sa population. En tout, 10 millions de Philippins, femmes et hommes, travaillent à l'étranger. Si les hommes sont devenus l'épine dorsale de la marine marchande, les femmes, elles, exportent depuis longtemps leurs talents d'infirmières et de travailleuses domestiques. Le salaire que les émigrants reçoivent se transforme vite en bons de Western Union et atterrit dans les mains de leurs parents et enfants restés aux Philippines.

Sans eux, les Philippines seraient au bord du gouffre économique. Les Émirats arabes unis, Hong-Kong et l'Arabie saoudite crouleraient sous la carence de main-d'œuvre.

Montréal aurait du fil à retordre. Il faut se promener à Westmount pour voir les *nannies* philippines marcher côte à côte derrière des poussettes. Ou se rendre dans les usines, où les membres de cette communauté sont particulièrement présents. Souvent, ces travailleurs possèdent des diplômes qui leur permettraient d'occuper des emplois beaucoup mieux rémunérés, mais les retards dans la reconnaissance de ces diplômes les obligent souvent à prendre ce qui leur est offert. Il n'y a pas de temps à perdre. Chaque travailleur nourrit en moyenne cinq personnes dans sa ville d'origine.

La place importante qu'occupe le travail dans la vie des Philippins de Montréal ne les a pas empêchés de se regrouper. Malgré une immigration jeune – la première grande vague de Philippins est arrivée dans les années 1970 –, cette communauté est bien organisée et elle a vite su prendre sa place. La présence philippine est particulièrement marquée autour du métro Plamondon, sur les avenues Van Horne et Victoria avoisinantes. Presque tous les commerces philippins de la ville y sont regroupés. La population philippine montréalaise vit d'ailleurs majoritairement (60 %) dans ce secteur.

Élevés pour la plupart dans le giron catholique, les nouveaux arrivants de cette communauté trouvent souvent un premier cercle d'amis dans les églises catholiques et évangéliques qui leur sont destinées. D'autres, plus militants, ont l'embarras du choix pour s'engager dans des organisations à caractère social.

Tous s'inquiètent du sort de leur pays d'origine; en y envoyant de l'argent tous les mois, ils espèrent ainsi avoir leur mot à dire.

PARLEZ-VOUS TAGALOG ?

Bonjour ➤ Magandang umaga (matin), hapon (après-midi), gabi (soir)

Merci ➤ Salamat

Au revoir ➤ Ingat

 DANS LE CALENDRIER

Journée internationale de la femme : 8 mars

Chaque année, l'organisation Pinay, qui représente les travailleuses domestiques philippines, est au centre de l'organisation d'une marche et d'une conférence traitant de la situation des femmes dans le monde. Les dernières années, la conférence a eu lieu à l'Université de Montréal.

8marchcommittee.blogspot.com

Jour de l'Indépendance des Philippines : 12 juin

Une grande fête a lieu dans le parc Mackenzie-King, où l'on retrouve notamment une statue en l'honneur d'un auteur philippin, Jose Rizal.

Journée internationale des migrants : 18 décembre

Cette journée est soulignée dans les milieux qui militent en faveur des droits des travailleurs migrants.

 ÉVÉNEMENTS

Fiesta Sa Nayon : juin

Cette fête communautaire organisée par FAMAS (voir page 205) se déroule aussi dans le parc Mackenzie-King, près du métro Plamondon.

À surveiller

Chaque année, plusieurs stars de la chanson philippine et du calypso font un arrêt à Montréal. Les événements spéciaux sont annoncés dans les journaux philippins montréalais.

Carnet d'adresses

 MANGER

Il y a plusieurs restaurants philippins près du métro Plamondon. La plupart fonctionnent exactement comme ils le feraient aux Philippines, selon le mode du *turo-turo*. Turo signifie « montrer du doigt » en tagalog, et c'est exactement ce que vous devrez faire si vous visitez un de ces établissements. Tous les mets offerts sont présentés sur une table chaude. Il suffit de montrer du doigt pour choisir ou pour demander une explication.

La perle de Manille

C'est le plus connu des établissements philippins de Montréal. Ses spéciaux changent tous les jours. Les vedettes philippines qui viennent livrer un concert à Montréal y font immanquablement une halte.

5839, boulevard Décarie
514 344-3670 • Ⓜ Côte-Sainte-Catherine

Restaurant Papa

Le jour, on y vient pour un repas copieux pas cher du tout, les soirs de week-end, pour y chanter du karaoké philippin.

5955, avenue Victoria
514 658-1918 • Ⓜ Plamondon

Bahay Kubo

À la fois un restaurant et une pâtisserie, le Bahay Kubo sert une variété de spécialités philippines, dont l'*adobo*, un plat de porc mariné dans la sauce soya et le vinaigre, et le *dinuguan*, des viscères de porc macérés dans le sang. Pour les aventuriers gastronomiques...

4735, avenue Van Horne
514 733-1841 • Ⓜ Plamondon

 FAIRE L'ÉPICERIE

Coopérative philippine de solidarité

Le choix de produits y est limité, mais la Coopérative philippine est néanmoins un bon endroit pour acheter quelques aliments, de l'artisanat et pour ramasser un des journaux philippins... en plus d'appuyer une bonne cause.

4711, avenue Van Horne
514 733-8915 • Ⓜ Plamondon

Fiesta Pilipino

Ce tout petit local regorge de découvertes pour les novices de la cuisine philippine, dont une panoplie de desserts plus colorés les uns que les autres. Le *biko*, un riz gluant mauve au lait de coco saupoudré de noix, contient fort probablement une drogue secrète. Il semble impossible de poser sa cuillère après en avoir

pris une première bouchée. On y trouve aussi des *duron*, beignets aux bananes enfilés sur un bâton et servis avec une sauce sucrée.

5980, avenue Victoria
514 341-7441 • Ⓜ Plamondon

 MAGASINER

Mégastar supervidéo et variétés

Ce magasin est autant un club vidéo qu'un centre de service pour les Montréalais d'origine philippine qui veulent expédier denrées et argent à leurs familles. On peut aussi y acheter les derniers disques en provenance de Manille.

4731, avenue Van Horne
514 341-8913 • Ⓜ Plamondon

 MÉDIAS

Filipino Forum

Ce journal mensuel anglophone a un tirage de plus de 10 000 exemplaires. On peut se le procurer dans les commerces et restaurants philippins autour de la station de métro Plamondon.

2054, rue Véniard, Saint-Laurent
514 334-4055

Filipino Star

Ce journal mensuel est publié en anglais. On peut y lire des nouvelles de la communauté et des Philippines, mais d'abord et avant tout des potins de starlettes philippines.

4950, chemin Queen-Mary
514 485-7861 • www.filipinostar.org

Internet

www.filipino.ca

Forums, blogues, petites annonces, publicités pour des événements culturels du grand monde philippin : ce site web est particulièrement populaire auprès des jeunes dans la vingtaine. Il relie la diaspora philippine d'un océan à l'autre.

En savoir plus

PINAY

La plus visible des organisations philippines (voir page 207), PINAY, qui signifie « femme » en philippin, défend la cause des quelque 2 000 travailleuses domestiques philippines qui vivent à Montréal.

514 364-9833
pinayquebec.blogspot.com

FAMAS (Association des Philippins de Montréal et banlieues)

Cette organisation, qui possède un local sur l'avenue Van Horne, organise de nombreux événements communautaires. On y enseigne l'art martial philippin aux enfants le soir après l'école. Il y a aussi un cours d'autodéfense proposé aux femmes. Les nouveaux arrivants, pour leur part, peuvent y suivre des cours de français.

4708, avenue Van Horne
514 341-7477 • Ⓜ Plamondon

Centre d'appui aux Philippines

Fondée en 1982, cette organisation de gauche tente de faire mieux connaître au Québec les enjeux qui touchent les Philippines. Elle organise des soirées thématiques, des manifestations.

6420, avenue Victoria, local 9
514 342-2111

Centre Kapit Bisig

Ce centre communautaire abrite nombre d'organisations philippines, dont l'Alliance nationale des femmes philippines du Canada

et Kabataang Montréal, qui travaille auprès des jeunes Philippins.

4900, rue Fulton • Ⓜ Snowdon
Ouvert de 11 h à 16 h la semaine
et de 10 h à 18 h la fin de semaine

Panday Tinig

Installée à Côte-Saint-Luc, la chorale Panday Tinig interprète des chansons traditionnelles philippines. L'ensemble a notamment enregistré des chansons pour accompagner un documentaire de la cinéaste montréalaise Marie Boti et a livré un concert au très célèbre Carnegie Hall de New York. Cet ensemble montréalais a été maintes fois décoré.

514 485-7281 • www.pandaytinig.com

Compagnie de danse Filipinia

Cette troupe de danse, fondée par Laetitia Bulotano-Wheeler, s'est forgé au cours de ses quelque 30 ans d'existence une réputation solide : la liste de récompenses reçues fait l'objet de deux pages sur son site web. Regroupant de jeunes danseurs et musiciens montréalais, Filipinia exécute les danses traditionnelles philippines puisées dans les divers héritages des îles en plus de danses polynésiennes.

www.geocities.com/fildancomtl

Église Saint-Malachy

Les cours offerts dans cette église catholique fréquentée par les Philippins (ils représentent 70 % des fidèles) sont destinés principalement aux jeunes Montréalais d'origine philippine, nés au Québec. Il arrive que des cours aux adultes soient aussi offerts. Les cours ont lieu le dimanche à 12 h 30. En plus du tagalog, on y enseigne l'histoire et la culture philippines.

5330, avenue Clanranald
514 486-6358 • Ⓜ Snowdon

Collège Gilmore

Fondé par une Montréalaise d'origine philippine, ce collège privé du chemin Queen-Mary offre de nombreux cours particuliers à l'attention des nouveaux immigrants. Ils y apprennent tantôt l'anglais ou le français, tantôt l'informatique et le commerce international.

4950, chemin Queen-Mary
514 485-7861 • Ⓜ Snowdon

C'EST QUOI ÇA?

Balut – ça a l'air d'un œuf et c'en est un. La seule différence avec l'œuf que vous avez dans votre frigo est que le *balut* abrite un fœtus de poussin en plein développement. Oui, oui! L'œuf fermenté est mangé bouilli, avec un peu de sel, et a la réputation de renforcer le métabolisme... et de réveiller la libido.

LIEUX DE CULTE

Église Saint-Kevin

Cette église est fréquentée par la communauté philippine. Plusieurs événements spéciaux y sont soulignés chaque année, dont le Sinulog, un festival philippin d'une durée de neuf jours, célébré dans la ville de Cebu.

5600, chemin de la Côte-des-Neiges • 514 733-5600 • Ⓜ Côte-des-Neiges

Mission catholique Notre-Dame-des-Philippines

Tous les derniers dimanches du mois, on y offre un service en tagalog. Mais des services s'y déroulent aussi en anglais les mercredis et vendredis soirs.

8500, boulevard Saint-Laurent • 514 387-5292
fcmm.homestead.com/mission.html
Ⓜ Crémazie

Iglesia Filipina Independiente (Église philippine indépendante)

Cette congrégation hors norme tient une messe par semaine le dimanche à 17 h dans l'église anglicane Saint-Paul, sur le chemin de la Côte-Sainte-Catherine. Contrairement à la majorité des églises philippines, qui suivent religieusement les enseignements du Vatican, l'*Iglesia independiente*, même si elle est catholique de foi, ne reconnaît pas l'autorité du pape. Cette église politisée a été fondée aux Philippines en 1902, alors que la population locale tentait de conquérir son indépendance. Aujourd'hui, cette même église prêche en faveur de réformes politiques et agraires, dans un pays où la pauvreté est la norme.

Église anglicane Saint-Paul
3970, chemin de la Côte-Sainte-Catherine • 514 735-6829

La dynamo **philippine**

Ah maman, t'es là? Je te cherchais partout», dit une jeune femme à Évelyne Kalugai en la croisant à la sortie du Centre des travailleurs migrants, dans le quartier Côte-des-Neiges.

La petite sexagénaire la prend dans ses bras. «Viens manger avec nous, ma fille.»

En chemin pour le restaurant, la militante qui se bat pour la reconnaissance des droits des travailleurs migrants m'explique que la jeune Philippine n'est pas sa fille de sang. Mais que puisque cette dernière est sans famille à Montréal depuis huit ans, elle lui a ouvert volontiers les bras et l'a guidée dans le difficile dédale de l'adaptation à la vie montréalaise.

Évelyne Kalugai a, en la matière, plusieurs longueurs d'avance. Infirmière de formation, elle est arrivée au Québec avec la première vague d'immigrants en provenance des Philippines. Elle a elle aussi été séparée de sa famille pendant un certain temps avant de pouvoir faire venir son mari et ses deux fils, biologiques ceux-là. «Pour moi, ça n'a duré que quelques mois et déjà, ça a été difficile. Ça me brise le cœur de voir certaines travailleuses domestiques qui n'ont pas vu leurs enfants depuis plusieurs années», dit-elle.

Infirmière à l'hôpital Douglas, Évelyne Kalugai aurait pu se dissocier des vagues d'immigration philippines, poussées par la pauvreté, qui ont suivi la sienne. Outrée par l'injustice que plusieurs nouvelles arrivantes subissent et écoutant les conseils de ses deux fils, elle a décidé de s'impliquer activement pour améliorer les conditions de travail des travailleuses domestiques migrantes, désavantagées par les lois canadiennes et gardées trop souvent à la merci de leurs employeurs.

Au sein de PINAY, l'organisation qui regroupe plus de 200 travailleuses domestiques philippines, elle mène bataille après bataille. La plus difficile a été la lutte qu'elle a menée pour que Milcah Salvador, une travailleuse domestique, ne soit pas renvoyée aux Philippines par son employeur parce qu'elle était enceinte. La victoire a été de courte durée. Milcah Salvador est décédée d'un cancer à l'hiver 2009.

Après 30 ans de loyaux services, Évelyne Kalugai est aujourd'hui retraitée de l'hôpital Douglas, mais sa deuxième carrière de militante sociale, elle, est loin d'être terminée. Le petit bout de femme bourré d'énergie entend se battre pour que les travailleuses domestiques aient droit à la CSST en cas d'accident et pour que le délai de carence imposé par le gouvernement aux nouveaux immigrants en matière de soins de santé disparaisse. «Il y a 30 ans, je n'aurais pas pu me battre ainsi. J'avais été élevée avec la mentalité catholique de résignation. Mais Montréal m'a permis de voir les choses d'un autre œil. Sans culpabilité. Aujourd'hui, je peux donner le pouvoir à d'autres femmes pour qu'elles trouvent un équilibre dans leur vie.»

Le Montréal **japonais**

 3 855

japonais

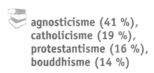 agnosticisme (41 %),
catholicisme (19 %),
protestantisme (16 %),
bouddhisme (14 %)

Quand elle est arrivée à Montréal avec sa mère, Jackie Stevens était doublement désorientée. Née en Colombie-Britannique dans une famille japonaise, les Hayami, elle avait été déracinée deux ans plus tôt par le gouvernement canadien et envoyée dans un des camps d'internement. Vingt-deux mille Japonais, dont 17 000 qui avaient la citoyenneté canadienne comme Jackie, ont subi le même sort. Cette décision, décriée aujourd'hui, avait été prise au lendemain de l'attaque de Pearl Harbor de 1941. En 1943, quand les portes du camp se sont ouvertes, la famille de Jackie était éparpillée aux quatre coins du Canada.

Il n'était pas question de retourner sur la côte ouest. « Nous avons retrouvé mon père à Montréal. La situation était difficile. Nous étions japonais et la guerre n'était pas finie », raconte-t-elle en anglais, presque en riant.

Malgré le racisme ambiant et leur méconnaissance de la langue de Gérald Godin, Jackie et sa famille ont pris racine dans l'Ouest-de-l'Île et y ont prospéré. Jackie a marié un Montréalais et a mis au monde trois beaux enfants. Aujourd'hui, ils ont tous quitté Montréal.

L'histoire de Jackie raconte à elle seule la première vague d'immigration japonaise qui est arrivée sur l'île de Montréal beaucoup plus par hasard que par choix ainsi que le sort des générations qui ont suivi. « La communauté japonaise originelle de Montréal ne grandit pas, elle rapetisse », convient Jackie. Mais elle ne disparaît pas pour autant. D'autres petites vagues d'immigration dans les années 1960, composées surtout de professionnels hautement qualifiés ainsi que de gens d'affaires, ont grossi ses rangs et compensé pour les départs. Aujourd'hui, bon an, mal an, des centaines d'étudiants japonais choisissent Montréal pour y faire leurs études universitaires. Les universités Concordia et McGill sont leurs principaux ports d'attache. Cependant, ces derniers, de passage, ne sont pas l'âme de la communauté japonaise de Montréal. Les descendants des premiers immigrants qui ont décidé de rester à Montréal sont peu nombreux, mais ils sont hyperactifs. La plupart d'entre eux ne parlent pas japonais, mais restent profondément attachés à la culture de leurs parents et de leurs grands-parents. Ils organisent un festival culturel chaque année, font partie d'un groupe de batteurs traditionnels, concourent dans le bateau japonais lors de la course annuelle des bateaux-dragons ou nourrissent un blogue sur la communauté japonaise de Montréal.

À leur manière, ils ont fait de la communauté japonaise une des plus soudées de la métropole et une des plus inclusives : beaucoup de japonophiles de toutes origines contribuent au rayonnement de la culture japonaise à Montréal.

PARLEZ-VOUS JAPONAIS ?

Bonjour ➤ Konichiwa

Merci ➤ Arigato

Au revoir ➤ Sayonara

 **DANS LE CALENDRIER**

Sakura : printemps

Le cerisier, le *sakura*, et ses fleurs constituent pour les Japonais le parfait symbole de la beauté et de l'éphémère. Au printemps, les Japonais suivent attentivement à la télévision les prévisions météorologiques de la floraison des *sakura*, qui donne lieu à l'un de leurs plus importants festivals. À Montréal, les Japonais se rendent au Jardin botanique pour célébrer cette période du calendrier, particulièrement de bon augure.

 ÉVÉNEMENTS

Bazar annuel : novembre

Le bazar annuel de la communauté a lieu au début de novembre. C'est la halte parfaite pour faire le plein d'antiquités japonaises, de pâtisseries faites maison et de jouets. Il a lieu à l'église Saint-Columba, située au 4020, rue Hingston dans Notre-Dame-de-Grâce.

Festival Matsuri Japon : août

Organisé par les jeunes Montréalais d'origine japonaise issus de la troisième génération, cet événement, qui a lieu tous les ans en août au quai de l'Horloge du Vieux-Port, met en vedette les arts et les divertissements japonais.

festivaljapon.com

Otakuthon, colloque d'animation : fin juillet, début août

Otaku est un mot japonais qui désigne des individus qui se sont retirés du monde pour vivre presque uniquement dans le cyberespace. Ils ne sont pas des tonnes à vivre ainsi à Montréal, mais ils sont des milliers à avoir en commun avec les *otakus* l'animation, les jeux vidéo et les mangas japonais. Né à Concordia, l'Otakuthon, qui est en quelque sorte un salon de tout ce qui intéresse les *otakus*, a grandi et grandi jusqu'à recourir désormais au Palais des congrès comme lieu de jamboree annuel.

www.otakuthon.com/fr

Carnet d'adresses

MANGER

Il y a toute une pléiade de restaurants japonais à Montréal. Cependant, il faut noter que la ville compte à peine une dizaine de chefs réellement originaires du Japon.

Jardins Sakura

Chez Sakura, rien n'a été laissé au hasard. Dans cette institution trentenaire, le poisson est importé directement du Japon. Le chef, qui travaillait dans un chic hôtel de Tokyo avant d'arriver au Canada, prépare avec maestria des sushis traditionnels. On vient chez Sakura pour une authenticité sans compromis. Et pour rencontrer Mme Ishii ! (Voir page 213.)

2170, rue de la Montagne
514 288-9122 • M Peel

Juni

Le chef Junichi Ikematsu a donné son nom et met toute son âme pour faire de cette adresse un temple du savoir-faire culinaire. On peut y manger tout autant traditionnel que fusion.

156, avenue Laurier Ouest
514 276-5864 • www.juni.ca
M Laurier

Bistro Isakaya

Le parfait arrêt avant ou après un film au cinéma du Parc. Tout y est bon : des champignons japonais cuits à la vapeur en entrée aux sushis de la maison. La facture, elle, est beaucoup plus douce que dans les deux autres restaurants suggérés. L'authenticité est néanmoins tout autant au rendez-vous.

3469, avenue du Parc
514 845-8226 • www.bistroisakaya.com

Yuki Bakery

Cette pâtisserie-bistro attire une clientèle jeune et jolie, qui y vient pour déguster les décadents gâteaux de Yukiko Sekiya. Parmi ses créations, on trouve notamment un gâteau au fromage au thé vert japonais.

5211, rue Sherbrooke Ouest
514 482-2435 • www.yukibakery.com
M Vendôme

 SORTIR

Jardin du pavillon japonais du Jardin botanique

Rien de mieux pour se relaxer les méninges qu'un petit détour par le jardin japonais du Jardin botanique. L'endroit est aussi le décor de plusieurs fêtes de la communauté japonaise, qui joue un rôle actif dans sa gestion.

www2.ville.montreal.qc.ca/jardin/en/
japonais/japonais.htm

 FAIRE L'ÉPICERIE
Miyamoto

Principale épicerie japonaise de Montréal, Miyamoto vend une large variété de produits. Des cours de cuisine y sont souvent offerts.

382, avenue Victoria
514 481-1952
www.sushilinks.com/miyamoto/index.html
M Vendôme

Épicerie japonaise et coréenne

(Voir Le Montréal coréen, page 219.)

 MAGASINER
Banzai

Flanqué d'un marché oriental, ce dollarama japonais est unique en son genre à Montréal. Les Hello Kitty y sont rois.

2120, boulevard Décarie
514 484-4529
www.banzai99.com/index2.htm
M Vendôme

Collection du Japon

Ce magasin-galerie se trouve dans le très branché édifice Belgo, temple de l'art contemporain montréalais. Pourtant, ce qui y est vendu n'a rien de *flyé* : on y vient pour trouver de beaux objets traditionnels japonais, dont de magnifiques kimonos, des boîtes *bento* et des théières. La propriétaire enseigne fréquemment la cérémonie du thé et vend uniquement le thé vert R. Uchiyama, importé d'une plantation familiale située à Tenryu, au Japon. Une sélection de livres sur les traditions japonaises y est aussi en vente.

460, rue Sainte-Catherine Ouest, local 423
514 393-1342
www.collectiondujapon.com
Ⓜ Place-des-Arts ou McGill

Au papier japonais

Ce commerce n'appartient pas à des Japonais, mais cela ne l'empêche pas d'être un temple du raffinement où l'on peut se procurer des papiers japonais d'une grande finesse, fabriqués selon la technique ancestrale du *washi*. Des cours sur l'art de l'emballage et de la calligraphie nippone y sont offerts.

24, avenue Fairmount Ouest
514 276-6863
www.aupapierjaponais.com
Ⓜ Laurier

Ryoko Wada – Fabrique de kimonos

La designer montréalaise Ryoko Wada ne vit plus sous les jupes de sa mère, mais elle est encore liée de très près aux kimonos de sa grand-mère. Ces derniers ont été l'inspiration de ses collections de porte-monnaie et de foulards, tous fabriqués à même un ancien kimono. Les revues de mode en raffolent.

www.ryokowada.com
Vendu à la boutique Royer
207, avenue Laurier Ouest
514 273-8111
Ⓜ Laurier

 MÉDIAS

Journaux

Montreal bulletin

Un bulletin publié en anglais et en japonais par le Centre communautaire des Canadiens japonais de Montréal.

514 723-5551
montrealbulletin@bellnet.ca

Coco Montréal

Publication en japonais, produit d'une collaboration entre la troisième génération d'immigrants et les étudiants japonais qui poursuivent leurs études à McGill et Concordia.

www.cocomontreal.com
info@cocomontreal.com

Internet

Blogue montréalo-nippon

Blogue intéressant pour en savoir plus sur la communauté japonaise à Montréal et sur les nippon-tripeux (ils sont nombreux).

community.livejournal.com/mtljapanese

En savoir plus

Associations

Centre culturel des Canadiens japonais de Montréal

Construit avec la compensation financière que les Canadiens japonais ont reçue du gouvernement canadien en 1988 pour leur internement dans des camps pendant la Deuxième Guerre mondiale, ce centre est un excellent point de départ pour mieux connaître autant la communauté japonaise de Montréal que la culture japonaise. La bibliothèque, bien nantie, possède 140 000 livres et 1 400 vidéos japonaises. Des cours de japonais et d'arts martiaux y sont aussi offerts. Une église catholique, fréquentée par des Montréalais d'origine japonaise, flanque le centre.

8155, rue Rousselot
514 728-1996
www.geocities.jp/jcccmcanada
Ⓜ **Jarry**

Arashi Daiko

Depuis 25 ans, ce groupe montréalais se passionne pour le *taiko*, le tambour japonais. D'ailleurs, son nom signifie «les tambours d'enfer». Il donne fréquemment des représentations au centre Pierre-Péladeau et offre des ateliers à ceux qui veulent canaliser leur énergie sur la peau d'un *drum*.

Voir adresse du centre culturel.
www.arashidaiko.org

Apprendre (écoles de langues, d'art, de danse)

The Montreal Japanese Language Centre

Ce centre, qui prodigue ses cours dans les locaux du collège Notre-Dame, est d'abord destiné aux enfants d'immigrants japonais et vise à leur apprendre la langue du pays de leurs ancêtres tout autant que la culture. Mais les japonophiles de tout acabit sont aussi les bienvenus pour les cours aux adultes.

Pour renseignements et inscription:
www.mjlc.qc.ca

Pour les cours:
Collège Notre-Dame
3791, chemin Queen-Mary
514 739-1218

Société de bonsaï et de penjing de Montréal

Vous avez toujours été fasciné par l'amour débordant que certains confèrent aux arbres nains du Japon? Cette société est le parfait point de chute pour vous. En plus de rassembler tout ce que Montréal compte d'amoureux du bonsaï, l'association enseigne aux novices tout le nécessaire pour se munir de leur propre arbre en pot.

514 252-1153
www.bonsaimontreal.com

Calligraphie japonaise

La fondatrice de cette école a appris la calligraphie d'un des plus grands maîtres japonais. Depuis 1980, Mme Okata enseigne à son tour la maîtrise du pinceau et de l'encre à des étudiants montréalais. Les cours sont donnés sur une base individuelle.

Hiroko Okata
514 488-7956
mtl-jpnshodo.ca/index-eng.html

Tir à l'arc japonais
Kyudo-Suiko Québec

Le tir à l'arc se pratique au Japon depuis la préhistoire. Mais le *kyudo* n'est pas qu'une technique de tir, c'est un art martial complexe et complet. L'arc utilisé, le *yumi*, est de très grande taille. Plus de 500 000 personnes pratiquent le *kyudo* dans le monde. À Montréal, cette association les regroupe et organise des séances d'entraînement à Montréal, à Pierrefonds et à Saint-Étienne-de-Bolton.

514 747-4224
www.suiko.org

Judo
Club de judo Shidokan

C'est ici que le médaillé olympique Nicolas Gill s'entraîne, sous la supervision de Hiroshi Nakamura. Possédant une ceinture noire de huitième dan, ce dernier a été formé dans la meilleure école de judokas du Japon avant de s'installer à Montréal. Parmi tous les arts martiaux pratiqués au Québec, le judo est l'un des plus populaires dans la province. On estime que 10 000 personnes le pratiquent.

5319, avenue Notre-Dame-de-Grâce
514 481-2424
www.shidokanjc.ca • Ⓜ Villa-Maria

À surveiller

Douce folie japonaise – Les doux cactus

Ils sont Canadiens français, blancs comme du sucre en poudre. Ils sont incapables de tenir une conversation en japonais. Mais pourquoi cela les empêcherait-il de chanter dans la langue de l'empereur Hiro-Hito ? Et du country en plus ! Les doux cactus ont déjà un CD à leur actif et leur travail ne passe pas inaperçu. Ils ont autant d'admirateurs à Montréal qu'au Japon, où ils ont déjà fait une tournée.

www.lesdouxcactus.com

Dans l'antre de **Mama San**

L e rendez-vous a été arrangé la veille. « Il faut que tu rencontres la matrone des restaurants japonais », m'avait dit un ami. Au téléphone, la voix de Noriko Ishii n'avait pourtant rien d'autoritaire. Matrone ? L'image dans ma tête était davantage celle d'une aubergiste allemande que celle d'une délicate Japonaise, propriétaire d'un établissement réputé.

Mais j'allais vite comprendre l'allusion. Noriko Ishii règne sur Sakura, son restaurant de la rue de la Montagne, comme une reine sur son royaume. Et elle le fait depuis maintenant plus de 30 ans.

Ses clients lui vouent un véritable culte. Le soir de ma visite, un joueur du Canadien, une vedette de la télévision et un musicien de jazz lui ont tous sauté au cou en arrivant dans le restaurant. « Comment vas-tu, Mama San ? » lui demandent-ils immanquablement.

La Japonaise au début de la soixantaine a mérité son surnom de « maman chérie » : elle accorde à tous ses clients une attention maternelle. Elle connaît le nom de leurs enfants, leur date d'anniversaire et l'état de santé de leur mère.

« Je suis ici tous les soirs, confie la restauratrice, car si je m'absente, ne serait-ce qu'une heure, je manque toujours la visite de quelqu'un. » Il devient vite clair que la clientèle, triée sur le volet, vient ici tout autant pour l'extraordinaire sushi que pour la propriétaire des lieux.

Quand elle reçoit, Mama San donne une véritable représentation. Dans des verres à champagne, la délicate sexagénaire vêtue d'un kimono, orné de l'obi traditionnelle, verse son meilleur saké tout en décrivant chaque morceau de sushi. Les oursins ultra frais excitent les papilles gustatives, un morceau prélevé de l'estomac du thon, le toro, fond comme du beurre dans la bouche.

Pendant qu'elle réapprend à son invité à manger des sashimis correctement (en pigeant dans l'assiette commune avec le bout épais des baguettes et en enroulant le sashimi dans les légumes frais disposés dans l'assiette), Mama San raconte son coup de cœur avec Montréal.

Originaire de Kochi City, dans le sud du Japon, elle avait 21 ans quand elle est allée étudier à Paris. Francophile, elle adorait la Ville lumière, mais cherchait une ville bourrée d'occasions d'affaires pour s'y installer indéfiniment. Quand elle a appris que Montréal serait la ville-hôte de l'Exposition universelle de 1967, elle a décidé d'y faire un petit séjour. « Il y avait un ou deux restaurants japonais. Notre culture n'était pas encore très connue », dit-elle. À l'époque, elle était un phénomène : une femme japonaise qui se lançait seule en affaires était un miracle.

Son Sakura – inspiré du nom des fleurs du cerisier au printemps – a vu le jour juste à temps pour le grand rendez-vous qui a introduit le reste du monde... et Mme Ishii au Québec. Rapidement, elle inspira des passions pour la cuisine japonaise à beaucoup de Montréalais. Parmi ses fidèles : Pierre Elliott Trudeau, qui y mangeait toutes les semaines. « Il venait environ trois fois par semaine et parfois jusqu'à cinq ! C'était aussi un fan de judo », se rappelle-t-elle.

Son restaurant original n'était pas dans le local chic d'aujourd'hui. Elle avait pignon sur rue quelques portes plus loin. Mais quand le restaurant Katsura a fermé ses portes, elle n'a pu s'empêcher d'acheter son local. C'est son mari, un Japonais spécialisé dans la confection de meubles et de décors en bois typiquement japonais, qui avait fabriqué planche par planche le décor du Katsura. Un véritable clin d'œil du destin puisque son mari est décédé à peine quelques mois avant qu'elle puisse acheter son ancien compétiteur.

D'ailleurs, dans l'antre des Ishii, on se croirait au cœur d'Okinawa. Le personnel s'adresse à Mme Ishii en japonais seulement. Les trois serveuses marchent à petits pas, sans faire de bruit. Le chef, recruté dans un des plus chics restaurants de Tokyo, celui de l'hôtel Prince, ne fait aucun compromis avec la tradition et est l'un des seuls à Montréal à offrir le repas traditionnel japonais, le *Kaiseki Ryori*, composé de 15 services. «Parfois mes clients me demandent telle chose. J'en parle à mon chef et il refuse toujours de le faire. Parfois, les clients me répondent: "Quoi, votre chef n'est pas japonais?" Je leur réponds: "Non, justement, mon chef EST japonais"», dit-elle en riant discrètement, en notant que la grande majorité des restaurants de sushis montréalais n'ont de japonais que le nom.

Coup d'œil sur la montre: il est 22 h. Voilà déjà quatre heures que Mama San est la parfaite hôtesse, une véritable geisha de roman, sans la connotation négative de la chose. Pendant toute une soirée, elle divertit, fait parler ses invités, enseigne son pays, présente sa fille, qui travaille elle aussi comme hôtesse dans cet établissement familial hors catégorie.

C'est le cœur léger qu'on quitte la table, en promettant de revenir souvent. Une fois adopté, on ne veut plus quitter Mama San.

LIEUX DE CULTE

Église catholique Saint-Paul-Ibaraki

Cette église, connexe au centre culturel, accueille une quarantaine de familles pour une messe en japonais chaque deuxième dimanche du mois.

8155, rue Rousselot • 450 676-9016 • Ⓜ Jarry

Église bouddhiste de Montréal

Ce temple obéit aux préceptes de la branche bouddhiste la plus répandue au Japon, le Jodo.

5250, rue Saint-Urbain • 514 273-7921 • Ⓜ Mont-Royal

Dojo zen de Montréal

Situé en plein cœur du Plateau-Mont-Royal, ce dojo est ouvert à tous ceux qui s'intéressent à la pratique du zen. Le mot est peut-être utilisé à toutes les sauces aujourd'hui, mais bien peu de gens connaissent les rituels entourant le zen, à commencer par le *zazen*, la méditation qui a permis à Bouddha d'atteindre l'illumination et qui est aujourd'hui imitée par ses adeptes. Le Dojo zen de Montréal, qui suit les enseignements de Taisen Deshimaru, enseigne aussi la couture du *kesa*, le vêtement que doit fabriquer tout moine avant son ordination. Chaque mois, des séances d'introduction au zen sont offertes.

982, rue Gilford • 514 523-1534 • dojozen.net • Ⓜ Laurier

Le Montréal **coréen**

 4 850

coréen

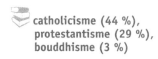 catholicisme (44 %),
protestantisme (29 %),
bouddhisme (3 %)

Quiconque s'aventure au centre-ville de New York a de bonnes chances de tomber, par inadvertance, sur le *Cabbage Town*. Des portes de restaurants coréens s'échappent des effluves de viande cuite sur le barbecue et du célèbre chou fermenté coréen, le *kim chi*.

À Montréal, il n'y a pas de quartier consacré au chou... mais une petite excursion sur la rue Sherbrooke Ouest, à la hauteur du quartier Notre-Dame-de-Grâce, ne vous laissera pas en reste : la communauté coréenne montréalaise y fait belle figure.

On compte à Montréal aujourd'hui un peu moins de 5 000 citoyens d'origine coréenne. D'immigration récente (près de 90 % d'entre eux sont nés à l'extérieur du Québec), ils ont tous leurs racines dans la Corée du Sud.

Il faut remonter à la Deuxième Guerre mondiale pour expliquer l'immigration coréenne. Au lendemain de la guerre, en 1945, les États-Unis et l'Union soviétique se sont partagé la Corée en deux. Prétendument temporaire, cette situation a eu vite fait de tourner au vinaigre et, en 1950, la guerre éclatait. La première vague d'immigrants coréens est venue au Canada pour fuir la dévastation causée par cette guerre à laquelle le Canada a pris part.

Dans les années 1950, des étudiants, des médecins et des infirmières ont été les premiers à venir. Une autre vague, près de 20 ans plus tard, est arrivée, elle, sans formation particulière. Beaucoup de ces nouveaux Montréalais se sont lancés en affaires, notamment dans le secteur des dépanneurs, dont ils ont été le principal visage dans les années 1990.

Une troisième vague a quitté Séoul après 1986. Cette dernière était composée principalement d'investisseurs qui voulaient notamment offrir à leurs enfants une vie plus clémente. Le système d'éducation coréen, archicompétitif, n'est pas étranger à leur décision : pour avoir une place à l'université, il y a beaucoup plus d'appelés que d'élus, et les examens d'entrée sont source d'angoisse pour les enfants.

L'éducation est d'ailleurs un des points caractéristiques de la communauté coréenne montréalaise : près d'un membre sur deux possède un diplôme universitaire, soit plus de trois fois la moyenne québécoise. Pour les hommes, le taux de diplomation est de 75 %. Malgré cette abondance de diplômes, une étude a démontré que 80 % des Montréalais d'origine coréenne travaillent dans des petits commerces et des entreprises familiales.

Autre statistique intéressante : si, en Corée du Sud, le nombre de chrétiens est quasiment égal au nombre de bouddhistes, à Montréal, une très grande majorité des membres de cette communauté sont soit catholiques, soit protestants. D'ailleurs, la vie sociale de la communauté tourne autour des églises coréennes.

PARLEZ-VOUS CORÉEN ?

Bonjour ➤ **Annyung**

Merci ➤ **Komap snida**

Au revoir ➤ **Annyung hi kasio**

1 DANS LE CALENDRIER

Nouvel An coréen (Seollal) : fin janvier, début février

Premier jour de l'année lunaire (tout comme le Nouvel An chinois), le Nouvel An coréen est la principale célébration au calendrier de la communauté. On sort ses plus beaux habits et on se met aux fourneaux pour concocter des plats traditionnels à l'air festif. Les gâteaux de riz font leur apparition pour l'occasion ainsi que le *jaeb che*, un plat traditionnel de nouilles. On prépare aussi une table d'offrandes spéciales pour les ancêtres. La grande salle que partagent le Centre culturel coréen et l'église adjacente est mise à contribution pour l'événement.

Jour de l'Indépendance : 15 août

Les Sud-Coréens fêtent l'accession à l'indépendance de la Corée du Sud. Avant 1945, la Corée était occupée par le Japon. À Montréal, bon an, mal an, plus de 1 000 personnes prennent part aux célébrations qui se déroulent dans un parc. Une petite cérémonie de commémoration est suivie d'un grand banquet en plein air et d'un tournoi de soccer.

Pour info : voir la Communauté coréenne du Grand Montréal, page 220.

Fête du 1er mars

Cette fête est aussi reliée au mouvement d'indépendance coréenne contre l'occupation japonaise. Par contre, au lieu d'en célébrer la fin, cette fête commémore plutôt le début de la résistance. Une activité de commémoration a lieu au centre culturel. On en profite pour lire la Déclaration d'indépendance et pour réfléchir au sens de la démocratie.

 ÉVÉNEMENTS

Semaine québécoise : 1re semaine d'octobre

À cette occasion, la communauté coréenne ouvre grand ses portes à tous les Montréalais.

Une horde d'activités culturelles sont organisées pour l'occasion, soit au centre culturel, soit dans un parc.

Carnet d'adresses

 MANGER

Réconfortant : ce mot colle particulièrement bien à la cuisine coréenne, qui regorge de plats chauds, riches en viande et en épices. Les légumes ne sont pas en reste : tout repas coréen commence par un assortiment de petits plats d'accompagnement, offerts avec le repas.

La Maison Bulgogi

Aussi populaire à l'heure du lunch que le soir, la Maison Bulgogi est surtout reconnue pour son barbecue (c'est d'ailleurs ce que veut dire *bulgogi*). Les Montréalais d'origine coréenne y viennent aussi pour le *dolsot bibi bab*. Ce plat de riz, de légumes et de viande, agrémenté de piment rouge, est servi dans un bol de pierre de 20 cm.

2127, rue Sainte-Catherine Ouest
514 935-9820 • Ⓜ Atwater

Miga

De nombreux restaurants ethniques du Plateau-Mont-Royal mettent beaucoup d'eau dans leur vin pour plaire à leur public majoritairement blanc, mais pas ici. Certes, les deux propriétaires, deux sœurs, font des pieds et des mains pour offrir la meilleure expérience possible à leur clientèle et elles ont ajouté au menu quelques plats asiatiques grand public, comme la tempura, une spécialité japonaise, mais le reste de leur carte est indéniablement coréenne. Le *kim chi* y est servi en abondance. Le *soon dou bu*, une soupe piquante à base de tofu, y est aussi recommandé.

423, rue Rachel Est • 514 842-4901
Ⓜ Mont-Royal

Hwang Kum

Ce restaurant de Notre-Dame-de-Grâce a une excellente réputation. Les pieds de porc en sont un des plats phares.

5908, rue Sherbrooke Ouest
514 487-1712 • Apportez votre vin
Ⓜ Vendôme

Maison de Séoul

Nichée au milieu de quelques adresses prestigieuses de Westmount, la Maison de Séoul est la définition même du restaurant familial. Toute la famille du propriétaire semble y travailler. Le *bulgogi* (le barbecue) est particulièrement bien rendu dans cet établissement sans prétention.

5030, rue Sherbrooke Ouest
514 489-3686 • Ⓜ Vendôme

 SORTIR, BOIRE UN VERRE

Karaoke Kagopa

La plupart des restaurants coréens ont une machine à karaoké qu'ils mettent à la disposition de leurs clients. Mais ici, le karaoké fait partie du concept. Si, le jour, ce troquet est rempli d'étudiants, le soir, on y délie ses cordes vocales. Il faut dire que la soupe au chou et au tofu épicée qu'on y sert libère les voies respiratoires.

6400, rue Saint-Jacques Ouest
514 482-3490 • Ⓜ Vendôme

Korea House Restaurant

Une excellente adresse à la fois pour le *bulgogi* et pour le karaoké. En plus, il est à deux pas du métro. Parfait pour un tête-à-tête épicé.

4950, chemin Queen-Mary
514 733-7823
Ⓜ Snowdon

FAIRE L'ÉPICERIE

Épicerie japonaise et coréenne

Appartenant à des Coréens, cette épicerie se spécialise surtout dans les produits japonais, mais les connaisseurs y trouveront aussi tout le nécessaire pour la cuisine coréenne. Les légumes et fruits coréens frais font la réputation de l'endroit.

6151, rue Sherbrooke Ouest
514 487-1672

Marché asiatique Jangteu

Ce marché qui possède deux succursales a la réputation de vendre le meilleur *kim chi* en ville (et pas seulement celui au chou ; vive la variété !)... en plus de tout le reste : viande, légumes, sauces, riz, nouilles et produits de beauté coréens. Sur son site web, on trouve un répertoire des produits.

2116, boulevard Décarie
514 489-9777 • M Vendôme

2109, rue Sainte-Catherine Ouest
514 932-9777 • M Atwater
www.jangteu.com

Épicerie Eden

Cette épicerie qui se trouve juste au-dessus du cinéma du Parc a comme clientèle la faune branchée du ghetto McGill qui vient s'y ravitailler en thé et produits biologiques en tous genres. Mais si vous cherchez bien dans ses étalages, vous ferez des découvertes coréennes et japonaises de toutes sortes.

3575, avenue du Parc, local 4115
514 843-4443 • M Place-des-Arts

 MAGASINER

Gift Sense

Collé sur l'Épicerie japonaise et coréenne, ce magasin vend mille et un objets coréens, dont de jolies théières et diverses décorations de maison.

6159, rue Sherbrooke Ouest
514 487-5104 • M Vendôme

Salon La Belle

Dans ce salon qui appartient à une Montréalaise d'origine coréenne, la spécialité est le cheveu asiatique : noir, soyeux et plus droit que droit. Trois coiffeuses s'occupent de la clientèle coréenne, vietnamienne et chinoise. Sur les tablettes, des tonnes d'accessoires à cheveux importés de la Corée.

3292, boulevard Cavendish
514 487-8880 • M Vendôme

 MÉDIAS

Journaux

Hanca Times

Ce journal hebdomadaire, publié en coréen, est reconnu pour sa pléiade de chroniqueurs issus des rangs de la communauté coréenne. On y trouve aussi des nouvelles de la Corée, du Canada et du Québec. On peut se le procurer dans les épiceries coréennes.

345, avenue Victoria
514 489-3337
www.hanca.com

Korean Newsweek

Ce journal hebdomadaire, qui paraît tous les samedis, publie surtout des résumés de nouvelles.

1425, boulevard René-Lévesque Ouest, bureau 1107
514 879-3338

Radio

Voko – Voice of Korea
CKUT FM 90,3

La communauté coréenne a son heure de gloire sur les ondes de CKUT, la radio indépendante de l'Université McGill. L'émission est en anglais et en coréen. On peut notamment y entendre les derniers succès radiophoniques en provenance de Séoul. Une vingtaine d'étudiants d'origine coréenne participent à la réalisation de cette émission.

Mardi, 14 h • www.ckut.com

Internet

Amitiés coréennes

On doit verser 5 $ pour joindre ce groupe social qui a en commun deux choses : l'amour de la culture et l'amour de la langue coréenne. Chaque mois, les membres sont invités à un événement qui se déroule en coréen. Séance de taekwondo, célébration du Nouvel An et dégustations d'alcools coréens sont parmi les activités du club.

www.meetup.com/Korean-Language-Culture

En savoir plus

Associations

Communauté coréenne du Grand Montréal et Centre culturel coréen

Soutenue par 300 familles coréennes du Grand Montréal, cette organisation est responsable des célébrations annuelles. Son directeur général, Kichai Jong, gère aussi le Centre culturel coréen, qui abrite plusieurs organisations et une bibliothèque. L'organisation s'active à rassembler le plus grand nombre possible d'ouvrages en coréen. Des cours de coréen pour les adultes y sont offerts.

3480, boulevard Décarie, 2e étage
514 481-6661 • www.montrealkorean.com
Ⓜ Vendôme

Association des commerces coréens

Cette association regroupe d'abord et avant tout les propriétaires de dépanneurs coréens. Et tenez-vous bien, ils sont plus de 200 membres !

3300, boulevard Cavendish, bureau 255
514 939-3277 • Ⓜ Vendôme

Apprendre

Le taekwondo

Cet art martial coréen, qui se traduit par « l'art de respirer par les mains et les pieds », est populaire au Québec depuis les années 1980. Il existe de nombreuses écoles à Montréal et dans le 450. Pour trouver une école qui vous convient, vous pouvez communiquer avec la Fédération québécoise de taekwondo au 514 252-3198.

LIEUX DE CULTE

En tout, il y a 13 églises qui se partagent les croyants coréens. Le mouvement évangéliste, auquel adhère plus d'un Américain sur cinq, a aussi beaucoup de fidèles en Corée du Sud... et à Montréal.

Korean Full Gospel Church

Liée au Centre culturel coréen, cette église coréenne évangéliste est l'une des plus actives dans la communauté.

3484, boulevard Décarie • 514 489-9191 • Ⓜ Vendôme

Montreal Sarang Presbyterian Church

Il y a peu d'établissements coréens près de cette église presbytérienne, mais ça ne l'empêche pas de gagner sans cesse en popularité. Des services en coréen y sont offerts tous les dimanches, jeudis et vendredis.

2315, rue Rachel Est • 514 759-9991 • sarangchurch.ca

Mission catholique Saints-Martyrs-coréens

Dans une des ses chroniques publiées dans le *Journal de Montréal*, l'archevêque de Montréal, Jean-Paul Turcotte, a fait l'éloge de cette communauté catholique coréenne, dont il louait l'apport à l'église Sainte-Cunégonde du quartier Saint-Henri.

Église Sainte-Cunégonde
2461, rue Saint-Jacques • 514 989-9816 • Ⓜ Lionel-Groulx

Korean Central United Church

Très fréquentée, cette église unie, destinée aux Coréens, se trouve dans Verdun, un quartier où de plus en plus de Coréens et de Chinois choisissent de s'installer.

5991, rue Hadley • 514 767-4922 • Ⓜ Joliceur

Le Montréal **cambodgien**

 9 205

bouddhisme (67 %),
catholicisme (15 %)

cambodgien (ou khmer)

L es procès des anciens dirigeants des Khmers rouges, qui ont commencé en février 2009, ont ramené à l'avant-plan le sort du Cambodge et, par le fait même, de sa population. En quatre ans de règne, de 1975 à 1979, le mouvement d'extrême gauche dirigé par Pol Pot a tué sans relâche. Intellectuels, étrangers, opposants présumés : ses membres se sont lancés dans une grande cavalcade meurtrière, prétextant débarrasser le Cambodge, qu'ils ont renommé Kampuchea, des éléments qui le détournaient de sa pureté du 12e siècle. Même le port de lunettes (grand signe d'intellectualisme pervers!) conduisait à une condamnation à mort.

Lorsqu'ils ont été chassés du pouvoir par l'armée vietnamienne, les Khmers rouges ont tout saccagé sur leur passage – champs, forêts, infrastructures –, réduisant des centaines de milliers de personnes à la famine. D'un à deux millions de Cambodgiens y ont laissé leur vie. Des dizaines de milliers d'autres, essayant d'échapper au pire, ont été contraints à l'exil au début des années 1980.

C'est dans ces circonstances moins que réjouissantes que Montréal a découvert la diaspora cambodgienne. Avant 1975, quelques étudiants et professionnels avaient fait leur chemin jusqu'ici, mais c'est entre 1975 et 1981 que plus de 20 000 réfugiés cambodgiens sont arrivés au Canada, dont 7 000 à Montréal. Ces réfugiés sont issus de tous les milieux, mais ils ont en commun des blessures extrêmement profondes. Les Khmers rouges n'en sont d'ailleurs pas les seuls responsables. Juste avant leur prise du pouvoir, les Cambodgiens avaient connu une guerre civile sans merci.

Selon plusieurs membres de la communauté cambodgienne, ce lourd passé explique en partie pourquoi les Cambodgiens, quoiqu'en nombre assez important à Montréal, ne sont pas très visibles. Les pagodes bouddhistes restent au cœur de la vie sociale. Un endroit privilégié pour panser ses plaies.

Il y a néanmoins une petite concentration de commerces, de pagodes et d'organisations sur la rue Poirier à Saint-Laurent ainsi que près du métro Saint-Michel.

PARLEZ-VOUS CAMBODGIEN?

Bonjour ➤ Chham reap sour

Merci ➤ Â kon

Au revoir ➤ Chham reap lea

 DANS LE CALENDRIER

Chaul Chhnam : aux alentours du 13-14 avril

Le Nouvel An cambodgien se fête surtout dans les pagodes. On s'y rend tôt le matin ce jour-là, on met ses plus beaux vêtements et on apporte un plat de fête à partager en communauté.

Commémoration de la défaite des Khmers rouges : 7 janvier

Il n'y avait rien de réjouissant en 1979 à voir l'armée vietnamienne entrer au Cambodge, mais considérant que c'était pour y déloger les Khmers rouges, plusieurs membres de la communauté commémorent cette journée historique en participant à un grand banquet au restaurant Tong Por.

Fête des Morts (Pchum Ben) : fin septembre-début octobre

Ce jour-là, les Cambodgiens portent leurs vêtements de deuil et rendent honneur aux âmes qui les ont quittés.

 ÉVÉNEMENTS

Festival cambodgien : fin juillet

Mis en place par un organisme montréalais, la Communauté angkorienne, cet événement annuel a des milliers d'adeptes. Les familles cambodgiennes du Canada et des États-Unis sont conviées à ce festival culturel d'un jour qui se tient dans un parc près de Long Sault, en Ontario. La musique, la danse et la nourriture cambodgienne y sont à l'honneur. Le festival est ouvert à tous.

Pour information : **www.cambodia.ca**

Carnet d'adresses

 MANGER

Phmor Da

L'endroit parfait pour manger une bouchée tout en faisant son épicerie, ce restaurant offre des plats traditionnels cambodgiens, dont la soupe Phnom Penh, à des prix imbattables. Ses cailles aux épices sont particulièrement recommandées.

**3733, rue Jarry Est
(à l'intérieur de l'épicerie Kim Phat)
514 727-3732 • Ⓜ Saint-Michel**

Asie moderne

Ouvert depuis 20 ans, ce restaurant cambodgien, propriété de Nakri You, est particulièrement populaire à l'heure du lunch. On trouve sur la carte de Mme You le poisson *amok*, cuit à la vapeur après avoir été mariné dans du lait de coco aux épices, ainsi que la soupe au bœuf aigre-douce.

**1676, rue Poirier, Saint-Laurent
514 748-0567 • Ⓜ Côte-Vertu**

Tong Por

Ce resto, qui s'appelait jadis Le Président, appartient à des Sino-Cambodgiens, mais c'est d'abord des spécialités thaïlandaises et vietnamiennes qui figurent sur son menu. Cela n'empêche pas la communauté cambodgienne d'y tenir plusieurs grands événements, puisque les deux succursales de Tong Por possèdent de grandes salles.

Succursale Quartier chinois:
43, rue De La Gauchetière Est
514 393-9975 • Ⓜ Place-d'Armes
Succursale Saint-Laurent:
12242, boulevard Marcel-Laurin
514 331-8883

 FAIRE L'ÉPICERIE

Épicerie Orient Poirier

Cette épicerie appartient à des Montréalo-Cambodgiens. On peut y trouver tout le nécessaire pour cuisiner chinois, vietnamien et cambodgien.

1687, rue Poirier, Saint-Laurent
514 748-1160
Ⓜ Côte-Vertu

 MÉDIAS

Journaux

La Presse cambodgienne

Dirigé par Yun Bunkorn, une figure de proue de la communauté cambodgienne, ce journal mensuel en langue khmère est distribué à la grandeur du Canada. À Montréal, on peut se le procurer dans les épiceries Kim Phat ou dans les restaurants cambodgiens.

514 722-0088
lapressecambodgienne.blogspot.com

Radio

Émissions cambodgiennes
CFMB Montréal 1280

La première émission est animée depuis 1997 par un moine bouddhiste, Hok Savann, en langue khmère. La seconde, animée à la fois en français et en khmer, est l'initiative de jeunes Cambodgiens. La musique cambodgienne y est à l'honneur.

Émission 1: dimanche, 5 h
Émission 2: lundi, 23 h
www.cfmb.ca

Radio Free Asia

Pour les nouvelles de la mère patrie, les Cambodgiens de Montréal ont une radio de prédilection: Radio Free Asia. Les nouvelles quotidiennes y sont diffusées en cambodgien.

www.rfa.org/khmer

En savoir plus

Associations

Communauté angkorienne du Canada

Fondée par de jeunes Cambodgiens, cette association travaille ardemment à préserver la culture khmère au Canada et à éloigner le plus possible la politique. En plus d'organiser le Festival cambodgien, la Communauté angkorienne offre des cours de danse traditionnelle et de langue. Son site web contient beaucoup de renseignements utiles. La plupart de ses activités se tiennent au YMCA de Saint-Laurent (1745, boulevard Décarie, métro Côte-Vertu)

514 336-3775
www.cambodia.ca

Groupe de travail cambodgien

Abrité par le Département d'histoire de l'Université Concordia sous la bannière du projet Histoires de vie Montréal, le Groupe de travail cambodgien récolte les témoignages des Cambodgiens de Montréal qui ont vécu la terreur des Khmers rouges. L'ensemble des témoignages fera partie d'une bibliothèque d'histoire orale.

514 848-2424, poste 7920
Ⓜ **Guy-Concordia**

LIEUX DE CULTE

La majorité des Cambodgiens appartiennent à l'école theravada du bouddhisme, aussi pratiquée au Sri Lanka, en Thaïlande et au Laos. Cependant, les Sino-Cambodgiens et les Vietnamiens du Cambodge adhèrent davantage au bouddhisme mahayana, aussi pratiqué au Tibet et en Chine.

Pagode khmère du Canada

Cette pagode, construite selon l'architecture khmère traditionnelle, est la plus grande en son genre au Canada et celle qui jouit du meilleur financement. La pagode est sous la direction du moine Hok Savann. L'art traditionnel qui recouvre les murs de la pagode est d'un tel intérêt qu'un mémoire de maîtrise y a été consacré. Des cours de langue vietnamienne y sont offerts.

7188, rue de Nancy • 514 735-6901 • Ⓜ **Plamondon**

Société bouddhique solidarité

Plus petite, cette pagode de Rivière-des-Prairies a une atmosphère familiale.

12181, boulevard de la Rivière-des-Prairies • 514 494-9470

Communauté catholique cambodgienne

Depuis leur arrivée au Canada, plusieurs centaines de Cambodgiens, touchés par l'accueil qu'ils ont reçu, se sont convertis au christianisme. Cette communauté regroupe plus de 200 d'entre eux. Des messes ont lieu dans l'église Saint-Isaac-Jogues tous les dimanches à 14 h.

Église Saint-Isaac-Jogues
1335, rue Chabanel Est • 514 737-9037 • Ⓜ **Crémazie ou Sauvé**

Lakshmi Nguon: J'ai vu...

Arriver dans la maison de Lakshmi Nguon, sur la rive sud de Montréal, c'est un peu entrer dans un sanctuaire pour animaux délaissés. Des chats et un chien se prélassent dans la jolie maison de Greenfield Park. Grande âme, la Québécoise d'origine cambodgienne est incapable de fermer les yeux sur la détresse, où qu'elle soit. « C'est intimement lié à mon histoire », dit la journaliste qui s'est fait connaître par le biais du *Montréal ce soir*.

Son histoire commence à Londres, où elle est née au sein d'une famille de diplomates, mais se transporte vite à Phnom Penh. Elle n'avait que 11 ans quand, le 18 mars 1970, des milliers de soldats américains envahissent la capitale cambodgienne. La guerre gronde entre le Cambodge et le Vietnam.

« On nous a habillés en soldats ; petit à petit, les garçons de ma classe disparaissaient, car ils étaient enrôlés de force. J'ai vu des morts après les explosions de bombes, j'ai vu des soldats couverts de sang attendre les soins à l'hôpital, j'ai vu un petit garçon courir avec son œil dans la main, j'ai vu le chien errant qui avait l'habitude de me tenir compagnie mourir par balle », témoigne Lakshmi Nguon.

L'année qui a suivi, la jeune adolescente a quitté le Cambodge, les yeux remplis d'horreur. Quand les Khmers rouges de Pol Pot ont pris le pouvoir en 1975, elle était installée à Montréal. Quand les réfugiés sont arrivés en 1980, avec leurs histoires de terreur et de famine comme seul bagage, elle était aux premières loges, traduisant leurs récits.

Au moment de l'entrevue avec Lakshmi Nguon, ces histoires à fendre le cœur – la sienne et celle de ses compatriotes – étaient à nouveau au cœur des préoccupations de la journaliste, recherchiste et documentariste.

Elle revenait tout juste d'un voyage au Cambodge pour préparer un film sur le génocide perpétré par les Khmers rouges contre leurs semblables. Un « autogénocide », note Lakshmi Nguon.

Elle s'interroge notamment sur l'impact de tant de souffrances, vécues par les parents, sur la génération montante. Génération à laquelle sa fille, née au Québec, appartient.

Le Montréal **tibétain**

 110

 bouddhisme

 tibétain (dialecte de Lhassa),
hindi, népalais

Trois restaurants, des manifestations fréquentes, un grand marché annuel : la communauté tibétaine est loin d'être invisible à Montréal. Pourtant, avec à peine 110 âmes, elle est l'une des plus petites. Mais ô combien tricotée serré !

L'histoire de son immigration y est pour quelque chose : les Tibétains de la première vague arrivée à Montréal en 1971 – une soixantaine de personnes – appartenaient tous à la même école, la Gelukpa, à l'intérieur du bouddhisme tibétain. Avant cette date, seulement trois Tibétains vivaient à Montréal. Tous les trois mariés à des Québécoises.

C'est le dalaï-lama lui-même qui a incité Pierre Elliott Trudeau à ouvrir ses portes à 273 réfugiés tibétains, sélectionnant des individus qui vivaient dans la situation la plus précaire. La plupart d'entre eux étaient en Inde avant d'arriver au Canada.

Une autre petite vague est arrivée au début des années 1980, cette fois à l'initiative de René Lévesque, Gérald Godin et les Tibétains qui étaient déjà installés à Montréal.

Ces premiers arrivants espéraient que d'autres de leurs compatriotes allaient les rejoindre bientôt, mais ce ne fut pas le cas, remarque le chercheur Louis Cormier dans un mémoire de maîtrise. La communauté a peu gagné en nombre et plusieurs Tibétains de Montréal ont migré vers Toronto.

Aujourd'hui, c'est dans la Ville Reine que l'on trouve le plus de Tibétains au Canada, mais on y parle encore une fois de quelques centaines.

La grande majorité des Tibétains qui vivent à l'extérieur du Tibet traditionnel, occupé par la Chine depuis 1950, sont en Inde, tout près de leur chef spirituel, qui habite la ville himalayenne de Dharamsala. Les estimations de la population tibétaine indienne varient entre 100 000 et 200 000.

Le petit poids démographique des Tibétains à Montréal n'est cependant pas proportionnel à leur engagement politique et social. C'est à Montréal qu'a été créé le Comité Canada-Tibet, qui mène une campagne sans relâche pour faire connaître la situation de ce pays et l'œuvre du dalaï-lama.

PARLEZ-VOUS TIBÉTAIN?

Bonjour ➤ Tashi Delek

Merci ➤ Ghale chibgyur nango

Au revoir ➤ Thuk Jeche

 DANS LE CALENDRIER

Nouvel An tibétain (Losar): en février, lors de la nouvelle lune

Chaque année, la communauté loue une église sur la rive sud de Montréal et y tient les célébrations du Nouvel An.

Commémoration du soulèvement national tibétain: 10 mars

Le 10 mars 1959, craignant l'enlèvement du dalaï-lama par les autorités chinoises, 300 000 Tibétains ont encerclé le palais du Potala à Lhassa, s'interposant ainsi entre l'armée et leur chef spirituel. Dans les jours qui ont suivi, le dalaï-lama a pris le chemin de l'exil. Pour souligner ces événements, les Tibétains de Montréal participent habituellement à une manifestation qui a lieu à Ottawa.

Anniversaire du dalaï-lama: 6 juillet

Une cérémonie a habituellement lieu dans le temple tibétain de Longueuil dans la matinée, suivie d'un pique-nique au parc Jean-Drapeau. On y prie pour la bonne santé du chef spirituel tibétain.

Jour de la démocratie tibétaine: 2 septembre

La communauté tient un repas-partage au parc Jean-Drapeau pour souligner cette journée.

 ÉVÉNEMENTS

Bazar annuel: novembre

Une fois l'an, le Comité Canada-Tibet (CTC) et l'Association culturelle tibétaine organisent un grand marché tibétain dans le quartier Notre-Dame-de-Grâce. Pour la date exacte, il est préférable de consulter le site internet du CTC en octobre (voir adresse, page suivante.)

Carnet d'adresses

 MANGER

Shambala

Tout près du square Saint-Louis, le Shambala a bonne mine. Dans ce vaste espace décoré avec goût, on peut se régaler de *momos*, les dumplings tibétains, accompagnés par une sauce à l'ail. Plusieurs mets végétariens et carnivores d'inspiration indienne figurent aussi sur la carte. Et ne manquez pas le thé au beurre, essentiel à toute expérience tibétaine.

3439, rue Saint-Denis • 514 842-2242 Ⓜ **Sherbrooke**

Chez Gatsé

Premier en son genre, ouvert dans les années 1980, Chez Gatsé a été le premier point de rencontre des Tibétains de Montréal. Aujourd'hui, sa clientèle est surtout largement estudiantine, vu sa localisation dans le Quartier Latin et ses prix plus que modestes.

317, rue Ontario Est • 514 985-2494

Om

Le dernier venu, Om est davantage connu pour ses plats fusion – la cuisine indienne de Dharamsala y joue un grand rôle – que pour ses plats traditionnellement tibétains.

4382, boulevard Saint-Laurent **514 287-3553 •** Ⓜ **Mont-Royal**

MAGASINER

Lhasa Bhakor

Ce magasin, qui appartient à Khasang Doma, vend une variété d'objets d'artisanat tibétain et des vêtements.

2015, rue Saint-Denis • 514 843-8798
Ⓜ Sherbrooke ou Berri-UQAM

Lotus Light Himalayan Products

Encens, mandalas, drapeaux et chapelets de prière, portes tibétaines traditionnelles en tissu, on trouve beaucoup de choses sur le site internet de Lotus Light, une entreprise dirigée par une amoureuse du Tibet.

5764, avenue de Monkland
514 488-7365
www.lotuslighthimalaya.com

 MÉDIAS

Il n'y a pas de médias tibétains proprement dits à Montréal, mais les Tibétains d'ici s'abreuvent à ces sources (toutes sur internet) pour avoir des nouvelles de leur coin du monde.

Voice of America

Une page spéciale est consacrée au Tibet. On peut y lire les nouvelles du pays, mais aussi de la diaspora en tibétain et en anglais. Une émission de télévision, *Kunleng*, y est présentée deux fois par semaine. Il y a aussi du contenu radio sur le site.

www.voanews.com/tibetan

Radio Free Asia

Ce média diffuse une tonne d'informations intéressantes sur la Chine et le Tibet. Puisque Radio Free Asia a souvent souffert de censure, plusieurs sites miroirs sont aussi disponibles.

www.rfa.org

Radio

Voice of Tibet

Cette station radio basée en Norvège a pour mandat de donner des nouvelles aux Tibétains qui vivent sous l'occupation chinoise au Tibet. Les messages du dalaï-lama y sont diffusés dans leur intégralité.

www.vot.org

En savoir plus
Associations
Comité Canada-Tibet

Cette organisation est le centre nerveux au Canada de la lutte pour l'autonomie du Tibet. Les Tibétains de la diaspora y sont engagés, mais aussi bon nombre de partisans de toutes provenances. Le site internet regorge de nouvelles et d'informations historiques.

300, rue Léo-Pariseau
514 487-0665 • www.tibet.ca/fr

Tibetan Culture Association

Cette association organise presque tous les grands événements culturels de la communauté tibétaine, dont les célébrations du Nouvel An. De récentes suppressions de subventions ont eu comme résultat que cette association ne dispose plus d'un local qui lui est propre. Ses activités se tiennent pour la plupart au temple bouddhiste de Longueuil. Une troupe de danse porte ses couleurs lors d'événements divers.

450 674-4844
gdorje@yahoo.ca

Samdup Thubten:
réincarnations multiples

Les bouddhistes croient que l'homme se réincarne jusqu'à ce qu'il ait accompli sa mission. Cela peut prendre de nombreuses vies, s'étirer sur des siècles. En regardant la feuille de route de Samdup Thubten, il y a cependant lieu de se demander si ce Montréalais d'origine tibétaine n'a pas décidé de tout faire en une seule vie. L'homme mène tellement de batailles de front qu'on peut facilement se sentir essoufflé en l'écoutant parler de sa vie.

Sa première vie commence au Tibet, où il est né d'un père marchand de thé et d'une mère cultivatrice. Il a à peine 10 ans quand il fuit son village natal du Tibet occupé par l'armée chinoise.

L'exil pave la voie pour la deuxième vie du jeune Tibétain. Pendant toute son adolescence, passée en Inde, il reçoit une rigoureuse formation en musique, apprenant à maîtriser autant le chant que les instruments à cordes et à vent. De pupille, il devient directeur de l'institut de musique tibétain qui le voit grandir.

Dans les années 1970, il entame sa troisième vie à la prestigieuse université Brown, aux États-Unis, où il reçoit un diplôme en ethnomusicologie. C'est pendant cette période qu'il rencontre sa femme, originaire de Sainte-Agathe, et c'est ainsi qu'il décide d'entreprendre sa quatrième vie à Montréal en 1980. Dans les années qui suivent, «Sam», comme beaucoup de ses amis et alliés le surnomment, fonde à la fois une école de musique et le Comité Canada-Tibet. Cette organisation, dont il a assumé la présidence pendant 17 ans, devient vite la principale voix des 6 millions de Tibétains en quête d'autonomie politique sur la Colline du Parlement à Ottawa tout autant qu'à l'Assemblée nationale à Québec. C'est notamment lui qui organise les visites du dalaï-lama au Canada.

Samdup Thubten entretient d'ailleurs une relation privilégiée avec le saint homme, dont il est depuis peu l'ambassadeur en Grande-Bretagne.

Avant de recevoir cet honneur, il a occupé la même fonction à Montréal. Parallèlement, il a été président-directeur général d'une organisation, Tibet innovations, qui fait la promotion de projets économiques permettant aux Tibétains en exil en Inde de s'autosuffire.

«Les jeunes Tibétains qui sont nés en Inde s'exilent vers les grandes villes indiennes pour travailler. Et ils doivent ainsi abandonner leur communauté. Il faut développer des projets qui permettront à ces mêmes jeunes de trouver du travail près des leurs», explique-t-il en sirotant un thé au beurre au restaurant Shambala.

Pour tout réussir, Samdup Thubten a toujours partagé sa vie en deux, trois, quatre. Difficile à concilier? Samdup Thubten en a vu d'autres.

LIEUX DE CULTE

Qui dit Tibet dit religion. Il n'est donc pas surprenant que malgré la modeste taille de la communauté, une dizaine de centres de spiritualité montréalais enseignent les préceptes du bouddhisme tibétain.

Centre bouddhiste Manjushri

Ouvert en 2001, ce temple coloré est le principal lieu de ralliement de la communauté tibétaine. Sous la direction de Khensur Rimpoche Lopsang Jamyang, l'ancien abbé d'un monastère indien, ce temple héberge trois moines. Il est lié à l'école de pensée guélupka, à laquelle adhèrent le dalaï-lama et la grande majorité des Montréalais d'origine tibétaine.

705, chemin Chambly, Longueuil
450 677-5038
www.geocities.com/manjushri_cntr

Centre Shambhala

Il y a 165 centres Shambhala dans le monde qui enseignent la pensée du sage tibétain Chögyam Trungpa Rinpoché, et Montréal a le sien. Des cours sur le bouddhisme et la méditation y sont prodigués.

460, rue Sainte-Catherine Ouest, porte 510
514 279-9115
www.shambhala.org/centers/montreal

Centre Paramita de bouddhisme tibétain

Le centre Paramita est la résidence du Lama Lobsang Samten. Né à Lhassa, il a été ordonné moine à 15 ans. À 20 ans, il a fui le Tibet pour se réfugier en Inde. Il vit au Québec depuis 1998, où il a des adeptes de Gatineau à Chicoutimi. Si son monastère est près de Cap-Rouge, dans la région de Québec, le centre Paramita organise de nombreuses activités à Montréal, dont des cours de langue tibétaine et de méditation.

514 523-7434
www.centreparamita.org

Le Montréal **laotien**

 4 850

 bouddhisme (77 %),
catholicisme (11 %)

laotien

Tout comme leurs voisins vietnamiens et cambodgiens, les habitants du Laos ont vécu de dures, dures années avec les guerres incessantes qui ont déchiré leur coin du monde, guerres qui opposaient les anciens pouvoirs colonialistes européens, les États-Unis et les groupes communistes émergents soutenus par l'Union soviétique.

Quand le mouvement communiste Pathlet Lao a réussi à prendre le pouvoir à Vientiane, des milliers de personnes ont fui le pays et plusieurs centaines ont atterri à Montréal, où quelques étudiants laotiens étaient déjà installés.

Des vagues de réfugiés continuent à affluer jusqu'en 1991. Depuis cette date, l'immigration du Laos arrive au compte-gouttes. Entre 1991 et 2001, tout juste une centaine de personnes d'origine laotienne viennent gonfler les rangs de la population montréalaise. Depuis le début de la décennie, on parle même d'un rétrécissement de la population laotienne. En 2001, lors du recensement, ils étaient 5 180 à relier leur origine ethnique au Laos. En 2006, ils n'étaient plus que 4 850.

PARLEZ-VOUS LAOTIEN ?

Bonjour ➤ Sabaidi
Merci ➤ Kop Chali
Au revoir ➤ Laa Khon

 DANS LE CALENDRIER

**Fête du Nouvel An (Pimay Lao) :
14 avril**

Chaque année, les célébrations du Nouvel An laotien ont lieu dans une salle de l'église Saint-Jean-Berchmans, à Rosemont (5940, rue Chabot). C'est le moment de goûter aux plats traditionnels laotiens et de regarder les groupes folkloriques à l'œuvre, dans un climat familial.

ÉVÉNEMENTS

Festival laotien : en juillet

Cet événement, qui met en vedette la danse et la musique laotiennes, a lieu tous les ans à Sainte-Julienne (voir *En savoir plus*), au nord de Terrebonne. C'est le principal lieu de rencontre des Laotiens du Québec. Quelque 1 000 personnes y assistent.

Carnet d'adresses

 MANGER

Ban Lao Thai

Vous voulez manger laotien ? C'est l'endroit où aller, et tout spécialement l'été, puisque des tables sont installées sur la terrasse en bordure du boulevard Décarie. Il est parfois difficile de différencier les plats thaïlandais des plats laotiens sur le menu, mais les propriétaires se feront un plaisir de dépatouiller le tout pour vous. On trouve notamment ici un plat de calmars ainsi que des saucisses typiquement laotiennes.

930, boulevard Décarie
514 747-4805 • Ⓜ Du Collège

 MÉDIAS

Internet

Lao, Laotiens du Québec

Ce groupe sur Facebook compte près de 200 jeunes des deuxième et troisième générations. Plusieurs activités sociales sont organisées.

www.facebook.com/group.
php ?gid=4938587338

En savoir plus

Associations

Association des femmes lao du Québec

Cette organisation sociale s'adresse aux Laotiennes de la grande région de Montréal et organise régulièrement des activités culturelles. Un groupe de danse, composé des membres de l'association, offre des spectacles à l'occasion.

514 270-3288
aflq@sblao.com
aflq.sblao.com

Centre communautaire et culturel bouddhiste laotien Wat Thepbandol

Ce centre de Sainte-Julienne, dans les Laurentides, organise tous les ans le Festival laotien. On y enseigne le bouddhisme et la langue laotienne.

3319, route 346, Sainte-Julienne
450 831-4666
www.geocities.com/Tokyo/Pagoda/9637

Le Montréal **thaïlandais**

 1 100

Destination voyage populaire – malheureusement, souvent pour de mauvaises raisons –, la Thaïlande a su exporter sa culture à travers le monde. Montréal n'est pas un grand pôle d'attraction de l'immigration thaïlandaise, mais on peut néanmoins se frotter au meilleur de la Thaïlande : la cuisine, les massages... et la boxe.

Carnet d'adresses

⊙ MANGER

Chao Phraya

Un des plus anciens restaurants thaïlandais de Montréal (il a ouvert ses portes en 1988), mais récemment rénové, le Chao Phraya est reconnu pour le raffinement de sa cuisine, riche en soupes pimentées ou relevées de citronnelle, en currys, en satays et en fruits de mer.

50, avenue Laurier Ouest • 514 272-5339
www.chao-phraya.com • Ⓜ Laurier

ChuChai

Plusieurs vedettes ont fait de ce restaurant thaïlandais végétarien et de sa terrasse leur seconde maison. La chef Lily Sirikittikul prépare les classiques de la cuisine thaï-landaise : canard au curry rouge, rouleaux aux crevettes et poulet sauce aux arachides... sans un gramme de viande. Le bistro attenant sert les mêmes spécialités dans une autre atmosphère.

4088, rue Saint-Denis • 514 843-4194
www.chuchai.com • Ⓜ Mont-Royal

Cuisine Bangkok

Ce comptoir thaïlandais, situé dans le *food court* du Faubourg Sainte-Catherine, nourrit la population étudiante de Concordia. Le *pad thaï* a la réputation d'être le meilleur en ville (et fort probablement, le moins cher).

Faubourg Sainte-Catherine
1616, rue Sainte-Catherine Ouest
514 935-2178

 SORTIR

Underdog Boxing Gym

La boxe est le sport national de la Thaïlande. Elle se pratique à mains nues. Au gymnase Underdog, les profs ne sont pas d'origine thaïlandaise, mais ils ont appris leur art dans son pays d'origine.

9, rue Sainte-Catherine Est
514 843-5164 • www.underdoggym.com

Se faire du bien...

Lanna Thai Massage

Le massage thaïlandais est le plus sportif de tous. Il n'est pas question ici de dormir à plat ventre en se faisant dorloter. Toutes les articulations sont mises à contribution. Le centre Lanna se spécialise dans les techniques les plus traditionnelles. On peut aussi y recevoir un massage des pieds Nuad Thao.

5365A, avenue du Parc
514 750-2113
www.massagelannathai.com

Le Montréal **indonésien**

 375

Pays ayant la plus grande population musulmane au monde, l'Indonésie compte 237 millions d'habitants, soit presque les quatre cinquièmes de la population américaine. Ayant longtemps subi la colonisation néerlandaise, les Indonésiens qui ont quitté leur pays se sont surtout installés aux Pays-Bas. À Montréal, ils sont bien peu, mais ils sont bien là.

Carnet d'adresses

 MANGER

Nonya

L'apparition de ce restaurant, il y a une dizaine d'années, sur le tronçon le plus dissipé de la *Main* – lire coin Sainte-Catherine – a été le premier signe que le centre-ville de Montréal allait un jour renaître de ses cendres. Les jeunes propriétaires étaient optimistes de voir le *Red Light* montréalais reprendre des plumes, mais ils ont déménagé – deux fois plutôt qu'une – avant d'atterrir dans le Mile-End, un quartier qui leur va comme un gant. Pour un décollage immédiat vers l'Indonésie, on peut choisir entre deux menus dégustation, les *Rijstaffel,* qui permettront d'essayer une dizaine de plats, allant du traditionnel *gado-* *gado* (une salade aux arachides) au *ayam panggang* (poulet de Cornouailles au curry rouge). Moins faim ? Le menu à la carte est rempli de classiques indonésiens et de réinterprétations du chef. Surtout, ne partez pas sans votre pot de *sambal tesari,* la sauce pimentée faite maison.

151, rue Bernard Ouest
514 875-9998
www.nonya.ca
Ⓜ **Beaubien**

Le Montréal **malaisien**

 485

Carnet d'adresses

 MANGER

Cash & Cari

Autant le dire tout de suite, sans réservation, les chances de trouver une place dans ce minuscule restaurant sont minces. À moins que, comme pour nous, le patron de la place, Nantha Kumar, vous improvise une table. Journaliste à l'hebdomadaire *Mirror*, roi du *nightlife* montréalais, Nantha est à lui seul une des principales attractions de ce petit resto.

La cuisine qu'on y sert est inspirée des plats que lui préparait sa grand-mère malaisienne. Il y a aussi sur le menu des plats d'inspiration indienne et thaïlandaise. Tout ça est bien bon, pas cher du tout et servi dans une atmosphère sans prétention qui fait qu'on adore ce petit bout de la rue Duluth.

68, avenue Duluth Est
514 284-5696
Ⓜ **Sherbrooke**

Le Montréal **mongol**

365

D u 13ᵉ au 17ᵉ siècle, la Mongolie a fait trembler le monde. Œuvre de Genghis Khan, l'expansion de l'empire mongol ne connaissait plus de fin. Le voisin chinois, pour se protéger des redoutables tribus nomades, a fait construire l'une des plus impressionnantes structures du monde : la Grande Muraille de Chine. C'est dire comment les cavaliers mongols l'intimidaient ! La situation est bien différente aujourd'hui. La Mongolie, qui a longtemps été inféodée à l'URSS, ne compte plus que 3 millions d'habitants. Conséquemment, sa diaspora est, elle aussi, bien modeste.

Des steppes de **Mongolie** aux pierres du **Vieux-Montréal**

E nfant, Laïlama Yaquubi était une voleuse. Une bien petite voleuse : elle dérobait à sa grand-mère de la gelée de pétrole. Avec la substance, noire à cette époque, elle massait les enfants nomades, qui, comme elle, vivaient pieds nus dans les steppes de la Mongolie. « Leurs petits pieds étaient tout craquelés. C'est en tentant de les soulager que j'ai appris à toucher les autres, à connecter avec eux », raconte cette belle femme au sourire contagieux.

Aujourd'hui, Laïlama ne vole plus. Elle gagne plutôt sa vie en touchant. En massant. En éclairant le visage de celles qui s'abandonnent à ses mains d'experte du massage facial. Les comédiennes Andrée Lachapelle, Suzanne Clément et Suzanne Lévesque connaissent toutes l'adresse de son spa de la rue Notre-Dame, en plein cœur du Vieux-Montréal touristique. Même la star hollywoodienne Catherine Zeta-Jones y a fait un arrêt lors d'un récent tournage à Montréal.

« C'est en m'envoyant tous ces gens et mes autres clients que le ciel me dit que j'ai eu raison d'enfreindre quelques règles quand j'étais petite pour m'occuper des autres enfants », explique-t-elle aujourd'hui.

Bien d'autres rencontres et des milliers de kilomètres de voyage ont permis à l'enfant orpheline de devenir la femme d'affaires montréalaise.

Élevée par ses grands-parents chamanes, elle a appris de sa grand-maman l'art de l'herboristerie. « Nous vivions avec seulement les vêtements que nous avions sur le dos. Pour se soigner, il fallait savoir utiliser les ressources autour de nous », raconte Laïlama. En plus de lui apprendre le secret des plantes, sa grand-mère l'a initiée à la médecine ayurvédique, lors d'un séjour prolongé en Inde, dans la communauté bouddhiste de Dharamsala.

À l'adolescence, la jeune femme a quitté la République populaire de Mongolie pour aller étudier à Moscou. Elle n'a jamais terminé les études médicales qu'elle y a entreprises, mais elle a obtenu un diplôme d'esthétique médicale.

Laïlama a fait plusieurs bonds à travers la Russie et l'Europe avant d'atterrir, avec ses enfants, à Montréal en 2001. Après un apprentissage intensif du français, elle a loué un petit local dans un salon de coiffure. Ses traitements faciaux de deux heures, alliant médecine traditionnelle et massages énergétiques, ont vite fait fureur. Quelques années plus tard, elle pouvait ouvrir son propre commerce.

Elle est tombée amoureuse du premier local qu'elle a visité dans le Vieux-Montréal: un demi-sous-sol avec des murs de brique du 18e siècle, qui, selon elle, dégage d'excellentes énergies. « Ici, je sens la terre sous mes pieds, comme en Mongolie. »

Laïlama

214, rue Notre-Dame Ouest • 514 288-9508
www.lailama.com • Ⓜ Place-d'Armes

Masala sur la *Main*

7. LE MONTRÉAL DU SOUS-CONTINENT INDIEN

Montréal n'a jamais été une destination de premier plan pour l'immigration du sous-continent indien. Même si elle a pris fin il y a déjà un peu plus de 60 ans, la colonisation britannique a laissé des traces profondes dans toute la région et encore aujourd'hui, les immigrants sud-asiatiques convergent d'abord et avant tout vers des destinations du grand monde anglo-saxon. Au Canada anglais, le sous-continent indien est d'ailleurs la première région de provenance des nouveaux immigrés. À Toronto, la communauté sud-asiatique est tellement vaste que le *Toronto Star* publie depuis peu un supplément qui lui est destiné, *Desi Life*.

Destination secondaire de cette immigration – la plupart du temps hautement qualifiée –, Montréal n'est pas complètement en reste. Lors du dernier recensement, la grande communauté sud-asiatique comptait plus de 74 000 personnes, dont plus de la moitié est originaire de l'Inde.

C'est dans les années 1960 que la première vague sud-asiatique a touché le littoral montréalais, mais c'est seulement dans les années 1970, après l'établissement du système de points d'Immigration Canada, qu'un nombre plus important d'immigrants de cette région ont atterri sur l'île. Depuis, la croissance de la communauté est plutôt constante, avec environ 10 000 nouveaux immigrants par décennie.

Mais un autre phénomène explique aussi quelques sommets dans les courbes d'immigration : happé par plusieurs conflits civils, le sous-continent a aussi produit depuis son accession à l'indépendance un grand flux de réfugiés. Les émeutes antisikhes de 1984 en Inde, la guerre civile qui s'éternise au Sri Lanka, ou encore l'instabilité chronique au Pakistan et la pauvreté extrême au Bangladesh ont toutes poussé des milliers de personnes à quitter la chaleur de l'Asie méridionale pour se réfugier dans l'hiver (parfois accueillant) de Montréal.

Pour beaucoup de Montréalais, le quartier Parc-Extension est le premier qu'ils associent à l'immigration en provenance de l'immense sous-continent indien, mais la présence des Sud-Asiatiques sur l'île est beaucoup plus vaste que la seule vitrine commerciale de la « Petite Inde », qui se limite à la rue Jean-Talon entre l'avenue du Parc et le boulevard de l'Acadie. Les Sud-Asiatiques sont aussi très présents dans l'Ouest-de-l'Île, où il est plus facile de vivre en anglais. D'ailleurs, les statistiques démontrent que seulement 42 % des Montréalais d'origine sud-asiatique parlent ou comprennent le français, alors que 87 % de ce même groupe maîtrisent l'anglais.

On est cependant loin de pouvoir conclure qu'il existe une homogénéité au sein des communautés sud-asiatiques. Si l'anglais est une langue commune d'échange, les langues sud-asiatiques restent toujours vivantes à Montréal. Le punjabi, l'hindi, l'ourdou sont parlés autant à la maison que dans les lieux de rassemblement.

De plus, la diversité religieuse parmi les Montréalais qui ont leurs racines dans le grand sous-continent indien est à l'image de ce lieu du monde où trois des six plus grandes religions sont nées (hindouisme, bouddhisme et sikhisme) et où l'islam et le christianisme ont des millions d'adeptes. Résultat : les lieux de culte fréquentés par les Sud-Asiatiques sont légion. De nouveaux temples, gurdwaras et mosquées apparaissent année après année. Certains de ces lieux de culte sont de véritables bijoux architecturaux.

Les différences religieuses et linguistiques, responsables de plus d'un conflit au Sri Lanka, en Inde au Pakistan et au Bangladesh, ne semblent pas avoir le même effet sur les troupes montréalaises. «Ça dépend de la situation politique dans nos pays d'origine, mais en général, à Montréal, nous nous fréquentons les uns les autres et organisons des événements ensemble», explique Shabhir Hussain Lone, responsable montréalais du journal *Canadian Asian News*, qui couvre autant l'actualité indienne que pakistanaise. Au lendemain des attentats de Mumbai (Bombay) de novembre 2008, pendant que l'Inde et le Pakistan étaient à couteaux tirés, la grande communauté sud-asiatique s'est serré les coudes pour organiser un seul événement. Au ciel, Gandhi a sûrement souri.

 DANS LE CALENDRIER

Fêtes religieuses

Il serait long – très long – d'énumérer toutes les fêtes religieuses célébrées dans les lieux de culte sud-asiatiques de Montréal. Les hindous à eux seuls en ont des centaines, souvent soulignées par certains temples et non par d'autres. Les musulmans et les sikhs ne sont pas en reste.

Voici quelques-unes des fêtes principales:

Hindous

Navratri: septembre, octobre ou novembre

Le nom de cette fête, qui signifie «neuf nuits», en dit long. À l'automne, les temples hindou de Montréal se lancent dans des célébrations élaborées. Plusieurs croyants jeûnent pendant ce festival hindou au cours duquel la déesse Durga est honorée.

Diwali: octobre

Cette fête de la lumière est un peu l'équivalent hindou de Noël et du Nouvel An combinés. En Inde, des feux d'artifice éclairent le ciel pendant toute la nuit de Diwali. Tous les membres de la famille sont aussi couverts de cadeaux. À Montréal, des concerts ont souvent lieu à la Diwali en plus des célébrations dans les temples. Les sikhs fêtent aussi Diwali.

Holi: jour de la pleine lune, mars

On ne porte pas ses plus beaux vêtements blancs pour célébrer Holi, la fête des couleurs et du printemps. Mais on s'en donne à cœur joie en couvrant ses proches de poudres multicolores. Il est aussi de coutume d'allumer un grand feu.

Rata Yatra: juillet

À Montréal, c'est le plus élaboré des festivals hindous. Pour l'occasion, les temples participants font prendre l'air à leurs idoles le temps d'une journée. Montés sur des chariots, les dieux hindous parcourent donc les rues ce jour-là sous les acclamations de leurs fidèles. La Société internationale pour la conscience de Krishna (les Hare Krishna) organise aussi ce jour-là des festivités à grand déploiement.

Sikhs

Guru Nanak Dev Ji : novembre

Chaque année, la naissance du fondateur de la religion sikhe, Guru Nanak, est célébrée en grande pompe dans les gurdwaras de la ville. Les festivités durent trois jours et sont précédées d'une préparation de trois jours additionnels.

Musulmans

Ramadan : le mois du ramadan change de date chaque année. Il dure le temps d'une lune.

Le mois du jeûne est observé par les musulmans d'origine pakistanaise comme par tous les autres musulmans. Du lever au coucher du soleil, ils ne peuvent pas manger. Ils brisent le jeûne après une prière qui a lieu à la tombée de la nuit.

Aïd-el-Fitr : fin du mois du ramadan

Cette fête vient clore le ramadan. Une grande prière commune a lieu ce jour-là.

Aïd-el-Adha : 70 jours après l'Aïd-el-Fitr

Après une prière rituelle, les hommes se rendent dans divers abattoirs pour sacrifier une chèvre. Cette fête marque aussi la fin du pèlerinage à La Mecque, le Hajj.

Naissance du Prophète Mahomet

Cet événement se déroule dans les mosquées de la ville. Un grand nombre de Pakistanais se regroupent dans les mosquées de Parc-Extension pour l'occasion.

 MÉDIAS

Journaux
Canadian Asian News Montréal

La plupart des journalistes de ce bimensuel sont originaires du Pakistan, mais leur journal, publié en anglais à Montréal et à Toronto, est destiné à tous les Sud-Asiatiques. On y trouve des nouvelles politiques en provenance autant de l'Asie du Sud que des États-Unis et du Canada, des entrefilets sur les stars de Bollywood, et bien sûr, des nouvelles et analyses des derniers exploits des équipes de cricket. Le site web est mis à jour quasi quotidiennement.

25, avenue Glengarry, bureau 604
514 952-2742
www.canadianasiannews.com/can.php

Annuaire d'affaires *Sawid*

Initiative de Manjeet Singh, cet annuaire, offert autant sur le web qu'en version papier, regroupe des centaines d'entreprises appartenant à des Montréalais d'origine sud-asiatique ou antillaise. La communauté sikhe tient une place prépondérante dans ses pages. On y trouve aussi un annuaire des organisations sud-asiatiques ainsi que des temples hindous, gurdwaras et mosquées du Grand Montréal.

www.sawidcanada.com

Radio
Radio Humsafar FM 90,3

Cette radio, opérée à la fois à partir de la Californie et de Montréal, est en ondes à San Francisco, San Jose, Winnipeg et Montréal. Cependant, puisque la programmation en hindi, urdu, punjabi et anglais est diffusée par internet 24 heures sur 24, cette radio est destinée aux quelque 1,5 million de Sud-Asiatiques qui vivent en Amérique du Nord. Beaucoup de musique et de nouvelles de là-bas, mais aussi d'ici.

514 367-5555 • www.radiohumsafar.com

Internet
Bottin en ligne

Ce site web n'est pas très à jour (les derniers événements annoncés remontent à 2005), mais on y trouve une foule de liens vers les commerces sud-asiatiques de Montréal.

www.southasians.ca

En savoir plus

South Asian Women's Community Center

(Centre communautaire des femmes sud-asiatiques)

Situé au cœur du Plateau-Mont-Royal, loin de la «Petite Inde», le Centre communautaire des femmes sud-asiatiques est une véritable ruche. Et pour cause: le centre a des mandats multiples. Des cours d'anglais et de français, subventionnés par le ministère de l'Immigration du Québec, y sont offerts. Des intervenantes sociales, qui parlent toutes les langues sud-asiatiques, offrent aussi du counseling familial et peuvent aider les femmes victimes de violence conjugale. Au cours des ans, plusieurs luttes féministes et pacifistes ont émané de ce centre communautaire.

1035, rue Rachel Est
514 528-8812
Ⓜ **Mont-Royal**

Centre d'études et de recherche sur l'Asie du Sud (lié à l'International South Asian Forum)

Organisation de gauche, le Centre d'études montréalais appartient à un plus grand réseau qui s'étend à travers l'Amérique du Nord et dont le principal objectif est la résolution pacifique des conflits qui déchirent l'Asie du Sud. Le CERAS organise fréquemment des conférences sur divers enjeux sociaux et politiques.

ceras@insaf.net
insaf.net/central/insaf-old/new.html

Centre culturel Kabir

Portant le nom d'un poète indien du 15e siècle, ce centre fait la promotion de la tolérance et de l'inclusion par les arts, au sein de la communauté sud-asiatique, mais aussi dans la grande société montréalaise. Des concerts et des projections de films sont fréquemment organisés. Le centre abrite aussi un club du livre. Les détails apparaissent sur le site web francophone.

472, avenue Grosvenor
514 695-3264
www.centrekabir.com
Ⓜ **Atwater**

Cricket toutes!

Un objet de culte fait l'unanimité parmi les Sud-Asiatiques du monde entier : le cricket. Ce sport, legs du colonialisme britannique, est aussi populaire en Inde, au Pakistan et au Sri Lanka que le hockey au Québec. Et l'émigration est loin de freiner les ardeurs des fans ! Plusieurs se sont munis de disques satellites pour écouter à la télévision les matchs qui peuvent durer jusqu'à cinq jours et dans lesquels leurs pays d'origine s'affrontent.

Mais détrompez-vous, ce n'est pas qu'un sport de salon. À Montréal, on joue au cricket depuis 1784 ! Le premier match a eu lieu sur l'île Sainte-Hélène, où les troupes britanniques montaient la garde après la conquête de la Nouvelle-France. Encore aujourd'hui, les descendants des premiers immigrants écossais et britanniques s'adonnent à ce sport, mais il suffit d'un coup d'œil aux noms de famille des membres du conseil d'administration de la Fédération de cricket du Québec – Patel, Kirpaul – pour comprendre que le sport s'est « sud-asianisé » au cours des 40 dernières années. On estime à 1 200 les Montréalais qui appartiennent à des ligues de cricket. L'été,

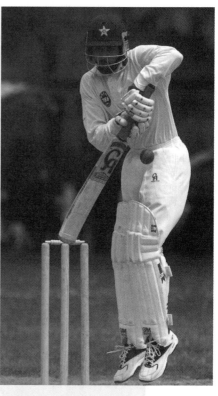

50 équipes s'entraînent plus de 15 heures par semaine et rivalisent dans les parcs de la ville, dont celui de l'hôpital Douglas et le parc Jarry. Pour une vraie bonne dose de culture sud-asiatique, rien de mieux que d'assister à un match en grignotant un samossa ou des pâtisseries bien laiteuses achetées dans la « Petite Inde ».

CRICKET : MODE D'EMPLOI

Ancêtre du baseball, le cricket est un jeu de batte et de balle qui oppose deux équipes de 11 joueurs. Un lanceur, qui se place devant le *wicket* ou « guichet » – un morceau de bois – envoie la balle vers le batteur en la faisant d'abord rebondir. Le batteur doit protéger le second guichet qui est derrière lui et frapper la balle dans le champ. S'il réussit, il peut courir jusqu'au guichet du lanceur et ainsi enregistrer une course pour son équipe. Les matchs peuvent durer de quelques heures à cinq jours. Le cricket test est le plus traditionnel et le plus long. Le match international d'un jour est celui utilisé pour la Coupe du monde de cricket. Depuis quelques années, il existe aussi une version courte du cricket qui remporte un grand succès télévisuel, mais désespère les puristes du sport.

Pour renseignements:

LIGUE MONTRÉALAISE
Subrata Mandal • subrata.mandal@sympatico.ca

CRICKET CANADA
www.cricketcanada.org • 416 426-7209

Les **ismaéliens**

L es ismaéliens appartiennent à une sous-secte de l'islam chiite. Leur chef spirituel est l'Aga Khan. Ce dernier est responsable du bien-être à la fois spirituel et économique des ismaéliens, dispersés à travers le monde. L'actuel Aga Khan, le quatrième, est un homme d'affaires très prospère, installé en France. Il est notamment propriétaire d'une grande chaîne d'hôtels ainsi que de la compagnie de télécommunications afghane Roshan. De plus, il est à la tête d'une grande fondation qui met sur pied des projets éducatifs, culturels et de développement, principalement dans les 25 pays où se trouvent les membres de la diaspora ismaélienne. L'université de l'Aga Khan se trouve au Pakistan, où il a le plus grand nombre de fidèles. À Montréal, on compte plus de 5 000 ismaéliens.

Naissance de l'Aga Khan: 13 décembre

L'anniversaire de l'Aga Khan est célébré religieusement.

Navroz: 20 ou 21 mars (équinoxe du printemps)

Cette fête préislamique est célébrée à travers l'ancien empire perse, de l'Iran au Pakistan, en passant par l'Afghanistan. Les ismaéliens soulignent aussi en grande pompe ce festival de deux semaines qui salue l'arrivée du printemps.

Pour en savoir plus:

Conseil ismaili pour le Québec et les provinces maritimes
4480, chemin de la Côte-de-Liesse, bureau 370, Mont-Royal
514 738-8866

Le Montréal **indien**

39 305

hindi, ourdou, punjabi

hindouisme (39 %),
sikhisme (20 %),
islam (17 %),
catholicisme (13 %)

Comme les Chinois, c'est au 19ᵉ siècle que les premiers Indiens arrivent au Canada... par la côte Ouest. Et comme les premiers immigrants chinois, les premiers arrivants de l'Inde, des sikhs du Punjab, travaillent à la construction du train transcanadien, fleuron de la modernisation du pays. Lorsque le boulot colossal se termine, les quelque 5 000 travailleurs indiens se font montrer la porte. Mais la plupart restent.

Les autres Indiens qui veulent venir au Canada, bien que sujets britanniques comme les Canadiens, sont soumis à une règle draconienne : ils sont obligés de faire un voyage ininterrompu. Les immigrants européens n'ont pas de problème avec cette règle, mais ceux en provenance du Moyen-Orient et du sous-continent indien peuvent difficilement trouver un navire qui puisse accommoder leur migration.

Conséquence de ces lois d'exclusion, bien peu d'Indiens arrivent au Canada avant 1967, année de l'entrée en vigueur du système de points qui permet aux travailleurs qualifiés d'aspirer à la citoyenneté canadienne.

À Montréal, au début des années 1950, la communauté indienne ne compte qu'une poignée de familles sikhes et quelques étudiants indiens. La grande majorité des immigrants indiens de Montréal sont arrivés après 1967. En 2001, 83 % des membres de la communauté indienne du Québec étaient nés en Inde.

Même si les immigrants d'origine indienne viennent des quatre coins de cet immense pays de 1,2 milliard de personnes, l'État du Punjab, qui est aussi le centre du sikhisme en Inde, a contribué plus que les 24 autres États indiens à faire grandir la population indienne montréalaise.

La communauté punjabi a parmi ses rangs plus de réfugiés que le reste de la grande communauté indienne. Plusieurs sikhs ont trouvé refuge à Montréal après les émeutes d'une violence extrême qui ont déferlé sur l'Inde en 1984 à la suite de l'assassinat de la première ministre du pays, Indira Gandhi, par ses deux gardes du corps sikhs.

Les hindous sont néanmoins plus nombreux à Montréal.

Autre signe de la diversité indienne : les immigrants indiens proviennent de plusieurs des 25 États indiens, dont le Tamil Nadu, le Gujarat, l'Orissa et Goa.

PARLEZ-VOUS... ?

Bonjour ➤ Amaskar ou Namaste (hindi); Assalaam alaykum (ourdou)

Merci ➤ Thank you (hindi); Shoukria (ourdou)

Au revoir ➤ Namaste (hindi); Kouda hafez (ourdou)

 1 DANS LE CALENDRIER

Jour de l'Indépendance : 15 août

C'est dans le parc Howard, dans Parc-Extension, qu'a lieu la célébration de l'indépendance indienne chaque année, le lendemain d'une autre fête qui se tient au même endroit : le jour de l'Indépendance du Pakistan. Les communautés pakistanaise et indienne travaillent main dans la main pour organiser un week-end d'activités, malgré la rancœur qui caractérise les relations entre leurs pays d'origine. La fête indienne est habituellement agrémentée d'un défilé. Le jour de l'Indépendance rappelle le retrait du régime colonial britannique de l'Inde après une longue bataille basée sur la non-violence orchestrée par le Mahatma Gandhi.

Naissance de Gandhi : 2 octobre

Certains Indiens voient en Gandhi la réincarnation du dieu Vishnu, divinité de la bonté. L'anniversaire du grand homme, né Mohandas Karamchand Gandhi en 1869, est souligné tous les ans par le centre Bharat Bhavan, qui s'inspire toujours dans son travail des principes de vie gandhiens.

 ÉVÉNEMENTS

DesiFEST : mai-juin

Ils y sont tous, les chanteurs, danseurs et rappeurs qui ont du *tchaï masala* qui leur coule dans les veines. Mais un *tchaï masala made in Canada*. Ce festival, mis sur pied en 2007, veut faire connaître au Canada des artistes bien d'ici, mais qui ont souvent plus de succès dans le pays où leurs parents sont nés, là-bas, à dix heures et demie de décalage. Alors, sortez vos *bangles* et lancez-vous dans la danse !

www.rbcdesifest.com

Miss India Canada : juillet ou août

Le chemin le plus éprouvé pour une jeune femme d'origine indienne pour passer de l'anonymat à la célébrité est le concours de beauté. C'est en gagnant Miss Univers que l'actrice Aishwarya Rai a été projetée au firmament des stars bollywoodiennes. Au Canada, le concours Miss India Canada promet aussi leurs moments de gloire à 16 finalistes d'origine indienne. La députée libérale ontarienne Ruby Dhalla y a participé avant de lancer sa carrière politique.

www.missindiacanada.com

Carnet d'adresses

 MANGER

La cuisine indienne est l'une des plus diversifiées au monde. Il n'est pas rare d'entendre des Indiens du Nord dire qu'ils sont aussi dépaysés par les plats de l'Inde du Sud que s'il s'agissait de cuisine sud-américaine.

Bombay Mahal

Ce restaurant ne paie pas de mine, mais cela ne l'empêche pas d'être un des principaux pôles d'attraction de Parc-Extension. Les *thali* (des assiettes de fer recouvertes de plusieurs plats) y sont copieux et pas chers du tout. Et on peut y manger une des plus célèbres spécialités du sud de l'Inde, le *masala dosa*, une immense crêpe fine agrémentée de pommes de terre épicées et servie avec le *sambal*, un bouillon épicé, et du chutney à la noix de coco.

1001, rue Jean-Talon Ouest
514 273-6331 • Ⓜ Acadie

Pushap

Ce restaurant, qui ne cesse de faire des petits, est strictement végétarien. Les plats qui y sont servis sont simples et peu chers. C'est cependant au dessert que Pushap impressionne. Toute une variété de pâtisseries à base de lait est en vitrine. Il est chaudement recommandé de visiter la succursale de la rue Paré.

Trois succursales :

L'original : 5195, rue Paré
514 737-4527 • Ⓜ Namur

Parc-Extension : 975, rue Jean-Talon Ouest
514 274-3003
Ⓜ L'Acadie

Ouest-de-l'Île : 4777, boulevard des
Sources, Pierrefonds
514 683-0105

Punjab Palace

Les plats du nord de l'Inde, dont plusieurs spécialités punjabi, y sont préparés avec beaucoup d'amour par la patronne, qui a appris les rudiments de la cuisine… au siège social des Nations Unies. L'entrée de poisson d'Amritsar (la ville sacrée des sikhs) est chaudement recommandée, ainsi que le *channa samosa*, recouvert de pois chiches bien relevés. Le sud de l'Inde n'est pas complètement en reste : le *idli*, un gâteau de riz que l'on trempe dans le *sambal*, est offert ainsi que le *masala dosa*. Si vous demandez aux propriétaires, ils vous montreront peut-être une facture sur laquelle l'acteur Rob Lowe a laissé sa signature.

Deux succursales :

Parc-Extension : 920, rue Jean-Talon Ouest
514 495-4075 • Ⓜ Acadie

Dollard-des-Ormeaux : 4878, boulevard
des Sources • 514 683-4878
www.punjabpalace.ca

Malhi Sweets

Son nom le dit, la spécialité ici, c'est le dessert. Les *gulab jamun* (des boules de pâte sucrée servies dans un sirop chaud) et le *rasmalai* (une pâtisserie au lait) y sont faits sur place. Mais puisque le sucré ne chasse pas le salé, le restaurant sert aussi une longue liste de plats indiens, dont un curry à la chèvre que l'on ne trouve nulle part ailleurs.

880, rue Jarry Ouest
514 273-0407 • www.malhisweets.ca

Devi

Le décor de ce chic établissement de la rue Crescent, qui a aussi un grand frère à New York, est somptueux. La carte est aussi intéressante. Les crevettes, cuites dans le poivre noir ou avec de la coriandre, y tiennent une place de choix. Et le chef, qui a grandi entre le Punjab et Bombay, est particulièrement fier de son jarret d'agneau. Ne manquez pas le *kulfi*, une crème glacée au safran et à la pistache, au dessert.

1450, rue Crescent • 514 286-0303
www.devimontreal.com
Ⓜ Guy-Concordia

SORTIR, DANSER, BOIRE UN VERRE

Karma Bar Restaurant

Ce grand restaurant de Pierrefonds se transforme à l'occasion en cabaret bollywoodien. Lorsqu'il est en ville, le groupe JoSH (voir page 258) s'y donne en spectacle.

4720, boulevard Saint-Jean
Pierrefonds • 514 620-1233
www.restaurantkarma.com

Parc Mahatma-Gandhi (Van Horne – chemin Hudson)

Situé sur l'avenue Van Horne, au coin du chemin Hudson, dans le quartier Côte-des-Neiges, ce parc porte le nom du plus célèbre de tous les Indiens, Mahatma Gandhi. On y trouve notamment un jardin communautaire. C'est un bien bon endroit pour prendre une pause et réfléchir à toutes les luttes non violentes qu'il reste à mener dans le monde.

Ⓜ Université-de-Montréal

 FAIRE L'ÉPICERIE

Il y a des dizaines et des dizaines d'épiceries sud-asiatiques à Montréal, toutes de la grandeur d'un dépanneur et vendant à peu près les mêmes produits : épices, samossas et *parathas* congelés, chutneys en bocaux. On en trouve une dizaine dans la «Petite Inde» de la rue Jean-Talon et plusieurs autres à LaSalle, près du gurdwara.

Marché Green Punjab

Une des plus anciennes de Parc-Extension, cette épicerie a maintenant deux succursales sur la même rue.

771 et 819, rue de Liège Ouest
514 278-8685 • Ⓜ Parc

Marché Chauhan

En plus de vendre des pâtes à curry de toutes sortes, ce petit marché propose aussi des fruits et des légumes ainsi que des DVD de films bollywoodiens. Le service de livraison est gratuit.

1741, avenue Dollard, LaSalle
514 363-5507

 MAGASINER

Kangan

Tout le nécessaire pour la garde-robe indienne : des tuniques et des *salwar kameez* pour les femmes, des *kurta* pour les hommes. Et bien sûr, beaucoup, beaucoup de bijoux clinquants.

825, rue Jean-Talon Ouest
514 274-4446 • Ⓜ Parc

Uma Sarees (Saree Emporium)

Ce grand magasin est le paradis du sari et du *salwar kameez*, l'habit traditionnel punjabi composé d'une longue tunique et d'un pantalon. On y trouve aussi des tonnes de tissus indiens.

6270, chemin de la Côte-des-Neiges
514 341-1394

La Sana

Vous êtes fan de Shahrukh Khan et d'Amitabh Bachchan ou simplement curieux de découvrir le cinéma indien ? Ce magasin loue et vend des films bollywoodiens à profusion. On peut aussi y acheter des vêtements indiens.

828, rue Jean-Talon Ouest
514 276-1325 • Ⓜ Parc

 MÉDIAS
Journaux

Pragati

Ce mensuel en anglais est fait de toutes pièces à Montréal. Y figurent des nouvelles de la communauté indienne montréalaise, des analyses sur la politique qui se brasse dans les coulisses de New Delhi, mais aussi une page complète d'astrologie et des critiques des derniers films de Bollywood.

Case postale 85, succursale Notre-Dame-de-Grâce • 514 481-7445
pragati@pragatimedia.com

Bharat Times

Ce bimensuel anglophone fait beaucoup de place aux nouvelles de la communauté indienne et sud-asiatique. Les événements à venir y sont annoncés, accompagnés d'une mise en garde sur l'effet des planètes sur chaque fête (un Montréalais averti en vaut deux). Le site web n'est pas très à jour, mais contient plusieurs adresses et numéros de téléphone utiles.

274, avenue Marsh
514 999-8402 • www.bharattimes.ca

Hindi Times

Ce journal, publié en anglais et en hindi, émane de Brampton, en Ontario, mais il est distribué à Montréal dans une version adaptée à la métropole québécoise. On y trouve beaucoup, beaucoup de nouvelles de Bollywood, mais aussi amplement de nouvelles politiques et sociales. Comme dans les autres publications indo-canadiennes, l'astrologie et la religion y tiennent des places de choix.

22, Fallen Oak Court, Brampton
905 458-4217
www.thehinditimes.com

Internet

Mast India Montreal

Ce site web contient une tonne d'adresses pour la grande diaspora indienne, mais aussi plus spécialement pour la communauté indo-montréalaise. Malheureusement, il n'est pas parfaitement à jour.

www.mastindia.com/montreal.html

En savoir plus

Associations

Bharat Bhavan ou la Maison de l'Inde

Si vous voulez faire un séjour en Inde, il y a de bonnes chances que vous deviez passer au centre culturel Bharat Bhavan. C'est ici que le consulat indien d'Ottawa délivre des visas aux voyageurs montréalais. Des événements communautaires ont souvent lieu dans la grande salle du centre de la rue Notre-Dame. Des cours d'hindi, d'ourdou et de punjabi y sont offerts, ainsi que des leçons de danse *kathak* et de musique traditionnelle indienne.

4225, rue Notre-Dame Ouest
514 904-1675 • Ⓜ Place-Saint-Henri

419, rue Saint-Roch
514 270-7500 • Ⓜ Parc
www.bharatbhavanfoundation.org

Organisation Inde-Canada

Très active, cette organisation a comme principal mandat de favoriser l'intégration des immigrants et des réfugiés sud-asiatiques dans leur province d'accueil, notamment en offrant des cours de français et d'anglais aux nouveaux arrivants. L'organisation Inde-Canada met sur pied aussi tous les ans le défilé du 15 août.

419, rue Saint-Roch • 514 948-6630
Ⓜ Parc

Associations étudiantes indiennes

Depuis les années 1950, des étudiants indiens choisissent de venir faire leurs études universitaires à Montréal. Ils organisent des activités, notamment autour de la fête de Holi.

Hindu Students' Association (McGill):
ssmu.mcgill.ca/hsa/links.html
Indian Students' Association (Concordia):
indian.concordia.ca

Baratiya Sangeeta Sangham

Cette organisation ne fait pas de politique ni de sectarisme: elle fait la promotion de la très riche culture indienne. Presque tous les mois, BSS organise des spectacles de musique classique, de *Bharata Natya* (danse classique indienne) et de chant.

3551, boulevard Saint-Charles, local 158, Kirkland
www.bssmontreal.org

Apprendre (écoles de langues, d'art, de danse)

Centre Kala Bharati

Cette école de danse se spécialise dans l'enseignement du Bharata Natya, la danse traditionnelle indienne qui met en valeur autant les pieds et les mains que les yeux. Cette danse nécessite beaucoup de discipline. Des années sont nécessaires pour en maîtriser l'art. Le centre, dirigé par Mamata Niyogi-Nakra, possède aussi une troupe de danseuses accomplies.

3410, rue Sherbrooke Est • 514 522-9239
www.kalabharati.ca • Ⓜ Joliette

Masala

Situé dans un lieu quelque peu étrange – presque sous le viaduc de l'autoroute –, ce restaurant de Griffintown, populaire auprès des employés de bureau le midi, se transforme en école de cuisine le soir. On peut y devenir un expert du maniement des *masalas* (les épices) en quelques soirs, sous la supervision du chef, Ilyas Mirza.

995, rue Wellington • 514 287-7455
www.masalacuisine.ca
Ⓜ Square-Victoria

LIEUX DE CULTE

Hindouisme

Mission hindoue du Canada (Québec)

C'est le plus vieux temple hindou au Canada. Il est ouvert pour des offrandes aux dieux tous les matins et tous les soirs. Des mariages y sont souvent célébrés.

955, rue de Bellechasse
514 270-5557
www.hindumissioncanada.com
Ⓜ Beaubien ou Rosemont

Hindu Mandir

Il faut regarder le tapis, qui semble avoir trois pouces d'épaisseur, pour comprendre que ce temple tout neuf est particulièrement bien nanti. On y vénère le dieu de la bonté, Vishnu, ainsi que les membres de sa famille divine. Le temple offre aussi un service d'astrologie personnalisé bien pratique pour ceux qui n'osent pas se marier ou acheter une voiture neuve avant d'avoir consulté les étoiles. Sur le site web du temple, on trouve une liste de toutes les grandes fêtes hindoues. Le temple offre régulièrement des cours de yoga.

50, rue Kesmark, Dollard-des-Ormeaux
514 684-8030
www.hindumandir.com/new

Temple Shree Ramji

Ce grand temple blanc de deux étages, créé en l'honneur du dieu Ram, est la preuve que la communauté hindoue grandit à vue d'œil dans Parc-Extension. Modeste à l'origine, ce lieu de culte vient tout juste d'être agrandi au coût de 5,6 millions de dollars.

8155, rue Durocher
514 277-9298
www.shreeramjitemple.org
Ⓜ Parc

Sikhisme

Gurdwara Guru Nanak Darbar

On voit ce gurdwara, surmonté d'un dôme doré, de très, très loin. Fastueux, il est la fierté de la communauté sikhe de Montréal, qui s'y rassemble pour prier, mais aussi pour jaser et casser la croûte. Les non-sikhs y sont les bienvenus. On remet au visiteur un bout de tissu qui permet de couvrir les cheveux à l'entrée, un rituel obligatoire autant pour les femmes que pour les hommes. Dans la grande salle de prière, les deux sexes sont divisés, mais tout le monde se retrouve au réfectoire juste après pour partager un repas.

7801, rue Cordner, LaSalle
514 595-1881
Ⓜ Angrignon

Islam

Pour les mosquées fréquentées par les Sud-Asiatiques, voir la section suivante, Le Montréal pakistanais.

Jaïnisme

Cette religion est aussi née en Inde et a quelques adeptes à Montréal. Les jaïns croient que chaque être vivant, humain ou animal, a une âme. Habituellement, ils sont strictement végétariens. Les moines jaïns vivent une vie d'ascétisme.

Pour en savoir plus :

Association jaïne de Montréal
www.jainworld.com/society/montreal.htm

Hare Krishna

Le mouvement Hare Krishna, fondé en 1966 à New York par Srila Prabhupada, a surtout des adeptes en Occident, mais en gagne tous les jours en Inde. Sa philosophie est basée sur les écritures hindoues. Krishna, qui est une incarnation du dieu Vishnu, représente pour les fidèles du mouvement l'être humain divin. À Montréal, le mouvement Hare Krishna a des centaines d'adeptes, mais ils sont divisés en deux groupes. Selon les prescriptions du fondateur, les adeptes du mouvement Hare Krishna doivent notamment chanter le mantra « Hare Krishna, Hare Krishna, Krishna, Krishna, Hare, Hare » plus de 648 fois par jour et maintenir une diète végétarienne.

Société internationale pour la conscience de Krishna (ISKCON) Montréal

Principale organisation Hare Krishna, ISKCON a des temples et des centres partout dans le monde. Son temple à Montréal se trouve dans une ancienne église d'Hochelaga-Maisonneuve.

1626, boulevard Pie-IX
514 521-1301
iskconmontreal.ca
Ⓜ Pie-IX

Temple Sri Sri Radha Damodara

Les adeptes de ce groupe s'opposent à la direction d'ISKCON. Leurs croyances sont cependant à peu près les mêmes. Tous les dimanches, ils préparent un grand festin végétarien.

5207, avenue Victoria, appartement 11 • 514 656-1335
radhadamodara.110mb.com • Ⓜ Snowdon

Yoga et méditation

L e yoga tire son origine de l'hindouisme, mais est aussi pratiqué par les bouddhistes. À la base, le yoga est pour les Indiens une manière d'atteindre l'illumination. À l'extérieur de l'Inde, le terme « yoga » est surtout relié à la pratique des postures de yoga, les asanas, alliant à la fois corps et esprit.

Dans le grand monde du yoga, qui connaît un essor sans bornes, Montréal a une excellente réputation. On peut trouver dans la ville et dans ses environs presque toutes les pratiques possibles de la tradition yogique. En voici quelques exemples.

Centre de yoga Iyengar de Montréal

Le yoga Iyengar met l'accent sur l'alignement du corps. Il utilise plusieurs supports, dont des courroies et des blocs, pour aider ceux qui le pratiquent à atteindre des positions bénéfiques.

917, avenue du Mont-Royal Est
514 528-8288
www.iyengaryogamontreal.com
Ⓜ **Mont-Royal**

Centre Sivananda de yoga vedanta de Montréal

Le yoga vedanta, qui se définit comme une discipline personnelle de mieux-être, se compose de cinq éléments : les exercices appropriés (les asanas), la respiration correcte (*pranayama*), la relaxation profonde (*savasana*), l'alimentation végétarienne ainsi que la pensée positive par la méditation. Au centre Sivananda, des cours sont offerts sur chacun des éléments. Le centre offre aussi des retraites de yoga dans un ashram de Val-Morin, dans les Laurentides.

5178, boulevard Saint-Laurent
514 279-3545
www.sivananda.org
Ⓜ **Laurier**

Ashtanga Yoga Montreal

Le yoga ashtanga est l'un des plus athlétiques. Le maître de ce yoga se trouve à Mysore, en Inde.

372, rue Sainte-Catherine Ouest, local 118
514 875-9642
www.ashtangamontreal.com
Ⓜ **Place-des-Arts**

Bikram yoga

Le yoga bikram se pratique dans une pièce chauffée à 42 degrés Celsius pour aider les muscles à se délier. Ici, c'est l'exercice qui prend toute la place lors des séances de 90 minutes, pas la méditation.

Deux studios :
Bikram Yoga : 721, avenue Walker
514 989-7642
Ⓜ Lionel-Groulx

Bikram Plateau : 435, avenue Laurier Est
514 303-6013
Ⓜ Laurier

Art of Living Foundation

Cet établissement suit les enseignements de Sri Sri Ravi Shankar, un gourou indien dont le principal ashram est situé tout près de la Silicon Valley indienne, Bangalore. À Montréal, sa Fondation de l'art de vivre enseigne la philosophie du gourou par la méditation et le yoga. Assez fréquemment, Sri Sri Ravi Shankar vient visiter ses adeptes montréalais.

3791, chemin Queen-Mary
514 475-9074
www.artofliving.ca
Ⓜ Université-de-Montréal

C'est quoi **ça**?

L'ayurvéda

L'ayurvéda est un système de santé ancien, développé en Inde, faisant la promotion du bien-être physique et mental par l'équilibre de cinq éléments qui composent chaque être humain : l'éther, l'air, le feu, l'eau et la terre. Il existe trois doshas ou combinaisons de ces éléments, soit le Vata, le Pitta et le Kapha. Chaque être humain est associé à l'un de ces doshas plus qu'aux autres. La médecine ayurvédique, pratiquée en Inde depuis 5 000 ans, vise à rétablir l'équilibre des doshas. Des soins différents sont donc prodigués en fonction du type de chaque individu. L'utilisation des huiles et des massages est commune dans la médecine ayurvédique. L'alimentation est aussi considérée comme centrale au bien-être.

Spa Zazen

Spécialiste de l'ayurvéda, Anita Sharma offre des traitements ayurvédiques dans ce spa du Vieux-Montréal, où l'on enseigne aussi le yoga et le Pilates. Il est possible de recevoir ici le *shirodara*, un traitement ayurvédique divin qui consiste à laisser couler un filet d'huile chaude sur le front pendant près de 30 minutes. Un traitement éprouvé contre les migraines, l'anxiété et le surmenage.

209, rue Saint-Paul Ouest
514 287-1772
www.spazazen.com
Ⓜ Place-d'Armes

Le **beat bhangra** de Brossard

Belle fin d'après-midi au centre-ville. Il est encore trop tôt pour les discothèques, mais exceptionnellement, le Boodha Bar est ouvert.

La raison? On tourne aujourd'hui le nouveau vidéoclip du groupe JoSH, un tandem de pop indienne originaire de Montréal. Pour l'occasion, le club de la rue Mackay s'est transformé en plateau de film bollywoodien. Pendant qu'une poignée de jeunes sikhs s'affairent au bar, des danseuses en sari se trémoussent devant la caméra au son de la chanson *Rock Your World*.

Quelques semaines après le tournage, le clip de *Rock Your World* sera diffusé en rotation lourde sur les ondes de MTV Inde et MTV Pakistan et entrera dans des millions de foyers sud-asiatiques.

Peu de chances, en revanche, de voir la chose sur les ondes de MusiquePlus ou Much Music. Ni même de l'entendre à la radio. Car pour l'instant, l'immense popularité de JoSH se limite surtout à l'Asie du Sud et au Moyen-Orient.

Ironique? On ne saurait mieux dire. Dans les rues de Bombay ou de Karachi, Rup et Q, les deux chanteurs de JoSH sont accompagnés de gardes du corps et se font piétiner pour des autographes. À Montréal, personne ne les connaît. En Inde ou au Pakistan, leurs albums sont distribués par les multinationales, comme Universal et EMI. Ici, ils sont introuvables, sinon sur leur site web. Et on ne parle même pas des spectacles. Au Pakistan, JoSH s'est déjà produit dans un stade devant 55 000 personnes!

«On peut y voir de l'ironie. Mais c'est un choix que nous avons fait, explique Rupinder Magon, alias Rup, le sikh du tandem. Montréal est un lieu parfait pour se nourrir artistiquement. Mais notre premier marché n'est pas ici. La diaspora sud-asiatique est immense et éparpillée. La meilleure façon de rejoindre tous ces gens était de remonter à la source. Or la source pour nous, c'était l'Asie du Sud. Une fois que tu es connu là-bas, le rayonnement devient plus facile.»

TOUS DEUX AU COLLÈGE CHAMPLAIN

N'allez pas croire que le succès est arrivé du jour au lendemain. Il y a plus de 10 ans que Rupinder et son comparse Qrram Hussain galèrent pour percer l'impitoyable monde du showbiz mondial.

Indien d'origine, Rup est né et a grandi à Brossard. Qrram – alias Q – est arrivé du Pakistan au début de l'adolescence. Les deux jeunes étaient voisins, mais ont fait connaissance dans l'autobus qui les menait au collège Champlain.

À l'époque, Rupinder jouait de la percussion dans une version non définitive de JoSH. Le groupe cherchait un claviériste et Qrram avait le parfait profil. De quatre membres, la formation se réduira finalement à deux.

Le style musical évoluera au même rythme. Si Rup et Q se contentent d'abord de reprendre des succès de films bollywoodiens, ils vont progressivement écrire leurs propres compositions, débouchant sur une fusion moderne de rythmes *bhangra* (la musique folk du Punjab, d'où viennent la plupart des Indiens sikhs) et de sonorités pop nord-américaines.

«C'est bizarre, raconte Rup. Je suis né au Québec, plusieurs de mes amis sont québécois, mais je connais très mal la musique occidentale. J'ai grandi en jouant des tablas au temple et en écoutant des *kirtans* (chansons religieuses sikhes). Q, lui, a grandi au Pakistan. Mais il écoutait Guns N'Roses et Pearl Jam! Mettons que ça résume notre mélange d'influences.»

Bollywood
Montréal entre dans la danse

Hollywood envie Bollywood. Chaque année, l'industrie du *blockbuster* indien, basée à Mumbai (Bombay), la métropole économique du sous-continent, produit deux fois plus de films et vend plus de billets que sa rivale américaine (et vlan!). Et depuis peu, Montréal fait partie de la grande danse bollywoodienne.

En plein cœur du centre-ville, dans l'ancien temple du hockey montréalais, l'AMC Forum tient toujours à l'affiche le dernier grand succès du box-office indien. En fait, la plupart des grands films du pays de Gandhi sont présentés en première à Montréal en même temps qu'à Delhi et Chennai (Madras)!

«Montréal est la seule ville nord-américaine avec Houston où nous programmons toujours des films bollywoodiens», explique le porte-parole des cinémas AMC, joint aux États-Unis. Et pourquoi? À cette question, le PR n'a pas vraiment de réponse. «Parce que ça fonctionne», avance-t-il en guise d'explication.

Qui va donc voir ces opus de quatre heures, baignant dans l'eau de rose et les brillants? Les adeptes de Bollywood à Montréal sont assez représentatifs des fans de Shahrukh Khan et d'Amitabh Bachchan à travers le monde: Indiens de la diaspora, certes, mais aussi Pakistanais, Afghans, Iraniens, Latino-Américains qui connaissaient déjà cette cinématographie avant de s'installer à Montréal.

Pour les indo-curieux, l'AMC est une bénédiction. Tous les films y sont présentés avec des sous-titres anglais. Impossible de trouver la même chose en Inde ou au Pakistan.

Pour la programmation de l'AMC Forum: www.cinemamontreal.com

AMC Forum • 2313, rue Sainte-Catherine Ouest • 514 904-1250
Ⓜ Atwater

Le Montréal **pakistanais**

 11 400

 islam (88 %),
christianisme (7 %)

ourdou, anglais, punjabi

Longtemps partie intégrante de l'Inde, sous l'empire britannique, le Pakistan devient un pays en 1947 au moment de l'accession du sous-continent à l'indépendance. La protection et l'autodétermination des musulmans de l'Inde sont alors à la base du projet de la création d'un État islamique mis de l'avant par Muhammad Ali Jinnah et la Ligue musulmane.

Les années qui suivent la partition sont marquées par la violence. Des millions d'hindous et de sikhs fuient alors le Pakistan pour l'Inde. Les premiers Pakistanais qui arrivent au Canada sont des réfugiés. Plusieurs sikhs du Pakistan choisissent de s'établir au Québec où une petite communauté sikhe existe déjà.

De 1962 à 1981, ce sont surtout des professionnels qui immigrent au Québec, issus pour la plupart de milieux privilégiés.

De 1981 à 1986, le regroupement familial est la principale motivation des nouveaux immigrants d'origine pakistanaise. Depuis le début des années 1990, les Pakistanais qui arrivent au Québec sont pour la plupart des réfugiés. La situation politique fragile, la pauvreté qui afflige de grandes parties du Pakistan expliquent en grande partie ces nouvelles vagues d'arrivants.

Fait à noter: la communauté pakistanaise a gagné plus de 5 000 membres entre le recensement de 2001 et celui de 2006. Cette période correspond au règne de Pervez Musharraf, qui a pris le pouvoir par un coup d'État en 1999, ainsi qu'à la guerre des États-Unis et de ses alliés contre les talibans qui a forcé des centaines de milliers d'Afghans, dont beaucoup de talibans, à se réfugier au Pakistan.

L'intégration de la communauté pakistanaise ne se fait pas sans heurts à Montréal. Composée en grande majorité de réfugiés, elle connaît un taux de chômage trois fois plus élevé que dans la population québécoise en général, et ce, malgré maintes initiatives dans le domaine des affaires.

PARLEZ-VOUS OURDOU ?

Bonjour ➤ **Assalaam alaykum**

Merci ➤ **Shoukria**

Au revoir ➤ **Kouda hafez**

1 DANS LE CALENDRIER

Jour de l'Indépendance : 14 août

L'accession du Pakistan à l'indépendance, ainsi que sa séparation de l'Inde, est célébrée tous les ans dans le parc Howard, dans Parc-Extension. Pour l'occasion, des petits kiosques de nourriture et de souvenirs sont installés. Des notables font des discours et on rend hommage au drapeau pakistanais.

Jour du Pakistan : 23 mars

Une cérémonie a lieu au Consulat général du Pakistan de Montréal pour commémorer la signature à Lahore du traité qui a mené à la fondation du Pakistan, sept ans plus tard.

Naissance de M. A. Jinnah : 25 décembre

Les catholiques fêtent le 25 décembre la naissance de Jésus, les Pakistanais, eux, la naissance de l'homme qui a fondé le Pakistan, Muhammad Ali Jinnah.

Carnet d'adresses

MANGER

Restaurant Sana

Beaucoup considèrent que Sana sert la meilleure cuisine pakistanaise de Montréal.

Et c'est certainement l'une des moins chères. Cela explique peut-être pourquoi le comptoir des mets à emporter ne dérougit pas.

655, rue Jarry Ouest • 514 274-2220
Ⓜ Jarry

Halal 786

Ce n'est pas pour rien que ce restaurant pakistanais s'est installé dans un ancien restaurant grec spécialisé en poisson. Le poisson tient une place de choix dans la cuisine du chef, qui le prépare à la façon de Lahore. Le week-end, des spécialités typiquement pakistanaises y sont servies en alternance. La *haleem* (une purée de viande) le vendredi, le *nihari* (un plat d'agneau au chili) le samedi et le *paya*, fait à base de pieds de vache, le dimanche. Une bien bonne adresse.

768, rue Jean-Talon Ouest
514 270-0786
www.786halalrestaurant.com
Ⓜ Parc

FAIRE L'ÉPICERIE

Marché 786

Situé tout près du restaurant du même nom, le Marché 786 vend tout le nécessaire pour préparer des plats épicés à souhait. Dans l'islam, le chiffre 786 représente en numérologie la somme des lettres de la première phrase du Coran.

772, rue Jean-Talon Ouest
514 277-1555 • Ⓜ Parc

Marché Tahoor

Situé tout près de la mosquée de Saint-Laurent, ce marché vend de la viande halal en plus de produits pakistanais.

1740, rue d'Oxford • 514 336-4270

MÉDIAS

Journaux

Bazm

Ce journal mensuel, publié en ourdou, en français et en anglais, a un tirage de plus de 8 000 exemplaires. On retrouve dans ses pages des nouvelles du Pakistan et de la communauté pakistanaise.

4248, rue Hugo, Pierrefonds
514 620-2041

Urdu Times

Cet hebdomadaire, distribué à Montréal, émane de la banlieue de Toronto. Le contenu reflète d'ailleurs les préoccupations de la communauté pakistanaise de la Ville Reine, dix fois plus nombreuse. On y trouve des nouvelles, mais aussi beaucoup, beaucoup de publicité.

www.urdutimescanada.com

Nawa-i Pakistan

Cet hebdomadaire est aussi produit principalement à Toronto, mais il existe une édition montréalaise.

514 994-8366 • nawaipakistan.com

Radio
Programme pakistanais
CFMB 1280

Ce talk-show de 30 minutes se déroule essentiellement en ourdou.

Vendredi, 23 h 30 • www.cfmb.ca

Internet
Geo

Le réseau Geo diffuse des nouvelles du Pakistan à travers le monde, incluant le Canada. Le site web donne le tournis.

www.geo.tv

En savoir plus
Association pakistanaise du Québec

Cette association organise notamment la fête de l'Indépendance chaque année.

992, rue Jean-Talon Ouest
514 334-6347

LIEUX DE CULTE

Mosquées

Centre islamique du Québec (ICQ)

Cette mosquée, créée en 1965, se dit au service de 75 000 musulmans. Elle est présentement en expansion. En plus de l'arabe et de l'anglais, l'imam Syed Bukhari parle couramment l'hindi ou l'ourdou. Conséquemment, beaucoup de musulmans d'origine pakistanaise fréquentent cette mosquée.

2520, chemin Laval, Saint-Laurent • 514 331-1770 • www.icqmontreal.com

Mosquée Anwar-e-Madina

Située en plein cœur de la « Petite Inde », cette mosquée est surtout fréquentée par des musulmans d'origine sud-asiatique.

692, rue Jean-Talon Ouest • 514 274-6689

Églises

Livingstone Presbyterian Church

Il y a environ 400 chrétiens du Pakistan qui vivent à Montréal. Ils se regroupent une fois par semaine, le dimanche en fin d'après-midi, dans le sous-sol d'une église presbytérienne pour un service en ourdou.

7110, avenue De L'Épée • 514 272-7330

Ouvrir les nouveaux horizons
Sadiqa Sediqi

L a politique de l'Asie du Sud, Sadiqa Sediqi en connaît tous les pans. Que ce soit la guerre civile au Sri Lanka, la violence communale qui a fait des ravages en Inde et au Pakistan ou encore la famine qui sévit au Bangladesh, un des pays les plus pauvres du monde.

Depuis plus de 20 ans, elle est l'un des premiers visages que voient les femmes réfugiées de cette grande région du monde, soumise à répétition aux drames politiques, sociaux et économiques. Elle est la première à entendre les histoires de celles qui ont dû fuir pour survivre.

« Elles sont souvent sous le choc. La différence entre le pays d'origine et Montréal est tellement immense. Elles ne parlent souvent ni anglais ni français. Elles sont pétrifiées », raconte celle qui œuvre au sein du Centre communautaire des femmes d'Asie du Sud depuis sa création.

« Au Pakistan, comme dans le reste de la région, les femmes sont habituées de vivre avec la famille étendue : les beaux-parents, les frères et sœurs. Ici, elles doivent apprendre à gérer une famille mononucléaire. » Le choc culturel est souvent à la base de conflits parmi les nouveaux arrivants. Lorsque le tout tourne au vinaigre, Sadiqa Sediqi intervient. Elle fait notamment l'éducation des maris sur les droits des femmes au Québec, une opération qui demande du doigté.

Les situations difficiles dans lesquelles les femmes se retrouvent ne sont cependant pas toutes créées ici. Une partie du problème vient aussi des proches, restés derrière à Islamabad ou à Colombo. « Les familles qui sont restées en Asie ont souvent des attentes démesurées envers celles qui sont à l'étranger. Les nouvelles arrivantes vivent souvent dans une grande pauvreté ici parce qu'elles veulent envoyer de l'argent là-bas. Par ailleurs, elles sont souvent exploitées par leurs employeurs à Montréal. » Les pires, note Sadiqa Sediqi, sont souvent d'autres Montréalais d'origine sud-asiatique qui profitent de la vulnérabilité des petites nouvelles. Ils leur refilent des salaires dérisoires et imposent des heures indécentes.

Pour aider les nouvelles arrivantes à gagner plus d'autonomie, autant dans leur vie publique que privée, le centre offre des cours d'alphabétisation, d'anglais et de français en plus de cours de cuisine et de couture. Sadiqa Sediqi accompagne ses protégées à travers ce processus.

« J'ai toujours été féministe, depuis que je suis toute petite, mais je n'avais jamais réfléchi en profondeur au fonctionnement de la famille et à la hiérarchie homme-femme qui est ainsi créée », dit-elle. Dans le Pakistan où elle a grandi et qu'elle a quitté en 1969, l'islam était une question de spiritualité, jamais d'imposition de règles de vie, se rappelle-t-elle. Et c'est cette liberté d'être soi, tout en gardant sa foi, qu'elle enseigne par l'exemple à celles qui la côtoient.

Le Montréal **bangladais**

 5 975

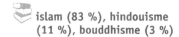 islam (83 %), hindouisme (11 %), bouddhisme (3 %)

 bengali ou bangla

'est le pays oublié du sous-continent indien. Le petit dernier, coupé en 1971 du Pakistan auquel il était lié politiquement. Le plus pauvre aussi. Économiquement, on s'entend.

Il y a eu bien peu d'immigrants bangladais à Montréal avant les années 1980. Seuls quelques hommes d'affaires avaient fait le voyage jusqu'alors.

C'est malheureusement une suite quasi ininterrompue de sinistres en tous genres – une inondation en 1987, un typhon en 1991 et quatre coups d'État en moins de 30 ans – qui ont poussé beaucoup de Bangladais à chercher refuge ailleurs. La plupart des Montréalais d'origine bangladaise appartiennent donc à la catégorie des réfugiés.

Souvent assimilée à la communauté indienne, la communauté bangladaise est pourtant bien présente dans le paysage montréalais, notamment en restauration. Mais ne cherchez pas toujours une allusion au Bangladesh sur la pancarte en haut de la porte. Beaucoup de restaurateurs bangladais préfèrent évoquer les noms des grandes villes de l'Inde, mieux connues du public.

PARLEZ-VOUS BANGLA ?

Bonjour ➤ Shagatom

Merci ➤ Dhonnobad

Au revoir ➤ Abad dakha habe

 1 DANS LE CALENDRIER

Fête de l'Indépendance : 26 mars

Ce jour-là, les Bangladais de Montréal fêtent la Déclaration d'indépendance du Pakistan et le début de la guerre qui a mené à la séparation du Pakistan. Majoritairement musulmans, les Bangladais avaient été rattachés à la République islamique pakistanaise lors de la partition de l'Inde en 1948. L'indépendance fit couler beaucoup de sang. Aujourd'hui, c'est par des concerts et des événements culturels, conservant cependant une forte saveur politique, que le Conseil national des Bangladeshis canadiens souligne cette fête.

Nouvel An (Naba Barsha) : 14 avril

Ce Nouvel An est fêté au Bangladesh, mais aussi dans l'État indien du Bengale-Occidental. Il marque le premier jour des nouvelles semences et le début d'une nouvelle année financière pour les gens d'affaires.

Carnet d'adresses

 MANGER

Buffet Maharaja

Le buffet indien le plus connu en ville est en fait bangladais. Il est aussi populaire auprès des étudiants de Concordia qui peuvent s'y remplir la panse pour quelques dollars qu'auprès des musulmans pratiquants, contents de savoir que la nourriture y est halal.

1481, boulevard René-Lévesque Ouest
514 934-0665
Ⓜ **Guy-Concordia**

 FAIRE L'ÉPICERIE

Marché Al-Raji

Ce petit marché, situé tout près du métro Charlevoix, vend une variété de produits sud-asiatiques, dont des *snacks* ultra épicés faits d'arachides et de riz frit. Il y a aussi une grande sélection de chutneys en pot.

2544, rue du Centre
514 938-1999
Ⓜ **Charlevoix**

 MÉDIAS

Journaux
Dhaka Post

Ce journal bihebdomadaire est publié à Montréal. Le site web est une mine d'or pour en savoir plus sur les événements qui ont lieu dans la communauté bangladaise.

8515, avenue Champagneur, bureau 8
514 279-3249
www.dhakapost.com

Weekly Jogajog

Un peu en anglais, un peu moins en français, mais beaucoup, beaucoup en bangla, ce journal donne des nouvelles du Bangladesh, mais aussi des nouvelles du monde et de Montréal.

5100, rue Dudemaine, local 405
514 270-7777

Radio
Émission bangladaise

CFMB 1280 AM

Cette émission en langue bengali est en ondes depuis 2005. Nouvelles, affaires contemporaines et musique.

Dimanche, 22 h
www.cfmb.ca

Internet
Bangladesh virtuel

Ce site web en anglais fournit des tonnes et des tonnes d'informations sur le Bangladesh, la culture et la cuisine bangladaises ainsi que la langue bangla. On y trouve même des recettes alléchantes de currys bangladais, dont le *kalia* à l'agneau.

www.virtualbangladesh.com

En savoir plus

Associations

Conseil national des Bangladeshis canadiens

Cette organisation est le « power house » bangladais en ville. Ses membres organisent la plupart des célébrations bangladaises. Ils sont aussi responsables de l'Académie bangla, destinée surtout aux enfants de la deuxième et de la troisième génération qui veulent parfaire leur connaissance de la langue et de l'histoire de leurs parents. Cependant, il arrive que des cours soient aussi donnés aux adultes intéressés par la culture bangladaise.

419, rue Saint-Roch
514 244-8744
www.nbccca.org

Site web de l'Académie bangla Montréal :

www.dhakapost.com/Bangla%20
Academy%20Montreal/bam.htm

Société internationale du Bangladesh

Cette société accompagne les nouveaux arrivants bangladais dans leur processus d'immigration. Des cours de français y sont offerts, de même que des services juridiques et des cours pratiques de préparation de déclarations de revenus.

419, rue Saint-Roch
514 271-9499

Le Montréal **sri-lankais**

10 710

tamoul, cinghalais

hindouisme (67 %),
catholicisme (19 %),
bouddhisme (3,4 %),
islam (1,8 %)

Île qui trempe dans l'océan Indien, juste sous la pointe méridionale de l'Inde, le Sri Lanka est contrôlé par les Cinghalais bouddhistes, qui représentent 80 % de la population, alors que la minorité tamoule, elle, surtout hindoue, compte pour la grande majorité des autres 20 %.

À Montréal, c'est le Sri Lanka... à l'envers. Parmi les 10 710 Montréalais d'origine sri-lankaise, seulement 3,4 % sont bouddhistes. L'écrasante majorité des autres sont des Tamouls, hindous ou catholiques.

Le fait n'est pas anodin : la division ethnique et religieuse du pays est à la base d'une guerre civile qui s'est étirée sur 25 ans au Sri Lanka. Jusqu'au printemps 2009, l'armée cinghalaise a affronté les Tigres tamouls, un mouvement séparatiste armé, dans le nord du pays. Plus de 70 000 personnes, dont une large majorité de Tamouls, sont mortes lors de ce conflit. Des milliers d'autres ont dû quitter le pays. C'est de cet exil forcé qu'est issue la communauté sri-lankaise canadienne, à forte prédominance tamoule.

Le Canada est d'ailleurs le pays occidental qui a accepté le plus grand nombre de réfugiés en provenance du Sri Lanka depuis le début des hostilités en 1986. Toronto à lui seul compte plus de 80 000 Tamouls et Montréal, 10 000.

À l'abri du gouvernement sri-lankais, les Tamouls du Canada sont très engagés politiquement. D'ailleurs, la police canadienne est intervenue maintes fois auprès de cette communauté qui a la réputation d'être un important bailleur de fonds des Tigres tamouls. Bien qu'ouvertement soutenus par des milliers de Montréalais d'origine sri-lankaise, les Tigres tamouls figurent depuis quelques années sur la liste canadienne des organisations terroristes proscrites, une classification qui a beaucoup déçu nombre de Tamouls de Montréal.

Même si plusieurs reconnaissent que les Tigres tamouls n'ont pas été des anges lors du conflit – ils ront recruté des enfants soldats et soumis des civils aux travaux forcés –, les organisations tamoules de Montréal font valoir que le gouvernement sri-lankais viole quotidiennement les droits des Tamouls et continnuent de soutenir le mouvement séparatiste malgré sa défaite militaire de l'an dernier.

Ce serait cependant une erreur de réduire la communauté sri-lankaise aux seules affaires politiques. Culturel et commercial, son apport est sans cesse grandissant. Une des preuves : le bottin de la communauté compte plus de 215 pages. Et que dire du magnifique temple Murugan inauguré récemment à Dollard-des-Ormeaux : une pièce de musée vivante, bâtie tout autant par des maîtres artisans sri-lankais que par les fidèles montréalais.

PARLEZ-VOUS... ?

Bonjour ➤ **Ibohan (cinghalais); banakkam (tamoul)**

Merci ➤ **Bomasstoudi (cinghalais); nanri (tamoul)**

Au revoir ➤ **Naé va ta ha mou ve mou (cinghalais); ibohan (tamoul)**

1 DANS LE CALENDRIER

Fête cinghalaise

Fête de l'Indépendance : 4 février

Le Sri Lanka a accédé à l'indépendance le 4 février 1948. Le consulat sri-lankais de Montréal organise habituellement un événement.

Fêtes tamoules

Fête du Soleil (Pongal) : 14 janvier

C'est en quelque sorte l'Action de grâce tamoule. Les célébrations se déroulent dans les temples. Ce jour-là, il faut enfiler de nouveaux vêtements.

Hommage au dieu Shiva : 18 février

Le dieu Shiva est au cœur de la pratique religieuse des Indiens du Sud et des Tamouls. À la Shivaratri, des prières et des offrandes sont offertes toute la nuit au dieu de la destruction et du recommencement.

Nouvel An tamoul : 13 avril

Pour le Nouvel An, les Tamouls préparent de grandes casseroles de riz sucré et se rendent, les bras chargés d'offrandes, au temple.

Fête de la déesse Durga : octobre et novembre

Femme de Shiva, Durga est une des déesses les plus aimées des hindous tamouls. Sa fête dure neuf jours. La semaine de festivités est la plus élaborée de l'année. Ils marquent le coup par des services religieux, mais aussi grâce à des soirées culturelles de danse et de musique.

Fête des Lumières (Deepavali) : 12 novembre

À la Deepavali, les Tamouls accrochent traditionnellement des lumières à leur maison. À Montréal, ils éclairent souvent leur demeure à la lampe à huile. Encore une fois, le gros des festivités se déroule au temple.

Journée de deuil : 27 novembre

Cette journée est réservée à la commémoration des victimes de la guerre au Sri Lanka. Des manifestations ont lieu aux centres-villes de Montréal et d'Ottawa.

Carnet d'adresses

 MANGER

Restaurant Jolee

Coup de vent du Sud dans la masse de restaurants d'Inde du Nord montréalais, ce restaurant très bon marché sert des spécialités sri-lankaises ainsi que de l'Inde du Sud : des *masala dosas* (crêpes aux pommes de terre), des *putti* (gâteaux de riz à la vapeur) et l'emblématique *kottu roti* sri-lankais (du pain coupé mélangé à de la viande épicée).

5495, avenue Victoria
514 733-6362
Ⓜ Côte-Sainte-Catherine

 SORTIR

Ganesh Party Palace

Un mariage hindou dure habituellement de deux à trois jours et demande des tonnes de préparatifs. Les propriétaires de cette salle de réception offrent de tout prendre en charge : la fête du *mehndi* au cours de laquelle la mariée et ses invitées sont tatouées au henné, la cérémonie traditionnelle du mariage et le grand banquet sud-asiatique. Ce palais des fêtes abrite aussi une grande partie des activités communautaires sri-lankaises et sait apprêter tous les plats du pays. L'endroit est aussi prisé pour célébrer le passage à la puberté, une tradition chez les hindous.

3000, boulevard Marcel-Laurin
514 747-1803 • Ⓜ Côte-Vertu

 FAIRE L'ÉPICERIE

Marché Jeevini

Ce petit marché est ouvert sept jours sur sept de 8 h à 3 h de la nuit. En plus d'y trouver tout le nécessaire pour la cuisine sri-lankaise et sud-asiatique, on peut y acheter des DVD et des VCD de films tamouls produits en Inde, au Tamil Nadu.

6455, rue Saint-Roch
514 279-8145 • Ⓜ Parc

Momoi Bakery

Cette petite boulangerie prépare une variété de plats à emporter, dont les *kottu roti* et le *biryani*, un succulent plat de riz épicé d'interprétation sri-lankaise.

395, rue de Beaumont
514 271-5299 • Ⓜ Parc

Fancy Cake

Pas question de servir un gâteau Duncan Hines lors de l'anniversaire d'un enfant sud-asiatique. Pour faire la fête, il faut un gâteau digne de ce nom et, surtout, décoré de manière festive. Pourquoi pas une Barbie aux traits sri-lankais habillée de glaçage ? Fancy Cake les prépare... pour les petits comme pour les grands enfants. Les commandes se font au téléphone.

450 668-9211 • www.fancycake.net

 MAGASINER

Lucky Fancy

Bijoux, statuettes, bibelots en tous genres : ce magasin vend des objets-cadeaux sud-asiatiques.

5895A, avenue Victoria
514 736-2525
Ⓜ Côte-Sainte-Catherine

Nickes Fancy

On trouve de tout pour se faire une beauté à la sud-asiatique : les *sarees*, les *salwar kameez*, mais aussi le savon *manjal*, de l'huile *aswini* pour hydrater les longs cheveux noirs et la crème blanchissante Fair and Lovely, un produit cosmétique culte dans toute l'Asie, mais qui, malheureusement, tente de convaincre les femmes que leur peau n'est pas de la bonne couleur...

462, rue Jean-Talon Ouest
514 495-3765 • Ⓜ Parc

 MÉDIAS

Journaux
Irusu

Cet hebdomadaire est produit à Montréal. Il est exclusivement en tamoul et offert dans les épiceries tamoules et au restaurant Jolee.

514 739-4774

Radio
International Tamil Radio 90,3 FM

Encore récemment, il fallait une radio à ondes courtes pour écouter cette radio tamoule, mais elle est maintenant offerte sur le web. Elle diffuse des nouvelles de la communauté tamoule canadienne, mais donne surtout des nouvelles du Sri Lanka. Lors d'escalades de la violence, cette radio aide les Tamouls du Canada à retrouver leurs proches dans leur pays d'origine. On peut notamment consulter en ligne des listes des personnes hospitalisées ainsi que les rapports des grands organismes de défense des droits de l'homme.

514 739-3335 • www.tamil.fm

Montreal Tamil Radio

Le ton de cette radio est loin d'être léger. Il y est surtout question du conflit qui dure depuis 25 ans entre le gouvernement sri-lankais et les Tigres tamouls. On peut l'écouter en ligne.

514 271-2225
www.mtr24.com

Télévision
Tamil Vision (TVI)

Cette chaîne tamoule est offerte seulement aux abonnés numériques de Bell Express Vu.

Bell Express Vu, canal 707

Internet
Tamil Canadian

Ce site web, bien rodé, fait ouvertement la promotion de l'indépendance de l'Eelam tamoul et de l'idéologie des Tigres tamouls (LTTE). On y trouve aussi beaucoup d'information sur la population tamoule canadienne.

tamilcanadian.com

En savoir plus
Organisations
Canadian Tamil Congress

Cet organisme, créé en 2002, a pour mandat de porter la voix de la communauté tamoule auprès des autorités canadiennes. Le congrès, qui a un bureau à Montréal, mais son siège social à Toronto, organise des manifestations et des soirées de gala à saveur très politique.

514 898-8019
www.canadiantamilcongress.ca

Comité d'action tamoul de Montréal

Ce comité est lui aussi politique. Il regroupe les Tamouls montréalais en période de crise.

514 342-2111

LIEUX DE CULTE

Temple Thiru Murugan

À l'origine, le temple Murugan logeait dans un modeste édifice, mais ce n'est plus le cas depuis 2008. Il a fallu des millions de dollars et des milliers d'heures de travail pour construire à Dollard-des-Ormeaux le nouveau temple, édifié selon la tradition architecturale du sud de l'Inde et du Sri Lanka. Les *pujas* (offrandes) qui y sont pratiquées sont fascinantes. Sous le vacarme de cloches qui tintent sans repos, un prêtre hindou nourrit une représentation du dieu Shiva de yogourt, de fruits, de miel et de jus d'orange.

1611, boulevard Saint-Régis, Dollard-des-Ormeaux
514 683-8044

Durkai Amman

Ce temple, situé à un jet de pierre du quartier Parc-Extension, ne cesse de grandir alors que la population hindoue montréalaise prend elle aussi de l'ampleur. La déesse Durga y est principalement vénérée.

271, rue Jean-Talon Ouest
514 272-2956
www.mtldurkai.com
Ⓜ **Parc**

Mollywood, mon amour

Bollywood, c'est bien. Mais Mollywood, c'est aussi bien ! Propriétaire de Sara Audio Vision, Varathan Pourachandran pourrait vous en parler longtemps. Les films qu'il loue ont été tournés en tamoul et non en hindi. Ils ne viennent pas de Bombay, mais de Madras. D'où le « M » dans Mollywood. « Madras produit au moins 200 films par année », explique Varathan en souriant derrière sa grosse moustache.

Varathan, 35 ans, a racheté le commerce à des amis, qui ont préféré ouvrir un dépanneur. « Il n'y a pas vraiment d'argent à faire. Je le fais pour être utile aux gens de la communauté », lance le sympathique Tamoul d'origine sri-lankaise, débarqué au Canada il y a neuf ans, alors qu'il ne parlait ni anglais ni français.

À Montréal, les Tamouls sont dispersés aux quatre coins de la ville. Ce qui explique – en partie – le nombre de clubs vidéo tamouls montréalais : plus d'une vingtaine, entre le métro Jean-Talon et le métro Plamondon.

Le sien, croit-il, a une position stratégique. « Il y a des messes catholiques tamoules tous les dimanches dans l'église Sainte-Cécile, juste en face, dit-il. Il y a le marché Jean-Talon qui est à côté. Quand les familles sont dans le coin, elles en profitent pour louer des films. »

Ses membres sont à 99,5 % d'origine tamoule. Les autres entrent parfois pour louer une « vue », mais surtout pour acheter des cartes d'appel, un article qui marche assez bien. Pour se « garder occupé », M. Pourachandran vend aussi des magazines et des journaux tamouls, des icônes de la religion hindouiste, des trames sonores de films, des jujubes et des *pakodas*, équivalent indien de notre popcorn. Tenir des films américains ? Il n'est pas intéressé. « J'aurais besoin d'un autre permis. De toute façon, mes clients sont fidèles aux films tamouls. »

Pour l'instant, les affaires vont assez bien. Mais Varathan redoute la concurrence des télés satellites, qui lui volent une grosse part de sa clientèle depuis deux ans. « Quand tout le monde aura sa coupole et l'accès à internet, il va falloir fermer. »

Loin des palmiers

8. LE MONTRÉAL ANTILLAIS

L'exotisme des Îles n'a pas épargné Montréal. Malgré ses hivers nordiques, la métropole du Québec accueille depuis plus d'un demi-siècle des milliers d'immigrants venus des Antilles.

Cette communauté diversifiée se divise en deux groupes importants. D'un côté les Haïtiens, Antillais francophones, qui se chiffrent à plus de 120 000 personnes. De l'autre, les Caribéens anglophones, issus des «West Indies», où dominent les Jamaïcains et les Trinidadiens, qui comptent respectivement 15 000 et 10 000 âmes.

Pour des raisons évidentes de langue, ces deux groupes se fréquentent peu, voire pas du tout. Venus par le canal du Commonwealth, Jamaïcains et Trinidadiens vivent dans les quartiers anglophones de Montréal (Ouest-de-l'Île, Notre-Dame-de-Grâce) alors que les Haïtiens ont choisi de s'installer dans l'Est et au nord de la ville (Saint-Michel, Montréal-Nord, Laval). Ces deux mondes parallèles possèdent chacun leur propre vie sociale et culturelle, se retrouvant exceptionnellement une fois l'an lors de la Carifête, seul événement réunissant les Antillais au sens large (voir encadré en page 279).

La communauté anglo-caribéenne englobe aussi des gens originaires de Saint-Kitts, de la Barbade, de la Guyane ou de Saint-Vincent, mais en beaucoup plus petit nombre. Quant aux Antillais d'expression espagnole (Cubains, Dominicains), ils ont été inclus dans le chapitre sur le Montréal latino-américain.

UNE LOI DISCRIMINATOIRE

L'immigration antillaise au Québec commence essentiellement à la fin des années 1950. On peut toutefois remonter au 18e siècle pour en trouver les premières traces au Canada. En 1795, plus de 550 esclaves jamaïcains sont déportés à Halifax, après avoir refusé de se soumettre à la Couronne britannique. Mais cette présence ne sera que temporaire, le groupe étant ensuite redirigé vers la Sierra Leone, nouvel État libre d'Afrique de l'Ouest.

À la fin du 19e siècle, quelques centaines de Noirs anglophones, originaires des Antilles britanniques, viennent tenter leur chance au Canada. Le pays est alors en pleine construction et cherche de la main-d'œuvre à bon marché. Plusieurs Jamaïcains et Barbadiens se retrouvent ainsi dans les mines de fer du Cap-Breton et de la Nouvelle-Écosse, ou dans les usines de transformation de poisson en Gaspésie. Cette immigration ouvrière s'enracine et forme le premier véritable embryon de la communauté antillaise au Canada. Mais cela ne vient pas sans conséquence.

En 1910, le gouvernement fédéral adopte en effet une nouvelle politique (section 38 de l'Acte d'immigration) visant à restreindre l'immigration de couleur, prétextant entre autres que les Noirs sont «inadaptés aux exigences et au climat canadiens». Cette loi pour le moins discriminatoire va retarder considérablement le développement de la communauté antillaise au Canada. Ceux qui parviennent à immigrer doivent subir le racisme au quotidien. Cela est particulièrement vrai à Montréal, où la communauté antillaise est de mieux en mieux implantée, principalement dans le secteur Petite-Bourgogne. Menés par la communauté jamaïcaine, les Antillais de Montréal créent alors les premières organisations visant à répondre à ces problèmes, comme la United Negro Organization ou le Coloured Women's Club. Après la guerre, les syndicats prennent le relais, notamment dans les compagnies ferroviaires, où travaillent la plupart des Caribéens de Montréal.

En 1955, la loi sur l'immigration se raffine, avec l'entrée en vigueur du programme de recrutement des domestiques antillaises, qui vise exclusivement les femmes de ménage célibataires, jeunes et en bonne santé! Cette fenêtre va permettre à 2 000 Jamaïcaines, Trinidadiennes et Barbadiennes de s'installer au Canada les années suivantes.

Avec l'élimination des quotas raciaux en 1962, l'immigration antillaise reprend du poil de la bête. Cette seconde vague, qui durera 10 ans, ne se limite toutefois plus aux anglophones: attirés par les offres d'emploi alléchantes, nombre d'Haïtiens éduqués viennent participer à l'éveil de la nation québécoise, trouvant notamment leur place dans les réseaux de la santé et de l'enseignement. Ce nouveau groupe viendra progressivement grossir les rangs du Montréal antillais, jusqu'à en devenir son principal moteur.

DANS LES DEUX LANGUES

Si 20 000 Antillais ont immigré au Canada entre 1900 et 1960, on estime qu'ils ont été près de 65 000 pendant la seule décennie 1960. Au Québec, cette vague connaîtra son apogée dans les années suivant Expo 67. Exception faite de la communauté haïtienne, qui a continué de croître dans les années 1970, 1980 et 1990, le nombre d'immigrants jamaïcains et trinidadiens s'est depuis stabilisé ou a tout simplement décliné. Le malaise relié aux deux référendums et la difficulté d'intégrer le marché du travail ont incité nombre d'entre eux à se refaire une vie dans les provinces anglophones.

Mal servie par les médias, qui renvoient d'elle une image trop souvent négative, la communauté antillaise n'en demeure pas moins un élément important du Montréal multiculturel, puisqu'elle se manifeste autant sur le front anglophone que francophone.

Restaurants, clubs, journaux, magasins de disques, émissions de radio, personnages truculents et événements de plus ou moins grande envergure (Carifête, Festival de reggae, concours de beauté, festivals de films) viennent nous rappeler que la présence noire à Montréal ne se limite pas, tant s'en faut, aux histoires de Crips et de Bloods.

ÉVÉNEMENTS

Mois de l'Histoire des Noirs : février

Chaque année en février, Montréal consacre tout le mois à une série d'activités soulignant la contribution noire au Québec et au Canada – Antillais, Africains ou « Blacks » d'origine américaine. Cet événement à plusieurs ramifications (spectacles, conférences, expositions, galas d'excellence) est coordonné par la Table ronde du Mois de l'Histoire des Noirs. On peut se procurer un programme au début du mois dans les bureaux Accès Montréal, les maisons de la culture et auprès des différents organismes participants.

514 282-3443
www.moishistoiredesnoirs.com

A Taste of the Caribbean : mai

Si vous cherchez un résumé de la gastronomie caribéenne, voici une bonne porte d'entrée. Ce festival accessible promet « plus d'une centaine de plats de 23 îles différentes », incluant la Barbade, Cuba et Sainte-Lucie. Ça se passe à la Place Bonaventure.

www.atasteofthecaribbean.ca

Festival du film black de Montréal : septembre

Créée par le Festival du film haïtien (voir page 293), cette nouvelle manifestation se consacre au cinéma antillais, africain et afro-américain.

www.festivalfilmhaitien.com

 MÉDIAS

(Pour les médias spécifiquement haïtiens, se rapporter à la section sur Haïti.)

Journaux
Community Contact

Dirigé par un sympathique Trinidadien, cet hebdomadaire ratisse l'actualité du Montréal noir anglophone, en insistant plus particulièrement sur les communautés des Antilles. Nouvelles communautaires et municipales, spectacles, événements religieux. Le rédacteur en chef, Egbert Gaye, tient également une chronique sur les ondes de CJAD (AM 800).

514 489-4540

Radio
West Indian Rhythms (CKUT 90,3 FM)

L'incontournable. Animé par Howard Stretch Carr, un géant de 6 pieds 5 pouces, *West Indian Rhythms* ratisse depuis 20 ans toute l'actualité culturelle et communautaire caribéenne de Montréal. Au programme : reggae, soca, entrevues avec musiciens de passage, tirages de billets et beaucoup de blabla.

Samedi 16 h • www.ckut.ca

En savoir plus

(Pour le Montréal haïtien, voir page 290 et suivantes.)

Blackmontreal.com

Un site internet complet pour savoir tout ce qui se trame dans la communauté noire anglophone de Montréal. Dates de spectacles, sites web, contacts d'associations et même petites annonces. Utile.

www.blackmontreal.com

Montreal Caribbean Social Organization (MCSO)

Fondée en 1977, cette association couvre tous les champs de la culture caribéenne à Montréal. Aide à l'éducation, activités sportives, loisirs communautaires et spectacles musicaux. L'été, tournois de cricket. L'hiver, du mardi au vendredi, soirées de dominos avec les aînés de la communauté.

382, avenue Lafleur, LaSalle
514 364-5113
www.mcsocaribbean.com

Ligue des Noirs du Québec

Fondé en 1969, cet organisme à but non lucratif est un des principaux chiens de garde de la communauté noire en matière des droits de l'homme.

514 489-3830
www.liguedesnoirs.org

Black Studies Center

Lieu de connaissance et de reconnaissance de la culture noire à Montréal. Œuvre à la promotion de la communauté par des conférences, des expositions et des activités culturelles. Centre d'archives de 20 000 livres.

514 848-2424 ou 848-2790
www.blackstudies.ca

Carifête

S i le carnaval est né au temps de l'esclavage dans l'île de Trinité-et-Tobago, il est maintenant bien implanté à Montréal.

Chaque mois de juillet, bon an, mal an, la communauté antillaise se retrouve à la Carifête, un défilé musical haut en couleur qui culmine par le couronnement des plus beaux costumes *homemade*. Cette compétition s'inspire du temps où les esclaves, une fois par année, avaient le droit de se déguiser en rois et reines pour ridiculiser leurs maîtres. Fabriqués par des bénévoles, les meilleurs déguisements peuvent remporter jusqu'à 1 500 $ de récompense.

Avec son budget limité et ses maigres commanditaires, ce carnaval typique des Caraïbes est loin d'être aussi ambitieux que l'événement original, ni même aussi gros que son équivalent torontois, la Caribana. Mais l'ingéniosité compense largement. Même les plus blasés tombent sous le charme des déguisements époustouflants et ne peuvent résister à l'appel des rythmes endiablés des Antilles qui émanent des chars à travers de puissants haut-parleurs. Et, comme le veut l'usage de cette fête, les spectateurs emboîtent le pas à ceux qui défilent : le cortège se met en branle au coin de Guy et René-Lévesque et grossit sans arrêt jusqu'à son arrivée au Champ-de-Mars, derrière l'hôtel de ville.

Lancée de façon modeste en 1974, la Carifête n'a cessé de prendre de l'ampleur, malgré ses déboires financiers, quelques fâcheux incidents et des tiraillements à l'interne qui ont divisé les organisateurs en 2009. On compte aujourd'hui environ 1 500 participants provenant non seulement de la communauté trinidadienne de Montréal, mais de toutes les communautés noires des Antilles anglophones et francophones, ainsi que des Latinos d'esprit carnavalesque, venus de République dominicaine ou du Brésil.

Le Montréal **jamaïcain**

 12 000

 protestantisme (58 %)
catholicisme (18 %)

 anglais, patois jamaïcain

La diaspora jamaïcaine dans le monde s'élève à près d'un million de personnes. Si ce groupe diffus a surtout choisi la Grande-Bretagne, plusieurs ont jeté leur dévolu sur le Canada, ce cousin de la grande famille du Commonwealth.

Étant anglophones, la plupart se sont installés à Toronto. Mais quelques milliers ont choisi Montréal, formant le noyau de ce qui est, encore aujourd'hui, la deuxième plus grosse communauté antillaise de la ville, derrière les Haïtiens.

La présence jamaïcaine au Canada remonte à la fin du 18e siècle. En 1796, un groupe d'esclaves en exil forcé (les *Maroons*) est envoyé à Halifax à la suite d'une révolte avortée contre le colonisateur britannique. Cette immigration de transit, si l'on peut dire, contribuera à la construction de la Citadelle d'Halifax, avant d'être réexpédiée en Sierra Leone, nouvel État « libre » d'Afrique de l'Ouest.

Vers 1920, des centaines de Jamaïcains débarquent au Canada pour travailler dans les mines de Cap-Breton. Mais ce contingent reste peu nombreux et confiné. Il faut dire que la loi fédérale de 1910, qui restreint l'immigration « non blanche », ne favorise pas le développement de la communauté.

Malgré tout, quelques milliers de Jamaïcains viendront s'installer au pays après la Seconde Guerre mondiale, à titre de main-d'œuvre économique. Des centaines de femmes profiteront plus particulièrement du Programme de recrutement de domestiques antillaises, lancé en 1955.

En 1962, le ministère de l'Immigration adoucit sa loi, ce qui entraîne une nouvelle vague jamaïcaine à Montréal, qui culminera autour d'Expo 67 (le pavillon de la Jamaïque est d'ailleurs toujours debout, au parc Jean-Drapeau). Ce sont surtout des travailleurs spécialisés (maçons, plombiers, électriciens), mais aussi des étudiants, des enseignants ou des immigrants sponsorisés qui vont se recycler dans le domaine des services.

Installée dans le quartier Petite-Bourgogne, autour de la Union United Church (angle Delisle et Atwater), la communauté jamaïcaine de Montréal s'implante et s'organise progressivement. Les années 1960 correspondent à la création de plusieurs associations caribéennes à vocation sociale, comme le NCC (Negro Community Center), le BCCQ (Black Community Center of Quebec) ou le BCRC (Black Canadian Resource Center).

En 1976, on compte près de 20 000 Jamaïcains à Montréal. Mais l'adoption de la loi 101 et le référendum provoquent des milliers de départs vers les provinces anglophones. Tant et si bien qu'au début des années 1980, le Montréal jamaïcain a fondu à 12 000 personnes.

Aujourd'hui, l'immigration jamaïcaine a grandement diminué à Montréal, où le déclin et le vieillissement de la communauté se poursuivent inexorablement. Même si la nouvelle génération est largement bilingue et scolarisée, elle continue de plafonner professionnellement, entraînant des problèmes de chômage et, collatéralement, de délinquance.

Résultat : de nombreux jeunes Jamaïcains de Montréal se rabattent désormais sur Toronto ou Vancouver où les chances de gravir les échelons semblent plus grandes. « La vitalité n'y est plus, souligne Noel Alexander, président de l'Association jamaïcaine de Montréal. Il n'y a pas beaucoup de relève ni de forces fraîches, sinon quelques cas isolés qui arrivent par le biais de la réunification familiale. »

M. Alexander parle d'une communauté déçue, qui « n'a pas progressé comme elle l'aurait voulu ». Peu visible dans le monde des affaires, sous-représenté dans le domaine de la politique, le Montréal jamaïcain souffre en outre de l'image négative qu'entretiennent les médias, croit M. Alexander.

Cela n'empêche pas l'existence de quelques événements intéressants (Festival de reggae, Jamaica Day), de deux clubs reggae et d'une poignée de restos spécialisés dans le *jerk chicken*. Fiers de leur pays et de leur culture, nombre de Jamaïcains ont par ailleurs gardé des liens étroits avec la mère patrie, y retournant régulièrement pour faire des affaires, assister à des mariages et des enterrements ou tout simplement pour y prendre des vacances. Comme n'importe quel Québécois...

PARLEZ-VOUS LE PATOIS JAMAÏCAIN ?

Bonjour ➤ Wha goane

Merci ➤ Thanks. Nice.

Au revoir ➤ A soon come back

 DANS LE CALENDRIER

Fête de l'Indépendance : 6 août

Réception organisée par l'ambassade jamaïcaine, à Ottawa.

 ÉVÉNEMENTS

Jamaïca Day : juillet

Le dernier samedi de juillet, depuis 1980, l'Association jamaïcaine de Montréal présente le Jour de la Jamaïque. Cette fête familiale et culturelle est la meilleure et la moins coûteuse façon d'aller au pays de Bob Marley. Musique, danse, spectacles... Depuis 2008, l'activité se tient au parc Jean-Drapeau.

514 737-8229

Festival reggae de Montréal : juin/juillet

Organisé depuis 2004 par l'équipe du EB's Lounge (voir ci-dessous). Pointures plus ou moins grosses de reggae roots et de dancehall, selon l'édition.

514 482-3084
www.montrealreggaefest.com

Carnet d'adresses

 MANGER

Le classique de la cuisine jamaïcaine est le *jerk chicken*, un poulet mariné dans une sauce piquante faite à base de scotch bonnet (le poivron jamaïcain), d'échalotes et de thym. Les endroits où on braise le *jerk chicken* s'appellent les *jerk pits*. En Jamaïque, il s'agit souvent d'un simple trou dans le sable, recouvert d'une grille. À Montréal, faute de plages, on fait cuire son poulet dans le four.

Front Line

Un classique depuis 1989. Situé à deux pas du « Petit Kingston » (le bas de la rue Victoria), ce snack-bar offre toute la gamme des spécialités jamaïcaines, dont le fameux *ackee and saltfish*. Ce plat traditionnel, qui se mange principalement au déjeuner, est fait avec de la morue salée et un petit fruit typiquement jamaïcain nommé *ackee*. Cocasse : le cuistot se nomme Driver (« chauffeur ») parce qu'il fait aussi la livraison !

4615, avenue Van Horne
514 736-5720
Ⓜ Plamondon

Ma's Place

Selon plusieurs, un des meilleurs *jerk chicken* en ville. Ce petit resto d'à peine trois tables est très invitant. Outre le plat vedette, on y sert six différentes soupes du jour ainsi que des *rotis* jamaïcains et guyanais.

5889, rue Sherbrooke Ouest
514 487-7488
Ⓜ Vendôme

Mango Bay

Ouvert en 2001, Mango Bay est le plus classe des restos jamaïcains à Montréal. Hormis l'inévitable poulet, l'établissement offre de la bonne chèvre au cari et de la fricassée de poulet (*stew chicken*). Ici, évidemment, on ne mange pas sur le pouce. On s'assoit et on prend le temps de déguster.

1202, rue Bishop
514 875-7082
Ⓜ Guy-Concordia

Mr Spicee

Depuis 30 ans, un incontournable du *pattie* jamaïcain, ce chausson à la viande ou aux légumes qui se déguste très facilement sur le pouce. Essayez leur *pattie* végétarien, aux pois et aux épinards jamaïcains (*calaloo*), il est délicieux. Et pas cher !

6889, rue Victoria
514 739-9714
Ⓜ Plamondon

 SORTIR

EB's Lounge Club

EB's est LE club jamaïcain à Montréal. L'endroit présente des spectacles *live* (roots, dancehall, hip-hop) et des DJ locaux ou internationaux. Le boss, Eric Blagrove (d'où le EB) est un ancien électricien arrivé au monde de la musique par la réparation de chaînes stéréo. Bien connu dans la communauté, ce rastafarien est aussi le fondateur du Festival de reggae et le proprio du restaurant Ma's Place.

5345, boulevard De Maisonneuve Ouest
514 482-3084 • Ⓜ Vendôme

House of Reggae

Plus «touristique» que EB, ce bar a aussi la qualité d'être plus central. Déco tropicale, musique à tue-tête, terrasse spacieuse à l'arrière.

1693A, rue Saint-Denis
514 223-6233 • www.houseofreggae.com
Ⓜ Berri-UQAM

 FAIRE L'ÉPICERIE
Les aliments Tropical

Située en plein cœur du «Petit Kingston», cette épicerie tenue par une famille indienne propose la base des produits caribéens, incluant sauces jerk et *patties* du jour. Pour de la bière jamaïcaine, tournez à gauche en entrant. Bon choix de Red Stripe, Dragon Stout et Guinness jamaïcaine. Attention au degré d'alcool!

6841, rue Victoria • 514 733-2332
Ⓜ Plamondon

Marché Arawak

Un petit bout de Jamaïque, dans le secteur multiethnique de la rue Sherbrooke. Dans le frigo, deux tablettes complètes sont garnies de liqueur de malt (sorte de Guinness mélasseuse et sans alcool très prisée des Caribéens). Plus loin, rayon des jerks, sauces à barbecue uniques aux îles. «Le jerk, c'est ma spécialité. On vient de Sherbrooke pour m'en acheter!» clame fièrement la patronne Ocea Walker, Jamaïcaine établie au Québec depuis 40 ans.

5854, rue Sherbrooke Ouest
514 488-6918 • Ⓜ Vendôme

 MAGASINER
Triple A Records

Situé en plein «Petit Kingston» (le bas de la rue Victoria, près du métro Plamondon), ce petit disquaire vend du reggae, du dancehall, du soca, du hip-hop et même des téléphones cellulaires. L'endroit est tenu par les gars du *sound system* Little Thunder, qui sont à la fois DJ et promoteurs de spectacles.

6895A, rue Victoria • 514 344-5353
www.littlethundersound.com
Ⓜ Plamondon

 MÉDIAS
Radio

Le reggae et ses avatars sont l'exportation culturelle principale de la Jamaïque. Plusieurs émissions de radio montréalaises diffusent cette musique universelle.

Riddimwise (CISM 89,3 FM)

Actualités, invités spéciaux et calendrier des spectacles jamaïcains à Montréal. En ondes depuis cinq ans, *Riddimwise* se spécialise dans le reggae roots, le dub, le dancehall et le new roots.

Dimanche 16 h • www.cism.umontreal.ca

Roots rock reggae (CKUT 90,3 FM)

La plus dancehall des émissions de radio à Montréal. Cette émission très musicale est animée depuis 10 ans par un Jamaïcain nommé Fluxie.

Dimanche minuit • www.ckut.ca

Positive Vibe (CKUT 90,3 FM)

Vibrations positives... et originales. L'animateur Prime Time est tout un numéro. Tout ce que vous voulez savoir sur la scène locale, les lancements de disques et la vie culturelle jamaïcaine de Montréal.

Jeudi 15 h • www.ckut.ca

Basses fréquences **(CIBL 101,5 FM)**

Actualité culturelle et musicale jamaïcaine. Animée depuis 20 ans par le tandem Richard Lafrance et DJ Masqué, deux non-Jamaïcains devenus Jamaïcains à la longue...

Samedi 20 h • www.cibl1015.com

Internet

Montreal dancehall

Un site web complet pour connaître les prochains spectacles de reggae et de dancehall à Montréal. Cette mine d'information a été lancée par Mawga Kay, également fondateur du Sound System Fire Squad, une «disco mobile» bien connue du Montréal jamaïcain.

www.montrealdancehall.com

En savoir plus

Association jamaïcaine de Montréal

Au cœur de la réalité jamaïcaine depuis plus de 30 ans, l'Association sert de pont entre la Ville, la communauté et les Montréalais. Situés entre un lave-auto et un garage, les bureaux ne paient pas de mine. Mais le restaurant Jerk Pit, situé dans le même immeuble, pourrait vous surprendre. On vous suggère les 5 à 7.

4065, rue Jean-Talon Ouest
514 737-8229
Ⓜ Namur

Le Montréal **trinidadien**

  10 000

catholicisme (38 %),
protestantisme (33 %)

anglais

Le Montréal « trini » ne date pas d'hier.

Quelques aventuriers, marins et domestiques vivaient déjà dans la Petite-Bourgogne dans les années 1950. Mais la communauté a véritablement pris son expansion dans les années 1960, avec les arrivées successives d'universitaires, de femmes de ménage et d'acteurs culturels, inspirés par le succès du pavillon de Trinité-et-Tobago à l'Expo 67.

Alors en plein essor, l'économie québécoise facilite l'intégration de cette nouvelle main-d'œuvre sur le marché du travail. Mais dans les années 1970, le gouvernement canadien limite l'immigration trinidadienne, au profit des autres îles des Caraïbes (la Barbade, Saint-Kitts, Saint-Vincent, etc.). Cela explique sans doute pourquoi 64 % de la population « trini » montréalaise est arrivée avant 1980.

Aujourd'hui, la communauté trinidadienne est particulièrement présente dans les secteurs de l'éducation et de la culture. Qu'on pense à Clarence Baynes, fondateur du Black Theater Workshop, au joueur de *steelpan* Salah Wilson ou à un certain Gregory Charles, dont le papa est trini d'origine.

Mais c'est en juillet, au moment de la fameuse Carifête, que les Trinis tirent vraiment leur épingle du jeu (voir autre texte en page 279). Forts de leur vieille expertise carnavalesque (le carnaval de Trinidad existe depuis le 18e siècle), ces derniers ont tout naturellement pris l'initiative de ce défilé estival, qui se veut toutefois ouvert à toutes les communautés antillaises. « On aime relaxer et faire la fête, résume Valérie, de chez Jean's, un des rares restos trinidadiens du 514. Alors la Carifête, pour nous, c'est le plus gros moment de l'année. »

Malgré tout, le Montréal trinidadien n'est plus ce qu'il était. Passée de 20 000 à 10 000 personnes, la communauté souffre depuis 15 ans d'une lente saignée démographique. Le référendum de 1995 et le manque de débouchés professionnels ont incité plusieurs jeunes diplômés à mettre le cap sur Toronto. Ce mouvement de masse a grandement affaibli la communauté, qui, selon Egbert Gaye, rédacteur en chef du *Community Contact*, « n'est jamais parvenue à se refaire complètement ».

Bon débarras, rétorque Valérie, avec un sourire de satisfaction. «Les Trinis de Montréal travaillent pour avoir du plaisir. Ceux de Toronto travaillent pour payer leurs comptes! Finalement, ce sont les plus conservateurs qui sont partis!»

 DANS LE CALENDRIER

Jour de l'Indépendance : 31 août

Jour de la République : 26 septembre

Réceptions organisées par l'ambassade de Trinité-et-Tobago à Ottawa.

 ÉVÉNEMENTS

Trini Day : juillet

Organisée par l'Association trinidadienne de Montréal, cette fête familiale existe depuis 1986. En général, cela se passe au parc Angrignon, pendant le troisième week-end de juillet. Au menu : spectacles, artisanat, limbo, costumes carnavalesques et bouffe trinidadienne. Ouvert à tous.

Carifête : juillet

Voir texte en page 279.

514 737-8321 • www.carifetemontreal.com

Festival international de steelpan de Montréal : juin

L'art du *steelpan*, ce fameux instrument trinidadien fait avec des barils de métal, est enseigné à Montréal à la Salah's Steelpan Academy. Cette entreprise familiale organise aussi un Festival du *steelpan*, qui a lieu le dernier dimanche de juin, au parc Émilie-Gamelin, avec des groupes de Montréal, de Toronto et des États-Unis. Si vous voulez acheter un *steelpan* (2 000 $ au bas mot!), il y a aussi une boutique à la même adresse.

3740, avenue de Courtrai
514 739-5608 • Ⓜ Plamondon

Carnet d'adresses

 MANGER

La spécialité trini est le *roti*, sorte de pita caribéen truffé à la viande ou aux légumes et assaisonné d'épices indiennes. Si la recette semble facile, tous les *rotis* ne se ressemblent pas. À chaque resto son secret.

Caribbean Curry House (La maison du cari)

Véritable institution du Montréal caribéen, la Curry House est tenue depuis 1980 par Emrith Kallietcharran, Trinidadien d'origine indienne. Spécialités de la maison : *rotis*, *patties*, poulet jerk, plats au curry (manière caribéenne) et autres spécialités des Îles. Passez faire un tour le vendredi soir après 22 h. Avec un peu de chance, vous tomberez sur le Friday Night Lime, un *party* plutôt informel, avec DJ ou orchestre.

6892, avenue Victoria
www.caribbeancurryhouse.com
514 733-0828 • Ⓜ Plamondon

Jean's

Maman Jean a ouvert ce commerce il y a plus de 30 ans et l'a légué à sa fille Valérie, qui a repris le flambeau, de même que les recettes familiales (*patties*, currys, mais surtout les fameux *roties*). Petit resto simple. Accueil souriant. Impossible de se tromper : il y a un drapeau de Trinité dans la porte.

5914, rue Sherbrooke Ouest
514 223-6204 • Ⓜ Vendôme

MÉDIAS

Radio
Turn the Tide Soca Sessions
(CKUT 90,3 FM)

Seule émission montréalaise spécifiquement dédiée au soca, descendant du calypso et musique nationale de Trinidad.

Vendredi 2 h (une semaine sur deux)
www.ckut.ca

En savoir plus

Federation of Organizations of Trinidad & Tobago of Quebec (FOTTQ)

Fondée en 1984, l'association trini de Montréal chapeaute une demi-douzaine d'organismes. Son but est de promouvoir et de défendre les intérêts de la culture trini au Québec. Un excellent point de départ.

450 442-9235

Brother Leeroy
Un vieux joyeux troubadour

Dans le quartier Saint-Henri, où il habite, «Brother» Leeroy Edwards est connu comme le loup blanc. Difficile d'ignorer ce vieux griot pittoresque, qui parcourt la ville vêtu de ses flamboyantes robes africaines, distribuant ses maximes fleuries à qui veut bien les entendre.

Véritable *showman*, Brother Leeroy est un personnage urbain dans la lignée du Grand Antonio et de Papa Palmerino. Il se décrit comme «journaliste, performeur et poète» et s'est lui-même baptisé le «Joyeux Troubadour» (*The Happy Wanderer*), un titre qu'il a d'ailleurs fait inscrire sur sa carte professionnelle.

Dans son cas, pas de doute, on peut dire que le bonheur garde jeune. À 86 ans bien sonnés, ce Trinidadien d'origine a encore une poignée de main en acier, toutes ses dents et zéro problème de santé.

Quand on le rencontre, on a tôt fait d'être happé par ses longs soliloques, qui mélangent indifféremment la philo, la religion bouddhiste, le *peace & love*, le gros bon sens, la poésie et le délire métaphysique. «Je veux faire partie de quelque chose qui serait plus grand que moi, afin de partager cette immensité avec toi», répète-t-il comme un mantra.

Incompréhensible? Qu'importe. Sa bonne humeur contagieuse l'excuse d'emblée. Il sait très bien qu'il est fou et cela le fait bien marrer. «Je suis beaucoup trop *flyé* pour les gens ordinaires», admet-il. Cela ne l'a pas empêché de travailler à Air Canada pendant 33 ans, où il a œuvré au service des soutes à bagages. Fou, mais fonctionnel...

À LA GUERRE COMME À LA MER

Contrairement à ce qu'on pourrait croire, Brother Leeroy n'est pas venu au monde heureux. «Je suis né dans le péché et l'enfer», résume-t-il, sans s'avancer davantage. Quand il est question de sa jeunesse, à Trinité, le Joyeux Troubadour se fait silencieux. On sait qu'il est né en 1922 et qu'il a grandi dans la pauvreté extrême.

À 18 ans, répondant à l'appel de Churchill pendant la Seconde Guerre, il s'engage dans la marine royale de Trinité, où il devient torpilleur professionnel. Après cinq ans de loyaux services pour le Commonwealth, il se recycle dans la marine marchande, à faire la navette entre Trinité et Tobago. D'autres s'en seraient contentés, mais pour le jeune Leeroy, les horizons sont trop limités. À l'hiver 1953, il débarque, congelé, au Canada et s'installe dans une chambre de la rue Coursol – la même qu'il occupe encore aujourd'hui, entouré de ses livres, de ses journaux, de ses costumes incroyables, de sa collection de drapeaux, de ses vieux téléphones à cadran et de ses nombreux sacs de photos, qui envahissent la moitié de son lit.

De la maison, son seul lien avec le monde extérieur est une vieille radio de bois, sur laquelle il écoute CJAD. Mais quand il sort, Brother Leeroy devient une véritable bête sociale. Doyen de la communauté, c'est lui qui ouvre tout naturellement le défilé de la Carifête, un rôle qu'il occupe chaque année en souriant de toutes ses dents.

Le Montréal **haïtien**

 90 000

 catholicisme (58 %),
protestantisme (31 %)

français, créole

Nombreuse et profondément enracinée, la communauté haïtienne participe pleinement à la réalité québécoise, se signalant dans toutes les sphères professionnelles, y compris la scène politique. Elle a même engendré plusieurs vedettes dans le *mainstream* québécois, comme Dany Laferrière, Michaëlle Jean, Luck Mervil, Anthony Kavanagh, le sprinter Bruny Surin, les boxeurs Joachim Alcine ou Jean Pascal, la politicienne Vivian Barbot et le joueur de hockey Georges Laraque.

En d'autres mots, Montréal ne serait pas tout à fait le même sans cette force noire vive et dynamique qui, bien au-delà de ses problèmes socio-économiques, nous a donné des personnages truculents, des restos savoureux, de la bonne musique, un festival de cinéma, un festival de musique, un festival d'humour et des chauffeurs de taxi philosophes.

UN PEU D'HISTOIRE

La présence haïtienne à Montréal remonte plus loin qu'on pourrait le croire.

De passage au Canada français en 1890, un avocat des Jésuites au nom pour le moins prédestiné (Leonidas L'aventure !) va jeter les bases d'une relation durable entre les églises catholiques du Québec et d'Haïti.

Jusqu'aux années 1950, l'immigration haïtienne se limite à une élite traditionnelle : médecins, avocats, hommes d'affaires ou prêtres. Cette vaguelette sera suivie d'une seconde, constituée d'étudiants, qui se prolongera jusqu'en 1958. À cette époque, on ne peut pas encore parler d'une communauté à Montréal. Tout au plus s'agit-il de quelques centaines d'Haïtiens ayant des liens avec des familles québécoises.

Avec l'arrivée au pouvoir de François Duvalier en 1957, l'immigration haïtienne s'intensifie. Beaucoup d'intellectuels muselés quittent le pays qui s'enlise sous le joug dictatorial. Cette immigration antiduvaliériste, fortement scolarisée, qui choisit le Québec en raison de ses affinités naturelles de langue et de religion, profitera d'un contexte historique favorable.

Dans les années 1960, la Belle Province vit l'effervescence de la Révolution tranquille et du boom économique. Le marché du travail est en pleine expansion et le besoin de main-d'œuvre scolarisée grandit. Plusieurs professeurs, médecins et infirmières originaires de « la perle des Antilles » en profitent pour faire leur place dans les réseaux de la santé et de l'éducation.

En 1967, la libéralisation de la loi sur l'immigration entraîne une augmentation importante de l'immigration antillaise en général, et haïtienne en particulier. Cette nouvelle vague, moins « choisie », est constituée de réfugiés économiques issus de milieux populaires, venus chercher « une meilleure vie ». Leur désillusion n'en sera que plus grande : victimes de la récession qui s'amorce au Québec, ils s'intègrent avec difficulté. Cette époque est marquée par l'apparition des premiers organismes communautaires haïtiens (dont le Bureau de la communauté haïtienne et la Maison d'Haïti, qui existent encore aujourd'hui) créés pour répondre aux besoins d'une communauté grandissante.

Ce boom va connaître son apogée en 1973 et 1974, avec l'Opération Mon Pays, qui permet à plusieurs Haïtiens du Québec de régulariser leur statut. Cela entraîne la réunification de plusieurs familles et l'arrivée d'une nouvelle masse d'Haïtiens moins nantis ne parlant parfois que le créole. Plus que jamais, la communauté haïtienne de Montréal est à l'image de la population d'Haïti.

Après la chute de Duvalier fils en 1986, l'exode se poursuit. Des milliers de professionnels et de gens d'affaires fuient la violence et l'insécurité pour venir se mettre à l'abri au Québec. Dans bien des cas, ces familles garderont un pied-à-terre en Haïti, poursuivant un va-et-vient constant entre le « Pays du dehors » et le « Pays du dedans ». Cette vague, qui s'étendra sur 20 ans, va provoquer une décapitalisation massive d'Haïti.

En 2009, l'immigration haïtienne est encore régulière, qu'elle vienne d'Haïti ou même des États-Unis. On constate toutefois que la communauté grandit surtout de l'intérieur. Selon une étude menée il y a quelques années par le CRIEC (Chaire de recherche en immigration, ethnicité et citoyenneté), le nombre d'Haïtiens nés à Montréal dépasserait désormais le nombre d'immigrants.

UNE COMMUNAUTÉ MULTIPLE

Pas plus facile, cela dit, de trouver son coin de plage sous le soleil du Québec. Le besoin de main-d'œuvre qualifiée est moins grand que dans les années 1960 et le marché du travail s'est grandement resserré. Même si le taux de diplomation universitaire dans la communauté dépassait jusqu'à récemment la moyenne québécoise (Bulletin statistique de l'éducation, 1999), les Haïtiens ont toujours du mal à trouver leur place. Selon les statistiques de 2001, le taux de chômage dans la communauté avoisinerait les 16 %, soit deux fois plus que la moyenne québécoise.

Ce problème d'exclusion – et donc de pauvreté – est responsable non seulement de la délinquance, mais aussi de l'exode qui affecte depuis quelques années la communauté. Beaucoup de jeunes, en effet, quittent Montréal par manque d'occasions, lui préférant la Floride ou encore Toronto, où la communauté se chiffre aujourd'hui à 30 000 personnes.

Mais ce n'est là, bien sûr, qu'une fraction de la réalité haïtienne à Montréal. Car en plus d'être la plus grosse minorité visible en ville (et la deuxième plus grosse immigration, derrière les Italiens), cette imposante communauté est aussi complexe que diversifiée.

Le Montréal haïtien se retrouve ainsi partout et dans toutes les strates de la société. Il vit à Montréal-Nord et dans le quartier Saint-Michel, mais aussi à Rivière-des-Prairies, à Rosemont, à Longueuil ou à Laval. Il est constitué d'intellos, d'ouvriers, de riches, de pauvres, de gens très bien intégrés et d'autres, plus en marge, qui ne parlent que créole (plus de 1 000).

Cette diversité explique peut-être les limites de sa solidarité. Car s'il existe bel et bien une diaspora haïtienne à Montréal, il semble, selon ceux-là même qui la composent, qu'elle ait parfois du mal à se serrer les coudes. Cela serait particulièrement notable dans le monde des affaires, où les Haïtiens peinent toujours à se faire dominants.

Non moins actifs et organisés, les Haïtiens de Montréal sont parvenus, au fil des ans, à construire un univers qui leur est propre, en marge des grands réseaux québécois. Complètement autosuffisante, la communauté possède ainsi ses églises (catholiques et protestantes), ses équipes de foot, ses maisons d'édition (il y en a sept!), ses propres salles de réception, ses concours de beauté et même son industrie du cinéma, participant ainsi pleinement au dynamisme culturel de la diaspora haïtienne en Amérique du Nord, qui s'élève actuellement à quelque 2 millions de personnes.

PARLEZ-VOUS CRÉOLE ?

Bonjour ➤ Bonjou, ou encore :
Kouman ou ye ? (Comment ça va ?)

Merci ➤ Mèsi

Au revoir ➤ M ale (je m'en vais) ou
encore N a wè (on se reverra, à la
revoyure)

1 DANS LE CALENDRIER

Fête de l'Indépendance : 1er janvier

Haïti a proclamé son indépendance le 1er janvier
1804. La tradition veut qu'on souligne cette
journée en mangeant de la soupe au giromont
(variation antillaise du potiron). Ce potage de
couleur jaune est particulièrement consistant :
on peut y ajouter de la viande, des bananes et
des pommes de terre ! La journée du 1er janvier,
le centre culturel haïtien La Perle retrouvée
distribue la soupe au giraumon gratuitement.

Fête du Drapeau : 18 mai

Le 18 mai 1803, Dessalines, héros de la
révolution et futur premier empereur d'Haïti,
déchirait le blanc du drapeau français pour
ne garder que les bandes bleue et rouge. Le
drapeau haïtien était né. Ce geste historique
est commémoré chaque année, à Montréal, par
différentes activités dans la communauté, dont
une soirée de spectacles et de conférences à
La Perle retrouvée. Dessalines est aussi honoré
le 17 octobre (jour de son assassinat) et le
18 novembre (qui souligne la victoire de l'armée
indigène sur les troupes napoléoniennes à la
bataille de Vertières).

ÉVÉNEMENTS

**Les Fêtes créoles internationales de
Montréal : juillet**

La culture créole, vue à travers la danse, la
musique, les arts et la gastronomie. Les
organisateurs sont haïtiens, mais l'événement
touche à tous les pays créolophones des
Antilles et de l'océan Indien. Ça se passe au
parc Jean-Drapeau, dans le cadre des Week-
ends du monde. Ne pas confondre avec le Mois
du créole.

www.weekendsdumonde.com

**Festival international du film haïtien
de Montréal (FIFHM) : septembre**

Le cinéma haïtien est en pleine émergence
et ce festival fondé en 2004 en est la preuve.
Une excellente introduction à la culture
haïtienne, loin des nouvelles déprimantes
que nous relaient trop souvent les médias. En
2010, le FIFHM s'est rangé sous la bannière,
plus large, du nouveau Festival du film black
de Montréal (voir en page 278).

www.festivalfilmhaitien.com

Le Mois du créole : octobre

Cet événement culturel et intellectuel présente
de la danse, du théâtre, de la musique et des
conférences qui tournent autour du créole.
Une façon de promouvoir et d'entretenir cette
langue unique, parlée par des milliers de
personnes à Montréal. Ses organisateurs, le
KEPKAA (Komite Entènasyonal pou Pwomosyon
Kreyòl ak Alfabetizasyon), offrent également
des cours de créole à l'année.

www.moisducreole.com

Carnet d'adresses

 MANGER

Casse-croûte Mont-Carmel

Attention, dépaysement. Situé hors des sentiers battus, ce boui-boui respire la bouffe confort et familiale. La cuisinière et propriétaire, Yanick, règne en maître sur ce lieu bric-à-brac, où des musiciens tâtent parfois de la note. Essayez le tassot de chèvre et surtout, soyez certains d'être affamés. Les portions sont monstrueuses.

4880, rue de Charleroi • 514 329-4487

Le manguier

Depuis 30 ans, un des piliers de la gastronomie haïtienne à Montréal. Cadre simple, mais chaleureux et excellente déco rétro. Essayez leur cabri, qui est particulièrement tendre. Service professionnel. Quantités énormes.

3155, rue Fleury Est • 514 383-4127
Ⓜ Sauvé

Restaurant Kalalu

Le haut de gamme haïtien, situé sur le Plateau. Cuisine fusion modernisée non typique d'Haïti, mais inspirée de la saveur antillaise. Surprenant et branché. Concerts occasionnels.

4331, rue Saint-Denis • 514 849-7787
www.kalalu.ca • Ⓜ Mont-Royal

Flap Flap

Flap Flap signifie « rapide » en créole et en effet, on est vite servi dans ce fast food de bon calibre aux allures de Sushi Shop. Plats typiques haïtiens, servis à la sauce moderne (super présentation). Deux succursales à Montréal.

5808, rue de Charleroi • 514 329-7787

1575, rue Fleury Est • 514 383-7787
www.flapflap.ca

Ibiscus

Le seul resto haïtien du Vieux-Montréal offre un menu créole dans un décor classe. Touffé, griot, lambi, salade de plantain, soupe au giromont, chiquetaille, etc. C'est tout nouveau, tout beau. Situé juste en face du marché Bonsecours.

343, rue Saint-Paul Est • 514 866-1515
www.ibiscus.ca • Ⓜ Champ-de-Mars

Chez Toto Restaurant

Une amie haïtienne nous a vivement suggéré leur poisson gros sel. Attention, on parle ici de vrai poisson et non d'un filet. Un poisson avec les yeux, la tête et la queue...

10827, boulevard Pie-IX • 514 324-9792
Ⓜ Pie-IX

 SORTIR

Il n'y a pas vraiment de bars haïtiens à Montréal. Mais quelques établissements tenus par des Haïtiens, comme **le Lambi** (4465, boulevard Saint-Laurent, www.clublambi.com), **le Consulat** (1442, rue De Bleury) et le **Café De Lima** (6409, rue Saint-Hubert) offrent des soirées haïtiennes sur une base régulière. Pour ce qui est de voir des spectacles, la meilleure option reste encore les bals, qui attirent une grande partie de la jeunesse haïtienne (voir texte en page 301).

 FAIRE L'ÉPICERIE

Marché Steve-Anna et Casse-croûte Steve-Anna

Hyper populaire et toujours très fréquenté, ce double commerce est un incontournable dans la communauté depuis 25 ans. Le rayon épicerie est idéal pour acheter des produits typiques qu'on ne trouve pas dans les IGA et autres grandes surfaces. Situé deux portes plus loin, le casse-croûte est pittoresque. Une demi-douzaine de tables, une affiche de tous les présidents haïtiens et la télé qui joue des feuilletons à tue-tête. Dommage que les assiettes soient en styromousse.

3290 et 3302, rue Bélanger Est
514 725-3776 • Ⓜ Saint-Michel

Méli-Mélo

À la fois épicerie et resto, Méli-Mélo est un autre favori des Haïtiens de Montréal depuis un quart de siècle. On peut y faire son marché, effectuer des transferts d'argent, acheter des billets pour des spectacles et prendre des mets créoles pour emporter. Passez votre commande à la caisse et faites-vous servir au comptoir du fond.

640, rue Jarry Est • 514 277-6409
Ⓜ Jarry

Marché des Antilles

Ouverte en 1990 pour répondre aux besoins des Haïtiens de Laval, cette épicerie attire aujourd'hui une clientèle multiple : Antillais, Québécois et même Latinos, qui retrouvent un peu de leur culture au comptoir « pour emporter », situé au fond du magasin.

1825, boulevard des Laurentides, Laval
450 629-6564

 MAGASINER

Galerie MosaikArt

Il y a une quarantaine de peintres haïtiens à Montréal. La plupart s'exposent chez MosaïkArt, plus grosse galerie virtuelle spécialisée en art créole au Québec. Aux dernières nouvelles, MosaïkArt devait emménager dans de nouveaux locaux en 2010.

514 745-3176 • mosaikart.inovo.ca

Jean-Jean galerie d'art salon de coiffure

Attention, original. Jean-Jean est le meilleur endroit en ville pour se faire couper les cheveux à minuit et demie par un coiffeur peintre haïtien pas pressé, entouré de ses peintures, de ses amis et de quelques DVD haïtiens. On peut acheter des peintures et des tambours.

6011, avenue du Parc • Ⓜ Parc ou Rosemont

Librairie KEPKAA

Longtemps associé à la paysannerie et à la tradition orale, le créole est aujourd'hui une langue reconnue, avec sa grammaire et sa littérature. On peut en avoir un bon aperçu dans cette petite librairie, fondée par les organisateurs du Mois du créole (voir en page 293).

2000, boulevard Saint-Jospeh
514 750-8800

Disk-O-Mini

C'est tout petit, comme son nom l'indique. Mais c'est assez fourni pour faire de bonnes découvertes musicales. Choix surprenant de chanteurs et de groupes anciens et nouveaux. Accueil cordial.

65, rue Beaubien Est • 514 270-9316
Ⓜ Beaubien

SonoMusique

Avec son vaste choix de CD et DVD de tous genres, SonoMusique est, de loin, le plus gros disquaire haïtien en ville. Konpa, musique vaudou, hip-hop et même films haïtiens : ne vous gênez pas pour demander au commis. S'il est dans un bon jour, vous aurez un bon service. Sinon, bonne chance !

3950, rue Jean-Talon Est • 514 723-6101
Ⓜ Saint-Michel

Polytronic

« L'endroit référentiel pour les choix préférentiels » (c'est leur slogan !) offre un beau mélange de matériel électronique et de musique haïtienne en tous genres. Le propriétaire, Jean Wesley Charles, est un gros producteur de spectacles évangéliques haïtiens à Montréal.

8945, boulevard Saint-Michel
514 323-9222 • www.polytronic.ca
Ⓜ **Saint-Michel**

 MÉDIAS

La culture orale est particulièrement forte chez les Haïtiens. Cela explique peut-être l'absence d'un journal quotidien ou hebdomadaire dans la communauté. Il y a en revanche une station de radio entièrement haïtienne (CPAM) ainsi que plusieurs émissions dispersées dans les radios communautaires. Sans oublier internet et quelques magazines...

Journaux, magazines

Magazine *Avril*

Un magazine féminin très bien fait, qui parle de mode autant que d'actualité sociale et politique. Publié tous les trois mois.

www.magazineavril.ca

Journal *Référence*

Fondé en 1999, *Référence* traite de sujets sociaux et culturels à travers la lorgnette haïtienne et interculturelle. Sérieux, malgré quelques rubriques consacrées au divertissement. Publiée tous les trois mois, la revue met l'accent sur les abonnements.

www.referencemagazine.co

Radio
CPAM – 1610 AM

Fondée en 2002, cette radio entièrement haïtienne est un des moteurs de la communauté. Avec son large éventail d'émissions musicales, d'affaires publiques, de tribunes téléphoniques, de nouvelles locales ou d'Haïti, CPAM est le meilleur moyen de savoir ce qui se passe dans la communauté. Les publicités sont de vrais poèmes, tout comme les émissions de demandes spéciales, particulièrement conviviales. À noter que CPAM (que les Haïtiens appellent aussi RadioUnion.com) diffuse à 90 % en français. Les 10 % qui restent se divisent entre des émissions en créole et en espagnol, pour la communauté latino.

514 287-1288 • www.cpam1610.com

CINQ FM/Radio Centre-ville (102,3 FM)

Diffuse des émissions en créole de 16 h à 19 h le samedi et de 19 h à 21 h le dimanche. Émission de musique *Tanbou Batan* tous les samedis de minuit à 6 h du matin.

www.radiocentreville.com

CISM (89,3 FM)

Diffusée le samedi matin (de 9 h à 11 h) depuis plus de 10 ans, *Voix tropicale* est une des émissions les plus populaires de CISM - et un incontournable du Montréal haïtien. Animation ultradétendue (signée Louis Chopin Laurent), musique tropicale, actualité montréalaise et d'Haïti.

www.cism.umontreal.ca

CFMB (1280 AM)

La radio italienne diffuse quelques émissions en créole qui ont leur auditoire fidèle : *Voix Peuple* (samedi, minuit), *Haïti Chéri* (dimanche, minuit) et surtout *Pitit Kay* (week-end à 14 h), en ondes depuis 1976 !

www.cfmb.ca

CIBL (101,5)

Pour l'incontournable *Son de la Caraïbe*, animée depuis presque un quart de siècle par le DJ Ronnie Dee, ardent promoteur de la scène konpa haïtienne en général et montréalaise en particulier.

Vendredi 23 h 30
www.cibl1015.com/radiomontreal

Internet

La diaspora haïtienne

Bien qu'il soit fait à Montréal, ce site web s'adresse à toute la diaspora haïtienne. Actualité culturelle de France, des États-Unis et bien sûr du Québec. Bottin commercial inclus. Suggestions de sorties.

www.ladiasporahaitienne.com

Voix tropicale

« La radio du moment » diffuse en direct sur le web une programmation afro-antillaise variée, qui va de la prière du matin aux émissions de konpa.

www.voixtropicalefm.com

Bottin haïtien

L'équivalent des pages jaunes pour le Montréal haïtien. Restos, taxis, salons de coiffure, etc.

www.bottinhaitien.com

En savoir plus

La Perle retrouvée

Installée dans l'ancienne église Saint-Damase, en face du boulevard Métropolitain, La Perle retrouvée n'est pas facilement accessible. Mais c'est le seul centre culturel haïtien de Montréal. Son mandat est de promouvoir la culture haïtienne sous tous ses angles, de la danse folklorique à la chorale, en passant par des cours de créole, des soupers-spectacles et des événements à caractère vaudou. En 2007, le parvis de l'église est officiellement devenu la place de l'Unité, un beau petit parc avec six statues dédiées aux héros de l'indépendance haïtienne. Un des rares organismes fédérateurs, quand il est question du Montréal haïtien.

7655, 20e Avenue • 514 722-2477
Ⓜ Saint-Michel

CIDIHCA

Mémoire de la communauté haïtienne au Québec, le CIDIHCA (Centre international de documentation et d'information haïtienne, caribéenne et afro-canadienne) édite des livres, organise des expositions (y compris virtuelles) et produit des documentaires. Ses activités sont tournées vers le Montréal haïtien, mais aussi la diaspora au sens large.

514 845-0880 • www.cidihca.com

Le vaudou sort de l'ombre

Toc, toc, toc.

Nirva Chérasard cogne trois coups sur le mur de la cage d'escalier. Elle nous demande d'en faire autant avant de descendre au sous-sol. «Il faut s'annoncer aux esprits», dit-elle avant de s'engouffrer dans la pénombre.

Au bas des marches, le spectacle est surprenant. De l'encens brûle. Le plancher, fraîchement nettoyé, sent le parfum et le basilic. Des dizaines d'objets tout aussi étranges les uns que les autres sont exposés de manière très ordonnée sur un autel. Bouteilles décorées, cierges de saints catholiques, foulards de satin multicolores, machette, tableaux ésotériques, têtes de mort, drapeau haïtien, clochettes... Seuls les murs en contreplaqué viennent nous rappeler que nous sommes bel et bien dans un bungalow de Repentigny.

Nirva, alias Soleil levant, est une mambo. Ou, si vous préférez, une prêtresse vaudou. C'est ici, dans ce petit temple personnel (un houmfort), qu'elle tient ses cérémonies les plus intimes. Avec son «frère spirituel» Bob St-Felix, lui aussi prêtre vaudou (houngan), la dame passera plus de deux heures à nous expliquer la base de ses rites religieux, allant jusqu'à revêtir sa robe de cérémonie pour les besoins de la photo.

Soyons francs : il est rare qu'une mambo ouvre ainsi les portes de son lieu de culte. Il y a encore quelques années, une telle chose aurait carrément été impossible. Sujet tabou pour une majorité d'Haïtiens, le vaudou est longtemps resté un phénomène clandestin, victime de préjugés tenaces.

Nirva Chérasard,
prêtresse vaudou

Mais voilà. Il semble que les choses soient en train de changer. Depuis le début des années 2000, de plus en plus d'adeptes décident, comme Soleil levant, d'affronter leur peur et de s'afficher, bien décidés à redonner au vaudou ses lettres de noblesse.

«Il faut cesser de se cacher, dit Mme Chérasard. C'est fatigant d'être encore associés à la mauvaise sorcellerie. Nous, on voudrait que nos enfants et nos petits-enfants n'aient pas honte d'être vaudouisants.»

LE VAUDOU RÉHABILITÉ

En Haïti, la réhabilitation est déjà bien commencée. En 2003, le président Jean-Bertrand Aristide a reconnu le vaudou comme religion officielle, au même titre que le christianisme, habilitant ainsi tout prêtre vaudou à célébrer mariages, baptêmes et enterrements. La plupart des grandes villes du pays possèdent aussi des temples publics et d'importantes organisations vaudouisantes. À Montréal, où l'on compte officiellement 90 000 Haïtiens, on n'en est pas encore là. Mais le mouvement est amorcé. Des messes vaudou, avec prêtres venus spécialement d'Haïti, sont annoncées sur les ondes de CPAM (la radio haïtienne de Montréal) ; le centre culturel haïtien (La Perle retrouvée) accueille des cérémonies sans se cacher, alors qu'une certaine «prêtresse haïtienne» (La Belle Déesse Dereale Botanica) offre ses services dans les médias antillais de la ville.

MALGRÉ TOUT, LA LOI DU SILENCE DOMINE TOUJOURS

En dépit d'une ouverture grandissante, les vaudouisants restent mal vus dans la communauté, payant encore le prix de leurs pratiques non conventionnelles. Soleil levant est la première à s'en plaindre. «Même dans notre famille, on vit l'exclusion, déplore la mambo. Ma propre sœur n'envoie pas ses enfants chez moi parce qu'elle a peur que mon fils leur parle de vaudou.»

Si certains, comme Mme Chérasard, assument pleinement leurs pratiques, d'autres finissent tout simplement par se convertir au christianisme, à force de harcèlement et de pression sociale. Plus surprenant encore : ce rejet ne se limite pas aux vaudouisants. Parlez-en à Jean Fils-Aimé, auteur de deux livres controversés sur le vaudou parus en 2007 et 2008 (voir page suivante, «À lire»). Pasteur baptiste, historien et théologien, M. Fils-Aimé y affirme, en substance, qu'il n'y a pas d'incompatibilité fondamentale entre le vaudou et la foi chrétienne. Ce pavé dans la mare l'a éclaboussé plus que prévu. «J'ai été ostracisé par la plupart de mes collègues. Mon église m'a montré la porte. Aujourd'hui, je dessers une paroisse à majorité blanche», raconte-t-il.

UNE IMAGE DIABOLISÉE

Pourquoi tant de haine ? «Parce qu'on n'efface pas 200 ans d'histoire en quelques années», se contente de répondre le pasteur Fils-Aimé. Victime de plusieurs siècles de propagande négative, le vaudou porte en effet de lourds stigmates. Sorcellerie, magie noire, possession, mauvais sort : tous les clichés sont bons pour décrire cette religion haïtienne originaire d'Afrique, qui a longtemps permis aux esclaves de résister à la colonisation spirituelle. «L'Église catholique a déployé beaucoup d'efforts pour diaboliser l'image du vaudou, explique Monique Dauphin, une pratiquante qui milite activement pour la reconnaissance du vaudou. Hollywood a fait le reste. Les films nous le montrent toujours sous un mauvais aspect. Ils ne prennent pas la peine de chercher plus loin.» Certes, il n'y a pas de fumée sans feu. La clandestinité a vraisemblablement favorisé l'éclosion de pratiques parallèles douteuses dans le vaudou. Mais était-ce vraiment du vaudou ? Ça, c'est une autre question. Pour Nirva Chérasard, il est grand temps de faire une distinction entre la sorcellerie et la religion.

Si certains «wangateurs» (sorciers) persistent à exploiter le vaudou à des fins mercantiles, les vrais «initiés», eux, le voient plutôt comme une démarche culturelle globale, guidée par une grande force spirituelle.

Selon le pasteur Fils-Aimé, les Haïtiens n'auront pas le choix, un jour ou l'autre, d'assumer pleinement cette part de leur identité. «Rejeter le vaudou, c'est nous rejeter nous-mêmes, lance le théologien. Parce que tout Haïtien a le vaudou en lui, que ce soit dans sa conception de la famille ou dans son rapport à la nature et à la surnature. Cela fait partie de notre haïtianité.»

Y aura-t-il un jour à Montréal, comme aux Gonaïves ou à Port-au-Prince, des temples vaudou ouverts au public? C'est le souhait le plus cher de Nirva Chérasard. En attendant, la mambo continuera son travail de démystification, en donnant l'image de quelqu'un «qui pratique dans le positif». «On est des braves, conclut Monique Dauphin. Ce n'est pas farfelu de le dire. C'est vrai qu'il faut être brave pour s'exposer comme ça. Mais il n'y a plus aucune raison qu'on pratique sous les draps. Il faut qu'on en soit fiers, au contraire. Il y a beaucoup de sources de division chez les Haïtiens. Mais si on arrive à se respecter là-dedans, je pense que notre société va sortir de sa torpeur.»

Acheter vaudou

Carnaval des Antilles

Une petite épicerie avec un gros rayon consacré au culte. Si vous cherchez une poupée vaudou, c'est ici que ça se passe...

8529, boulevard Pie-IX
514 722-0019 • Ⓜ Saint-Michel

Botanica

Ce magasin consacré à «l'art mystique et ésotérique» haïtien tient tous les objets nécessaires à votre prochaine cérémonie vaudou: bouteilles, encens, machettes, etc.

5371, boulevard Henri-Bourassa Est
514 323-1170 • Ⓜ Henri-Bourassa

SonoMusique

Ce petit disquaire vend de tout, y compris des albums de musique rasin (ou racine), la musique des cérémonies vaudou.

3950, rue Jean-Talon Est
514 723-6101 • Ⓜ Saint-Michel, bus 141

À lire

Et si les Loas n'étaient pas des Diables? et *Vodou, je me souviens*, de Jean Fils-Aimé (éditions Dabar). Écrits par un pasteur protestant pentecôtiste, ces deux livres sur le vaudou ont fait beaucoup de bruit dans la communauté haïtienne, forçant même leur auteur à quitter son église.

Le vodou libérateur, de Joseph Augustin (éditions Tamboula). Prêtre défroqué, celui qu'on surnomme «Papi Djo» fut le premier à faire entrer des tambours dans l'Église catholique en Haïti. Un manifeste en soi.

Le phénomène **des bals**

Si les Jamaïcains ont le reggae, les Haïtiens ont le konpa. Créée à la fin des années 1950 par le saxophoniste Némours Jean-Baptiste, cette pop tropicale est la musique préférée de toute la diaspora, de Port-au-Prince à Miami.

Montréal ne fait pas exception, avec sa poignée de magasins de disques spécialisés, ses émissions de radio et surtout, ces soirées très spéciales qu'on appelle les « bals ».

Le concept est aussi vieux que le konpa lui-même. Entre spectacle *live* et dancing, ces événements permettent aux Haïtiens jeunes et moins jeunes de se fréquenter dans un contexte festif, tout en assistant à des concerts. La majorité de la clientèle est âgée de 18 à 35 ans, mais certains groupes plus anciens peuvent attirer un public de 40, 50 ans ou plus.

Il y a des bals pratiquement chaque semaine. Ce sont parfois des vedettes locales (Black Parents, Ti-Kabsy), parfois des stars internationales, comme Carimi (New York), T-Vice (Miami), ou des « classiques » comme Tropicana ou Tabou Combo. Mais la concurrence est féroce entre les nombreux organisateurs et il n'est pas rare de compter deux ou même trois bals différents le même soir !

Internet joue un rôle important dans la promotion de ces soirées. Les sites **legroove.com**, **montrealgroove.com** et **sakpasebaz.com** sont très actifs dans le milieu. Pour un portrait plus large, mais moins spécifiquement montréalais, on peut aussi se brancher sur **haitinetradio.com**.

À la radio, on peut avoir un aperçu de la scène konpa montréalaise sur les ondes de la station haïtienne CPAM (1610 AM) avec les émissions *Le podium de la machine à danser* (lundi à vendredi, 10 h), *Top des Tops* (dimanche 16 h) et *Rythmes et plaisirs* (soirs de semaine, 22 h). Sans oublier l'incontournable *Le son de la Caraïbe* (vendredi 23 h 30 à CIBL 101,5 FM) animé par George Siméon et Ronnie Dee, deux DJ bien connus dans le milieu.

Les bals se tiennent généralement dans les salles chics de la communauté haïtienne, comme le **Complexe Cristina** (6566, rue Jarry Est, 514 327-5000) et la salle **Renaissance** (7550, boulevard Henri-Bourassa Est, 514 352-1818). Mais les gros événements peuvent se déplacer dans des salles plus grand public, tels le Rialto, le Kola Note ou le Métropolis. Avis aux intéressés : les soirées commencent à 23 h et finissent à 3 h.

Joe **Trouillot**

L e saviez-vous ? Le patriarche de la chanson haïtienne vit ici, à Montréal. Il a 87 ans, mais ça ne l'empêche pas de « caresser » le micro comme un jeune premier. Retour sur une carrière de plus de 60 ans avec un crooneur chic qui n'a rien à envier à Henri Salvador et les autres voix d'or du Buena Vista Social Club.

La Presse - M. Trouillot, on vous appelle le « patriarche de la chanson haïtienne ». Qu'est-ce que ça vous fait ?

Joe Trouillot - Ça ne me chatouille pas du tout. Ça fait 63 ans que je chante. Je suis le seul qui reste, le dernier de ma génération. J'en suis plutôt fier.

Q - Incroyable : vous faites donc ce métier depuis 1944. Comment tout cela a-t-il commencé ?

R - Au début, c'était pour éblouir les jeunes filles. Je leur chantais la sérénade, je voulais faire comme Tino Rossi... Puis on m'a découvert pendant une messe de Noël. J'ai été envoyé dans une école de musique spécialisée, avec une bourse d'études de trois ans. Au début, ma famille était contre. Les chanteurs n'étaient pas très bien vus à cette époque en Haïti. On les considérait comme des voyous. Mais finalement, ils m'ont laissé aller.

Q - Et après l'école de musique, qu'avez-vous fait ?

R - Je me suis retrouvé chanteur dans l'orchestre d'Issa El Saieh, qui fonctionnait bien à cette époque. C'est lui qui est venu me chercher. Je répétais avec mon groupe, Les Gais Trouvères. J'avais 18 ans. Il passait en voiture et m'a entendu. Il est venu cogner à la porte. Il a dit : il me manque un chanteur, tu veux venir avec moi ? C'est comme ça que je me suis retrouvé sur la scène des plus beaux cabarets, casinos et hôtels de Port-au-Prince. Je faisais aussi beaucoup de radio en direct. Très vite, on m'a surnommé le Loup blanc de Port-au-Prince. Blanc, en rapport avec ma couleur de peau. Parce que mon père était cubain...

Q - Et votre premier disque ?

R - Ça, c'était quelques années plus tard. En 1954. J'avais été engagé par Herby Widmayer, un Allemand qui avait un studio de radio. Après, j'ai commencé à faire le tour du monde des hôtels et des casinos. J'en ai fait plus de 50. C'est dans un de ces hôtels que Harry Belafonte a entendu ma chanson *Choucoune*, qu'il a ensuite popularisée sous le titre *Yellow Bird*.

Q - Votre classique absolu, *Oro basso*, date de 1957. De quoi parle cette chanson ?

R - D'une histoire vraie... Nous étions à Milan, avec mon groupe, quand mon saxophoniste Webert Sicot m'a demandé de lui prêter 1 000 $ pour acheter des bijoux à un vendeur itinérant. Il pensait faire une affaire en or. Je lui ai prêté l'argent. Mais il s'est fait avoir. Trois jours plus tard, les bijoux étaient devenus tout verts ! C'était des faux. *Oro basso* signifie « toc », en italien...

Q - Vous êtes débarqué à Montréal au début des années 60 et n'êtes jamais reparti. Pourquoi ?

R - Au départ, c'était pour un contrat. Je devais jouer au Perchoir d'Haïti (ndlr : le premier club haïtien de Montréal) qui se trouvait à l'angle de Saint-Denis et Sainte-Catherine. Si je suis resté, c'est que je craignais que la situation politique s'accentue en Haïti. L'ambiance était moyenne. Ça ne faisait pas mon bonheur.

Q - Mais vous n'avez jamais cessé de chanter Haïti...

R - Et je le fais plus que jamais. À l'âge que j'ai maintenant, je veux donner le reste de ma vie à ce pays... La politique ne m'intéresse pas. Mais je demande à tous mes compatriotes de rêver bleu et rouge.

Q - Et votre musique, depuis 60 ans, est-elle typiquement haïtienne ?

R - Je fais de tout. Et dans cinq langues différentes, incluant le créole. Musique latine, musique de danse, chanson populaire et même konpa direct, comme *Oro basso*. Le konpa, c'est pour les plus jeunes. C'est grand public. Mais je n'ai rien contre. Il faut accepter l'évolution. C'est comme accepter la mode des cravates étroites, après avoir connu celle des cravates larges !

Q - Question classique en terminant, mais cette voix de velours, à votre âge, c'est quoi votre truc ?

R - D'abord ne pas fausser. Ça éloigne les femmes ! Ensuite, prendre soin de ses cordes vocales. Quand j'ai choisi ce métier, mon père m'a fait promettre de ne pas boire et de ne pas fumer. J'ai toujours respecté ma parole. Ça m'a préservé...

Le boom du
cinéma haïtien... à Montréal

Croyez-le ou non, il existe une petite industrie du cinéma haïtien à Montréal. Et selon ceux qui en font partie, elle est en pleine explosion. Depuis 2006, au moins une quinzaine de films haïtiens ont été tournés dans la métropole. Signe des temps : un festival de films a même été mis sur pied en 2004, à l'initiative de l'actrice et productrice haïtienne Fabienne Colas.

« Alors que notre production ici et dans la diaspora grandit de façon exponentielle, il nous fallait quelque chose qui pousserait vraiment le cinéma haïtien », explique Mme Colas, qui a également organisé le tout premier festival du film québécois en Haïti, en 2009.

Attention, on ne parle pas ici de Dany Laferrière, qui évolue dans un circuit plus institutionnel. À Montréal, l'industrie du cinéma haïtien est un monde parallèle, pour ne pas dire underground. Les films de fiction se font sans subventions, avec des budgets dérisoires et du matériel de deuxième ordre. Faute de moyens, on use de débrouillardise. Les acteurs sont souvent des amis d'amis, un cousin ou une belle-sœur trouvés, bien sûr, en dehors de l'UDA (Union des artistes). Les films sont tournés dans l'appartement du réalisateur ou de ses parents.

Forcément, les résultats ont un gros côté amateur. Mais tous les éléments sont réunis pour que la machine se développe. Le milieu peut compter sur des réalisateurs, des scénaristes, des producteurs, des distributeurs, des points de vente et même un petit star-system, dont Fabienne Colas est la figure de proue.

Avec tout ça, il ne faut pas oublier le public d'origine haïtienne qui consomme ces films en masse, sans se formaliser du jeu approximatif des comédiens ou de la facture technique. Certains se déplacent en salle, mais la grosse majorité, plus axée sur le cinéma maison, se rabat sur le DVD.

Les films tournés à Haïti restent les plus appréciés. « Question de nostalgie », dit Wilfort Estimable, qui réalise entre deux et trois « feuilletons » par an. Mais l'intérêt grandit progressivement pour les productions locales.

La qualité des films s'améliore. Les acteurs sont issus de la communauté. Les histoires traduisent une réalité montréalaise. « Brusquement, les gens pensent que ça vaut le coup », résume Clovis Cadet, copropriétaire de Divertimax, entreprise spécialisée dans la distribution de films haïtiens.

ET UN AUTRE...

Mais il en faudra plus pour que le cinéma haïtien sorte de son sous-sol. Le budget moyen d'une production haïtienne tourne autour de 30 000 $. Difficile, dans ces conditions, de rivaliser avec les grosses productions québécoises comme *C.R.A.Z.Y.* ou *Maurice Richard*, qui ont coûté autour de huit millions.

Demander des subventions? Pas vraiment. Conscients de leur profil «hors norme», mal à l'aise avec la bureaucratie, et, surtout, très impatients de tourner, les cinéastes haïtiens préfèrent trouver leur financement ailleurs: banques, économies personnelles, avances des distributeurs ou commandites de commerces haïtiens.

C'est le cas de Jean-Alix Holmand, réalisateur du film *Convoitises*, lancé en 2005. Tourné en HD, avec un gros budget de 100 000 $, *Convoitises* serait jusqu'ici le film le plus coûteux de la jeune histoire du cinéma haïtien à Montréal. Ancien champion de judo reconverti dans le cinéma, Holmand a tiré un maximum de ficelles pour boucler son budget.

«J'ai eu l'aide de quelques commerçants, mon ex-blonde a investi des sous, les acteurs ont travaillé pour un cachet minimum et... j'ai dû faire beaucoup de choses moi-même, comme le montage, dit-il, impassible. Les subventions? Il y a trop de compétition. Et moi, je voulais vraiment faire du cinéma. Je ne voulais pas attendre, je n'aime pas l'incertitude.»

Son audace a fini par payer, puisque *Convoitises* a été présenté au festival Vues d'Afrique. Pour un film haïtien fait ici, c'était une première incursion dans un circuit plus *mainstream*.

Cela dit, on est encore loin d'une projection chez Guzzo. Tant que certains standards techniques et professionnels ne seront pas respectés, le cinéma haïtien de Montréal ne dépassera pas les frontières de sa communauté.

En attendant, cette petite industrie peut se rabattre sur un autre marché, beaucoup plus vaste: celui de la diaspora. Ce n'est pas un hasard si Wilfort Estimable tourne la plupart de ses films en créole. Après Montréal, ses productions peuvent être distribuées aux États-Unis, où la jeunesse haïtienne parle anglais et créole, mais... pas français.

Acheter des films haïtiens à Montréal

Productions Estimable

Vend et distribue des films de toute la diaspora haïtienne. Appartient au réalisateur montréalais Wilfort Estimable. Achats en ligne offerts.

6263, boulevard Maurice-Duplessis - 514 329-1919 - www.filmshaitiens.com

Divertimax

L'autre club vidéo officiel du cinéma haïtien à Montréal.

3925, rue Monselet (près Pie-IX)
514 812-2209

Latinordicos

9. LE MONTRÉAL D'AMÉRIQUE LATINE

L e Montréal latino est minime sur le plan démographique, si on le compare à celui de Los Angeles ou de New York. Mais il est néanmoins non négligeable, puisqu'il compte près de 100 000 âmes, soit environ 5 % de la population montréalaise et 12,9 % de l'immigration à Montréal.

Contrairement aux communautés latinos des grandes villes états-uniennes, qui ont une tendance à la ghettoïsation, les Latinos de Montréal se distinguent par une totale dispersion résidentielle. Si la plupart des commerces se retrouvent dans le « Barrio latino » (quartier latino), autour des rues Bélanger et Saint-Hubert, la population, elle, vit aux quatre coins de la métropole, de l'Île-des-Sœurs à Hochelaga-Maisonneuve, en passant par Rosemont, Anjou et le Plateau-Mont-Royal.

Cet éparpillement s'explique en partie par la grande disparité de cette immigration, qui – parfois même à l'intérieur d'une même communauté – s'avère extraordinairement éclectique en matière de générations, d'années (et de causes) d'immigration, de classes sociales, d'origines géographiques ou d'allégeances politiques, autant de différences qui ne semblent pas favoriser le rapprochement.

« C'est un mythe de croire qu'il y a une communauté latino. En fait, il y a plusieurs Montréal latinos », résume Omar Alexis, qui a longtemps animé l'émission *Foco Latino* à CJNT.

Cela n'a pas empêché le Montréal latino de faire sa niche dans plusieurs secteurs de la vie urbaine – notamment le monde des affaires et de la restauration – et de s'intégrer sans trop de mal à une société catholique et francophone qui lui convenait assez bien. Bel accomplissement, considérant que ce groupe hispanophone est, à bien des égards, relativement récent.

QUATRE VAGUES

De fait, il faudra attendre le milieu des années 1970 pour connaître une première vague notable d'immigration « latinordico » au Québec. Avant cela, la présence latino-américaine était pour le moins négligeable. Primo, la loi canadienne favorisait l'immigration européenne. Deuzio, le Canada était loin d'être une destination naturelle pour les Latino-Américains, qui ont longtemps préféré migrer aux États-Unis ou à l'intérieur même de leur continent.

Il faut savoir que si le Canada entretient depuis longtemps de petits liens d'ordre religieux et économique avec l'Amérique latine, il a mis une éternité à développer ses contacts diplomatiques avec ce continent, n'ouvrant sa première ambassade (en Argentine) qu'en 1941. Ce sera ensuite le Brésil, puis le Chili en 1944. Bref, c'est jusque-là « l'ignorance mutuelle », résume Jose Del Pozo, professeur d'histoire de l'Amérique latine à l'UQAM.

À partir des années 1960, la loi sur l'immigration s'assouplit. Alors que le Canada s'ouvre au monde, les Latinos commencent à élargir leurs horizons migratoires. Un mouvement s'amorce alors vers le Canada, comptant notamment quelques centaines de Chiliens, de Boliviens et d'Argentins, qui viennent s'établir ici pour des raisons professionnelles ou politiques (anti-Perón, anti-Allende).

Au milieu des années 1970, ce timide début fait place à la première des quatre grandes vagues d'immigration latino-américaine au Québec : celle des réfugiés politiques chiliens fuyant le coup d'État de 1973. Ciblé pour ses valeurs sociales-démocrates, le Canada devient une destination privilégiée par ceux qui n'acceptent pas le régime répressif de Pinochet. La porte est désormais ouverte pour une immigration latino plus soutenue.

Dans les années 1980, une seconde vague visible débarque à Montréal : il s'agit des Centro-Américains (Salvadoriens et Guatémaltèques) fuyant la guerre civile. Le flux salvadorien est si soutenu qu'au milieu des années 1990, la communauté dépasse en nombre celle des Chiliens. Cette période est aussi marquée par un fort arrivage de Péruviens, qui fuient la terreur du Sendero Luminoso (Sentier lumineux) et la désastreuse situation économique qui en résulte.

Au début des années 1990, on peut dire sans trop se tromper que 60 % de l'immigration latine à Montréal est constituée de réfugiés politiques. « Et certainement 80 % dans le cas des Salvadoriens », estime Jose Del Pozo.

Cela change toutefois, car au cours de cette décennie, la situation se stabilise en Amérique latine. L'immigration ralentit avec les accords de paix au Salvador (1992), au Guatemala (1996) et au Nicaragua (1990). Les réfugiés politiques font place à une nouvelle vague de « réfugiés économiques » – notamment colombiens et mexicains. Ce phénomène est étroitement lié aux virages néolibéraux qu'amorcent les pays de la région, entraînant l'appauvrissement de plusieurs couches de la société.

Depuis le milieu des années 2000, on peut enfin parler d'une vague croissante de professionnels qualifiés. Il faut savoir que le gouvernement du Québec s'est donné l'objectif d'accroître l'immigration de familles provenant d'Amérique latine. On a plus particulièrement visé les travailleurs indépendants, surtout universitaires, qui possèdent une certaine connaissance du français ou de l'anglais, et qui démontrent une capacité d'adaptation à la société québécoise.

« Cette approche s'inscrit dans le cadre d'une volonté de diversifier la composition de la population immigrante, de l'ouverture vers les Amériques et de la disponibilité d'un bassin d'immigrants potentiels qui sont prêts à quitter leur pays pour des raisons qui ne sont pas strictement économiques ou politiques », précise Victor Armony, professeur de sociologie à l'UQAM et auteur du *Québec expliqué aux immigrants*, chez VLB. Concrètement, cette approche a pour cible les classes moyennes de pays comme l'Argentine, le Brésil, la Colombie, le Venezuela et le Mexique.

Dans ces pays, il y a en effet des parties importantes de la population qui cherchent à s'installer ailleurs à cause de problèmes « sociétaux » comme la criminalité, la violence, l'instabilité ou le manque de possibilités professionnelles. Selon

M. Armony, qui est d'origine argentine, « il va de soi que cette nouvelle réalité produit une transformation considérable dans le profil de la communauté latino-américaine du Québec, surtout par rapport aux vagues précédentes ».

CONFLICTUELLE

Complexe, multiple et fragmenté, le Montréal latino n'a finalement rien d'un bloc monolithique. Malgré ses solides affinités linguistiques et religieuses, cette grande famille éclatée semble se définir davantage par ses différences que par ses ressemblances.

« Globalement, c'est une communauté conflictuelle qui a amené ses contentieux ici, observe Omar Alexis. Je pense aux premiers arrivés, qui ont aujourd'hui entre 50 et 70 ans, et qui n'ont pas encore tout à fait effacé les traces de chauvinisme. Par exemple, les immigrants d'Amérique centrale n'aiment pas les Mexicains. Les Chiliens ne sont pas des gros fans des Péruviens à cause de vieilles tensions frontalières. Les Mexicains de droite ne s'entendent pas avec les Mexicains de gauche, etc. »

Cette tendance à la division est ce qui « a empêché la communauté de se développer davantage », ajoute l'animateur de télé, en évoquant le nombre de projets culturels, sociaux ou d'affaires qui ne se sont pas concrétisés. « Il y a une solidarité dans la fête, dans le plaisir éphémère. Mais pas dans les choses à long terme. »

Mais cela change peu à peu, alors que les nouvelles générations commencent à lever les barrières. Arrivés très tôt ou nés ici, ces jeunes ont coupé le cordon ombilical avec leur pays d'origine, tout en restant près de leurs racines. Ils portent des sacs à dos aux couleurs de leur pays d'origine. Ils adorent le reggaeton, sortent danser la salsa et jouent au soccer. Mais ils fréquentent aussi des bars québécois, des filles québécoises et « tripent » sur le hockey.

Même si elle est encore cantonnée dans le rôle de l'immigrant, cette nouvelle génération de « latinordicos » se sent ici chez elle. « Ils parlent "fragnol" et ne se posent pas de questions au chapitre de leur identité. Ils savent que leurs parents sont latinos, mais ils se considèrent avant tout comme des Québécois », souligne Omar Alexis.

Un jour, on pourra parler d'un Montréal latino plus fusionnel, mais cela passera vraisemblablement par le secteur culturel. Déjà, des événements plus fédérateurs comme Latinarte, le Festival de musiques latines et Festivalissimo ont commencé à émerger. Le groupe musical Psychotropical Orchestra (**www.myspace.com/ psychotropicalorchestra**) l'incarne tout aussi bien, puisque son chanteur est mexicain, son guitariste panaméen, son bassiste chilien, son batteur salvadorien, sa section de cuivres québécoise, et que sa musique résolument moderne part de la cumbia, un style né en Colombie.

PARLEZ-VOUS ESPAGNOL ?

Bonjour ➤ Hola (familier),
Buenos dias

Merci ➤ Gracias

Au revoir ➤ Adios, Hasta luego

 DANS LE CALENDRIER

Fête de l'Indépendance de l'Amérique centrale : 15 septembre

Quelques fêtes, messes et rencontres politiques ont lieu à Montréal pour l'occasion. Mais les manifestations restent discrètes.

Virgen de Guadalupe : 12 décembre

La sainte patronne du Mexique est aussi celle de l'Amérique latine en général. Une grande messe est donnée à l'église Virgen de Guadalupe (1969, rue Ontario Est) le dimanche le plus rapproché de cette date. Cette cérémonie attire énormément de monde, incluant des archevêques, des politiciens et un groupe de mariachis interprétant *Las Mañanitas*, la chanson d'anniversaire de l'Amérique latine.

 ÉVÉNEMENTS

Festival du cinéma latino-américain de Montréal : avril

Créé en 2010, le FCLM se consacre principalement au nouveau cinéma d'auteur latino-américain, qui vit depuis quelques années une véritable révolution. Présenté au Cinéma du Parc, l'événement est organisé par l'ancien programmateur du volet films de Festivalissimo, Yuri Berger – ce qui est en soi un gage de qualité. Reste à voir s'il y a de la place à Montréal pour deux festivals de cinéma latino. La réponse à plus long terme.

514 281-1900 • www.fclm.ca

Festivalissimo : juin

Consacré au nouveau cinéma d'Espagne et d'Amérique latine, ce festival est de loin le meilleur endroit pour voir en primeur d'excellents films qui ne sortiront pas en salle au Québec. Au printemps 2009, l'événement fêtait sa 13e édition.

514 737-3033 • www.festivalissimo.ca

Festival de merengue et de musiques latines de Montréal : juillet

Un événement rassembleur pour les Latino-Américains de Montréal. Créé par des Dominicains, ce festival présente des artistes internationaux de moyen ou gros calibre. Sa programmation est surtout merengue et bachata, deux styles particulièrement populaires en République dominicaine. Mais on peut aussi y entendre de la salsa, du reggaeton et d'autres musiques latines très populaires. Fondé en 1996, le Festival de merengue se tient depuis 2004 au parc Jean-Drapeau.

514 279-9459
www.festivalmerenguedemontreal.com

Latinarte : septembre/octobre

Montréal compte un nombre surprenant d'artistes latino-américains. Mais faute de ressources, la reconnaissance reste difficile. Latinarte a été fondé pour donner une tribune aux créateurs (danseurs, musiciens, comédiens, cinéastes, écrivains et surtout, artistes visuels) qui n'ont pas encore réussi à faire leur place dans le circuit grand public. «Quand on parle des Latinos, on pense tout de suite à la fiesta. Mais notre art, c'est beaucoup plus que ça...», résume la fondatrice Angela Sierra.

514 843-8381
latinarte2009.blogspot.com

Carnet d'adresses

Malgré sa nature fragmentée, le Montréal latino compte beaucoup de commerces et de médias hispanophones qui s'adressent à toute la communauté, sans égard au pays d'origine. Ainsi, certaines épiceries vendent des produits qui viennent autant du Pérou que du Mexique. C'est également le cas pour certains journaux, qui servent de babillard à toutes les nationalités. Pour des adresses plus détaillées, voir chaque communauté.

 SORTIR

C'est devenu un cliché, mais les Latinos adorent danser. Montréal compte ainsi près d'une quinzaine de discothèques latines (voir Salsa Montréal en page 319) et tout autant de salles réservées au tango (voir la section sur l'Argentine, page 339). Si vous voulez seulement prendre une bière en discutant, on vous suggère plutôt les restaurants. Ou encore le très dépaysant **Bar de la Plaza,** situé en plein cœur du Barrio latino. Cette taverne bien québécoise semble en effet avoir été adoptée par la communauté sud- et centro-américaine. En témoigne le fabuleux juke-box qui offre un choix de musique essentiellement latino, des derniers tubes de salsa aux classiques du mariachi Vicente Fernandez. Ambiance *borracho*, faune bien typée. Tijuana comme si vous y étiez.

7152, rue Saint-Hubert • 514 276-3076
Ⓜ Jean-Talon

 SORTIR (SPECTACLE)

Le milieu du spectacle latino est très actif à Montréal. Des artistes populaires et folkloriques se produisent presque chaque semaine dans les clubs latinos, les sous-sols d'église ou des salles plus *mainstream* comme l'Olympia. Sans compter les nombreuses fêtes

données par les diverses communautés, avec des groupes locaux. Pour tout savoir, consultez le cahier B du journal *El Chasqui*, consacré au divertissement (**www.elchasquilatino.com**), ou les sites web suivants.

El Montreal latino

Ce blogue en espagnol mentionne à peu près tous les gros shows latinos qui viennent en ville. Actif et régulièrement mis à jour.

http://montreallatino.blogspot.com

Fiesta caliente

Le site des sorties culturelles latinos à Montréal. Musique, spectacles. Mode, liens utiles. Par contre, la mise à jour est sporadique.

www.fiestacaliente.ca

 SORTIR (EXPO, CULTURE)

Centre culturel Simón-Bolívar

Rattaché au consulat vénézuélien, ce centre est ouvert aux Vénézuéliens et à toutes les communautés latino-américaines de Montréal. On y présente des spectacles, des expositions, des activités reliées aux différentes nationalités. Le centre Simón-Bolívar abrite aussi un ciné-club qui diffuse des films latinos sur une base régulière.

Centre culturel Simón-Bolívar
394, boulevard De Maisonneuve Ouest
514 843-8033
www.consulvenemontreal.org
Ⓜ Place-des-Arts

 FAIRE L'ÉPICERIE

Sabor Latino

Jadis connu sous le nom de Marché Andes, Sabor Latino a ouvert ses portes en 1987, ce qui en fait la plus vieille épicerie 100 % latino de Montréal. Avec le temps, les propriétaires

– tous colombiens – se sont succédé et la concurrence s'est multipliée, mais ce commerce à triple vocation (boucherie, épicerie, restaurant) demeure un incontournable, voire une institution du Barrio latino, avec son vaste choix, qui va du *mole* mexicain à l'Inca Cola péruvien.

436, rue Bélanger Est • 514 277-4130
Ⓜ Jean-Talon

Marché Andes Gloria

Ouvert en 1989, ce casse-croûte-épicerie est une valeur sûre de la *Main*. Comme son grand frère, le Supermarché Andes de la rue Bélanger (devenu Sabor latino), Andes Gloria vend toute la panoplie des produits alimentaires latino-américains.

4387, boulevard Saint-Laurent
514 848-1078 • Ⓜ Mont-Royal

Marché Vital

Gros marché latino à Montréal-Nord. Grande variété de produits péruviens et de tous les pays latino-américains.

6067, boulevard Henri-Bourassa Est
514 852-4040 • Ⓜ Henri-Bourassa

Carniceria Mundial

Situé au marché Jean-Talon, ce petit supermarché vend des produits de tous les pays d'Amérique latine. On y trouve autant de la *yerba mate* argentine (un genre d'infusion) que du *mole* mexicain (sauce au chocolat pour poulet barbecue), des *nopalitos* (cactus) en conserve ou des *arepas* (pains plats) vénézuéliens. Le secteur boucherie est particulièrement varié. En prime : petite section resto avec *pupusas* et *sopa de patas* (abats de bœuf), et vente de souvenirs latinos (CD, cassettes, DVD, drapeaux du Salvador, gilets de soccer).

7130, avenue Casgrain
514 271-6171 • Ⓜ Jean-Talon

 MAGASINER

Caraballo disco

Depuis plus de 15 ans, l'incontournable disquaire latino de Montréal. Salsa, merengue, bachata, mariachi, cumbia, boleros, etc.

7086, boulevard Saint-Laurent
514 272-6844 • Ⓜ De Castelneau

Latin Best Sellers

Cette petite boutique style « Maison de la presse » tient des revues hispanophones, de la littérature en espagnol et des disques latinos de tous styles et de toutes époques. Intéressant choix de livres pour enfants et de guides de voyage dédiés à l'Amérique latine.

7123A, rue Saint-Hubert
514 948-2929 • Ⓜ Jean-Talon

La librairie espagnole

Espagnole à l'origine, cette boutique a progressivement élargi son inventaire aux produits d'Amérique centrale et du Sud. Il y a quelques années, on y trouvait les quotidiens de tous les pays d'Amérique latine. Maintenant qu'internet s'occupe de transmettre l'information, on y va surtout pour le petit rayon épicerie.

3811, boulevard Saint-Laurent
514 849-3383 • www.lespanola.com
Ⓜ Sherbrooke

Librairie Las Americas

Fondée en 1972, cette librairie vend toutes sortes de livres en espagnol : histoire, voyage, cuisine, romans d'auteurs hispanophones (ou québécois traduits en espagnol !) et bien sûr, un tas de livres d'apprentissage de la langue. Sa clientèle est surtout composée d'étudiants, de voyageurs et de cadres d'entreprises qui signent des contrats avec l'Amérique latine.

2075, boulevard Saint-Laurent
514 844-5994 • www.lasamericas.ca
Ⓜ Sherbrooke

Video Latino

Tenu par une famille salvadorienne, ce club vidéo propose une super variété de films anciens et récents. Le Mexique ayant longtemps dominé l'industrie du cinéma latino, le catalogue est surtout mexicain (films de mariachis, de Santo le lutteur masqué ou de Cantinflas le comique...). Mais il y a aussi un tas de films argentins, chiliens, cubains ou espagnols. En prime, bon choix de CD musicaux.

408, rue Bélanger Est • 514 276-1453
Ⓜ Jean-Talon

Mundo Hispano

Livres et disques d'Amérique latine. Plus sérieux.

500, rue Bélanger Est • 514 312-5566
Ⓜ Jean-Talon

 MÉDIAS

Journaux, magazines

La communauté latino-américaine de Montréal possède un bel éventail de journaux : *El Chasqui*, *L'Alternativa*, le *Directorio Comercial*, la *Prensa Nueva*, *La Nueva Prensa Libre*, *La Voz*... Sauf de rares exceptions, la plupart s'adressent à l'ensemble de la communauté latino.

Tous ces hebdos n'ont pas la même vocation. Certains servent avant tout de véhicules publicitaires. D'autres ont de véritables ambitions journalistiques ou des vues politiques. Certains sont payants, d'autres gratuits. Ces derniers sont généralement offerts à l'entrée des commerces et des épiceries latinos.

Fait à noter : c'est un milieu extrêmement concurrentiel où les techniques déloyales sont parfois employées. Il n'est pas rare de voir le distributeur d'un journal jeter les exemplaires de son concurrent pour prendre sa place sur les présentoirs. À la guerre comme à la guerre...

El Chasqui/L'Alternativa

Entre journal et agenda commercial, le plus ancien (1995) et le plus consulté des journaux latinos à Montréal. Sa petite sœur, *L'Alternativa*, est née en 2002. (Voir autre texte en page 348).

514 374-2209
www.elchasquilatino.com
www.lalternativalatina.com

El Directorio comercial

Grand rival du *Chasqui*. Fondé en 2003.

514 803-5952

La Voz

Fondé en 1992, ce mensuel durable est désormais disponible sur le web.

514 253-2539 • www.lavoz.ca

Échos de l'Amérique

Ce magazine a été créé par une Guatémaltèque en 2004, pour créer un pont entre le Nord et le Sud. Son but est d'aider les immigrants d'Amérique latine à mieux comprendre le Québec – et vice-versa – à travers des valeurs « autres que la plage et la bière ». Publication aux trois mois.

514 844-2627

Radio

Faute de station de radio 100 % latino à Montréal, les émissions latinos sont éparpillées sur toutes les fréquences du AM et du FM ainsi que sur le net.

Energia positiva (CPAM 1610 AM)

Avec Kiko, la « voix » de l'énergie positive (voir portrait en page 355). Musique et info latino-américaines à la radio haïtienne.

Du lundi au vendredi 12 h 30
www.cpam1610.com

La rumba du samedi (CISM 89,3 FM)

Une institution depuis 1994. Avec plus de 70 000 auditeurs, La rumba du samedi est l'émission la plus populaire de CISM. Chaque samedi, Gonzalo « DJ Spanish Fly » Nuñez (Chilien d'origine) et DJ Boly (Équatorien) s'éclatent en français et en espagnol avec une programmation 100 % latine.

Samedi 13 h • www.cism.umontreal.ca

Latin Time (CKUT 90,3 FM)

Nouvelles, culture, sport, politique et information communautaire livrés par une équipe panaméricaine, avec échantillonnage de musiques latinos variées et actuelles. Également sur CKUT, Latin Music Mondays, tous les lundis à 9 h.

Dimanche 9 h • www.ckut.ca

Las Noches Latinas de Kiko y Dany (MIKE FM 105,1)

Émission musicale animée par un Dominicain et un Panaméen. Les jeudis sont romantiques, les vendredis pour danser.

Jeudi et vendredi 22 h • www.mikefm.ca

CINQ FM (Radio Centre-ville) 102,3 FM

Cette radio communautaire est un des plus gros diffuseurs d'émissions latino-américaines à Montréal. Beaucoup d'émissions thématiques à caractère social, culturel et politique. En voici quelques-unes.

Noticias. Nouvelles d'Amérique latine **tous les jours de la semaine à 21 h.**

Antesala deportiva. Toute l'actualité sur les ligues sportives (soccer, baseball) latinos de Montréal. **Lundi 21 h 20.**

El Armario Abierto. Signifie « le placard ouvert » en espagnol. Émission destinée à la communauté gaie et lesbienne latino de Montréal. **Lundi 22 h 20.**

Romper el silencio. Pour aider les personnes âgées de la communauté, victimes de violence ou d'isolement, à rompre le silence. **Dimanche 11 h.**

La cancion et su autor. L'œuvre d'un auteur-compositeur hispanophone analysée, chansons à l'appui. **Dimanche 11 h 30.**

www.radiocentreville.com

Radio latina Montréal

24 heures non stop de radio en espagnol faite à Montréal. Un peu de blabla, beaucoup de musique.

www.radiolatina.ca

CHOQ.FM latino

Musiques latines de toutes époques. Diffusé en direct à la radio de l'UQAM. Émissions passées disponibles en tout temps.

Samedi 18 h 30
www.choq.fm/choqlatino.html

Télévision

CJNT

Depuis son rachat par l'Ontarienne Channel Zero, CJNT ne diffuse plus d'émissions sur le Montréal latino. Mais la chaîne présente des films latino-américains tous les dimanches soirs.

Canal 14

Tele NuevoMundo

Cette chaîne latino spécialisée est offerte par Illico au poste 269. Le quart de ses émissions sont faites à Montréal, mais Tele NuevoMundo diffuse aussi des productions du Chili, d'Argentine, du Mexique, de la Bolivie, de la Colombie, du Venezuela et de l'Espagne. Séries policières, telenovelas, émissions pour enfants, vidéos musicales, informations locales et internationales.

Illico (269)

Internet

Quebec Noticias

Ce magazine culturel fut d'abord sur papier, avant de prendre le virage numérique. Activités, événements, vedettes, etc.

www.quebecnoticias.ca

Tu Guia Latina

LE portail latino de Montréal. Tellement fourni que l'on s'y perd. Beaucoup d'infos. Des tonnes d'adresses et de contacts. Activités, culture, musique, restos, danse, commerces, voyages, services professionnels en tous genres. Très utile pour savoir ce qui se passe dans la communauté. Dans le même genre, on vous suggère aussi **Montrealhispano.com.** Un bon point de départ si vous voulez connaître les commerces et services latinos de Montréal.

www.tuguialatina.com

Latin Quebec

Ce site web dynamique couvre l'actualité culturelle de Montréal et d'ailleurs. Inclut une station de radio et de télé web (*Latinquebec.tv*).

www.latinquebec.com/home.asp ?lang=2

Super latina FM

Nouvelles locales et internationales, musique, pubs, potins, pitounes...

www.superlatinafm.com

En savoir plus

Maison de la culture latino-américaine

Tenue par un Dominicain arrivé au Québec en 1971, ce petit organisme aide les immigrants d'Amérique latine (surtout) à se retrouver dans les dédales administratifs canadiens. Visas, passeport, chômage, problèmes urgents. Une bonne référence.

514 276-9050 • Ⓜ Beaubien

Comité UQAM – Amérique latine

Cette association a pour mission de promouvoir la culture latino-américaine auprès de la masse étudiante de l'UQAM au moyen de différentes activités culturelles et sociales, en plus d'informer sur l'histoire et la situation politique de l'Amérique latine en organisant des conférences et autres activités reliées à l'actualité.

514 987-3794

Chambre de commerce latino-américaine du Québec

Créée en 2007, la CCLAQ est un des rares organismes fédérateurs du Montréal latino, puisqu'il regroupe indifféremment des gens d'affaires de toutes les communautés. Cette « mise en commun » vise à promouvoir l'intégration des professionnels latinos du Québec, sans égard au pays d'origine.

www.cclaq.ca

Le Barrio latino Histoire d'un quartier

Tous les Latinos vous le diront : il n'y a pas de ghetto dans la communauté. C'est peut-être vrai en ce qui a trait au résidentiel, mais ça l'est beaucoup moins au chapitre commercial. Il y a en effet un véritable « Barrio latino » (quartier latino) à Montréal. Il se situe dans l'immense quadrilatère formé par les rues Beaubien et Jarry, le boulevard Saint-Laurent et l'avenue Papineau, les rues Saint-Hubert et Bélanger formant les deux axes principaux de ce vaste quartier.

Pourquoi ici? À cause du Supermarché Andes, tout simplement. Fondée en 1987 par la famille Aguilar, d'origine colombienne, cette épicerie située au 436, rue Bélanger Est a pavé la voie à tous les autres commerces latinos du quartier. «Nous l'avons ouverte à cet endroit parce qu'il était central et bien desservi par le métro Jean-Talon, raconte Camilo Aguilar. C'était propice aux affaires.»

Profitant de l'expansion du Montréal latino, le quartier s'est hispanisé très vite. Des agences de voyages, des restaurants et un club vidéo sont venus rejoindre Andes sur la rue Bélanger. En 1996, la Ville a officialisé la chose en vissant une plaque commémorative sur les murs du Supermarché Andes et en créant le Parc latino-américain (angle Bélanger et Chateaubriand). Le Barrio latino était né.

Aujourd'hui, des dizaines de commerces latinos s'égrènent jusqu'à l'avenue Papineau. Certains ont été fondés par d'anciens employés du Supermarché Andes (Maria, Los Planes, Carniceria Mundial). La Plaza Saint-Hubert parle espagnol et l'épicerie Metro du quartier tient des produits d'Amérique latine.

Ce n'est pas tout. Alors que les premiers Latinos avaient l'habitude de s'installer en banlieue, une nouvelle vague d'immigration, urbaine et non motorisée, a commencé à s'installer dans les rues avoisinantes. Si la tendance se maintient, le Barrio sera bientôt plus qu'un phénomène commercial...

LIEUX DE CULTE

À QUEL SAINT SE VOUER?

Les Latinos de Montréal et la religion

La majorité des Latino-Américains sont de fervents catholiques. Et de grands pratiquants. Ils vont à la messe le dimanche, les jours de fête ou pour l'anniversaire d'un saint important, et organisent des processions religieuses pour des célébrations particulières.

À Montréal, deux églises catholiques importantes desservent la communauté en espagnol. La première, Saint-Arsène, est située au 1025 de la rue Bélanger Est. Gérée depuis 1955 par des Espagnols, cette «mission» (Sainte-Thérèse-d'Avila) a longtemps été le point de chute des hispanophones. Mais avec l'expansion du Montréal latino, l'endroit était devenu trop petit pour absorber tout le monde.

Une seconde mission a donc été créée en 1980 à l'église Saint-Jean-Baptiste, puis déménagée en 1993 à l'église Sainte-Marguerite dans le quartier Sainte-Marie (1969, rue Ontario Est) où elle se trouve encore aujourd'hui.

Rebaptisé Nuestra Senora de Guadalupe (ou Virgen de Guadalupe, du nom de la sainte patronne de l'Amérique latine), l'endroit est devenu le nouveau lieu de rassemblement du Montréal latino. C'est là que se déroulent la plupart des fêtes religieuses de la communauté. Les prêtres sont d'origine hondurienne et péruvienne. Toutes les messes sont données en espagnol sauf une, à l'intention des paroissiens francophones qui vivent encore dans le quartier. Quant aux ouailles, elles sont d'origine mexicaine, salvadorienne, guatémaltèque, chilienne, bolivienne, péruvienne ou dominicaine. Signe pour le moins fédérateur : les saints patrons de tous les pays d'Amérique latine sont représentés à l'intérieur de l'église.

PASSER CHEZ LES PROTESTANTS

Virgen de Guadalupe a toutefois de la concurrence. Attirés par le charisme des pasteurs protestants, de plus en plus de Latinos se tournent vers les églises évangéliques de type pentecôtiste, avec leurs messes interactives musicales et extroverties.

Selon l'organisme Direction chrétienne, on compterait au moins une quinzaine d'églises « de réveil » hispanophones à Montréal. Mais ces chiffres pourraient être revus à la hausse au prochain sondage. On estime que 10 % de la population latino-américaine mondiale a jusqu'ici choisi de se convertir au protestantisme.

Dans un autre ordre d'idées, il y a enfin les adeptes d'ésotérisme, de spiritisme et de religions parallèles. À Montréal, deux boutiques vendent des objets reliés aux cultes animistes latino-américains : Botanica San Gabriel (rue Bélanger) et Las Orishas, plus spécifiquement dédiée à la *santeria* cubaine.

Mision latinoamericana Nuestra Senora de Guadalupe

1969, rue Ontario Est • 514 525-4312

Église Saint-Arsène

1025, rue Bélanger Est • 514 271-2483

Botanica San Gabriel

Lampions, poudres magiques, religiosité, ésotérisme, pattes de lapin, fioles magiques, croix... Soyez prévenus : le service est sur la défensive et les flâneurs se font regarder de travers.

770, rue Bélanger Est • Ⓜ Jean-Talon

Las Orishas

Voir Le Montréal cubain, page 350.

5757, rue Saint-Hubert • 514 678-4085 • Ⓜ Rosemont

SALSA MONTRÉAL

Qui dit culture latino dit danse, et plus particulièrement salsa. Née dans les ghettos cubains et portoricains de New York, cette musique n'a pas tardé a être adoptée par le reste du continent latino. C'est encore aujourd'hui la musique qui domine dans la plupart des discothèques latines, même si d'autres genres musicaux comme le reggaeton, le merengue, la baile funk et la cumbia obtiennent aussi leur part du gâteau. Petit survol du Montréal salsa.

 ÉVÉNEMENTS

Convention de salsa de Montréal

Montréal est, dit-on, la plus salsa des villes canadiennes. À preuve, une convention de salsa se tient ici, tous les ans depuis 2004. Ateliers le jour, danse le soir, profs internationaux d'ici et d'ailleurs. Toujours en avril.

514 875-5476
www.montrealsalsaconvention.com

Discothèques

La Salsathèque

Un décor vintage digne de *Saturday Night Fever*. Des miroirs, des ampoules clignotantes et un plancher de danse lumineux. La Salsathèque n'a pas volé sa réputation de temple de la salsa à Montréal. Depuis 28 ans, cette discothèque exotique offre une des meilleures ambiances latines du centre-ville. Fidèle à son nom, la Salsathèque se dévoue principalement à la salsa, mais ouvre la porte à toutes les musiques latines qui se dansent (merengue, bachata, cumbia, reggaeton, etc.) Le club est ouvert du mercredi au dimanche. Les vendredis et samedis, des orchestres locaux se chargent de l'ambiance à compter de 23 h. L'école de danse San Tropez, située à l'étage inférieur,

donne des cours de danse les mercredis, vendredis et dimanches avant l'ouverture de la discothèque.

1220, rue Peel • 514 875-0016
www.salsathèque.com • Ⓜ Peel

Loco Loco

Ouvert en juillet 2007, Loco Loco est la discothèque latino des *beautiful people* du *downtown Montreal*. Le décor ultra-design est à l'image du choix musical moderne et branché, qui oscille entre salsa, merengue, pop rock, reggaeton et hip-hop commercial. L'étage supérieur est consacré à la musique house. Ouvert vendredi et samedi.

1426, rue Stanley • 514 287-0000
www.clublocoloco.com • Ⓜ Peel

649

La légende veut que la fondatrice du 649, une percussioniste d'origine chilienne, ait acheté son bar après avoir gagné à la... 6/49 ! Ce qui est certain, c'est que cette discothèque latine fondée en 1993 est la plus ancienne du genre après la Salsathèque. La place est ouverte sept soirs par semaine et dispense des cours de salsa gratuits pour débutants, intermédiaires et avancés. Vendredi et samedi, un orchestre *live* accompagne les danseurs. Les dimanches, soirées « New York 100 % old school salsa » avec DJ Ricky, une des vedettes dans le milieu.

1112, rue Sainte-Catherine Ouest
514 868-1649 • Ⓜ Peel

Et aussi...

Club Mi Casa

90, rue Jean-Talon Ouest • 514 273-7777
Ⓜ De Castelnau

Studio 21

7225, rue Saint-Hubert • 514 882-9926
Ⓜ Jean-Talon

Le Cactus

4459, rue Saint-Denis • 514 849-0349
Ⓜ Mont-Royal

Soirées de danse

Les discothèques ne suffisent pas ? Sachez que vous pouvez danser la salsa presque sept soirs par semaine à Montréal. Voici d'autres suggestions.

Isla Salsa. Tous les lundis de fin mai à fin août, aux Serres de Verdun. De 19 h 30 à 22 h.

7000, boulevard Lasalle • 514 765-7220 ou 514 765-7150

Mardis latin jazz au café Delima. Avec le DJ Jean Nunez et l'École de danse Montecristo.

6409, rue Saint-Hubert • 514 282-8777. www.cafedelima.com

Jeudis Salsalicious à l'Academy Club. Avec DJ Latin Will.

4119, boulevard Saint-Laurent
514 799-4824

Samedis après-midi au Mocha Danse. De 15 h 30 à 19 h 30.

5175A, avenue du Parc • 514 277-5575

Dimanches Salsafolie. Présentés l'été au Vieux-Port (bout du quai King-Edward). Se poursuivent l'hiver au Salon Illusion.

4119, boulevard Saint-Laurent
514 933-4636 • www.salsafolie.com

En savoir plus

Salsamontreal.com

Créé par un Québécois fana de salsa, ce site web donne de l'information sur les clubs et les écoles à Montréal. Les événements sont affichés, ainsi que les soirées dédiées à la salsa. Utile.

www.salsamontreal.com

Fièvre du samedi soir à la Salsathèque

Le Montréal **mexicain**

 11 600

 catholicisme (76 %),
protestantisme (9 %)

espagnol

L'immigration mexicaine à Montréal remonte au début des années 1960. Mais c'est après Expo 67 que la communauté commence vraiment à prendre forme.

Le pavillon du Mexique, en effet, sensibilise beaucoup de Québécois à cette culture à la fois proche et lointaine. Certains profiteront de l'ouverture pour aller chercher l'amour au pays du soleil. À la même époque, des groupes musicaux comme Los Compadres et les Mariachi Figueroa décident de poursuivre leur carrière au Québec.

Au milieu des années 1970, on compte environ 200 Mexicains à Montréal. C'est assez pour justifier la création d'une première association mexicaine, dont la double mission est d'aider les nouveaux arrivants et d'entretenir la culture du pays. Cette petite communauté est assez soudée, mais loin d'être repliée sur elle-même, en raison du nombre de mariages interculturels. Signe d'une présence de plus en plus assumée : une émission mexicaine fait son apparition sur la toute nouvelle chaîne de télé ethnique québécoise (TEQ) dès 1978.

Le Montréal mexicain reste stable dans les années suivantes. Mais en 1985, le violent tremblement de terre qui secoue le Mexique (entre 10 et 25 000 morts, selon les sources) provoque une série de contrecoups sociaux et économiques qui vont déstabiliser le pays et provoquer une nouvelle vague migratoire.

Le Québec – et surtout Montréal – reçoit alors une autre classe d'immigrants, composée d'indépendants et de jeunes professionnels conscientisés, qui fuient la corruption, le marasme politico-économique, voire la persécution quand il s'agit d'homosexuels. « Cette immigration éduquée a changé le visage du Montréal mexicain », souligne Cristina Boyles, une pionnière de la communauté.

Malgré tout, le marché du travail demeure difficile à conquérir. Plusieurs retournent au Mexique, faute d'avoir déniché un emploi. Incapables de se trouver du boulot dans leur domaine, ceux qui restent ouvrent des commerces ou échouent dans les manufactures, les centres d'appel et les restaurants.

Cela n'empêche pas le mouvement de se poursuivre et de s'intensifier. Après un léger creux dans les années 1990, la communauté augmente de façon marquée au tournant de la décennie 2000. On estime qu'entre 2001 et 2006, plus de 4 000 Mexicains sont venus s'installer au Québec, en quête d'un meilleur présent. Cette immigration essentiellement urbaine, constituée d'étudiants et de jeunes professionnels, se poursuit désormais avec un nombre record de demandeurs d'asile (plus de 15 000 en 2007 et 2008).

« ON S'AIME, MAIS... »

Ces vagues successives font que le Montréal mexicain est aujourd'hui très hétérogène. Le petit groupe des années 1970 est devenu une grosse mosaïque de cultures, de générations et d'origines diverses.

Cette disparité explique en partie l'éparpillement géographique de la communauté. Peu grégaires de nature, et plutôt bien intégrés à la société québécoise, les Mexicains se fréquentent peu, sinon sur une base personnelle. Comme le dit si bien Mariano Franco, chanteur du groupe Psychotropical Orchestra : « On s'aime, mais on n'aime pas nécessairement habiter les uns à côté des autres ! »

Tout ce beau monde, du reste, se réunit au moins une fois l'an, pour la fête nationale du 16 septembre. Cet événement culturel était jusqu'à récemment le meilleur moyen de saisir en un coup d'œil la complexité et la variété du Montréal mexicain.

 DANS LE CALENDRIER

Fête des Mères : 10 mai

Au Mexique, la fête des Mères est une institution. Ici, ça se fête en famille, à la maison ou au restaurant.

Fête nationale : 16 septembre

Le rendez-vous des Mexicains montréalais. Organisé par la Communauté mexicaine du Québec, cet événement très patriotique propose de la bouffe, de la bière, des spectacles de ballet folklorique, de mariachis et de la danse pour la communauté au sens large. Ces dernières années, la fête avait lieu au parc du Musée Stewart de l'île Sainte-Hélène. Une messe est aussi donnée, le dimanche le plus rapproché de cette date, à l'église Virgen de Guadalupe (1969, rue Ontario Est).

Jour des Morts : 2 novembre

Les Mexicains croient que les personnes décédées reviennent les visiter ce jour-là. Pour les accueillir, on prépare un autel avec des *offrendas* : de la nourriture, des fleurs, des têtes de mort en sucre et des objets ayant appartenu au défunt. À Montréal, quelques restos peuvent souligner l'événement. L'Espacio Mexico (2055, rue Peel, local 1000) donne aussi une soirée pour l'occasion. On peut y goûter le fameux *pan de muerto*, du pain ayant la forme d'un os.

Fête de la Sainte Vierge de la Guadalupe : 12 décembre

La sainte patronne du Mexique (qui a été adoptée par beaucoup de pays en Amérique latine) est honorée par une célébration à l'église du même nom, mariachis en prime. Après la messe, on se retrouve dans le sous-sol de l'église pour un petit buffet de nourriture typique.

Anniversaire de la révolution mexicaine : 20 novembre

Rien de spécial. Sinon, bon prétexte pour trinquer à la mémoire de Zapata !

Carnet d'adresses

 MANGER

La cuisine mexicaine ne se limite pas aux tacos, burritos et autres chili con carne. Il existe une bonne variété de restaurants mexicains à Montréal, servant toutes sortes de plats plus ou moins connus. Faites comme nous, explorez.

Maria Bonita

Un menu diversifié, qui ratisse la gastronomie mexicaine de long en large : guacamole, tortillas, quesadillas (tortillas au fromage), *sopes* (pain de maïs recouvert de garniture), *cazueltas* (version mexicaine des tapas), etc. Essayez le *mole poblano*, un ragoût de poulet parfumé aux épices et au chocolat. C'est le plat national du Mexique !

5269, avenue Casgrain • 514 807-4377
Ⓜ Laurier

Le coin du Mexique (El rincon de Mexico)

Un bon petit resto familial, avec un menu on ne peut plus authentique. Si vous voulez essayer autre chose que les tacos, demandez le *pozole* (une soupe au porc au maïs) ou la soupe *menudo* (aux tripes de bœuf !).

2489, rue Jean-Talon Est
514 374-7448 • Ⓜ Iberville

Casa de Matéo

Plus touristique, mais c'est le bon endroit pour entendre des mariachis chanter la sérénade, tous les vendredis, samedis et dimanches

soirs. On avoue : *Montréal multiple* a un petit faible pour les mariachis...

440, rue Saint-François-Xavier
514 844-7448 • www.casademateo.com
Ⓜ Place-d'Armes

Popocatepetl

Connaissez-vous le *barbacoa* ? Il paraît que ce plat d'agneau cuit à la vapeur (pendant 10 heures !) est idéal quand vous êtes un peu trop *crudo* (lendemain de veille). Popocatepetl en a fait sa spécialité. Qui plus est, la déco est vraiment cool (portraits du lutteur Santo, murale avec héros mexicains) et il y a une section épicerie avec conserves, épices et bonbons typiquement mexicains.

1224, rue Bélanger Est • 514 270-3434
Ⓜ Fabre

La Guadeloupe mexicaine

Le plus ancien resto mexicain encore en activité de Montréal.

2345, rue Ontario Est • 514 523-3262
Ⓜ Frontenac

 SORTIR, BOIRE UN VERRE

Nacho Libre

Ce bar à tacos, tenu par des Québécois, est remarquable pour sa déco psychotronique inspirée de la *lucha libre* (lutte) mexicaine. On présente même des films de Santo, le lutteur masqué, sur une base occasionnelle. Allez-y surtout pour la bière, parce que la bouffe est beaucoup moins convaincante...

913, rue Beaubien Est • 514 273-6222
Ⓜ Beaubien

FAIRE L'ÉPICERIE

Mi Tiendita Mexicana

Témoin d'une immigration renouvelée dans le quartier Saint-Léonard, cette petite épicerie offre l'essentiel des produits populaires mexicains, dont un impressionnant choix de jalapeños. Le commerce fait aussi office de cantine (ouverte les fins de semaine de 11 h à 16 h), de café internet et de centre de traduction.

5480, rue Jean-Talon Est
514 321-1372

En savoir plus

Espacio Mexico

Reliée au consulat général du Mexique, cette galerie d'art offre depuis 2000 une variété d'activités culturelles dynamiques destinées à la communauté mexicaine et au public de Montréal. Spectacles, lectures, rencontres, expositions d'art moderne.

2055, rue Peel, local 1000
514 288-2502, poste 237
www.sre.gob.mx/montreal • Ⓜ Peel

Communauté mexicaine du Québec

Fondée au milieu des années 1970, cette association a longtemps été le point d'ancrage des Mexicains à Montréal. Sa mission est de maintenir la culture mexicaine dans la communauté et de la partager avec les gens du Québec, en organisant notamment la Fête du Mexique en septembre.

www.comexqc.org

Le Montréal guatémaltèque

 6 300

 espagnol

 catholicisme (58 %), protestantisme (21 %)

L'histoire récente du Guatemala est faite d'une longue suite de malheurs, de persécutions et de massacres. Ravagé par la guerre civile, ce petit pays d'Amérique centrale a forcé des milliers d'hommes et de femmes à immigrer aux États-Unis (surtout) et au Canada (un peu) dans les années 1980 et 1990.

Les Autochtones ont, de tout temps, été les principales victimes de ce destin sanglant. Ce qui n'est pas peu dire, puisque 70 % de la population guatémaltèque est d'origine indigène, incluant les descendants de l'empire maya.

Délogés de leurs terres par les compagnies de fruits américaines (dont l'emprise sur le gouvernement local est alors énorme), persécutés par l'armée, les Amérindiens seront les premiers réfugiés politiques du Guatemala. Certains iront aux États-Unis, quelques-uns tenteront leur chance jusqu'en Argentine.

S'échelonnant des années 1950 aux années 1970, cette immigration reste modeste. Il faudra une longue guerre civile, amorcée au tournant des années 1980, pour provoquer l'exode que nous connaissons.

Cette époque marque le début des revendications pour les Indiens du Guatemala, qui réclament entre autres la rétrocession de leurs terres. Avec la guérilla qui s'organise, la répression militaire s'intensifie. Mais cette noble cause s'envenime. De part et d'autre, corruption et criminalité deviennent la norme. Pour les civils, vols, viols, kidnappings font désormais partie du quotidien.

Entre 1986 et 1996, près de 4 000 Guatémaltèques viennent trouver refuge à Montréal. La plupart transitent par voie de terre, demandant asile depuis le Mexique, avant de traverser les États-Unis jusqu'au nord. Cette vague ne ralentira qu'à partir de 1996, année qui marque officiellement la fin de la guerre civile au Guatemala.

On estime que 75 % des Montréalais guatémaltèques sont venus comme réfugiés. De ce chiffre, une bonne moitié serait d'origine autochtone. Si certains ont pu se replacer dans leur domaine professionnel (santé, ingénierie, droit), beaucoup se sont recyclés dans le petit commerce (dépanneurs, restos, coiffeurs), le transport, l'entretien ménager et les manufactures, où les barrières de la langue semblent moins grandes. On trouve également des Guatémaltèques dans le secteur de la culture, les plus connus étant l'acteur Luis Oliva (*Tag*, *Providence*) et le groupe folklorique Tikal.

Plus timide que son cousin salvadorien, le Montréal guatémaltèque s'affiche peu. Soixante ans de souffrances expliquent en partie la discrétion de cette communauté marquée. «Il n'y a pas une famille guatémaltèque ici qui n'a pas perdu un membre de sa famille à cause de la violence ou de la guerre», souligne Cony Flores, fondatrice du magazine socioculturel *Échos de l'Amérique*.

Il faut savoir, du reste, que ce groupe est loin d'être uniforme. Si la majorité des Guatémaltèques ont fui un pays en guerre, tous ne l'ont pas fait pour les mêmes raisons. Certains étaient indiens, d'autres blancs ou *mestizos* (métis). Il y a eu des étudiants, des professionnels, des ruraux, des urbains, des militaires... Il y a eu des victimes, mais aussi des bourreaux.

Il en résulte une communauté fragmentée, voire fracturée. Hormis l'église ou les matchs de foot, les Guatémaltèques de Montréal se rencontrent rarement au-delà de leurs affinités personnelles, se contentant d'événements épars et partiellement rassembleurs.

Pour ces mêmes raisons, les *chapines* (nés au Guatemala) sont assez éparpillés. On les retrouve surtout en banlieue et vers les campagnes où la plupart s'achètent des maisons dès qu'ils en ont l'occasion.

«Nous, les Guatémaltèques, on devient malades dans des appartements, explique Cony Flores. Les cuisines sont trop petites. Et il manque un jardin à cultiver...»

 ## DANS LE CALENDRIER

Cristo Negro de Esquipulas : 15 janvier

Une des plus grandes églises d'Amérique centrale se trouve à Esquipulas, et l'on vient de partout pour demander des «miracles» à ce saint à la peau noire. Au Guatemala, le tout culmine par une procession. Ici, on célèbre plus discrètement le dimanche le plus rapproché de cette date, à l'église Virgen de Guadalupe (1969, rue Ontario Est).

Fête des Mères : 10 mai

Cette fête est considérée comme «le deuxième Noël des Guatémaltèques». C'est une occasion de retrouvailles en famille, au restaurant ou à la maison. On mange du barbecue et du gâteau, avant de donner quelques cadeaux à la maman.

Fête de l'Ascension de Marie : 15 août

Le dimanche le plus rapproché de cette date, une messe est dédiée à la sainte patronne du Guatemala, à l'église Virgen de Guadalupe (1969, rue Ontario Est). La cérémonie est suivie d'un goûter typiquement guatémaltèque et parfois de danses folkloriques du pays.

Le Montréal **salvadorien**

 13 700

espagnol

catholicisme (67 %),
protestantisme (17 %)

S elon les statistiques officielles, le Montréal salvadorien s'élèverait actuellement à 13 700 personnes. Mais le consulat du Salvador affirme que ce chiffre serait de 60 000! Une chose est certaine : la majorité des Salvadoriens de Montréal sont des réfugiés qui ont fui la guerre civile dans les années 1980.

Jusqu'au début des années 1970, la présence salvadorienne au Québec est à peu près nulle. Elle augmentera de façon constante au cours des trois décennies suivantes.

Une première génération s'installe entre 1973 et 1979. Ce sont des immigrants de classe moyenne, plutôt jeunes, qui viennent pour des raisons économiques.

Mais au tournant de la décennie suivante, la communauté explose avec l'arrivée d'une importante vague de réfugiés qui fuient la guerre civile. Ce conflit, aggravé en 1980 par l'assassinat de l'archevêque Oscar Romero, est l'ultime chapitre d'un 20e siècle extrêmement mouvementé au Salvador.

Coincée entre l'armée, les «escadrons de la mort» et les groupes révolutionnaires (le FMLN), la population trouve son salut dans l'exil. Si la plupart vont aux États-Unis (2,5 millions aujourd'hui), quelque 10 000 Salvadoriens vont tenter leur chance au Québec, profitant entre autres du programme ACNUR (Agence des Nations Unies pour les réfugiés) de l'ONU. Cette immigration politiquement diversifiée, parfois d'origine rurale et souvent peu scolarisée, ne ralentira qu'à compter de 1992, alors que se termine officiellement le conflit au Salvador.

Établie à Montréal depuis un quart de siècle, la communauté semble avoir trouvé ses repères. Elle s'affiche surtout dans le petit commerce, notamment dans le domaine de la restauration, où elle s'avère particulièrement dynamique. Professionnellement, on la retrouve aussi dans le monde des affaires, de l'entretien ménager, des services, de l'industrie textile (manufactures), de la construction, du transport, de l'informatique, des télécommunications et des activités culturelles.

Les vieilles cicatrices ne se sont pas pour autant refermées. Même si 25 années ont passé, le Montréal salvadorien est encore marqué par les souvenirs douloureux. Les vieux différends politiques sont encore palpables, mais la communauté est en bonne voie de tourner la page, se réunissant à l'église, dans des fêtes et en d'exceptionnelles circonstances, quand des tragédies affligent la mère patrie.

 DANS LE CALENDRIER

Fête des Mères : 10 mai

La communauté souligne cet événement avec diverses activités culturelles, qui sont annoncées dans les journaux locaux. Fériée au Salvador, cette journée est également prétexte aux réunions de famille.

Jour du Salvador : 5 août

Hommage à Nuestro Divino Salvador del Mundo, saint patron du pays. Le dimanche le plus rapproché de cette date, l'église Virgen de Guadalupe (1969, rue Ontario Est) organise une messe extérieure dans le parc du Faubourg, juste en face.

Fête de l'Indépendance : 15 septembre

Différentes activités organisées par le consulat, le journal *El Independiente* ou des particuliers.

Noël : 24 décembre

Pour Noël, les demeures salvadoriennes ont coutume d'exposer leurs crèches. Demandez à des Salvadoriens de vous montrer leurs œuvres d'art !

 ÉVÉNEMENTS

Festival culturel salvadoreño : juin

Organisé par le Comité pro-culture en collaboration avec le consulat du Salvador à Montréal, cet événement a présenté sa première édition en juin 2008 au parc de Hartenstein, dans Saint-Laurent. Au programme : groupes de danse folklorique, orchestres traditionnels, gastronomie du pays.

514 861-6515 (au consulat)

Carnaval de San Miguel : novembre

Cette importante tradition populaire au Salvador est partiellement reproduite à Montréal. Chaque fin novembre, le journal *El Independiente* organise une célébration dans un hôtel ou un centre communautaire, avec banquet et orchestres. Pour d'évidentes raisons climatiques, il n'y a pas de défilé comme au Salvador. Par contre, on en profite pour élire une Miss Carnaval de San Miguel.

Carnet d'adresses

 MANGER

Le plat salvadorien typique est la *pupusa*, une épaisse crêpe à la farine de maïs farcie au fromage, aux légumes ou à la viande. Les restaurants qui servent de la *pupusa* se nomment des *pupuserias* et ils poussent comme des champignons à Montréal. La liste suivante n'est que très partielle.

La Carreta

Institution salvadorienne à Montréal, ce restaurant de cuisine familiale a la réputation de faire les meilleures *pupusas* en ville. Ce qui ne vous empêche pas d'explorer le reste du menu.

350, rue Saint-Zotique Est
514 273-8884 • Ⓜ Beaubien

Iris Restaurant et Pupuseria

Particulièrement animé le midi quand les enfants des écoles du quartier viennent dévorer leurs *pupusas* pour pas cher. Un tourbillon et puis s'en vont.

50, rue Jarry Est • 514 381-2992
Ⓜ Jarry

El Chalapeco

Personnellement, c'est là qu'on a mangé nos meilleures. Bien chaudes, presque croustillantes, délicieuses.

520, rue Beaubien Est • 514 272-5585
Ⓜ Beaubien

 MÉDIAS

Journaux

El Independiente

Ce journal de gauche offre des nouvelles locales, nationales et internationales, en insistant sur le Salvador et la communauté montréalaise en particulier. *El Independiente* est offert sur le web et diffuse un bulletin électronique sur les activités de la communauté.

www.elindependiente.ca

En savoir plus

Comité pro-culture du Salvador

Créé en 1999, cet organisme associé au consulat a pour mandat de promouvoir la culture salvadorienne à Montréal, par l'entremise de différents événements, comme le Festival du Salvador en juin.

514 954-6666

Le Montréal **colombien**

  9 175

 catholicisme (82 %),
protestantisme (3 %)

espagnol

Les problèmes de tous ordres qui affligent la Colombie sont à l'origine d'un boom migratoire qui n'a pas épargné Montréal.

Depuis 2001, on estime que 6 000 Colombiens sont venus chercher refuge au Québec, gonflant la communauté à plus de 9 000 membres. La situation économique, sociale et politique dans ce pays d'Amérique du Sud explique en grande partie cette déferlante : on quitte la Colombie pour fuir la violence, les séquestrations, les remous dus au narcotrafic, la guerre contre les FARC ou tout simplement l'instabilité générale.

La communauté colombienne de Montréal compte beaucoup de professionnels. La barrière de la langue semble avoir toutefois ralenti leur intégration sur le marché de l'emploi, même si certains tirent leur épingle du jeu sur le plan de la culture (Yayo, dessinateur à *L'Actualité*) ou de la petite et moyenne entreprise, comme la famille Aguilar avec le Marché Andes (voir page 316).

Fait à noter : la communauté colombienne est une des rares à être aussi largement sortie de Montréal. On la retrouve aussi au Saguenay, à Saint-Hyacinthe, à Granby ou à Sherbrooke. Cette décentralisation est à l'image de la communauté montréalaise, qui semble tout aussi fragmentée.

Il faut savoir que la Colombie est un pays très compartimenté sur le plan culturel et il en va de même pour sa diaspora : issu de régions différentes, le Montréal colombien est un amalgame de mentalités et d'opinions politiques différentes qui cherchent encore un terrain d'entente. « Personne n'est d'accord, sauf sur le plancher de danse et pendant les matchs de soccer ! » résume Maria, une Colombienne installée au Québec depuis les années 1980.

DANS LE CALENDRIER

Fête de l'Indépendance : 20 juillet

Faute d'une véritable entente dans la communauté, cette fête est organisée à différentes dates, par différents groupes. Présentés dans des sous-sols d'église ou au parc Jean-Drapeau, ces *partys* servent aussi à recueillir des fonds pour des équipes de foot locales. Ils sont toujours très courus par les amateurs de danse et sont publicisés dans les journaux latinos ou par des circulaires.

Fête de la Virgen del Carmen : 8 décembre

La tradition colombienne veut que toutes les chaumières allument des petites chandelles le 8 décembre. À Montréal, ce rituel est observé par certains. La fête se déplace aussi à l'église Virgen de Guadalupe (1969, rue Ontario Est) ou Saint-Pascal-Baylon (6570, chemin de la Côte-des-Neiges) où l'on célèbre par une messe et une petite fête au sous-sol.

La novena da Aguinaldos : 16-24 décembre

Chaque jour jusqu'à Noël, on danse et on chante dans une famille colombienne différente.

Carnet d'adresses

 MANGER

Jose El Paisa

Ce charmant petit resto familial, avec vue sur le parc Jarry, sert de la nourriture maison, typique du département d'Antiochia. Les habitants de cette région se nomment les Paisas et sont réputés pour leur gargantuesque appétit ! Leur spécialité est la *bandeja paisa*, une montagne de viande hachée servie avec un œuf cuit, du riz, du plantain frit, des haricots rouges, et du *chicharron* (un gros

bacon). Ce plat de camionneur colombien est ÉNORME. Petits estomacs s'abstenir.

7805, boulevard Saint-Laurent
514 270-7128 • Ⓜ De Castelnau

La Estrella latina

Ce resto minuscule et pas cher du tout propose un menu typique de la région de Cali, près de Bogota. Demandez le *platano maduro* (banane plantain frite avec fromage fondu en sandwich), la *papa rellena* (boule frite avec pommes de terre, œufs, riz et viande) ou les incontournables *empanadas* au maïs avec salsa piquante. Bon choix de jus laiteux, un genre de milkshake fait à partir de fruits frais.

1392, rue Beaubien Est
514 270-3131 • Ⓜ Beaubien

Restaurant Gloria

Ce restaurant « latino fusion » a un petit faible pour les salades et les plats grillés (poulet à l'orange, à l'ananas) plutôt que frits dans l'huile. Rassurez-vous : il y a aussi quelques plats colombiens typiques, comme la *bandeja paisa*, ou les *platanos con todo* (bananes plantains avec viande et avocats). Dégustez le tout avec une Colombiana La Nuestra, la boisson gazeuse la plus populaire de Colombie. Bon point pour la présentation des plats, particulièrement soignée.

756, rue Bélanger
514 274-4255 • Ⓜ Jean-Talon

⚆ SORTIR, BOIRE UN VERRE, DANSER

En raison de leur forte teneur en salsa, les soirées dansantes colombiennes sont parmi les plus fréquentées du Montréal latino, toutes communautés confondues. Ces fêtes sont généralement annoncées dans le cahier B du journal *El Chasqui*, disponible dans tous les commerces hispanophones.

MAGASINER

Bachue

De tout pour tous ceux qui veulent triper colombien en particulier et latino en général. Bachue vend des drapeaux, des chandails de foot, des bracelets, des tasses, des jeux, des t-shirts anti-FARC et même des hamacs aux couleurs du drapeau colombien. Le festival du jaune-bleu-rouge !

6790, rue Saint-Hubert (Plaza)
514 276-5286
Ⓜ Jean-Talon

En savoir plus

Association culturelle colombienne du Canada

Cette association à deux têtes réunit le groupe Action et solidarité pour la Colombie (engagé dans les droits de l'homme) et l'Association culturelle qui défend la culture colombienne à Montréal, appuyant notamment la troupe de ballet folklorique Raices de Colombia (www.raicesdecolombia.com).

514 488-3602

Le Montréal **brésilien**

 2 100

catholicisme (67 %),
protestantisme (17 %)

portugais
(variante brésilienne)

L es Brésiliens ont longtemps été de grands sédentaires et leur présence à Montréal reste encore discrète. L'écrivain Sergio Kokis fut probablement le premier « gros nom » à être issu de cette petite communauté, dont l'immigration remonte grosso modo au début des années 1970.

La première génération de Brésiliens montréalais se résume à une poignée d'étudiants, d'employés de l'OACI (Organisation de l'aviation civile internationale), d'enseignants ou de commerçants. Malgré un petit boom d'immigrés économiques au début des années 1980 (presque tous issus de la région de Minas Gerais), la communauté va continuer de grossir au compte-gouttes.

Mais depuis 10 ans, l'immigration s'est intensifiée. Beaucoup de Brésiliens choisissent le Canada pour sa tranquillité et la relative souplesse de ses lois d'immigration. Pour ce peuple généralement francophile, le Québec est une destination spontanée. Certains viennent pour études, d'autres pour fuir l'insécurité des grosses cités brésiliennes ou pour améliorer leurs conditions de vie.

Si plusieurs sont repartis déçus, les Brésiliens sont de plus en plus nombreux à faire leur nid à Montréal. Dans l'ensemble, cette communauté jeune et éduquée semble avoir trouvé sa place. On la rencontre dans les domaines de l'enseignement universitaire, de la traduction, de la santé, des affaires et bien sûr, de la musique – qu'on pense à Paulo Ramos, Nico Beki, Bïa, Monica Freire ou aux groupes Gaïa, Estação da Luz, Bombolesse et Balako do Samba.

Bien intégrés à la société québécoise, les Brésiliens se fréquentent peu... sauf, bien entendu, pendant la Coupe du monde de soccer, quand sortent les drapeaux et les klaxons. Il faut savoir que la communauté est très éparpillée (plusieurs se sont établis en banlieue) et instinctivement divisée par classes sociales. D'où l'expression typiquement brésilienne « *Lé com lé, cré com cré* » qui signifie en gros : « Chaque singe dans sa branche. »

Comptant à peine 2 000 personnes, le Montréal brésilien est une des plus petites communautés latino-américaines de Montréal. Mais cela pourrait changer dans les prochaines années. Le Canada – et principalement le Québec – mène actuellement une campagne de promotion très agressive dans les universités brésiliennes. Le Québec a ouvert en mars 2008 un bureau d'immigration à São Paulo afin de mieux recruter de jeunes diplômés. Ce blitz n'a rien de surprenant : le Brésil est la première force économique d'Amérique latine et une des quatre puissances émergentes de la planète. Les échanges entre la Belle Province et le pays de la samba ne devraient que s'intensifier.

PARLEZ-VOUS LE PORTUGAIS DU BRÉSIL ?

Bonjour ➤ Bom dia ou boa tarde

Merci ➤ Obrigado (pour un homme), obrigada (pour une femme)

Au revoir ➤ Tchau ou até amanhã

 DANS LE CALENDRIER

Fête nationale du Brésil : 7 septembre

Est soulignée à Montréal de façon protocolaire (au consulat).

ÉVÉNEMENTS

Lusodramas : septembre/octobre

Ce petit festival de théâtre se consacre à la culture lusophone au sens large. Mais puisqu'il est organisé par une Brésilienne, nous l'hébergeons dans ce chapitre ! Spectacles, tables rondes, documentaires, animations dramatiques en tous genres.

www.lusodramas.blogspot.com

Festival du film brésilien : décembre

Après une longue période de marasme, le cinéma national brésilien semble avoir retrouvé un nouveau souffle depuis le début des années 2000. Ce jeune et modeste festival diffuse les meilleures productions brésiliennes de la dernière décennie, tout en proposant quelques classiques.

www.brazilfilmfest.net

Carnet d'adresses

 MANGER

Le Milsa

Les Brésiliens sont de grands carnivores. Pour le typique barbecue brésilien (*churrascaria*), voici un incontournable. On vient ici pour les immenses brochettes que font circuler – à volonté – les serveurs de table en table. Certains disent que le goût est un peu touristique. Mais à notre connaissance, le Milsa reste le seul du genre à Montréal... et à Laval.

1445, rue Bishop • **514 985-0777** Ⓜ **Guy-Concordia**

579, boulevard Saint-Martin Ouest, Laval **450 967-7770** • **www.lemilsa.com**

Lelé da Cuca

Une institution depuis plus de 20 ans. Ambiance cool et intimiste. Sert aussi de la bouffe mexicaine. Apportez votre vin.

70, rue Marie-Anne Est • **514 849-6649** **www.leledacuca.com** • Ⓜ **Mont-Royal**

Bayou Brasil

Ici, on mange traditionnel. Les jours de fin de semaine, essayez la *feijoada*, un plat (national) fait avec des haricots noirs, du porc, du saucisson portugais et des côtelettes de viande fumée. Le tout est servi avec du riz blanc, du chou portugais, de la *farofa* (farine de manioc grillée avec du beurre) et des tranches d'orange pour casser la graisse! Comment les Brésiliens font-ils pour manger ça à 30 degrés Celsius? La réponse: ça vous prend aussi une bière très, très froide...

4552, rue Saint-Denis • 514 847-0088
www.bayoubrasil.com • Ⓜ Mont-Royal

Chez Brasil Café

Ouvert au printemps 2008, ce casse-croûte 100 % Brésil fait office de café, de resto et d'épicerie tout à la fois. Si vous avez un petit appétit, essayez les *salgadinho*, petites bouchées de type tapas. Sinon, allez-y pour le *churasco*, un sandwich brésilien fait de tranches de bœuf, de fromage et d'ananas. Chez Brasil Café offre aussi un bon choix de *smoothies* ainsi qu'un excellent dessert glacé à l'açai, un fruit exotique peu connu en dehors du Brésil, que les Brésiliens adorent manger avec des bananes et des céréales granolas.

8, rue Rachel Est • 514 845-7070
www.chezbrasilcafe.com
Ⓜ Mont-Royal

 SORTIR, BOIRE UN VERRE

Les dimanches brésiliens

Une institution du dimanche soir au bar les Bobards. Prestations *live* de groupes brésiliens ou de chanson brésilienne. Un gage d'authenticité: c'est la chanteuse Nico Beki qui est responsable de la programmation.

4328, boulevard Saint-Laurent
514 987-1174 • www.lesbobards.qc.ca
Ⓜ Mont-Royal

 FAIRE L'ÉPICERIE

Boucherie Alim-Pôt

Pour le *carne de sol*, viande séchée au soleil, très utilisée dans le Nordeste du Brésil. On peut la manger soit avec de la *abóbora* (courge), soit sous forme de *passoca*, c'est-à-dire pilée avec de la farine de manioc.

20, rue Roy Est • 514 982-6838
Ⓜ Sherbrooke

Marché Andes Gloria

Cette épicerie latino-américaine vend quelques produits brésiliens, dont la *goiabada*, une tartinade sucrée très prisée par les Brésiliens.

4387, boulevard Saint-Laurent
514 848-1078 • Ⓜ Mont-Royal

 MÉDIAS

Radio
Masala (CISM 89,3)

Le meilleur des musique urbaines internationales. Si on en parle ici, c'est que les gars ont un faible pour le «hip» brésilien: booty beats, baile funk, samba funk.

Samedi 22 h (reprise dimanche 14 h 30)
www.cism.umontreal.ca

Sexta Brasil (CINQ FM 102,3)

Émission sur la culture lusophone, avec insistance sur le Brésil.

Vendredi 17 h 30 • www.radiocentreville.com

Télévision
Luso Montréal

Cette émission couvre en priorité le Montréal portugais, mais inclut un segment brésilien.

Samedi 12 h
www.chtv.com/ch/cjntmontreal/index.html

En savoir plus

Centre d'études et de recherches sur le Brésil (CERB)

Ce lieu interdisciplinaire regroupe l'ensemble des programmes de recherche et d'enseignement de l'UQAM ayant pour thème le Brésil. Le CERB favorise le transfert de connaissances et la circulation entre chercheurs québécois, canadiens et brésiliens.

514 987-3000, poste 8207
www.unites.uqam.ca/bresil/Francais/ indexFr.html

Danser à la brésilienne

l n'y a pas vraiment de discothèque brésilienne à Montréal. En revanche, quelques écoles enseignent les rythmes et les pas brésiliens. Capoeira, samba gafieira, bloco, faites votre choix.

Capoeira

Danse séculaire créée par les esclaves africains du Brésil, la capoeira se situe entre le jeu et l'art martial. Cette danse très physique fait de plus en plus d'adeptes au Québec.

Académie de capoeira Porto da Barra

Cours pour adultes et aussi pour enfants.

514 684-5442
www.capoeiramontreal.com

Capoeira angola

La capoeira angolaise, malgré son nom, est bien originaire du Brésil. C'est une version plus « afro » de la capoeira brésilienne (on dit que c'est la capoeira « mère ») qui se pratique en souplesse, avec une suite de petits mouvements et de poses qui peuvent faire penser au breakdance.

Centre sportif de l'UQAM • 514 987-7678
www.sports.uqam.ca/dirigees/capoeira_angola.php

Équipe Capoeira Brasileira

Une grosse école, qui organise le Festival de capoeira de Montréal en juin. Voir le site pour plus d'informations.

7250, rue Clark (2e étage) • 514 889-8642
www.capoeirabrasileira.com

Samba

Levanta Poeira

Cours de samba no pé et autres danses populaires brésiliennes (côco, maractu, afoxé, jongo, boi, frevo, alouette).

514 521-3843
www.levantapoeira.com

Gafieira Montréal

Beaucoup moins connue que la samba no pé (celle qu'on danse au carnaval), la samba de gafieira est la seule samba qui se fait en couple. Cette danse urbaine, née dans les années 1930, est un intrigant mélange de tango, de swing et de salsa. Le terme *gafieira* vient des «gaffes» (feintes, esquives, contretemps) que fait le cavalier pour séduire sa compagne. Une quinzaine de personnes pratiquent la samba gafieira à Montréal. On peut en avoir un aperçu le mercredi entre 19 h et 21 h au Nyata Nyata (4374, boulevard Saint-Laurent) ou au studio Biz (551, avenue du Mont-Royal Est).

sambagafieira@gmail.com

Le Bloco

Au Brésil, le mot *bloco* désigne un groupe de personnes qui se réunissent pour former une *bateria* et faire de la musique. À Montréal, il désigne cette école de samba fondée en 1985. À noter qu'elle n'est pas la seule à enseigner la percussion brésilienne. Samajam (**www.samajam.biz**) et surtout Estaçao de Luz (**www. estacaodaluz.ca**) offrent aussi des cours. **www.lebloco.com**

Le Montréal **argentin**

 4 135

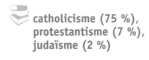 catholicisme (75 %),
protestantisme (7 %),
judaïsme (2 %)

 espagnol

L'immigration argentine à Montréal est récente et principalement de nature économique.

Dans les années 1960 et 1970, une première vague vient trouver refuge au Québec pour des motifs politiques. Cette petite « avant-garde » est formée d'universitaires et d'intellectuels, qui veulent échapper aux dictatures militaires qui se succèdent en Argentine entre 1955 et 1973.

Dans les années 1980, l'économie précaire et la difficile transition vers la démocratie amènent de nouvelles vaguelettes d'Argentins au Canada. On estime que 1 500 Argentins vivent à Montréal en 1991. Ce chiffre augmente lentement mais sûrement dans les années 1990, avec l'arrivée d'étudiants et de travailleurs non spécialisés, qui se recyclent dans les services et l'entretien ménager.

La communauté triple entre 2001 et 2006. La crise économique qui s'abat sur le pays en 2001 et 2002 entraîne une augmentation marquée de l'immigration argentine. La Délégation du Québec à Buenos Aires se fait particulièrement proactive dans le recrutement d'immigrants de classe moyenne, scolarisés et avec de l'expérience professionnelle. Cette vague inclut notamment des informaticiens, des avocats, des médecins, des dentistes, des architectes, des psychologues et des gens d'affaires.

Dans les mêmes années, quelques centaines de familles juives quittent également l'Argentine pour la Belle Province, avec la collaboration de la communauté juive de Montréal. Cet afflux grossit non seulement les rangs du Montréal argentin, mais aussi ceux du Montréal juif.

DANS LE CALENDRIER

Fiesta Patria : 25 mai

Commémore la révolution de mai 1810, qui pava la voie à l'indépendance de l'Argentine. Petite fête au consulat.

Jour de l'Indépendance : 9 juillet

Cette indépendance a été proclamée six ans plus tard (1816). Les Argentins de Montréal la soulignent par un barbecue au parc Angrignon, le dimanche le plus proche de cette date.

Carnet d'adresses

 MANGER

Les restos argentins ont la fâcheuse habitude de fermer aussi vite qu'ils ouvrent. Mais voici quand même quelques suggestions.

Club social argentino de Montréal

Une ambiance familiale et conviviale, dans un décor sans prétention. Côté cuisine, on est très viande, comme dans tous les restos argentins. Pour un bon échantillonnage de cette culture carnivore, essayez la *parrillada*, un « mixed grill » composé de steak, chorizo, tripes de bœuf, ris de veau et poulet. Cours de tango le mercredi et diffusion régulière de matchs de foot. Ouvert le soir.

**339, boulevard Henri-Bourassa Est
514 383-7722 • Ⓜ Henri-Bourassa**

Casa Gaucho

Un pilier de la restauration argentine à Montréal. Spécialité : viandes, viandes, viandes.

**5834, avenue du Parc
514 270-1300 • Ⓜ Parc ou Rosemont**

 FAIRE L'ÉPICERIE

Napo

Depuis six ans, cette boulangerie sert de délicieux *alfajor* (pâtisserie à la crème *dulce de leche*, un genre de caramel hyper sucré) et toutes sortes de croissants truffés typiquement argentins. Pour casser la croûte, essayez le sandwich de *miga* (à la mie), qui a la particularité d'utiliser du pain sans croûte. L'endroit fait aussi office de café. Profitez-en pour admirer la surprenante église italienne Notre-Dame-de-Pompéi, située de l'autre côté du boulevard.

**9897, boulevard Saint-Michel
514 387-5333 • Ⓜ Saint-Michel**

Panaderia Romina

La petite épicerie argentine typique. Vous trouverez ici tout ce dont vous avez besoin : croissants, pâtisseries argentines, *yerba mate*, conserves de *dulce de leche*, sucreries, et même des dépliants bibliques. Accueillant.

**2275, avenue Charland
514 383-0900 • Ⓜ Fabre**

Vous dansez le tango?

Après Buenos Aires, Berlin et Amsterdam, Montréal serait considérée comme l'une des villes les plus tango du monde.

Pourquoi? Parce que la communauté est nombreuse (plus de 2 000 danseurs réguliers) et particulièrement active. Non seulement peut-on y danser le tango pratiquement sept soirs par semaine, mais Montréal tient chaque année un gros festival dédié au tango. Il existe aussi quelques artistes spécialisés dans cette musique traditionnelle argentine, comme Romulo Larrea, Intakto, l'Ensemble Montréal Tango ou le groupe Astorias, du bandonéoniste Denis Plante.

Festival international de tango de Montréal : juillet

Depuis 2003, le rendez-vous annuel des amateurs de tango du Québec. Organisé par la compagnie Tango Libre, cet événement d'envergure invite des profs de l'extérieur, des orchestres de tango argentin et les meilleurs danseurs internationaux. Toujours début juillet.

514 527-5197 • www.festivaldetangodemontreal.qc.ca

Où « tanguer »?

Il y a une douzaine d'écoles de tango à Montréal, sans compter les bars, cafés, restos et autres établissements qui proposent des cours ou des soirées de tango sur une base irrégulière. Voici une liste partielle, qui ne doit être que le début de votre recherche.

Tangueria

Fondée en 1991, cette école-salle de danse est une des plus anciennes du genre en Amérique du Nord. Cours de tango, de valse, de milonga. Cours d'espagnol, de chant et même projections de films argentins.

6522, boulevard Saint-Laurent • 514 495-8645
www.tangueria.org • Ⓜ Beaubien

Tango Fabrika

Depuis le succès du groupe Gotan Project, le *tango nuevo* fait de plus en plus d'adeptes chez les moins de 30 ans. Cette école se consacre principalement aux nouveaux pas, sur fond de tango moderne.

5359, avenue du Parc • 514 561-2323
www.tangofabrika.com • Ⓜ Laurier

Tango Libre

Tango Libre se consacre aussi bien au tango classique que contemporain. L'été, l'école présente des soirées de danse à la belle étoile : le mercredi aux serres municipales de Verdun et le dimanche au parc Saint-Viateur, à Outremont. Tango Libre organise aussi le Festival international de tango de Montréal et des bals de tango en août à la place des Vestiges, dans le Vieux-Port.

2485, avenue du Mont-Royal Est • 514 527-5197
www.tangolibre.qc.ca • Ⓜ Mont-Royal

En savoir plus

Portail du tango argentin du Québec

Tout ce que vous voulez savoir sur le tango à Montréal. Et ailleurs au Québec. Artistes, écoles de danse, calendrier des événements. Le portail est très bien fait et extrêmement pratique.

www.milonga.ca

Et aussi

Montreal Buenos Aires Vice Versa (CINQ FM 102,3)

Une émission de radio exclusivement consacrée au tango.

Vendredi 8 h • www.radiocentreville.com

Le Montréal **chilien**

 10 000

 espagnol

 catholicisme (71 %), protestantisme (7 %)

Les premiers contacts entre le Chili et le Québec ont été de nature religieuse. Dans les années 1850, les sœurs de la Providence s'établissent dans la capitale, Santiago. Un siècle plus tard, un petit contingent chilien s'installe au Québec à l'invitation des pères Oblats.

En 1960, on compte moins de 200 Chiliens à Montréal. Mais ce chiffre explose en 1973 après le retentissant coup d'État qui provoque la mort du président Salvador Allende. Le Canada ouvre toutes grandes ses portes aux nombreux réfugiés politiques qui fuient le nouveau régime d'Augusto Pinochet.

Entre 1973 et 1980, près de 3 000 Chiliens trouvent asile au Québec. Trois mille de plus s'ajoutent pendant la décennie suivante. Cette immigration est constituée de jeunes intellectuels, syndicalistes et professionnels de gauche, mais aussi de techniciens et d'ouvriers manuels fuyant la dictature. Partageant les mêmes vues politiques, cette nouvelle communauté s'avère extrêmement solidaire et crée très vite de nombreux réseaux d'entraide. Elle se regroupe d'abord sur le Plateau-Mont-Royal, mais se disperse bientôt aux quatre coins de la ville.

Jusqu'en 1990, année qui marque le départ du pouvoir de Pinochet, l'immigration chilienne à Montréal est essentiellement politique. Après cette date, elle change de profil. Immigrants indépendants et réunification familiale viennent changer le visage de la communauté.

Aujourd'hui, on ne peut plus vraiment parler d'un groupe homogène. De nouvelles vagues, plus composites, ont succédé aux réfugiés politiques. Faute de causes communes, les raisons de se rassembler se font désormais plus rares. Le nouvel immigrant est un jeune professionnel ou travailleur qualifié, séduit par les promesses d'emploi du gouvernement québécois.

«La nouvelle génération n'a plus la même mentalité. Ce sont des jeunes qui ne s'affichent plus nécessairement comme Chiliens. Ils se sentent une certaine appartenance, mais pas autant que leurs parents», conclut Jose Del Pozo, Chilien d'origine et professeur d'histoire à l'UQAM.

DANS LE CALENDRIER

Jour du Coup d'État: 11 septembre

Une journée de commémoration pour les victimes de la dictature. Des activités sont organisées par les différentes associations politiques et communautaires chiliennes de Montréal.

Fête nationale: 18 septembre

Au Chili, ce gros événement dure toute la semaine. À Montréal, des activités sont organisées par l'Association des Chiliens. Après la messe à l'église Virgen de Guadalupe, la communauté tient une petite fête avec gueuleton, boissons, spectacle folklorique et musique pour danser.

Carnet d'adresses

 MANGER

Le plat typique du Chili est l'*empanada* (au bœuf haché et aux œufs durs, avec oignons et olives noires). Mais les quelques bistros chiliens de Montréal proposent aussi des variantes et d'autres spécialités.

Barros Luco

Barros Luco, c'est d'abord le nom d'un ancien président chilien (1835-1919). Avec le temps, c'est devenu celui d'un sandwich à la viande et au fromage fondu très prisé des Chiliens. Outre cette spécialité, la maison vend aussi des *empanadas*, des plats de poisson frit, de la soupe aux lentilles et du *pastel de choclo* (genre de tourtière typique).

5201, rue Saint-Urbain
514 273-7203 • Ⓜ Laurier

La Chilenita

L'*empanada* fusion dans toute sa splendeur. Aux épinards, au tofu, alouette… Idéal pour les végés. Deux succursales.

64, rue Marie-Anne Ouest • 514 982-9212
Ⓜ Mont-Royal

152, rue Napoléon • 514 286-6075
Ⓜ Sherbrooke

El Refugio

Depuis 20 ans, un incontournable de l'*empanada* traditionnelle à Montréal. El Refugio propose aussi des *allullas* (petits pains ronds) et des produits importés du Chili. Si vous avez l'âme curieuse, essayez l'*arrollado* (roulé), un gros saucisson fait avec de la viande de porc et des épices. Cette spécialité de la campagne chilienne se mange en sandwich ou simplement en tranches.

4648, boulevard Saint-Laurent
514 845-1358
Ⓜ Mont-Royal (ou Sherbrooke)

En savoir plus

Association des Chiliens du Québec

Gardienne de la culture et de la mémoire chiliennes à Montréal. Fondée en 1999.

514 509-4432 • www.chilenos.qc.ca

Association des professionnels, techniciens et artistes chiliens du Québec

Fondée en 1990, Protach est la plus ancienne organisation chilienne encore en activité.

514 744-0064

Le Montréal **péruvien**

 11 260

 catholicisme (83 %), protestantisme (7%)

 espagnol, quechua (1 %)

Avec les Mexicains et les Salvadoriens, les Péruviens forment un des trois plus gros groupes latino-américains de Montréal. C'est aussi une communauté récente, puisque 80 % de sa population est arrivée après 1990.

Jusqu'au milieu des années 1970, on compte moins de 200 Péruviens au Québec. Ce groupe grossit petit à petit avec l'arrivée de jeunes travailleurs en quête de meilleures perspectives. Gonflé par la réunification familiale, le Montréal péruvien atteint 2 000 personnes en 1985.

Ce chiffre augmente considérablement avec la guerre civile qui s'accentue au Pérou. Coincés entre les activités terroristes du Sentier lumineux et les représailles de l'armée, près de 5 000 Péruviens vont venir trouver refuge au Québec entre 1985 et 1995.

Cette période, la plus sombre de l'histoire péruvienne, fera plus de 60 000 morts, dont une majorité d'autochtones. Si la violence diminue en 1992, après l'arrestation du chef du Sendero luminoso Abimael Guzman, le marasme économique perdure.

L'immigration péruvienne se poursuit avec l'afflux régulier de travailleurs et de professionnels à la recherche de stabilité, de sécurité et de meilleures occasions d'emploi. Aujourd'hui, on trouve les Péruviens dans des domaines aussi variés que l'informatique, l'import-export, les garderies, l'immobilier, les banques, l'entretien ménager ou les manufactures.

Resté longtemps timide, le Montréal péruvien semble s'épanouir avec les années. La communauté s'avère particulièrement active au chapitre de la restauration (une quinzaine de restaurants à Montréal), du sport (Ligue de soccer péruvienne, tous les dimanches après-midi au parc Jeanne-Mance) et des affaires.

Ce n'est qu'un commencement. En mai 2008, un accord de libre-échange a été conclu entre le Pérou et le Canada. Cette entente devrait favoriser la multiplication des activités entre les deux pays et encourager l'éclosion de commerces péruviens à Montréal.

DANS LE CALENDRIER

Fête nationale : 28 juillet

Depuis plus de 30 ans, la communauté célèbre sa fête nationale avec l'incontournable **Festival péruvien** du parc Jeanne-Mance. Cet événement familial est un des plus courus du Montréal latino. L'équipe du journal *El Chasqui* organise aussi sa propre **Fiesta del Peru** dans le sous-sol de l'église Saint-Enfant-Jésus (5035, rue Saint-Dominique). Les deux fêtes ont lieu le samedi précédant le 28 juillet, avec bouffe, musique et les meilleurs artistes péruviens de Montréal ou de l'extérieur.

www.fiestadelperu.com
www.festivalperuanodemontreal.com

Fête du Señor de los Milagros : 18 octobre

Le Señor de los Milagros (Seigneur des Miracles) est le saint patron de Lima, la capitale du Pérou. Une fresque murale était restée miraculeusement intacte après le tremblement de terre qui a détruit la ville en 1655. Tous les 18 octobre (ou le dimanche le plus rapproché de cette date), les Péruviens de Montréal soulignent cet événement par une messe et une procession partant de l'église Virgen de Guadalupe (voir encadré en page 349).

 ÉVÉNEMENTS

Semaine du cinéma péruvien : novembre

Avec une production d'environ 12 films par année, le Pérou est loin d'être une puissance du cinéma sud-américain. Mais cela n'empêche pas cette petite industrie d'être très dynamique. Ce nouveau festival, fondé par l'ancien programmateur de Festivalissimo, propose un heureux mélange de films d'auteur et de films plus commerciaux qu'on ne verrait sans doute pas à Montréal ne d'autres circonstances. La première édition a eu lieu en 2009 au Cinéma du Parc.

www.cinemaduparc.com

Carnet d'adresses

 MANGER

La cuisine péruvienne a connu un boom au cours des dernières années. Selon le journal *The Economist*, ce serait même actuellement une des 12 meilleures gastronomies du monde et une destination culinaire en soi. Pas étonnant qu'on trouve une vingtaine de restaurants péruviens à Montréal, dont certains franchement excellents. Les fruits de mer et le poulet braisé sont les deux rois de cette gastronomie par ailleurs extraordinairement variée. Attention : les portions ont tendance à être énormes. Si vous avez un appétit d'oiseau, considérez sérieusement le *doggy bag*.

Eche pa Echarle

Une référence dans la communauté. Ce restaurant bien tenu, au service courtois et efficace, propose une cuisine typique du Nord péruvien. Si le poulet braisé y est offert, on insiste davantage sur les mets de poissons et de fruits de mer, dont la très consistante *jalea*, orgie de crevettes, calmar et poisson panés, servie avec du manioc et des oignons. Livraison.

7216, rue Saint-Hubert
514 276-3243 • 514 278-1071
www.echepaecharle.com • Ⓜ Jean-Talon

Mochica

À la fois branché et folklorique, Mochica est un haut lieu de la gastronomie péruvienne à Montréal. Le choix est varié, et la présentation des plats, particulièrement moderne. Plus chic.

3863, rue Saint-Denis • 514 284-4448
www.restaurantmochica.com • Ⓜ Mont-Royal

El Rinconcito de Charito

Bonne cuisine de maman, typique. Charito a fait la popote pour plusieurs restos avant d'ouvrir son propre établissement. Essayez le *combinado*, combinaison de trois plats en un seul (riz au poulet, *ceviche* et *caucau* – pommes de terre et tripes de mouton sautées dans une sauce aux piments jaunes). Les Péruviens aiment particulièrement Charito pour son excellent *picaron*, un beigne juteux servi au dessert. Qui plus est, les prix sont franchement abordables.

2575, boulevard Henri-Bourassa Est 514 381-9463 • Ⓜ Henri-Bourassa

Melchorita

Chouette petit resto de quartier avec ambiance familiale. Si vous aimez les déjeuners copieux, osez les fameux *desayuno peruano*, une montagne de plantain, porc et boudin servie sur un *tamal* péruvien, qui n'arriverait pas à sustenter un bûcheron. Nourrissant.

7901, rue Saint-Dominique 514 382-2129 • Ⓜ Jarry, bus 55

 FAIRE L'ÉPICERIE

Intermarché Lagoria

Bon choix de produits péruviens secs et congelés, dont ceux de la compagnie Peru Food : *maiz morado*, *papa seca*, *papa amarilla*, *rocoto* et diverses sauces aux piments typiques du Pérou.

5305, rue Jean-Talon Est • 514 725-9212

Marché Lima Limon

Petit dépanneur sans prétention situé en face du restaurant Solymar. Produits sud-américains et péruviens. Vente de vin péruvien et de poupées folkloriques du Pérou.

7625, rue Saint-Hubert • 514 274-1700 Ⓜ Jarry

Zeta-C

Vente de souvenirs et de produits alimentaires péruviens.

5172, rue Jarry Est • 514 329-1525 Ⓜ Jarry

En savoir plus

Association canado-péruvienne

Cet organisme communautaire sert de pont entre les nouveaux arrivants et la société québécoise, notamment en ce qui a trait à l'intégration sur le marché du travail. Organise depuis 30 ans la fête nationale du Pérou au parc Jeanne-Mance.

514 315-7957

El Chasqui Le success-story péruvien

L e *Chasqui* a ses détracteurs. On lui reproche de n'être qu'un véhicule publicitaire. Les pages sont tapissées d'annonces et il reste bien peu de place pour les articles de fond. Mais un fait demeure : c'est le journal le plus consulté du Montréal latino.

Cette popularité doit beaucoup au travail inlassable de son fondateur, M. Jose Ramos, ancien technicien de l'armée de l'air, devenu un symbole du success-story péruvien à Montréal.

Le *Chasqui* (dont le nom réfère aux anciens messagers de l'empire inca) est né en 1995, deux ans après l'arrivée de Jose Ramos au Québec. À l'époque, les deux seuls journaux latinos de Montréal étaient *La Voz* et *La Rumor del Barrio*. M. Ramos a travaillé quelque temps à leur distribution avant de fonder son propre journal.

À ses débuts, le *Chasqui* se limitait à deux pages photocopiées. M. Ramos a fait connaître son journal en le distribuant lui-même à la sortie des stations de métro. Le contenu s'adressait d'abord aux Péruviens. Mais petit à petit, il a élargi son mandat à l'ensemble du Montréal latino, tentant même la courte expérience d'une version en français.

Jose Ramos et
son fils Antonio

Imprimé chaque jeudi à 15 000 exemplaires, le *Chasqui* compte aujourd'hui 60 pages et 3 cahiers. Le journal est devenu si populaire qu'on y trouve 40 % d'annonceurs non latinos. « On a fait sortir notre communauté de l'ombre », se réjouit M. Ramos, qui travaille désormais avec ses trois enfants.

Depuis 2002, le *Chasqui* a également une petite sœur : *L'Alternativa*. Fondé par la fille de M. Ramos, Monica, ce journal de 40 pages paraît le mardi, assurant une présence continue à la famille Ramos sur les stands de journaux latinos. Plus axé sur le divertissement, *L'Alternativa* est imprimé à 10 000 exemplaires.

514 374-2209 • www.elchasquilatino.com • www.lalternativalatina.com

Nancy Hurtado Croire aux miracles

C haque mois d'octobre, les Péruviens de Montréal défilent dans les rues du quartier Centre-Sud pour honorer le Señor de los Milagros. Discussion autour de la foi, du poids et du mauve.

Q Mᵐᵉ Hurtado, vous êtes «majordome» pour la Fraternité du Seigneur des Miracles (Señor de los Milagros). À quoi sert cette organisation?

R Chaque année, nous organisons la procession du Seigneur des Miracles, qui est le saint patron de Lima. Cette fête religieuse est une tradition très importante pour les Péruviens du monde entier. C'est une démonstration de notre foi, et une façon de remercier le Christ pour les prières exaucées.

Q En quoi consiste cette procession?

R Nous marchons pendant trois heures dans le quartier Centre-Sud, en portant une immense *anda*, c'est-à-dire une icône encastrée sur une grosse structure de bois.

Q Que représente cette icône?

R Notre seigneur crucifié, avec la Vierge Marie à ses pieds. Au-dessus, on peut voir Dieu le Père, ainsi que des colombes qui représentent le Saint-Esprit. Cette image est une réplique d'une peinture célèbre, qui avait été miraculeusement épargnée par le tremblement de terre au Pérou en 1655.

Q Peinture géante, armature en bois: ça ne doit pas être léger tout ça...

R En fait, c'est très lourd! Il faut 16 hommes pour la porter. Ou encore 24 femmes. Et croyez-moi, ces gens doivent être physiquement capables! Il y a 14 stations le long de notre parcours, et nous changeons d'équipe de porteurs à chaque station. Ce n'est vraiment pas facile. Il y a même des répétitions dans les semaines qui précèdent, pour que tout le monde apprenne à coordonner ses mouvements. Mais ce n'est rien à côté des célébrations de Lima. Leur *anda* est en or et en métal...

Q Bonyenne. Pourquoi tant de souffrances?

R C'est comme une pénitence. Un don de soi. Une façon de dire: «Seigneur, je suis prêt à tout pour te servir...»

Q Et les habits mauves pendant la procession? Y a-t-il une raison?

R C'est une autre façon symbolique de rendre hommage à Dieu. Mais ce n'est pas seulement pendant la procession. Chaque année, surtout à Lima, les gens très croyants portent du mauve pendant tout le mois d'octobre pour remercier le Seigneur d'avoir exaucé leurs prières.

Q Et que faites-vous de la température? Octobre, ça commence à être froid pour défiler dans les rues...

R On s'habille chaudement. Mais je dois dire que jusqu'à maintenant, il a toujours fait beau. C'est sans doute Dieu qui nous encourage à continuer!

Le Montréal **cubain**

 3 200

espagnol, quechua (1 %)

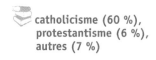 catholicisme (60 %),
protestantisme (6 %),
autres (7 %)

Bien qu'assez ancienne, la présence cubaine à Montréal a mis du temps à se faire sentir. La communauté grandit progressivement, mais demeure encore peu visible.

Si l'on excepte une poignée de travailleurs venus dans les années 1940 et 1950, la première vague d'immigrants cubains est directement liée à la révolution de 1959. Ce sont des religieux, d'anciens militaires, des révolutionnaires déçus ou des opposants au nouveau régime de Fidel Castro.

Ce petit groupe (à peine 130 personnes) restera stable jusqu'au milieu des années 1980. Avec l'entrebâillement des frontières cubaines, une seconde vague de réfugiés débarque au Québec. La plupart d'entre eux profitent de voyages en Europe de l'Est pour demander asile à l'aéroport de Gander ou de Mirabel. Une grosse majorité poursuit sa route jusqu'aux États-Unis, mais un petit nombre opte pour la belle vie montréalaise.

Au début des années 1990, la communauté cubaine s'élève à 300 personnes. Ce chiffre augmente ostensiblement quand Cuba ouvre plus grande sa porte au tourisme. Beaucoup de Canadiens et de Canadiennes ramènent alors dans leurs valises une femme ou un mari en quête d'un contexte économique plus favorable. Près de 2 000 Cubains seraient ainsi venus s'installer à Montréal dans les 15 dernières années.

Cette vague d'immigration apolitique se poursuit encore aujourd'hui et compose l'essentiel de la communauté. On la retrouve dans le milieu des affaires, de la santé, de l'éducation et bien sûr de la culture (Carlos Placeres, Rey El Vikingo, Q-banito).

Venus à différentes époques et pour différentes raisons, les Cubains de Montréal se connaissent mal et se fréquentent peu. Selon Maximo Morales, directeur du journal *Nueva Prensa Libre*, la chatouilleuse question politique reste un frein à l'épanouissement de la communauté. « C'est un groupe déstabilisé qui se méfie encore de lui-même », observe cet ancien militaire devenu dissident. Les multiples mariages avec des Québécois ont par ailleurs accéléré son intégration à Montréal, ce qui explique en partie cette absence totale de ghettoïsation.

Cherchez les Cubains dans les spectacles de salsa ou les matchs de la ligue de softball latino au parc Laurier, deux univers où les opinions politiques sont mises de côté...

 DANS LE CALENDRIER

Jour de l'Indépendance : 20 mai

Fête de la Libération des esclaves : 10 octobre

Carnet d'adresses

 SORTIR, MANGER, PRENDRE UN CAFÉ

Café Cubano

La nourriture cubaine n'a pas la réputation d'être la meilleure au monde. Pas étonnant qu'il y ait peu de restos cubains à Montréal ! Ouvert en 2008, ce petit café wi-fi offre cependant de bons petits sandwichs cubains, des *pastelitos* (chaussons à la confiture de *guayaba*) et même de la Materva, la boisson gazeuse cubaine. Sans oublier le café cubain... importé de Floride.

168, rue Beaubien Est • 514 658-1464
Ⓜ **Beaubien**

 SORTIR, FUMER, BOIRE, PRENDRE UN CAFÉ

Casa del Habano

Ce *cigar lounge* aux allures BCBG vend toute la gamme des havanes roulés à la main, à des prix allant jusqu'à 150 $. On peut s'asseoir dans un fauteuil de cuir et fumer le sien en sirotant un *cuba libre*, un *mojito* ou tout simplement un café cubain, sur fond de Buena Vista Social Club. L'expérience cubaine, version grand hôtel.

1434, rue Sherbrooke Ouest
514 849-0037 • Ⓜ **Guy-Concordia**

 MAGASINER

Las Orishas

Le vaudou des Cubains se nomme la *santeria*. À Montréal, cette petite boutique se consacre exclusivement au culte des *orishas* en vendant des amulettes, des lampions, des icônes et toutes sortes d'accessoires pour les cérémonies. Les 4 et 17 décembre, les adeptes de la *santeria* célèbrent les fêtes de Chango et Babalu. Renseignements sur place.

5757, rue Saint-Hubert • 514 678-4085
Ⓜ **Rosemont**

 MÉDIAS

Journaux
Nueva Prensa Libre

Fondé en 2005, ce journal ouvertement anticastriste s'est donné comme mandat de « dire la vérité sur la réalité cubaine » tout en donnant des informations locales et internationales. Offert dans la plupart des commerces latinos.

514 513-4023
www.nuevaprensalibre.com

Radio

Dimension cubaine/Dimension cubana (CINQ FM 102,3)

Diffusée en deux langues, cette émission informe sur la situation cubaine, avec un angle antiaméricain. Reçoit aussi des artistes cubains et donne des informations touristiques sur Cuba.

En français, jeudi 15 h
En espagnol, mardi 21 h 30
www.radiocentreville.com

En savoir plus

Association Cuba indépendant et démocratique

Cet organisme anticastriste aide les nouveaux arrivants (réfugiés politiques surtout) à s'intégrer au Québec.

514 645-8330

École de danse Cubabaila

Fondée en 1999, cette école enseigne tous les rythmes cubains, de la rumba au mambo en passant par le cha-cha-cha, le son et la rueda de casino.

550, avenue Beaumont, suite 444
514 967-4374
www.cubabaila.com
Ⓜ Parc ou Acadie

Le Montréal **dominicain**

 7 000

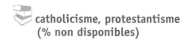 catholicisme, protestantisme
(% non disponibles)

 espagnol

La République dominicaine est une des destinations préférées des Québécois, qui y passent leurs vacances et y établissent même des «colonies» (Cabarete, Sosua, Boca Chica, Punta Cana). L'inverse n'est pas aussi vrai, puisque la plupart des Dominicains préfèrent émigrer aux États-Unis. Cela dit, il est clair que le Montréal dominicain est en expansion.

Avant 1980, on ne comptait pas plus de 300 Dominicains à Montréal. Il s'agissait d'étudiants, de travailleurs, de professionnels spécialisés et de quelques réfugiés politiques. Mais ce chiffre a augmenté de façon lourde et régulière depuis les années 1990, à cause du parrainage, de la réunification familiale ou de nombreux mariages entre Québécois et Dominicains.

La plupart de ces immigrants sont venus pour des raisons économiques. Leur intégration au marché du travail a été difficile, se résumant essentiellement aux manufactures, aux garages et aux salons de coiffure. Mais il semble qu'une nouvelle génération de Dominicains montréalais soit en train d'émerger. Plus scolarisés et mieux adaptés à la réalité québécoise, ces jeunes se signalent notamment dans le domaine des affaires et du tourisme.

Le Montréal dominicain est loin d'être un groupe homogène. Chacun vient ici avec ses différences et ses allégeances politiques (à ce chapitre, les tensions demeurent vives dans la communauté). Tout ce beau monde s'entend toutefois sur une chose : le merengue est la meilleure musique du monde et la ligue de softball est une excellente façon de passer le dimanche après-midi avec les compatriotes.

1 DANS LE CALENDRIER

Fête de la Vierge de l'Altagracia : 21 janvier

La sainte patronne de la République dominicaine est honorée par une cérémonie religieuse à l'église Virgen de Guadalupe (1969, rue Ontario Est). Le tout se poursuit par un petit *party* dans le sous-sol, avec lunch et spectacles musicaux.

Jour de l'Indépendance : 27 février

À Montréal, cette fête se traduit par une petite réception protocolaire sur invitation organisée par le consulat.

Journée de la Restauration de la République : 16 août

Le samedi ou le dimanche le plus rapproché de cette date, la Maison de la culture dominicaine (voir plus bas) organise un défilé qui part de la rue Milton et suit le boulevard Saint-Laurent jusqu'au parc Jeanne-Mance. La fête se termine dans l'herbe, avec bouffe, danse et groupes dominicains.

 ÉVÉNEMENTS

Festival de merengue et de musiques latines de Montréal : juillet

Un événement latino à forte teneur dominicaine (voir autre texte en page 311).

514 279-9549
www.festivalmerenguedemontreal.com

Carnet d'adresses

 SORTIR, DANSER

Le merengue et la bachata dominicains sont, avec la salsa, parmi les musiques les plus populaires d'Amérique latine. Pas étonnant qu'on trouve dans le Barrio deux discothèques qui se consacrent essentiellement à ces deux formes de danse.

El Vacilon

Une discothèque de quartier pour les vrais. Ici, on vient d'abord pour danser, comme en témoignent les nombreuses bouteilles d'eau sur les tables. Pour la leçon de bachata, vous êtes au bon endroit. Les couples sur la piste de danse vous donneront peut-être des complexes, mais quel spectacle... tant que vous faites abstraction des agents de sécurité, qui semblent tout droit sortis d'une escouade tactique.

6821, rue Saint-Hubert (Plaza)
514 504-4412 • Ⓜ Beaubien

En savoir plus

Maison de la culture dominicaine

Depuis 2001, cette association se donne pour mandat de diffuser la culture dominicaine et de promouvoir le tourisme chez les Québécois, en organisant diverses activités culturelles, conférences, expositions de peintures (souvent présentées au Patro Le Prévost) ainsi que le défilé du 16 août.

514 582-0082

Un peu de **desrizado** s.v.p. !

Le saviez-vous ? À Montréal, la communauté dominicaine est celle qui compte le plus de salons de coiffure pour dames, avec environ 25 ! Comment expliquer cette prolifération ? Parce que les Haïtiennes – fort nombreuses au Québec – ne fréquentent pratiquement que les coiffeuses dominicaines, qui ont la réputation d'être les meilleures ! Elles utilisent en outre un produit coiffant typiquement dominicain, le *desrizado*, que les femmes noires adorent parce qu'il rend les cheveux plus souples. Les barbiers pour hommes ne sont pas en reste. Si vous cherchez un *party*, allez vous faire couper les tiffes chez un coiffeur dominicain. Ambiance virile et festive et lieu de prédilection pour le mémérage au masculin.

La double vie de **Kiko**

Kiko est un personnage-clé de la communauté dominicaine. Et un travailleur infatigable. Le jour, dès 8 h, ce mécanicien à la voix de baryton gère une « shoppe » de silencieux extrêmement populaire dans le quartier industriel de Montréal-Nord. Le soir, il se transforme en homme de radio. Depuis deux ans, il anime avec son collègue panaméen Dany deux émissions très prisées sur les ondes de MIKE (105,1 FM) : *Les Jeudis romantiques*, de 22 h à 3 h, et *Les Nuits latines*, plus rythmées, les vendredis, de 22 h à 6 h le lendemain matin.

Ce n'est pas tout : tous les jours de 12 h 30 à 14 h 30, Kiko tient la barre d'*Énergie positive*, l'émission latino de la station haïtienne CPAM 1610 AM. Cette quotidienne est diffusée en direct depuis le garage de Kiko, qui a fait installer un studio au deuxième étage, loin des « mufflers » pétaradants ! Comme si ce n'était pas assez, ce grand adepte de la philosophie positive a sa propre station de radio sur le net (www.elkiko.com) qui diffuse 24 heures sur 24. Avec tout ça, où trouve-t-il le temps de dormir ? C'est bien la question qu'on se pose…

Kiko, radioman et mufflerman

Le Montréal **vénézuélien**

 3 345

 catholicisme (70 %), protestantisme (13 %)

 espagnol

Historiquement, le Venezuela fut une société d'accueil plutôt que d'émigration. Cela explique, en partie, la présence récente des Vénézuéliens au Québec.

Au milieu des années 1980, la communauté à Montréal s'élève à environ 300 personnes. La plupart sont des étudiants et des boursiers, mais on compte aussi une poignée de professionnels (ingénieurs, scientifiques) établis depuis les années 1960 et 1970.

Entre 1995 et 1999, le Montréal vénézuélien double avec l'afflux de familles complètes et d'immigrants indépendants. Plus de 2 000 Vénézuéliens vont s'y établir pendant cette courte période.

Au début des années 2000, réagissant aux grèves qui paralysent le pays, le nouveau président Hugo Chavez effectue un remaniement radical à la tête de la pétrolière nationale PDVSA, provoquant des milliers de mises à pied. Plusieurs experts en pétrole au chômage mettent le cap sur le Canada, principalement l'Alberta, mais aussi le Québec. Ce sera le dernier boom d'immigration vénézuélienne à Montréal.

En 2008, le Montréal vénézuélien se compose principalement d'ingénieurs, de dentistes, d'informaticiens, de professionnels des télécommunications et d'artistes (José Navas, Patricia Perez, Soraya Benitez). Cette communauté globalement éduquée a toutefois du mal à trouver sa place dans le domaine du travail. Plusieurs doivent se contenter d'emplois de techniciens, malgré leurs nombreux diplômes.

Exception faite du « cas » Chavez, un sujet tabou qui polarise les opinions, la communauté semble plutôt solidaire. Elle s'intègre toutefois si facilement qu'elle n'a pas besoin de se fréquenter outre mesure, se retrouvant surtout pendant la fête de Noël ou l'été pendant des matchs de softball.

Faut-il rappeler que les Vénézuéliens, comme les Cubains, préfèrent de loin ce sport au soccer? La ligue de softball panaméricaine présente des matchs le samedi et le dimanche après-midi au parc Laurier. Ambiance conviviale, avec petits kiosques d'*empanadas* et d'*arepas* (pains à la farine farcis). Les profits des ventes sont parfois versés à des familles vénézuéliennes dans le besoin. Si vous grattez un peu, qui sait, vous pourrez même trouver un peu de bière à vendre sous le manteau !

Fait à noter : deux Vénézuéliens de Montréal ont été repêchés dans les ligues majeures de baseball : Josué Peley en 2006 par les Pirates de Pittsburgh et Leonardo Ochoa en 2008 par les Giants de San Francisco.

 DANS LE CALENDRIER

Fête nationale : 5 juillet

Soulignée au consulat ou sur une base personnelle.

 ÉVÉNEMENTS

Noël vénézuélien : décembre

L'Association des Vénézuéliens de Montréal organise chaque année au début du mois de décembre une fête de Noël. Cet événement très couru dans la communauté peut attirer jusqu'à 500 personnes. On peut y entendre de la musique de Noël vénézuélienne typique, interprétée par des artistes folkloriques.

Carnet d'adresses

 MANGER

Restaurant La Taskita

Cuisine internationale avec volet vénézuélien. Essayez le *pabellon criollo*, le plat traditionnel du pays, composé de riz, de fèves noires, de viande de bœuf effilochée (une coupe typiquement vénézuélienne) et de bananes plantains. Bonne petite ambiance, accueil sympathique.

7671, rue Saint-Hubert
514 315-7986 • Ⓜ Jarry

En savoir plus

Association des Vénézuéliens du Québec

Accueille les nouveaux arrivants et organise des événements culturels avec artistes vénézuéliens d'ici ou du Venezuela (concerts, expositions, semaines culturelles). Plusieurs de ces événements ont contribué à amasser des fonds pour les personnes de la communauté dans le besoin. Le site de l'association, Amitiés Québec-Venezuela, donne beaucoup d'infos sur la communauté vénézuélienne au Québec.

www.quebec-venezuela.org

Ma palabre au Canada

10. LE MONTRÉAL AFRICAIN

S i la culture africaine fait de plus en plus d'adeptes au Québec, on sait encore bien peu de choses des quelque 65 000 immigrants de l'Afrique subsaharienne, issus d'une quarantaine de pays différents, qui ont choisi de vivre à Montréal.

Leur contribution est certes de plus en plus palpable, notamment dans le domaine culturel, où l'on retrouve les Boucar Diouf (Sénégal), Maka Kotto (Cameroun), Michel Mbambara (Rwanda) et autres Corneille (Rwanda). Mais sauf ces quelques exceptions, leur présence se fait encore discrète sur la place publique.

Il faut savoir que cette immigration est encore relativement récente, datant pour l'essentiel des années 1980 et 1990. Pas tout à fait enracinés, difficiles à dénombrer en raison de leur va-et-vient constant entre le Québec et d'autres provinces canadiennes, victimes de discrimination sur le marché du travail, les Montréalais d'Afrique noire cherchent encore leur place dans le paysage du Québec et de la métropole.

ON SE CONNAISSAIT TOUS !

Ce n'est pourtant pas d'hier qu'on trouve des Africains à Montréal.

Le premier visiteur noir connu, l'Afro-Portugais Mathieu Da Costa, était interprète au service de Champlain en 1604. Légal au Canada jusqu'en 1834, l'esclavage amènera aussi des descendants du continent noir. Cette première vague sera suivie d'esclaves américains, fuyant les États pas encore tout à fait unis, pendant la guerre de Sécession. Mais il faudra attendre le siècle suivant pour voir de véritables Africains s'établir au Québec.

Dans les années 1960, quelques étudiants viennent poursuivre leurs études au Québec, que ce soit à titre de stagiaires ou de boursiers de l'ACDI. On les retrouve notamment dans le domaine de la foresterie (Congolais), de l'éducation (Gabonais, Camerounais), de l'agronomie ou de l'économie rurale (Sénégalais, Maliens, Guinéens, Nigériens).

Si certains décident de rester, la plupart retournent chez eux une fois leur diplôme en poche. Si bien qu'au milieu des années 1970, on trouve à peine quelques centaines d'Africains à Montréal. « On se connaissait tous, raconte Lamine Touré, fondateur du Balattou (voir entrevue en page 366). Déjà à cette époque, j'avais un bar (le Café créole). Mais si un Africain faisait une fête chez lui, je n'ouvrais pas. Il n'y aurait eu personne ! »

Cette petite communauté reste relativement stable jusqu'à la décennie suivante, se contentant d'accueillir des étudiants de passage, des fils de diplomates, quelques travailleurs scolarisés, de la main-d'œuvre technique et une poignée de réfugiés politiques (Guinéens, Angolais et Éthiopiens).

DESTINATION IN

Au début des années 1980, il y a assez d'Africains à Montréal pour justifier deux ou trois bars tropicaux : Sahel, Isaza, Baby O. Mais à partir du milieu des années 1990, alors que le vent de la démocratisation et du multipartisme se met à souffler sur l'Afrique, le continent noir amorce une longue période de tumulte, qui va entraîner une hausse marquée de son immigration à Montréal.

Le mouvement s'amorce d'abord vers l'Europe. Plus direct, plus simple, moins cher. D'instinct, les Africains vont rejoindre les métropoles de colonisation : Paris, Londres, Bruxelles, Lisbonne. Mais devant la montée de la droite, le resserrement des frontières et l'absence de boulot, ils vont bientôt se tourner vers le Canada, où l'immigration semble encore possible.

Cette migration va déferler par vagues, au rythme des troubles économiques et politiques qui secouent l'Afrique. À partir des années 1990, un grand nombre de Ghanéens, de Burundais, de Rwandais et de Congolais (ancien Zaïre) vont ainsi débarquer à Montréal, fuyant l'instabilité, la répression, la violence et, dans certains cas, le génocide.

Depuis 2001, l'immigration africaine a beaucoup ralenti à Montréal, au profit des Maghrébins. Mais elle se poursuit à petite échelle, par la réunification des familles, de nouvelles générations d'étudiants et l'arrivée d'immigrants indépendants (Ivoiriens, Camerounais, Gabonais, Togolais). On ne vient plus pour fuir, mais parce que le Canada, longtemps vu comme un pays glacial et lointain, est la nouvelle destination in pour faire ses études ou améliorer ses conditions de vie.

SE FAIRE UNE PLACE

Évidemment, il y a loin du rêve à la réalité. Et si certains se sont bien adaptés, plusieurs n'ont pas encore trouvé leur niche. Professionnellement, l'intégration s'avère difficile. Beaucoup d'Africains avec un parcours universitaire échouent dans des manufactures, alors que d'autres deviennent journaliers, préposés aux bénéficiaires ou travaillent dans le télémarketing.

Discrimination? Dévalorisation des diplômes? Problèmes de réseau? Chose certaine, ce n'est pas plus reluisant dans le domaine des affaires. Car si elle est fortement scolarisée, l'immigration africaine n'excelle pas forcément sur ce plan, comme en témoignent les nombreux commerces à l'existence éphémère.

Faute d'appui financier, plusieurs entrepreneurs à la petite semaine déménagent à Toronto ou développent des liens d'affaires avec leur pays d'origine, notamment dans le domaine de l'import-export et dans celui du transfert d'argent. Les plus désillusionnés, pour leur part, choisissent tout simplement de retourner vivre en Afrique...

VIBRER PLUS FORT

Malgré tout, le Montréal africain est loin d'être moribond. Au contraire. Entre ses festivals de cinéma et de musique, ses restaurants, ses magasins, ses réseaux de solidarité, ses églises évangéliques ultra-dynamiques et même sa fébrile ligue de soccer, il s'organise de mieux en mieux et semble vibrer de plus en plus fort.

Seulement faut-il le trouver ! Car au-delà des gros événements rassembleurs (Nuits d'Afrique, Vues d'Afrique, spectacles d'envergure), la communauté subsaharienne de Montréal ne s'affiche que rarement en dehors des circuits « ethniques ». Loin d'être homogène, elle se distingue en outre par une fourmillante mosaïque de langues, de cultures ou de religions différentes, ce qui la rend d'autant plus complexe et insaisissable.

Ceci expliquant cela, le Montréal africain est aussi très éparpillé. On retrouve bien quelques communautés plus concentrées, comme les Ghanéens de Parc-Extension ou les Congolais de Pointe-Saint-Charles. Mais ce sont là des exceptions qui confirment la règle.

Ce qui n'empêche pas une vie communautaire très forte, basée sur des associations diverses permettant à chacun de retrouver les compatriotes du pays d'origine, par le biais d'événements spéciaux comme des funérailles, des mariages ou des fêtes nationales. On se regroupe aussi selon l'appartenance ethnique, la région d'origine, la religion pratiquée ou tout simplement, selon les pôles d'intérêt (ligue de foot, association d'ingénieurs, maisons d'édition, projets d'intégration, etc.).

D'ici une ou deux générations, peut-être parlera-t-on d'une communauté panafricaine montréalaise, où l'on transcenderait les identités ethniques ou nationales pour mieux affronter le défi de l'immigration et de l'intégration. De plus en plus de tentatives se font en ce sens, comme cette toute récente Maison de l'Afrique, un centre culturel qui a ouvert ses portes à l'automne 2009. Mais comme nous le disait un ancien, installé à Montréal depuis des lunes : « Il est toujours très difficile de rassembler les Africains... »

ÉVÉNEMENTS

Nuits d'Afrique : juillet

Depuis 1985, le rendez-vous de toutes les musiques africaines. Piloté par le club Balattou, ce festival a lieu en juillet dans différentes salles montréalaises et culmine par trois jours de concerts extérieurs à la place Émilie-Gamelin. La programmation inclut des artistes locaux et internationaux, dont plusieurs se sont fait connaître ici avant d'exploser sur la scène mondiale.

514 499-9239
www.festivalnuitsdafrique.com

Le Festival international des rythmes d'Afrique et des Antilles (FESTIRAAM) : avril

Logé le premier week-end d'avril, loin de l'embouteillage estival, le FESTIRAAM présente des artistes locaux et internationaux originaires des Antilles (un peu) et d'Afrique (surtout). Son fondateur, Tidiane Soumah, a travaillé jusqu'en 2007 à la programmation des Nuits d'Afrique avant de voler de ses propres ailes.

www.festiraam.ca
www.myspace.com/festiraam

Vues d'Afrique : avril

Créées en 1984, les Journées du cinéma africain et créole proposent un panorama annuel de films africains, incluant fictions et documentaires. Mieux connu sous le nom de Vues d'Afrique, ce festival se tient généralement en avril. Une rare occasion de voir des films qui, pour la plupart, ne prendront jamais l'affiche à Montréal.

514 284-3322
www.vuesdafrique.org

Carnet d'adresses

 SORTIR

Gorée, bouchées et musiques

Véritable oasis dans la jungle (urbaine) du centre-ville, Gorée est de loin le plus beau et le plus éclectique des établissements africains de Montréal. À la fois restaurant fusion, *lounge* exotique et discothèque panafricaine, ce lieu multidisciplinaire est tout simplement envoûtant, avec son afro-design intemporel, ses espaces thématiques et sa décoration aussi branchée que dépaysante. Fondé par un Togolais, un Sénégalais et une Camerounaise, Gorée (du nom de la tristement célèbre île au large de Dakar, d'où partaient les esclaves) ratisse en musique et en saveurs la presque totalité du continent noir. Un tuyau : goûtez au *bissap*, un jus exotique fait avec de la fleur d'hibiscus. Avec du rhum et de la vodka, c'est encore meilleur.

1240, rue Crescent
www.goree.ca • Ⓜ Guy-Concordia

Club Ujo

Ouverte sur les cendres de l'ancien Caramela, à deux pas de la rue Côte-des-Neiges, cette discothèque 100 % panafricaine carbure chaque week-end aux musiques du Congo, du Sénégal, du Rwanda, du Burundi, du Cameroun, du Nigeria, de l'Afrique du Sud et de l'Éthiopie. Selon ce qu'on en sait, l'endroit serait particulièrement fréquenté par la jeunesse rwandaise de Montréal, qui en a fait son QG festif et dansant. Si vous voyez débarquer une délégation de gars et de filles en goguette, c'est probablement l'équipe de foot rwandaise locale qui vient de gagner un de ses matchs.

3701, rue Jean-Talon Ouest
514 913-3965 ou 514 577-4834
www.clubujo.com • Ⓜ Namur

Club Balattou (Voir encadré page 366)

MAGASINER

Boubous? Bijoux? Tambours? Tissus? Les magasins d'art traditionnel africain ne manquent pas à Montréal. En voici quelques-uns.

Thiossane

Un rayon de soleil dans l'embouchure du métro Peel. Fondée par un joaillier sénégalais, cette petite boutique offre un bon choix de bijoux et d'objets folkloriques ouest-africains.

1140, boulevard De Maisonneuve Ouest
514 289-9229 • Ⓜ Peel

Seho Perles d'Afrique

Art primitif, sculptures, instruments de musique, vêtements et bijoux. Si vous cherchez un djembé, vous pourriez être au bon endroit.

4007, boulevard Saint-Laurent
514 849-6373 • Ⓜ Sherbrooke

Styl'Afrique Coop

Bon choix de vêtements et de tissus d'Afrique de l'Ouest et centrale. La propriétaire, une styliste soudanaise répondant au nom de Anne, peut même vous faire un boubou sur mesure.

2727, rue Ontario Est
514 509-7528 • Ⓜ Frontenac

Boutique Dunia

Vêtements, bijoux, art africain majoritairement ouest-africains.

4432, rue Saint-Denis
514 282-0215 • Ⓜ Mont-Royal

 MÉDIAS

Radio
Rythmes d'Afrique (CIBL 101,5 FM)

Actualités et musiques africaines. Un incontournable du Montréal africain, animé par Jean-Paul Bongo.

Samedi 16 h • www.cibl1015.com

Rythmes soleil (CINQ FM 102,3)

Culture et musique africaines, entrevues avec artistes de passage. Animé depuis sept ou huit ans par Line Cook, une non-Africaine mordue de culture africaine.

Lundi 15 h • www.radiocentreville.com

Internet
Toukimontréal.com

Un nouveau webzine sur la culture africaine à Montréal. Touki profite des événements majeurs (Vues d'Afrique, Nuits d'Afrique, FESTIRAAM, Festival du monde arabe) pour rencontrer des artistes locaux ou internationaux de passage. Ses reportages combinent l'écrit, l'audio, la vidéo et s'étendent même à la blogosphère. Pertinent.

www.toukimontreal.wordpress.com

En savoir plus
Organismes
Répertoire africain de Montréal

Bon répertoire web pour connaître les business africains de Montréal. Inclut une liste de restaurants, de boîtes de nuit, de salons de coiffure, de boutiques d'artisanat, etc.

www.repertoireafricaindemontreal.com

Centre Afrika

Fondé par les Pères blancs en 1988, ce centre communautaire favorise l'intégration sociale des immigrants d'Afrique noire en les aidant à créer des réseaux qui leur permettront de refaire leur vie au Québec. Son efficace lettre circulaire vous informera sur un très grand nombre d'activités africaines à Montréal, qu'elles soient à caractère religieux ou culturel.

1644, rue Saint-Hubert • 514 843-4019
www.centreafrika.com

Maison de l'Afrique Mandingo

Le Montréal africain aurait-il enfin trouvé sa maison de la culture? C'est en tout cas l'ambition de ce lieu tous azimut, qui souhaite fédérer toutes les communautés africaines de Montréal, sans égard aux différends ethniques ou nationaux. À la fois boutique, salle d'exposition, café, librairie et centre de diffusion multidisciplinaire, cet espace magnifique, réparti sur trois niveaux, ne s'adresse pas seulement aux immigrants du continent noir, mais aussi aux Québécois en quête de culture africaine. Ouverte à l'automne 2009, la Maison de l'Afrique a le seul défaut d'être située à l'écart d'un corridor passant, à l'angle des rues Bellechasse et Henri-Julien. Mais le métro est à deux pas, et qui sait? L'endroit deviendra peut-être une raison en soi pour faire le détour.

6256, avenue Henri-Julien
514 875-7710
www.maison2lafrique.com
Ⓜ **Beaubien ou Rosemont**

Chantier d'Afrique du Canada

Cet organisme œuvre au développement économique et social de la communauté africaine du Canada, et particulièrement du Québec. Bourses d'entrepreneuriat africain, soutien aux familles, aide à l'intégration des jeunes. Une plaque tournante du Montréal africain.

514 527-2177 • www.chafric.ca

Afrique en mouvement

Pour apprendre les danses traditionnelles d'Afrique de l'Ouest (Ghana, Guinée, Mali) ou le gumboot sud-africain. Intéressant : les cours sont donnés avec percussionnistes *live*.

7001, rue Hutchison • 514 270-6914
www.afrique-en-mouvement.ca
Ⓜ **Parc**

Club **Balattou**

l y a une demi-douzaine de bars africains à Montréal, mais une seule institution : le Balattou. Depuis 1985, cette boîte tropicale est l'incontournable point de rencontre des amoureux de musique africaine au Québec. La semaine, on présente des spectacles. La fin de semaine, on est plutôt « club ». Les propriétaires du Balattou veillent aussi aux destinées du festival Nuits d'Afrique et du concours des Syli d'Or, qui réunit au printemps les meilleurs artistes émergents de la musique du monde à Montréal.

Pour la petite histoire, le Balattou (« bal à tous ») a été fondé par Lamine Touré, Guinéen d'origine débarqué au Québec en 1974, après avoir été tailleur et danseur pour les Grands Ballets africains. Bien vissé sur son tabouret, il voit depuis défiler toutes les vagues d'immigration africaine à Montréal. Aux jeunes néo-Québécois en manque de repères, à qui il parle comme on parle à un fils, il donne souvent ce conseil : « Essaie tout ce que tu veux. Mais reste africain. »

4372, boulevard Saint-Laurent
514 845-5447 • www.balattou.com • Ⓜ Mont-Royal

Lamine Touré : bien vissé au Balattou depuis 1985

AFRIQUE DE L'OUEST FRANCOPHONE
(Sénégal, Burkina Faso, Mali)

L'Afrique de l'Ouest francophone est largement représentée à Montréal, pour des raisons linguistiques et historiques évidentes. Le Sénégal, le Mali, la Guinée-Conakry, le Niger, le Bénin, le Togo, le Burkina Faso, la Côte d'Ivoire ou le Gabon ont tous fait partie, à l'époque coloniale, de la «mythique» Afrique-Occidentale française (AOF). Certains de ces pays partagent en outre des éléments communs du point de vue ethnique (les Peuls, présents dans une quinzaine de pays d'Afrique de l'Ouest) et religieux (l'islam). Tous n'ont cependant pas le même dynamisme sur le plan de la vie montréalaise. Voici, dans le désordre, quelques communautés plus actives que d'autres.

Le Montréal **sénégalais**

2 100

islam (70 %),
catholicisme (21,3 %)

français, wolof, peul, sérère, dioula

Présents à Montréal depuis la fin des années 1960, les Sénégalais sont longtemps restés discrets, en raison de leur population relativement faible. Il s'agissait pour l'essentiel d'étudiants, d'artistes, de professionnels et d'immigrants indépendants.

Mais depuis les années 1990, résultat d'un afflux croissant, leur contribution à la vie et à la culture du Québec n'a fait que grandir. Qu'on pense à l'humoriste Boucar Diouf, au joueur de kora Zale Sissokho ou aux deux frères Diouf, découverts avec le groupe Les Colocs.

De fait, cette communauté africaine a, peut-être mieux que d'autres, fait sa place dans notre paysage. Pas étonnant, diront certains. Car les Sénégalais ont toujours joui d'une nature confiante, débrouillarde et flamboyante.

Sans doute faut-il remonter à l'époque de l'empire mandingue ou, plus probablement, à celle de l'Afrique-Occidentale française pour expliquer cette attitude fortement décomplexée. Première colonie française d'Afrique noire, le Sénégal a, en effet, joui de certains privilèges en matière de culture et d'éducation (la première université de la région a été à Dakar) qui lui ont donné du prestige et une petite longueur d'avance sur ses voisins.

Cet avantage historique, si on peut dire, semble avoir fait son chemin jusqu'à Montréal. Solidaire, bien organisée et intellectuellement outillée, la communauté sénégalaise rayonne dans plus d'un domaine, que ce soit l'administration, l'informatique, l'enseignement ou le commerce. Sans oublier le secteur artistique, où elle a imposé sa présence avec un large et contagieux sourire.

PARLEZ-VOUS WOLOF ?

Bonjour ➤ Nagadef ou salam aleikoum

Merci ➤ Dieudeneuf

Au revoir ➤ Manguidem

 DANS LE CALENDRIER

Fête de l'Indépendance : 4 avril

À Montréal, cette journée donne le coup d'envoi au Mois du Sénégal, événement en plusieurs semaines qui se traduit par des colloques, expositions, soirées de gala, défilés de mode et soirées dansantes. Organisé par le Regroupement général des Sénégalais.

www.rgsc.ca

Carnet d'adresses

 MANGER

Chez Khady

Ouvert en 2005, Khady est un incontournable de la cuisine sénégalaise à Montréal. Le menu offre les classiques de la région : *tieboudienne* (riz rouge, poisson, sauce tomate), mafé (viande avec sauce aux arachides) ou *yassa* (poulet avec sauce aux oignons marinés dans la moutarde). Pour arroser le tout, on suggère la boisson au gingembre, assez piquante merci (et aphrodisiaque, à ce qu'on dit !). À titre indicatif : Khady, la chef, est originaire de Saint-Louis, au Sénégal. Et les Saint-Louisiennes ont la réputation d'être les meilleures cuisinières du pays.

850, boulevard Décarie • 514 747-3443
Ⓜ Côte-Vertu

 FAIRE L'ÉPICERIE

Afroleck

Situé dans un sous-sol, ce petit marché sénégalais à l'odeur fort agréable vend des aliments qu'on trouve peu, ou pas du tout, ailleurs à Montréal. Essayez le « pain de singe », ce petit fruit sec tombé du baobab, qui se suce comme une olive, les fleurs d'oseille séchées qui vous permettront de faire votre propre jus *bissap*, les feuilles de *quinkeliba*, destinées à l'infusion, ou encore le *dégue* (semoule de mil) qui se déguste au petit-déjeuner (avec du yogourt). Vous n'êtes pas trop bouffe ? Pas de problème ! Afroleck vend aussi des chemises africaines, des chandails de soccer africains, des DVD de séries ivoiriennes ou des produits cosmétiques. Une bonne adresse.

5164, chemin Queen-Mary
514 481-7596
www.afroleck.com
Ⓜ **Snowdon**

En savoir plus

Teranga Canada

Un site complet sur la contribution sénégalaise à la vie canadienne. Une excellente introduction à la communauté.

www.terangacanada.ca

Regroupement général des Sénégalais du Canada (RGSC)

Cette association fort bien organisée existe depuis 13 ans. C'est un organisme apolitique et non religieux, qui sert de parapluie à une foule d'autres associations plus ou moins grandes.

rgsc@rgsc.ca

Le Montréal **burkinabé**

 800

 catholicisme, islam
(% non disponibles)

 français, moré, dioula

L es Burkinabés ne sont pas de gros sorteux. Ce qui explique, en partie, leur diaspora relativement faible en dehors de l'Afrique.

À Montréal, cette petite communauté est composée à 70 % d'étudiants ou d'anciens étudiants qui ont choisi de s'établir ici après leurs études. Le reste se divise entre immigrants économiques (majoritaires) et réfugiés politiques, chassés du pays après le coup d'État de 1987.

Plutôt à son affaire et généralement trop occupé à construire son avenir professionnel, le Montréal burkinabé ne se regroupe que rarement pour des fêtes collectives, préférant se fréquenter sur une base personnelle.

Ce qui ne l'empêche pas de contribuer à la vie culturelle de la métropole, que ce soit à travers la musique de la Famille Zon ou le poulet grillé du restaurant Top Tropical, dont la réputation dépasse les frontières de la province.

PARLEZ-VOUS MORÉ ?

Bonjour ➤ Né ybeogo

Merci ➤ Barka

Au revoir ➤ Wend naa kond yindare (Dieu nous donne une prochaine fois)

1 **DANS LE CALENDRIER**

Fête de l'Indépendance : 11 décembre

Fête nationale : 4 août

Commémoration de l'arrivée au pouvoir des socialistes en 1983, qui ont troqué le nom Haute-Volta pour Burkina Faso.

Carnet d'adresses

MANGER

Top Tropical

Les Burkinabés adorent les grillades. Et le chef, Netilboé Bayili, est un spécialiste en la matière. Seul derrière son comptoir, ce sympathique personnage alimente la moitié de la population africaine de

Montréal. On vient même d'Ottawa et de Québec pour manger ses viandes rôties au charbon ! L'endroit ne paie pas de mine, et la plupart des clients viennent ici pour « emporter ». Mais le va-et-vient est constant. Si vous flânez un peu, vous ferez d'intéressantes rencontres. Névralgique.

133, rue Jean-Talon Ouest
514 807-6958
www.toptropicalhotsauce.com
Ⓜ **De Castelnau**

Le Montréal **malien**

  900

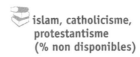 islam, catholicisme, protestantisme (% non disponibles)

français, bambara, peul

Les Maliens de Montréal sont venus, en grande majorité, par le canal universitaire. Certains ont aussi migré pour des raisons économiques, attirés par les perspectives d'emploi au Québec.

Pour l'essentiel, cette immigration s'est concentrée pendant la période 1992-2002, avec un afflux plus marqué en 1992 et en 1993. Cette époque correspond à l'instauration au Mali de la démocratie et d'un régime plus favorable à l'émigration.

Bien que petite, la communauté a aussi donné quelques personnages publics : l'écrivain-journaliste Lacine Diawara a représenté le Parti libéral fédéral dans la circonscription Pierre-Boucher en 2006, alors que l'imam Omar Koné est devenu LE symbole d'un islam serein au Québec, après son apparition à l'émission *Tout le monde en parle* en 2007.

Cela dit, le Montréal malien reste assez discret. Jeune, dans tous les sens du terme (on estime que 95 % de ses enfants sont nés ici), celui-ci s'affiche peu et se regroupe rarement, si ce n'est lors d'occasions spéciales comme la fête nationale, les événements politiques du Mali ou les matchs de soccer. Les expatriés se retrouvent notamment au restaurant Tombouctou, qui agit depuis 2005 comme le QG informel de la communauté.

PARLEZ-VOUS BAMBARA ?

Bonjour > Ani sogoma

Merci > I ni tché (à une personne),
Aw ni tché (à plusieurs personnes)

Au revoir > Kan bou fô
(salutations)

 DANS LE CALENDRIER

Journée des Martyrs : 26 mars

Une fête est organisée par l'Ambassade du Mali à Ottawa.

**Fête de l'Indépendance :
22 septembre**

La communauté organise une grosse soirée avec buffet, défilé de mode, spectacles de chanteurs maliens, discussions et musique.

Carnet d'adresses

 MANGER

Restaurant Tombouctou

La mythique cité de Tombouctou était le carrefour de l'Afrique de l'Ouest. Comptant désormais deux succursales, le restaurant Tombouctou a un peu les mêmes prétentions. «Nous avons fait un lieu de rencontre pour tous les pays d'Afrique», lance son propriétaire, Samba Seck. Ce «centre culturel mandingue» demeure toutefois très malien dans sa cuisine. Demandez le mafé (poulet, bœuf ou légumes à la sauce arachide), un classique de la région. Ou le *bachi*, un couscous malien à base de mil. Vous n'aurez jamais été aussi près de Bamako.

6000, chemin de la Côte-des-Neiges
514 738-0060
www.restauranttombouctou.com
Ⓜ Côte-des-Neiges

AFRIQUE DE L'OUEST ANGLOPHONE
(Ghana, Nigeria)

R estaurants, boutiques, clubs vidéo, églises, salons de coiffure, dépanneurs : les anglophones d'Afrique de l'Ouest en mènent large dans le paysage montréalais. Cette présence, particulièrement visible, est essentiellement due au dynamisme de la communauté ghanéenne, qui a développé au fil des ans un imposant réseau commercial avec pignon sur rue. Plus discrète, mais non moins active, la communauté nigérienne offre aussi une bonne fourchette culturelle.

Le Montréal **ghanéen**

 2 500

 protestantisme (46 %), catholicisme (20 %), islam (5,2 %)

 anglais, akan, ewe

Les Ghanéens ne sont pas si nombreux à Montréal. Mais leur contribution à la vie urbaine est assez marquée.

En 1970, on ne comptait qu'une trentaine de Ghanéens à Montréal, la plupart s'y installant après leurs études pour travailler comme spécialistes dans les domaines de l'enseignement ou de la santé. Ce groupe va rester stable pendant plus d'une décennie, avant de croître en accéléré au milieu des années 1980.

Fuyant la précarité et le régime plutôt musclé de J. J. Rollins, quelque 5 000 réfugiés ghanéens vont débarquer à Montréal entre 1985 et 1992. Rebutés par le fait francophone, plusieurs redécollent pour d'autres provinces canadiennes, notamment l'Ontario et l'Alberta. Mais des centaines s'installent à demeure au Québec, relevant le défi de vivre dans une ville à moitié francophone.

Moins scolarisés que leurs prédécesseurs, ces réfugiés vont s'installer dans le quartier populaire de Parc-Extension, où ils vont, lentement mais sûrement, se tailler une place à côté des Grecs et des Indo-Pakistanais. Aujourd'hui, Parc-Ex demeure le plus ghanéen des quartiers montréalais, même si plusieurs membres de la communauté ont depuis migré vers la Rive-Sud, Laval et Pierrefonds.

Doués en affaires, les Ghanéens sont particulièrement dynamiques dans la petite entreprise. En témoignent les nombreux restaurants, salons de coiffure, épiceries ou magasins de vêtements ouverts au fil des ans.

Le Montréal ghanéen est tout aussi actif sur le plan religieux et culturel. Actuellement, la communauté compte sept églises protestantes, trois troupes de danse folklorique (Obaa Sima, Africana Root, Keteke) et quelques chanteurs de highlife, la musique pop traditionnelle du pays.

PARLEZ-VOUS AKAN ?

Bonjour ➤ **Etesen**

Merci ➤ **Meda ase**

Au revoir ➤ **Nantse Ye**

 DANS LE CALENDRIER

Fête de l'Indépendance : 6 mars

Le Ghana fut le premier pays africain à gagner son indépendance, en 1957. Chaque année, la communauté organise une soirée culturelle pour souligner l'événement. On s'informe à la Ghana-Canada House (voir page suivante).

Jour de la République : 1er juillet

Célébré le même jour que la fête du Canada. Après-midi de réjouissances au parc Howard, dans le quartier Parc-Extension. Bouffe, musique, jeux pour les enfants.

Carnet d'adresses

 MANGER

Afrodiziac

Votre meilleure option dans Parc-Extension. Décor classe, service relax et familier, délicieux plats en sauce. Afrodiziac vient de rouvrir ses portes après avoir été fermé plus d'un an pour cause d'incendie.

757, rue Jean-Talon Ouest
514 273-2003
Ⓜ Parc

 FAIRE L'ÉPICERIE

Marché d'Afrique

Fondé en 1995, le Marché d'Afrique tient des produits du Ghana, du Nigeria et de la Côte d'Ivoire. En stock : *fufu* (poudre de manioc ou de plantain), *egusi* (graines de melon), *attieke* (couscous africain), fèves brunes du Nigeria, poisson de Norvège (« bon pour le calcium ! »), jus de palme, crèmes pour les cheveux, alouette... Si vous avez faim, demandez ce qu'ils servent aujourd'hui. La femme du propriétaire tient une petite cuisine au fond du magasin. On peut prendre pour emporter.

881, rue Jean-Talon Ouest
514 277-7773 • Ⓜ Acadie

Marché Ghanacan

(Voir page 376)

549, avenue Ogilvy • **514 278-6987**
Ⓜ Parc

 SORTIR

Mama Africa Social Club

QG des Ghanéens de Parc-Extension, cet espace presque anonyme, situé en haut du magasin Mama Africa, sert à la fois de lieu de rencontre, de salle paroissiale (baptêmes, mariages, funérailles, etc.), de club social et même de bar sportif pour ceux qui suivent le foot africain. Musique, boisson, jasette. Demandez un petit verre de *bitter*. Ils disent que c'est très bon pour la vitalité... surtout pour les hommes !

911, rue Jean-Talon Ouest
514 277-2223 • Ⓜ Acadie

MAGASINER

Boutique Mama Love

Si vous tripez sur le drapeau ghanéen, voici le spot. Mama Love offre une multitude d'accessoires aux couleurs du pays: t-shirts de foot, foulards, et même des éventails. Bon choix de films ghanéens et de vêtements traditionnels ouest-africains.

904, rue Jean-Talon Ouest
514 271-3097 • Ⓜ Parc

Mama Africa

Le plus gros salon de coiffure-beauté africain de Parc-Ex, sinon de Montréal. Perruques, extensions, teintures, coupes de cheveux, gugusses, perles, gels et crèmes en tous genres: le choix est vaste. Le *boss*, Kingsley Kwateng Amanning, est une figure de proue de la communauté et un des fondateurs de l'Association ghanéenne de Montréal. On le surnomme d'ailleurs Nana, ce qui signifie «chef» en langue akan.

917, rue Jean-Talon Ouest
514 948-3335
www.mamaafricabeautysupply.com
Ⓜ Acadie

 MÉDIAS

African Affairs

Créé en 2003, ce mensuel communautaire publié sporadiquement couvre les sujets touchant la communauté africaine du Québec en général et le Montréal ghanéen en particulier. Jusqu'en 2007, le journal était en anglais et en français. Mais la langue de Molière a fini par prendre le bord. Sympathique: les dernières pages sont consacrées au sport, à la musique et incluent même une section humour.

514 591-1500

En savoir plus

Maison du Ghana (Ghana-Canada House 2000)

Association des Ghanéens de Montréal. Pour tout renseignement sur les activités dans la communauté.

415, rue Saint-Roch
514 278-8109

Ghanacan
Ogbonos, fufu, ndolé, agusis

« **V** ous êtes le patron?

— Pas vraiment, il faut voir ma femme.»

Sani Piameng reste sur ses gardes. Il pense peut-être que nous appartenons à la brigade de l'hygiène ou que nous sommes un quelconque agent de l'immigration. Mais quand on lui explique le but de la visite, il se détend et se met à causer.

C'est vrai que Juliana, sa femme, est un peu le *boss* chez Ghanacan. Mais c'est lui, Sani, qui a fondé ce supermarché ouest-africain en 1991. Comme beaucoup de ses compatriotes, le couple a quitté le Ghana à la fin des années 1980 pour des raisons politiques. «Mon premier magasin était dans mon appartement, raconte Sani en souriant. Les gens de ma communauté faisaient leurs commandes et j'allais la leur livrer à la maison.»

Victime de son succès, cette entreprise maison a vite atteint ses limites. Sani a donc ouvert une vraie boutique dans le quartier Parc-Extension. Où elle est d'ailleurs toujours, à l'angle des avenues Ogilvy et De L'Épée. Selon lui, Ghanacan a été la première épicerie africaine de Montréal. Et si elle n'est plus la seule (d'autres marchés du genre ont depuis ouvert à LaSalle, Lachine et Pointe-Saint-Charles), elle reste encore la plus grosse et la plus complète.

Il faut savoir que Ghanacan dessert toutes les communautés d'Afrique de l'Ouest.

**Sami
et Juliana**

Sénégalais, Guinéens, Maliens, Nigérians et même Congolais viennent s'y ravitailler en manioc, poisson fumé ou séché, okras (légume vert), *yam* (l'équivalent de notre pomme de terre), *ndolé* (feuilles amères du Cameroun), *ogbonos* (cacahuètes) et même chenilles du Congo (qu'on cuisine avec du beurre d'arachides)!

La mine fatiguée, Sani avoue que son travail n'est pas de tout repos. L'épicerie emploie cinq personnes, mais c'est Juliana et lui qui se tapent le plus gros du boulot, à raison de 72 heures par semaine. Un jour, peut-être, les enfants du couple reprendront l'entreprise familiale. Mais Sani ne se fait pas d'illusions. «Ce sera leur choix. Mais ce n'est pas un job facile. Les jeunes, vous savez comme ils sont. Souvent, c'est le plaisir avant tout!»

549, avenue Ogilvy • 514 278-6987 • Ⓜ Parc

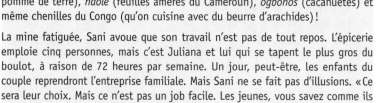

Le Montréal **nigérian**

 1 000

 anglais, yoruba, ibo, edo

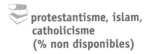 protestantisme, islam, catholicisme (% non disponibles)

Bien que relativement discrets, les Nigérians forment une des plus anciennes communautés africaines de Montréal.

Dès le début des années 1960, quelques étudiants viennent poursuivre leur scolarité à McGill ou à Concordia. Les liens coloniaux avec le Canada (les deux pays font partie du Commonwealth) facilitent un certain va-et-vient entre Montréal et Lagos.

Ce petit groupe augmente progressivement après 1970, avec l'arrivée de réfugiés du Biafra et d'une nouvelle immigration étudiante. Si bien qu'au milieu des années 1980, on compte près de 400 Nigérians au Québec.

La communauté va s'étoffer au courant des années 1980 et 1990. Poussés hors de chez eux par l'instabilité, l'insécurité et les coups d'État à répétition, les réfugiés politiques et économiques affluent en terre canadienne.

Depuis le début des années 2000, l'immigration a quelque peu ralenti, mais se poursuit de façon régulière, avec la réunification des familles et l'arrivée de réfugiés fuyant l'agitation au Delta du Nigeria (une région pétrolifère convoitée) ou le radicalisme islamique de certaines provinces.

Les chiffres de la communauté sont difficiles à évaluer et varient selon les sources. Mais on constate un fort taux de natalité, qui excède en nombre celui des arrivées.

La cohésion, du reste, semble encore difficile au sein de cette communauté relativement petite. Aussi diversifié que le Nigeria lui-même (250 groupes ethniques réunis en un seul pays!), le Montréal nigérian demeure fragmenté et rarement uni au-delà des affinités régionales.

Rare exception : la demi-douzaine d'églises protestantes évangéliques nigérianes à Montréal, où s'effacent tous les clivages, dans une ambiance de dévotion flirtant avec le gospel.

PARLEZ-VOUS YORUBA ?

Au Nigeria, le nombre estimé de dialectes est de plus de 500. L'anglais reste la langue commune. Voici quand même deux ou trois suggestions.

Bonjour ➤ How ona day (en *pidgeon english*, ou argot nigérian)

Merci ➤ Oçé (yoruba)

Au revoir ➤ Odabo (yoruba)

DANS LE CALENDRIER

Fête de l'Indépendance du Nigeria : 1er octobre

L'Association des Nigérians de Montréal organise une semaine culturelle avec repas, spectacles et danses.

Carnet d'adresses

 MANGER

Ayo

Ouvert en 2007, ce petit resto a tous les attraits d'une sympathique affaire familiale. Il fait la cuisine, elle sert les clients, pendant que les enfants jouent ou mettent la main à la pâte (de *fufu*). Le menu est varié, puisant autant dans la culture ibo que yoruba. On vous suggère le *ewedu*, un plat de viande (ou de poisson) servi avec une sauce rouge aux piments et une sauce verte faite avec des feuilles de *chorchorus*. Petit conseil : lavez vos mains avant d'attaquer. Ici, on se passe d'ustensiles. Écran géant avec (excellents) clips nigérians en rotation lourde.

9015, rue Airlie • 514 461-4395 514 569-7192 • Ⓜ Angrignon

 FAIRE L'ÉPICERIE

Dépanneur Ehi

Épicerie ouest-africaine typique, avec bon choix de condiments, conserves, cubes Maggi, huile de palme et même DVD de films nigérians. Si vous cherchez de l'*ogbono* (en graines ou en poudre), vous êtes au bon endroit. Vos prochaines soupes n'en seront que plus nigérianes.

9160G, rue Airlie • 514 369-4405 Ⓜ Angrignon

Louer des films

Le saviez-vous ? Après Hollywood et Bollywood, le Nigeria – ou Nollywood – possède la troisième industrie du cinéma au monde. On y tourne plus de 600 films en vidéo par an. À Montréal, ces films sont trouvables dans les dépanneurs nigérians (voir plus haut) et dans quelques clubs vidéo spécialisés en cinéma africain.

Ranks Video

Bon choix de films ghanéens, nigérians et feuilletons ivoiriens. Situé presque en face de l'épicerie Ghanacan, dans le quartier Parc-Extension.

654, avenue Ogilvy • 514 274-9040 Ⓜ Parc

En savoir plus

Nigerian Canadian Association of Montreal

Le Montréal nigérian compte des dizaines d'associations à caractère ethnique ou régional.

La NCAM est l'association mère qui tente (tant bien que mal) de les représenter toutes.

514 278-6005
514 554-2541

LIEUX DE CULTE

Redemption Ministries Pentacostal Bible

Attention, *groovy*. Comme tous les protestants pentecôtistes, les fidèles de cette petite église aiment danser et taper des mains. Il y a quelque chose de surréaliste à voir ces belles dames nigérianes, habillées en costume traditionnel des pieds à la tête, jouer du tambourin jusqu'à la transe, pendant qu'un batteur et un bassiste donnent le rythme. Ces messes plutôt habitées ont lieu le dimanche à partir de 9 h et peuvent durer jusqu'à midi. La partie gospel est au début. Après, les pasteurs prennent le contrôle.

579-581, rue Charon • 514 938-0021
www.redemptionministriescanada.org
Ⓜ Charlevoix

AFRIQUE DE L'EST ANGLOPHONE
(Kenya, Zimbabwe, Éthiopie)

Montréal n'est pas exactement une destination à la mode pour les Africains de langue anglaise, qui lui préfèrent pour d'évidentes raisons des villes comme Toronto, Calgary ou Edmonton. Si les Ghanéens et les Nigérians sont assez nombreux (voir la section sur l'Afrique de l'Ouest anglophone), on ne peut pas en dire autant des immigrants anglophones d'Afrique de l'Est, qui dans certains cas se comptent sur les doigts d'une main. Cette faible immigration s'explique non seulement par la langue, mais aussi par des histoires politiques un peu moins mouvementées que la moyenne africaine.

Ainsi, on ne compte pas ici plus d'une dizaine d'Ougandais, de Zambiens ou de ressortissants du Botswana, quantité d'autant plus négligeable que ce sont pour la majorité des étudiants de passage. Malgré leur arrivée plutôt récente (1990-2000), les Kényans et les Zimbabwéens semblent un peu plus présents dans la vie urbaine, en raison de leur dynamisme et de leur volonté de contribuer au domaine culturel. Présents à Montréal depuis les années 1950, les Sud-Africains constituent un cas à part. Tout comme les Éthiopiens qui, sans être issus d'une ancienne colonie britannique, s'expriment surtout en anglais.

Le Montréal **kényan**

 670

anglais, swahili

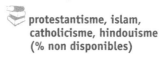 protestantisme, islam, catholicisme, hindouisme (% non disponibles)

Plutôt stable historiquement, le Kenya n'a pas engendré une énorme immigration, et encore moins au Québec, où le français est dominant. Les chiffres à ce sujet sont toutefois contradictoires. Si le recensement de 2006 indique près de 700 ressortissants au Québec, les porte-parole de la communauté estiment que le chiffre ne dépasse pas 200.

Éduqués et financièrement plus à l'aise, les Kényans montréalais se sont installés ici par choix, souvent pour les études, sinon par affaires ou pour raisons personnelles.

Jusqu'ici, cette petite communauté s'est faite plutôt discrète. Au moment d'écrire ces lignes, il n'existait toujours aucune association kényane à Montréal. Mais les troubles politiques qui ont secoué le pays en janvier 2008 ont fait comprendre aux Kényans montréalais l'importance de s'organiser et de créer un espace pour promouvoir leur culture. Faute de mieux, tout ce beau monde se retrouve pour l'instant au Salon Afrochique (voir page suivante), le seul commerce kényan de la ville.

PARLEZ-VOUS SWAHILI?

Bonjour ➤ Jambo

Merci ➤ Asante sana

Au revoir ➤ Kwaheri

 DANS LE CALENDRIER

Madaraka Day: 1er juin

Célébration de l'indépendance.

Jamuhuri Day: 12 décembre

Fête nationale.

Carnet d'adresses

 MANGER

Café bistro Kawa

Entre boui-boui, *take out* et café wi-fi, Kawa a la particularité d'être le seul resto kényan de Montréal. On peut y manger des bouchées typiques d'influence indienne (chapatis, pakoras), des spécialités kényanes (dont les *nyama chomas*, grillades africaines servies avec des bananes salées) et bien sûr, commander du café du Kenya. Aux dernières nouvelles, cet espace réduit devait s'associer avec la maison culturelle Heat, une initiative rwandaise établie dans le même bâtiment.

1415, boulevard Saint-Laurent
514 285-0660 • www.cafekawa.com
Ⓜ Saint-Laurent

 MAGASINER

Mode de l'Afrique/Salon Afrochique Élégance

Menée d'une main de fer par la flamboyante Jane Nyoike, Afrochique (sic) est plus qu'une simple boutique de souvenirs. C'est un salon de coiffure, un café-rencontre, une entreprise équitable et le local non officiel des Kényans de Montréal. Ce qu'on y vend? Un peu de tout. Boubous, *kitenge*, caftans pour les hommes, cuillers de bois, masques, bijoux, paniers et thé du Kenya. Tous les articles – ou presque – ont été achetés directement aux fabricants, sans intermédiaires, par la maman de Jane au Kenya. Les vêtements ont été confectionnés par des villageoises atteintes du VIH. Même loin de chez elle, Jane contribue ainsi au commerce éthique.

3870, rue Wellington
514 768-6545 • Ⓜ De l'Église

Le Montréal **zimbabwéen**

 500

 protestantisme, catholicisme

anglais, shona, nbebele

L a communauté zimbabwéenne à Montréal est très récente. La plupart de ses membres sont de jeunes immigrants qui ont quitté leur pays, faute de débouchés, démoralisés par le marasme économique et l'increvable régime de Mugabe. Plusieurs sont depuis partis vers Calgary ou Edmonton. Mais une poignée est restée, charmée par la qualité de la vie montréalaise. Comme beaucoup d'autres immigrants africains, les Montréalais zimbabwéens évoluent principalement dans le service téléphonique à la clientèle et dans les manufactures. On compte aussi quelques musiciens.

PARLEZ-VOUS SHONA ?

Bonjour ➤ Mhoro

Merci ➤ Oçé (yoruba)

Au revoir ➤ Ndatenda

 DANS LE CALENDRIER

Fête de l'Indépendance du Zimbabwe : 18 avril

La communauté montréalaise organise une soirée avec buffet, danse et prestations de groupes locaux.

Carnet d'adresses

 MANGER

Afrobytes

Il n'y a pas de restaurant zimbabwéen à Montréal. En revanche, Afrobytes offre un service de traiteur qui propose de la nourriture traditionnelle du sud de l'Afrique (Zimbabwe, Botswana, Afrique du Sud, Namibie, Swaziland). Essayez la rafraîchissante *tshaka zulu* (une salade de maïs blanc et poivrons), les saucisses *boerewors* (au bœuf avec épices régionales) ou le *umxhanxa*, dessert fait de maïs vert et de citrouille. L'été, on peut trouver des kiosques Afrobytes dans divers festivals montréalais, des Bateaux-dragons à la Fête des enfants, en passant par Osheaga et le Festiblues.

514 524-9587

Le Montréal **éthiopien**

 870

 amharique, anglais

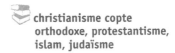 christianisme copte orthodoxe, protestantisme, islam, judaïsme

Les liens entre le Québec et l'Éthiopie sont d'abord passés par l'éducation. Dès 1945, sur invitation de l'empereur Hailé Sélassié, des jésuites canadiens-français sont invités à monter un réseau d'enseignement autour d'Addis-Abeba. Ces liens se confirment dans les années 1950 et 1960, alors que de jeunes boursiers viennent parfaire leur éducation à Montréal (Brébeuf, McGill). Expo 67 voit l'arrivée d'un autre petit contingent éthiopien, qui formera le premier noyau de la communauté.

À la fin des années 1960, on ne compte pas plus d'une vingtaine d'Éthiopiens au Québec, mais ce chiffre augmente de façon marquée à partir de 1975. La «terreur rouge» du régime Derg pousse beaucoup de gens hors du pays. Après un transit par le Kenya ou le Soudan, plusieurs réfugiés éthiopiens immigrent à Montréal, mais surtout à Ottawa et à Toronto pour leurs dispositions linguistiques. Bien que l'Éthiopie n'ait jamais été colonisée, plusieurs de ses habitants parlent anglais.

Au début des années 1980, Montréal compte quelques centaines d'Éthiopiens. Ce chiffre va augmenter de façon régulière dans les années 1990 grâce au parrainage, et connaître un petit boom au tournant des années 2000, pendant la guerre entre l'Éthiopie et l'Érythrée.

Comptant aujourd'hui près de 1 000 personnes, la communauté semble particulièrement diversifiée, se fréquentant en petits groupes selon les affinités culturelles, les vagues d'arrivées ou les allégeances religieuses. Les messes du dimanche restent par ailleurs un bon point de ralliement pour les Éthiopiens d'allégeance copte orthodoxe. Mais si vous cherchez plus ludique, passez plutôt faire un tour le samedi soir au centre récréatif de l'hôpital Douglas, où ils se retrouvent pour jouer au soccer.

PARLEZ-VOUS AMHARIQUE ?

Bonjour ➤ Salam (que la paix soit avec vous)

Merci ➤ Amesseguena lew

Au revoir ➤ Ciao

 DANS LE CALENDRIER

**Nouvel An éthiopien :
11 septembre**

Les Éthiopiens fonctionnent selon le calendrier julien. Non seulement leur Nouvel An n'est pas à la même date que le nôtre, mais ils sont aussi sept ans derrière nous. Le 1ᵉʳ janvier 2008, l'Éthiopie célébrait donc son 11 septembre 2001! À noter que cette fête inclusive appartient à tous les Éthiopiens, peu importe leur religion.

Carnet d'adresses

 MANGER

Magdala

Ouvert printemps 2008, ce nouveau restaurant éthiopien vient combler le vide laissé par la fermeture du regretté Messob d'or. Au menu : cuisine traditionnelle du pays servie sur de grandes galettes de *teff* spongieuses qu'on nomme *injeras*. Que vous commandiez des *tibs* (cubes d'agneau avec épices berbères), du *kitfo* (bœuf haché menu, servi cuit ou cru) ou du *doro watt* (ragoût de poulet à l'éthiopienne, avec œuf dur), tout doit être mangé avec la main! Les plats sont servis sur des tables de paille (le *messob*) pendant qu'un écran géant

diffuse des vidéos de danse éthiopienne (très spécial). On propose aussi l'incontournable cérémonie du café éthiopien, avec encens et tous les rituels nécessaires.

1222, rue Bishop
514 866-7667
Ⓜ Guy-Concordia

Le Nil Bleu

Le plus ancien resto éthiopien en activité à Montréal. Menu éthiopien typique, dans un décor intimiste et exotique. Abiata, le petit frère du Nil Bleu (même proprio), a ouvert ses portes sur le trottoir d'en face, quelques coins de rue plus bas.

3706, rue Saint-Denis
514 285-4628

Abiata
3435, rue Saint-Denis
514 281-0111
Ⓜ Sherbrooke

LIEUX DE CULTE

**Église orthodoxe éthiopienne
Tewahedo medhanealem**

Les messes coptes orthodoxes du dimanche matin sont sans doute la meilleure façon de se frotter à l'unique et fascinante culture éthiopienne. Accrochez-vous : le service dure trois heures et il est donné en geez, une langue ancienne que même les Éthiopiens ne parlent plus. Mais les chants sont particulièrement hypnotiques...

4020, avenue Hingston
(Notre-Dame-de-Grâce)
Service à partir de 7 h 30
514 578-2404 ou 514 578-2404
Ⓜ Villa-Maria

LE MONTRÉAL CONGOLAIS (RDC)

 6 500

lingala, français, swahili, tshiluba, kikongo

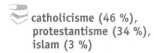 catholicisme (46 %), protestantisme (34 %), islam (3 %)

D'arrivée récente, la communauté congolaise s'est développée très vite. On estime que la moitié de la population congolaise du Québec a immigré dans les 10 dernières années, avec plus de 3 000 personnes entre 2001 et 2006, dont une bonne partie à titre de *ngunda* (réfugiés).

Difficile toutefois de connaître son nombre de façon claire. Alors que les statistiques officielles font état de 6 500 personnes, la communauté estime plutôt ce chiffre à 15 000 âmes. Un écart qui s'expliquerait entre autres par la relative participation des immigrants africains au recensement canadien.

Chose certaine, c'est une des communautés africaines les plus populeuses de Montréal et, par conséquent, l'une des plus actives. Cela est peu surprenant, considérant que la République démocratique du Congo (RDC; ne pas confondre avec le Congo-Brazzaville, beaucoup moins présent à Montréal) est un des pays les plus influents et populeux d'Afrique noire (60 millions d'habitants).

UN PEU D'HISTOIRE

Jusqu'au début des années 1980, on ne compte pas plus de quelques centaines de Congolais à Montréal, pour la plupart des étudiants. Mais au tournant de la décennie suivante, la RDC – qu'on appelle alors le Zaïre – sombre dans une longue période de turbulences politiques et économiques, qui sera marquée par la chute du dictateur Mobutu, l'arrivée au pouvoir de Laurent-Désiré Kabila et le début d'une interminable guerre frontalière avec le Rwanda.

Plus que jamais, pauvreté, corruption et inégalités deviennent monnaie courante dans l'ancienne colonie belge. Fuyant les guerres, la répression et une qualité de vie de moins en moins endurable, bon nombre de Zaïrois quittent le pays, rejoignant ainsi le bassin d'universitaires qui sont déjà en exil forcé. Le mouvement s'amorce vers l'Europe, particulièrement Bruxelles, mais déborde bientôt sur l'Amérique du Nord. Avec son visage francophone, le Québec s'impose comme un choix logique et incontournable.

La première vague de Congolais montréalais va s'établir à Pointe-Saint-Charles, aux abords du métro Charlevoix, où elle va reproduire à petite échelle l'ambiance des villes Mbuji-Mayi et Kananga (voir encadré en page 389). Se développant de façon quasi exponentielle, la communauté s'étendra progressivement à Verdun, Ville-Émard, LaSalle, Hochelaga-Maisonneuve, Cartierville, et plus récemment Montréal-Nord, où elle commence à s'implanter.

Bien que sujette aux cloisonnements ethniques, la communauté congo-montréalaise semble avoir la volonté de transcender ses appartenances régionales. Elle se rassemble, toutes origines confondues, pendant les gros événements culturels ou dans les grouillantes églises évangéliques, ces dernières contribuant avec succès à l'effacement des barrières dans la diaspora congolaise.

Globalement scolarisés, les Congolais sont présents dans différentes sphères professionnelles : juristes, économistes, travailleurs sociaux, médecins, ingénieurs, etc. Mais la non-reconnaissance des diplômes en a obligé un grand nombre à se rediriger dans le domaine des manufactures (50 %) et du télémarketing (15 % des jeunes). Plusieurs familles congolaises vivent ainsi dans la précarité, le revenu moyen étant de 20 000 $ par an.

Par leur nombre et leur nature même, les Congo-Montréalais n'en demeurent pas moins déterminés et particulièrement actifs, se signalant notamment dans les domaines religieux et culturel.

Réputée pour son sens de la fête, la communauté compte en outre un magasin de disques, un nombre suffisant de restos-bars et de *ngandas* (voir page 391) et même une discothèque (Ngwasuma). Faute de clubs à leur convenance, les nostalgiques organisent de leur côté des soirées dansantes deux ou trois fois par an, question de se retrouver et de parler du bon vieux temps.

Pas de doute : il y a un peu de Kinshasa à Montréal...

PARLEZ-VOUS LINGALA ?

Bonjour ➤ Mbote

Merci ➤ Melesi

Au revoir ➤ Tikala malamu

1 DANS LE CALENDRIER

Fête nationale : 30 juin

Une semaine de festivités, d'activités culturelles, sociales, sportives, de conférences... En 2008, l'association de la communauté (COCOM) a profité de l'événement pour lancer une vaste série de consultations sur les Congo-Montréalais, leurs préoccupations et les enjeux auxquels ils font face.

Carnet d'adresses

 MANGER

La gastronomie congolaise est une des plus savoureuses d'Afrique. Mais si vous n'avez pas faim, n'hésitez pas à vous asseoir pour une ou plusieurs bières. Pour les Congolais, les restos font aussi office de bistros.

Grillade Lafirenzé Plus

Lafirenzé est le resto congolais le plus ancien de Montréal. Avec ses rideaux fermés et sa lumière rouge, on pourrait croire que la maison est fermée, voir close à jamais. Lafirenzé est pourtant bien ouvert et l'on peut même y manger jusque très tard dans la nuit. Le menu est varié, mais on vous suggère tout particulièrement la chèvre braisée (*ntaba*) avec bananes plantains et *pondu*, un genre de sauce verte faite avec des feuilles de manioc. Pour l'ambiance, difficile de faire mieux. L'atmosphère confidentielle est idéale pour les repas nocturnes, et à moins d'avoir le nez dans votre assiette, il est difficile de résister aux clips de musique pop congolaise qui défilent sur les écrans géants. Un secret bien gardé.

38, rue Beaubien Est
514 274-0793
Ⓜ Beaubien

Kin Oasis

Situé à deux pas du métro Beaubien, dans le décor exotique d'un ancien restaurant arabe, Kin Oasis offre toute la gamme des spécialités congolaises, incluant l'incontournable *makayabu* (poisson salé sauce tomate). Comme les propriétaires trempent aussi dans le monde de la musique et du spectacle, Kin Oasis propose des concerts de chanteurs congolais sur une base irrégulière. Accueil particulièrement chaleureux.

808, rue Beaubien Est
514 564-4092
Ⓜ Beaubien

 SORTIR, BOIRE UN VERRE

Village Lakasso : Ngwasuma

On a un petit faible pour le Village Lakasso. Située dans un segment improbable de la rue Jean-Talon (le no man's land entre Saint-Laurent et Parc), cette discothèque typiquement congolaise est vraiment très authentique. Si vous venez ici pour discuter, vous serez déçus. La musique est tellement forte qu'il n'y a qu'une chose à faire : danser. Bienvenue dans l'univers du *ngwasuma* (ambiance torride à gogo) et des rythmes congolais modernes.

232, rue Jean-Talon Ouest
514 569-7482
Ⓜ Parc ou De Castelnau

Soirées Bakulutu

Si vous avez l'âme rétro, les soirées Bakulutu sont pour vous. Vieux succès et ambiance kinoise des années 1970, avec bouffe et danse relax. Trois fois par an. Interdit aux moins de 40 ans ! Voir portrait Zena Bula en page 391.

450 471-1920 ou 514 831-3110

Soirées Kin Kiesse

Visant une clientèle plus jeune, les soirées Kin Kiesse appliquent le concept Bakulutu aux années 1980 et 1990. Si vous voulez vous déhancher en écoutant Papa Wemba ou Zaiko Langa-Langa, vous êtes au bon endroit. « On s'est rendu compte que lorsqu'on était ensemble, on passait plus de temps à écouter ces anciens succès, racontent les organisateurs de Kin Kiesse. Finalement, on s'est dit : au lieu de le faire entre nous dans des appartements, pourquoi ne pas faire plus grand... » Triannuel.

514 670-3044 ou 514 376-8221

FAIRE L'ÉPICERIE

Maison Elikya

Ce magasin est la plus grande et la plus fournie de toutes les épiceries congolaises de Montréal. Vaste choix de produits séchés et congelés qui vous permettront de cuisiner à l'africaine.

2124, rue du Centre • 514 931-5437
Ⓜ **Charlevoix**

Maison La Grâce

« C'est par la grâce de Dieu que je respire et que j'ai eu cette opportunité. » Tenue par un type très croyant qui rêve de devenir pasteur, cette petite épicerie vend le strict minimum en matière de nourriture, de tresses et de produits de beauté africains. Il y a en revanche un choix intéressant de pièces de théâtre et surtout de discours de prédicateurs sur DVD.

624, rue Bélanger Est • 514 374-9048
Ⓜ **Iberville**

 MAGASINER

Mégamusique

LE magasin de disques congolais à Montréal. De la légende Franco (le roi de la rumba congolaise) à la mégastar actuelle Koffi Olomide, on y trouve tous les incontournables de la rumba congolaise ou du soukouss des 40 dernières années. Fait à noter : la clientèle n'est pas seulement congolaise, mais africaine. Normal. La musique de l'ancien Zaïre a eu un rayonnement très important dans tous les pays africains, ce qui n'est pas nécessairement le cas pour l'afrobeat nigérian, le folk malien ou le groove éthiopien. Hugues, le patron, organise aussi des soirées night-club congolaises. Appelez pour info.

6381, rue Saint-Hubert
514 495-8345 • ** Ⓜ **Beaubien

Boutique Schengen

La RDC résumée en une boutique. Schengen vend des films, de la musique, des vidéos évangélistes, des discours de Mobutu en DVD, des produits de beauté, des boissons gazeuses, des denrées non périssables, des « magazines congolais de détente » (un genre de *Mad*) et des complets chics, parce que les Congolais, c'est bien connu, aiment être tirés à quatre épingles. Un incontournable du Montréal congolais.

7349, rue Saint-Hubert • 514 495-3434
Ⓜ **Jean-Talon**

Salon Kin la Belle

Le commerce congolais le plus ancien à Montréal. Ce coiffeur pour hommes sert autant à la coupe des cheveux qu'aux rencontres entre amis. Ambiance masculine, musique, films à vendre au comptoir. Kinshasa comme si vous y étiez.

2651, rue Ontario Est • 514 527-4002
Ⓜ **Frontenac**

 MÉDIAS

Radio
Le Royaume sans roi, le Royaume Kongo

Cette émission en lingala couvre la vie congolaise (et angolaise) à Montréal. Informations et musique.

Mardi de 11 h à 11 h 30
Radio Centre-ville : 102,3 FM.

En savoir plus

La Communauté congolaise du Montréal métropolitain (COCOM)

Il y a plusieurs petites associations congolaises à Montréal, aux allégeances géographiques, culturelles ou politiques diverses, mais la COCOM s'efforce de transcender toutes ces différences. Cette association a été créée en 1996 dans le but de garder regroupée et de contribuer à une meilleure intégration de la communauté congolaise au sein de la société d'accueil.

514 227-4248

Métro Charlevoix
Bienvenue au Petit Congo

L es Québécois l'appellent le quartier Pointe-Saint-Charles. Les Congolais, eux, le surnomment Mbuji-Mayi-Kananga. C'est là, autour du métro Charlevoix, que se sont installés les premiers immigrants de l'ancien Zaïre. C'est là qu'ils ont ouvert leurs premiers commerces, il y a plus de 10 ans. Et aujourd'hui encore, c'est là qu'habitent le plus grand nombre d'entre eux.

Pourquoi Mbuji-Mayi-Kananga ? C'est le nom des deux villes dont étaient originaires la majorité des Congolais de la première vague, pour la plupart issus des ethnies baluba et lulua. Sans dire que les Congolais ont ressuscité le quartier, ils lui ont certainement donné une animation, une couleur et un exotisme qui lui manquaient.

Si aujourd'hui les commerces congolais ont diminué près du métro Charlevoix, on y retrouve encore un salon de coiffure et une poignée d'épiceries. Selon les estimations de la COCOM, 15 % des Congolais de Montréal vivraient encore dans le Sud-Ouest.

Les églises
mon pasteur est meilleur que le tien!

On compte environ une quinzaine d'églises évangéliques congolaises à Montréal. Si toutes ne sont pas de taille identique, cela en dit quand même long sur l'importance de la religion dans la communauté. Bien que catholiques à la base, un nombre croissant de Congolais se tournent vers la religion protestante, particulièrement la branche pentecôtiste, avec ses églises évangéliques, dites « de réveil ».

De taille et d'importance variables, ces institutions jouent un rôle crucial dans la communauté. Bien plus qu'un lieu de prière, elles sont au cœur de la vie sociale, amortissant tantôt le traumatisme de l'exil, tantôt le stress de l'emploi ou de l'intégration. Bref, elles accompagnent l'immigrant dans sa nouvelle vie.

Vedettes charismatiques de cet univers effervescent, les pasteurs portent plus d'un chapeau, jouant indifféremment le rôle de conseillers, d'entremetteurs, de psychologues ou de guérisseurs. Plus une église compte de membres, plus son pasteur est riche, respecté et puissant.

Ceci expliquant cela, la compétition est aussi très grande dans le milieu, poussant certains pasteurs à marauder dans les églises rivales. Cette concurrence a donné lieu à des échanges plutôt musclés et mené à la création d'une pastorale africaine, sorte de table de concertation où les pasteurs règlent leurs problèmes entre eux pour harmoniser le marché.

CEP
Église d'adoration • 514 524-0607

Église Cité Jérusalem
7888, rue Saint-Denis • 514 278-9760

Ngandas,
ou manger comme chez soi

Un *nganda*, c'est une maison privée où l'on mange et où l'on boit comme chez soi. Entre l'*after-hour* et le resto clandestin, ces lieux familiaux ne sont connus que par ceux qui les fréquentent. En d'autres mots, mieux vaut être accompagné par un ami de la place. Tout au moins la première fois. En général, ça se passe comme ça : on appelle, on commande et on se pointe. Si la cuisine est occupée par un autre groupe, on vous placera dans le salon. Et si d'aventure vous buvez plus que de raison, on pourra même vous laisser dormir sur le divan ! Le *nganda* est l'endroit idéal pour se rencontrer relax, dans un semblant d'intimité. La discrétion est assurée et ce qui se dit au *nganda* ne sort habituellement pas du *nganda*. Pour des raisons évidentes, on ne vous donnera pas les adresses. Faites comme nous : demandez à des Congolais...

Rétro **Congo**

Zena Bula s'ennuyait tellement de sa folle jeunesse à Kinshasa qu'il a lancé les soirées Bakulutu. Au menu : houblon, viande grillée et danses congolaises de la belle époque. Moins de 40 ans s'abstenir.

Q M. Bula, qu'est-ce que les soirées Bakulutu ?

R Ce sont des soirées de détente congolaises où nous faisons revivre l'ambiance des années 1970 à Kinshasa. On prend un verre, on mange des grillades et on danse sur des vieux succès de Franco, de Nico, de « Kalle » Kabasele, de Tabu Ley Rochereau ou de groupes comme Thu-Zaina, OK jazz et Zaiko Langa Langa.

Q Finalement, c'est un party rétro...

R Oui, j'imagine qu'on peut dire ça. Il y a certainement un côté nostalgique. D'ailleurs, *bakulutu* signifie « ancien » en lingala. On ne fait pas jouer de nouvelle musique. Que de la vieille rumba et du vieux soukouss. Et les moins de 40 ans ne sont pas admis ! Vous savez comment ils sont, les jeunes... Ça finit toujours par faire des problèmes. Et puis, nos habitués ont un certain âge. Ils ne veulent pas que leurs enfants voient danser papa et maman ! Surtout que dans la musique congolaise, le mouvement principal est dans les reins...

Q Et l'ambiance des années 70 à Kinshasa, c'était comment ?

R La vie congolaise était paisible à cette époque. Il y avait plein de gros orchestres dans les bars. Les gens vivaient la nuit. C'était la fête. La ville était réputée pour son animation. Beaucoup d'Africains disaient : avant de mourir, il faut que j'aille à Kinshasa ! Mais les choses ont changé. Depuis la guerre, la vie est plus difficile.

Q **Quel âge aviez-vous en 1970 ?**

R La jeune vingtaine. J'étudiais en droit. Je me suis finalement lancé en affaires. J'ai vendu des décortiqueuses à café à la grandeur du Congo. Après, je me suis recyclé dans l'industrie de la congélation. C'était avant mon départ pour le Canada.

Q **Oui. Une autre forme de congélation. Qu'est-ce qui vous a poussé hors du Congo ?**

R J'ai eu le malheur de rentrer dans le parti d'opposition à Mobutu (UDPS). On m'a mis en prison parce que j'avais financé l'impression de tracts antigouvernementaux. J'ai eu droit à tous les mauvais traitements. Après deux semaines, on m'a fait m'évader. J'ai quitté le pays avec un faux passeport et une fausse barbe. C'était en 1991.

Q **Une fausse barbe ? Mieux vaut en rire ! Et aujourd'hui, que faites-vous à Montréal ?**

R Je monte actuellement une coopérative de recyclage de vieux vêtements. J'ai aussi d'autres projets pour les soirées Bakulutu. Pour l'instant, on loue une salle trois fois par an. Mais nous cherchons un local permanent, qui nous permettrait d'élargir nos activités.

Q **Une dernière chose à savoir avant d'aller danser ?**

R Oui. Les Congolais aiment s'habiller chic. Alors si vous venez, c'est tenue de gala.

Forfait danse, alcool, repas : 25 $/pers. ; 40 $/couple
450 471-1920 ou 514 831-3110

RWANDA/BURUNDI

Voisins de la région des Grands Lacs, au cœur du continent noir, Rwandais et Burundais ont migré à Montréal pour fuir les massacres interethniques. C'est une immigration de réfugiés, voire de survivants, qui porte encore les cicatrices d'un demi-siècle de guerres civiles. Même retransplantées en Amérique du Nord, et affrontant les défis communs de l'immigration, ces communautés restent largement divisées entre Hutus et Tutsis. Si les uns et les autres peuvent se fréquenter sur des bases personnelles, il faudra sans doute attendre les prochaines générations pour assister à un début de réconciliation générale.

Le Montréal **rwandais**

1 500

catholicisme (65 %), protestantisme (18 %)

français, anglais, kinyarwanda

Hormis quelques étudiants, l'immigration rwandaise à Montréal est essentiellement reliée aux périodes de troubles politiques qui ont secoué le pays pendant plus de 40 ans. On note ainsi des vagues plus marquées en 1965, en 1973, et bien sûr, pendant le génocide des années 1990 et les guerres frontalières avec le Congo. On estime que 80 % des Rwandais de Montréal sont arrivés au Québec entre 1994 et 1997, à titre de réfugiés fuyant la guerre civile et les massacres interethniques.

Immigration éduquée, les Rwandais de Montréal se butent, comme la plupart des immigrants africains, à l'étanchéité du marché du travail. S'il s'y trouve des informaticiens, des profs et des préposés aux bénéficiaires (surtout les femmes), 50 % de la communauté a dû se rabattre sur le télémarketing et la manufacture.

Encore vives, les divisions entre Hutus et Tutsis subsistent dans la communauté. On se côtoie sans se fréquenter et la méfiance demeure présente de part et d'autre. On n'efface pas l'histoire d'un coup de balai... Mais la réalité de l'immigration a permis d'atténuer les blessures et la tendance serait actuellement au rapprochement – surtout chez les plus jeunes – même si celui-ci demeure timide. Cela est notamment visible dans les églises évangéliques, qui jouent un rôle communautaire important, ainsi que dans les matchs de la ligue africaine de soccer et les spectacles occasionnels d'artistes rwandais, autant d'occasions de dépasser les vieilles rancœurs.

D'ici une ou deux générations, avec un peu de chance, il n'y aura plus de Hutus ou de Tutsis, mais seulement des Québécois d'origine rwandaise...

PARLEZ-VOUS KINYARWANDA ?

Bonjour ➤ Uraho (à une personne), muraho (à plus d'une personne)

Merci ➤ Urakoze (à une personne), murakoze (à plus d'une personne)

Au revoir ➤ Urabeho (à une personne), murabeho (à plus d'une personne)

1 DANS LE CALENDRIER

Commémoration du génocide : 6 au 13 avril

Organisée par l'organisme PAGE-Rwanda (voir plus loin), cette semaine de réflexion et de partage de la culture rwandaise culmine par une marche et une vigie.

Fête de l'Indépendance et célébration de la fin du génocide : 1er juillet/4 juillet

Les deux anniversaires sont généralement célébrés à la même date. Organisé par l'ambassade, le *party* a lieu à Ottawa.

En savoir plus

Communauté rwandaise de Montréal (CRM)

Fondée en 1987, cette association se veut représentative de tout le Montréal rwandais et prône le rapprochement entre Hutus et Tutsis.

514 743-9334

PAGE-Rwanda

Association des parents et amis des victimes du génocide rwandais. Outre la semaine de commémoration annuelle (voir plus haut), ce regroupement organise des collectes de fonds pour construire des écoles ou aider des orphelins du Rwanda.

514 858-5595

Association Isangano

En langue kinyarwanda, le mot *isangano* signifie « point de rencontre » ou « carrefour ». Créée en 1999, cette association vise à préserver l'héritage culturel chez les jeunes de la communauté, tout en misant sur l'effacement des clivages ethniques.

www.isangano.org

Huza.org

Créé à l'automne 2009, Huza.org vise la promotion de la culture africaine en général et rwandaise en particulier. En plus de posséder le restaurant Kawa (voir page 381), l'organisation gère également la Maison Heat, un centre culturel destiné à mettre ses activités en vitrine.

1414, rue Saint-Dominique
514 285-0660
www.huza.org • Ⓜ Saint-Laurent

Le Montréal **burundais**

 1 300

français, kirundi

catholicisme (58 %),
protestantisme (20 %),
islam (9,3 %)

Les plus grosses vagues d'immigration burundaise ont suivi les guerres ethniques de 1989 et de 1993. À l'instar de son cousin rwandais, la communauté reste encore divisée, Tutsis et Hutus continuant à s'ignorer poliment. Professionnellement, les Burundais se retrouvent dans le domaine de l'enseignement ou de la santé, mais plus généralement dans celui des manufactures, où plusieurs ont dû se recycler.

1 DANS LE CALENDRIER

Commémoration du génocide hutu de 1972 : 29 avril

Prières, manifestations, marche, discours. Plusieurs de ces activités se déroulent autour du monument aux victimes de génocides érigé par la Ville à l'angle des boulevards de l'Acadie et Henri-Bourassa.

En savoir plus

Centre culturel burundais

Fondée en 1997, cette association culturelle vise la préservation de la culture burundaise par une série d'activités qui vont de la conférence thématique aux spectacles musicaux, en passant par la dégustation gastronomique. Faute de local officiel, le Centre produit ses activités dans des salles louées, notamment au Centre Afrika et à l'Écomusée du fier monde de la rue Amherst.

514 326-2902

L'AFRIQUE
DE L'OCÉAN INDIEN
(Madagascar, île Maurice, île de la Réunion)

D ominée par l'immense île de Madagascar, l'Afrique de l'océan Indien constitue un cas à part dans la vaste réalité du continent noir. Sa culture unique offre un heureux mélange d'influences indiennes, asiatiques, françaises et africaines. Bien qu'assez présents à Montréal, Malgaches, Réunionnais, Mauriciens et autres Seychellois se font toutefois discrets, se fondant dans le paysage avec une étonnante facilité.

Le Montréal **malgache**

 2 000

catholicisme (55 %), islam (20 %), protestantisme (7 %)

français, malgache, cantonnais, urdu

L a communauté malgache est encore relativement neuve. Ce sont, pour l'essentiel, des petits entrepreneurs d'origine chinoise ou indo-pakistanaise ayant quitté Madagascar pendant la crise économique de la fin des années 80. Après cette première vague, l'immigration malgache s'est poursuivie avec l'arrivée régulière d'étudiants universitaires et de Malgaches ayant transité par l'Europe.

Globalement scolarisée, la communauté malgache est racialement très disparate. Sa population est constituée de Polynésiens, d'Asiatiques d'origine chinoise, d'Indo-Pakistanais et de gens d'origine africaine. Vu leurs différences culturelles, les trois groupes se sont longtemps peu côtoyés, sinon lors de la fête nationale du 26 juin. Mais les rapprochements semblent de plus en plus fréquents.

Forte de plusieurs associations en tous genres (culturelles, sportives, économiques), la communauté a également mis sur pied une école, afin de transmettre la culture – et surtout la langue – du pays aux nouvelles générations de Malgaches montréalais.

PARLEZ-VOUS MALGACHE ?

Bonjour ➤ Manao ahoana!
Merci ➤ Misaotra
Au revoir ➤ Veloma

1 DANS LE CALENDRIER

Fête de l'Indépendance : 26 juin

Journée de musique et de danse, organisée par les multiples associations malgaches du Canada, en collaboration avec l'ambassade. Selon l'année, les festivités se déroulent à Montréal, à Ottawa ou à Québec. Elles sont suivies, début juillet, d'une immense compétition sportive qui convie tous les Malgaches d'Amérique du Nord. Cet événement se tient généralement à Montréal, à New York ou à Washington, où les communautés sont plus concentrées.

En savoir plus

Solidarité jeunesse malgache au Canada

L'association des jeunes Malgaches du Canada (étudiants et professionnels) organise diverses activités sportives, culturelles et récréatives et s'engage notamment dans les célébrations de la fête nationale.

www.tanora-canada.org

École malgache de Montréal (Sekoly Malagasy)

Parler malgache ? Danser malgache ? Cuisiner malgache ? L'école malgache est sûrement le meilleur endroit à Montréal pour se familiariser avec cette culture métissée. Bien qu'ouvert à tous, ce lieu à vocation éducative a d'abord été créé pour que les jeunes Malgaches de Montréal gardent contact avec leur langue et leurs racines.

514 831-0485
www.sekoly-malagasy-montreal.com

Seraseragasy.ca

Un forum de discussion (Yahoo) complet pour tout savoir sur ce qui se passe chez les Malgaches du Canada. Un seul hic : tout est en malgache !

groups.yahoo.com/group/seraseragasyCA

Le Montréal **mauricien**

 3 000

français, créole, anglais,
mandarin, hindi

catholicisme (71 %),
hindouisme (10 %),
protestantisme (4 %),
bouddhisme (2 %)

L'immigration mauricienne à Montréal débute dans les années 1960. Certains sont des enseignants qui viennent pour travailler à l'invitation du gouvernement québécois. On compte aussi un certain nombre de personnes qui ont choisi de quitter le pays après son indépendance (1968). Dans les années qui suivent, ce groupe grandira petit à petit, avec l'arrivée d'étudiants ou d'immigrants commandités par la famille.

Plutôt scolarisée, la communauté mauricienne œuvre aujourd'hui dans des domaines aussi variés que l'enseignement, le tourisme, la restauration, l'hôtellerie, les assurances ou la santé. Même s'il est très diversifié du point de vue de l'ethnie (Chinois, Indiens, Noirs, Blancs), le Montréal mauricien se mélange et se regroupe naturellement.

1 DANS LE CALENDRIER

Fête nationale : 12 mars

À Montréal, une fête culturelle est généralement organisée par le consulat et l'association mauricienne à l'hôtel de ville de Mont-Royal ou au Centre culturel chinois. Buffet, jasette, concerts de musique traditionnelle.

Fête du père Jacques-Désiré Laval : 9 septembre

Ce missionnaire français, béatifié en 1979, a fait beaucoup pour les habitants de l'île Maurice. Le dimanche le plus rapproché du 9 septembre (jour de sa mort en 1864), une messe est célébrée à la basilique Marie-Reine-du-Monde (1085, rue de la Cathédrale), suivie d'un petit repas pour la communauté.

Carnet d'adresses

 MANGER

Les Délices de l'île Maurice

Ce petit resto simple et convivial est un classique à Verdun. En gros, on vous proposera de la viande et des produits de la mer, servis avec sauces diverses (sauce cajun, créole, tomate, safran, cari, beurre à l'ail). Mais ne vous contentez pas du premier menu. Demandez au chef – fort sympathique, soit dit en passant – de vous sortir la carte typiquement mauricienne, et commandez les vrais classiques, comme le rougail ou le bol renversé. Un conseil : essayez les amuse-gueule.

272, rue Hickson • **514 768-6023**
Ⓜ De l'Église

MÉDIAS

Internet

Radiomoris.com

Cette radio internet diffuse de Montréal dans le monde entier. Le meilleur endroit pour entendre de la musique sega 24 heures par jour... et pour connaître les spectacles mauriciens à venir.

www.radiomoris.com

En savoir plus

Association Québec-île Maurice

Cet organisme informe la communauté avec un site web et un journal (*Le Flamboyant*) publié quatre ou cinq fois par an sur le net.

www.aqim.org

Le Montréal **réunionnais**

 600

 français, créole

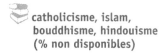 catholicisme, islam,
bouddhisme, hindouisme
(% non disponibles)

Plus de 15 000 kilomètres séparent le Québec de la Réunion. Mais les liens entre notre province et ce département français d'outre-mer semblent se resserrer de plus en plus. Depuis 2004, un accord entre ces deux « nations » francophones favorise la venue d'étudiants réunionnais au Québec, afin de combler le déficit démographique des cégeps en région. Ainsi, on estime que 95 % des Réunionnais du Québec sont des cégépiens, les 5 % restants se divisant entre universitaires et professionnels. Cette présence devrait s'accentuer avec les années, puisqu'une majorité de ces étudiants semble décidée à poursuivre sa vie au Québec. Sur les 16 finissants de 2007, seulement cinq sont retournés au pays...

Carnet d'adresses

 MANGER

Le Piton de la Fournaise

Ne cherchez pas plus loin : voici le seul resto réunionnais de Montréal. Osez le bonbon piment en entrée, et le requin en plat principal, accompagné de différents types de rougails (sauces). Pour plus exotique, on vous suggère le civet *zourite* (pieuvre au vin rouge et épices créoles). Le tout est servi avec riz, plantains et légumes croustillants dans une ambiance très avenante. Original : la place appartient à un Québécois qui a passé 12 ans à La Réunion, et le chef est antillais.

835, avenue Duluth Est • 514 526-3936
www.restolepiton.com • Ⓜ Mont-Royal

En savoir plus

Association des Réunionnais du Québec Nou Lé Là

Cet organisme vient de lancer un site internet pour répondre aux besoins grandissants des Réunionnais du Québec. Informations, astuces, renseignements pertinents sur le marché du travail et la réalité québécoise.

www.reunion-quebec.com

Couscous Mont-Royal

11. LE MONTRÉAL MAGHRÉBIN

71 945

Montréal marocain :
32 270
Montréal algérien :
22 435
Montréal tunisien :
6 560
Montréal mauritanien :
donnée non disponible

arabe, amazigh

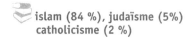
islam (84 %), judaïsme (5%)
catholicisme (2 %)

Samedi matin. L'odeur des pâtisseries et des boulangeries embaume la rue Jean-Talon. Sur les terrasses, des hommes sirotent un thé à la menthe ou un café en regardant les passants s'affairer. Des papas et des mamans tentent de jongler avec enfants et sacs de victuailles, achetées avec discernement dans une des boucheries halal du coin. Des personnes âgées trottinent tranquillement, saluant leurs connaissances de la tête. Le bruit de fond se joue sur le mode du *Salam Aleykoum*.

Le même scénario se répète sur une dizaine de pâtés de maisons, entre le boulevard Pie-IX et le boulevard Saint-Michel. Dans ce petit coin de Montréal-Nord, on peut recenser une cinquantaine de commerces algériens, tunisiens et marocains. Ce kilomètre de rue a d'ailleurs déjà hérité du surnom de Petit Maghreb.

Mais les commerçants du coin ne veulent plus se contenter d'un surnom. Ils aimeraient que la Ville reconnaisse officiellement leur présence dans le quartier en conférant au Petit Maghreb un statut semblable à celui dont jouit le quartier chinois, près du Vieux-Montréal.

La démarche en elle-même est représentative d'un changement de cap dans la grande communauté nord-africaine montréalaise, qui grandit à vue d'œil. Quand, en 2099, les experts étudieront le dernier siècle d'histoire du Québec, ils noteront certainement que les années 2000 auront été celles de l'immigration maghrébine dans la province. Aucun groupe n'a grandi aussi vite que celui-là au cours des 10 dernières années. Il y a cinq ans à peine, ils n'étaient que 35 000 à dire à Statistique Canada qu'ils reliaient leurs origines à l'Afrique du Nord, eussent-ils été de Tunisie, du Maroc, d'Algérie ou de Mauritanie. En 2006, ils étaient près de 72 000.

Malgré leur poids démographique de plus en plus important, les Montréalais d'origine maghrébine ont souvent l'impression de ne pas peser bien lourd dans la balance et plusieurs veulent rectifier le tir.

De récentes études de Statistique Canada démontrent qu'ils sont plus touchés par le chômage que n'importe quel groupe ethnique au Québec. Pour les immigrants arrivés de l'Afrique du Nord dans les cinq dernières années, les données sont particulièrement alarmantes : 27,9 % d'entre eux ne trouvent pas d'emploi. Or, au moment de la publication de ces statistiques, le taux de chômage de la province n'était que de 6,3 %.

Une écrasante majorité de ces immigrants sans travail sont des immigrants qualifiés, choisis par le Québec pour leurs diplômes, leurs compétences professionnelles et leur connaissance du français.

Lors des consultations publiques de la commission Bouchard-Taylor en 2007, ils ont d'ailleurs été nombreux à venir témoigner de leur déception à l'égard de l'immigration au Québec. L'intégration, ont-ils rappelé, passe d'abord et avant tout par un emploi. Or, depuis 2001, plusieurs d'entre eux ont la nette impression que leur prénom suffit à faire fuir les employeurs potentiels. Au cours des mêmes consultations, un responsable d'agence de ressources humaines de Laval a confirmé leurs doutes : plusieurs employeurs ne veulent pas de Rachid et de Mohamed parmi leurs employés. Islamophobie ? Racisme ? Pour le moment, les organismes gouvernementaux refusent d'utiliser ces mots pour parler de la réalité des Maghrébins.

Alertés autant par les statistiques que par les récits des nouveaux arrivants, des organismes maghrébins de Montréal ont décidé de travailler à changer la donne. Ils veulent emboîter le pas à la communauté haïtienne, en organisant des États généraux sur la communauté maghrébine. Ils tenteront ainsi de comprendre les causes du malaise autant que d'y trouver un remède.

Plusieurs considèrent que la reconnaissance officielle du Petit Maghreb est l'un d'eux. Une vitrine commerciale, pensent les instigateurs du projet, donnerait un espace d'échange aux Maghrébins de Montréal, mais permettrait aussi aux autres Montréalais d'aller à la rencontre d'une culture qu'ils approchent souvent avec gêne.

Certaines figures de proue du Grand Montréal maghrébin croient cependant que des efforts devront être déployés pour que le Petit Maghreb ressemble à ceux qu'il veut représenter. C'est du moins l'opinion de Lamine Foura, un Montréalais d'origine algérienne bien connu, puisqu'il anime depuis quelques années déjà *La Caravane du Maghreb*, une émission hebdomadaire consacrée aux Nord-Africains de Montréal, sur la chaîne Global CH. « Pour le moment, il y a un petit côté ghettoïsant, notamment dans les cafés fréquentés presque uniquement par des hommes. Mais il s'agit que tout le monde mette du sien, et ce projet peut avoir des effets très appréciables. »

Lamine Foura fait partie d'un autre pan, encore naissant, de la visibilité maghrébine à Montréal : celle qui passe par les médias et l'art. De plus en plus de visages maghrébins se taillent une place dans le paysage culturel. Et certains d'entre eux, comme l'humoriste Nabila Ben Youssef, qui a fait tourner les têtes en présentant un spectacle intitulé *Arabe et cochonne*, cassent bien des préjugés. Musicalement, les Maghrébins de Montréal prennent aussi leur place. Le groupe Syncop, dont le chanteur est d'origine algérienne, fait mois après mois salle comble au bar Les Bobards du boulevard Saint-Laurent. Le talent de virtuose de la musique traditionnelle algérienne et marocaine est mis de l'avant par le Festival du monde arabe ou lors de la soirée marocaine organisée par le Festival international Nuits d'Afrique.

UN PEU D'HISTOIRE

Si l'intégration des immigrants originaires du Maghreb fait beaucoup jaser depuis 2001, longtemps la présence des Marocains, Tunisiens et Algériens dans le paysage montréalais n'a fait sourciller personne.

Les premières vagues d'immigration maghrébine remontent aux années 1950. Au lendemain de la Deuxième Guerre mondiale, des familles juives sépharades du Maroc et de la Tunisie ont mis les voiles pour atteindre le Québec. Mais les premières grandes vagues allaient commencer quelques années plus tard, dans les années 1960, avec l'entrée en vigueur du système de points à Immigration Canada. Des professionnels, originaires autant du Maroc ou de la Tunisie que d'Algérie, arrivent à cette époque. Ils sont urbains, scolarisés et, pour la plupart, francophones.

De décennie en décennie, le nombre d'immigrants maghrébins augmente. La plupart viennent s'installer ici pour des raisons économiques, mais l'instabilité politique dans la région en force d'autres vers l'exil. C'est notamment le cas pour les Algériens, qui ont été nombreux à tenter leur chance au Québec pendant la guerre civile de 1991 à 1995.

Mais c'est pendant la deuxième moitié des années 1990 que l'immigration maghrébine connaît une véritable explosion. Dans le but de recruter plus de nouveaux venus déjà francisés, le ministère de l'Immigration du Québec déploie de plus grands efforts pour accepter des immigrants en provenance d'Afrique du Nord. Ils sont des milliers à répondre à l'appel.

PARLEZ-VOUS ARABE ?

Bonjour ➤ Salam Aleykoum

S'il vous plaît ➤ Mon fadlek

Merci ➤ Choukran

Au revoir ➤ Maasalama

 DANS LE CALENDRIER

Fêtes nationales

Fête de l'Indépendance tunisienne : 20 mars

Une fête est organisée par le consulat de Tunisie, très présent dans la communauté tunisienne du Grand Montréal.

Fête de l'Indépendance algérienne : 5 juillet

Presque chaque année, les Algériens de Montréal se rassemblent dans un parc pour souligner l'accession de l'Algérie à l'indépendance. L'événement est publicisé dans les pages du journal *Alfa*.

Commémoration de la révolution algérienne : 1er novembre

La commémoration de la révolution algérienne est organisée par le consulat d'Algérie à Montréal. Sur invitation.

Fête du trône (marocain) : 31 juillet

Le Consulat général du Royaume du Maroc organise une réception pour commémorer l'intronisation du roi du Maroc. Mohamed VI, fils de Hassan II, a reçu la couronne marocaine le 31 juillet 1999.

Fêtes religieuses

Le calendrier des fêtes maghrébines est d'abord et avant tout celui des fêtes religieuses.

Chez les musulmans :

Ramadan : la date change tous les ans, selon le calendrier islamique

Le mois musulman du ramadan, qui est accompagné du jeûne du lever au coucher du soleil, est source de réjouissances dans la communauté maghrébine. Le soir, au moment de briser le jeûne, les gens s'invitent les uns chez les autres ou se rendent dans les restaurants pour déguster des plats préparés spécialement pour cette période annuelle hors de l'ordinaire. Les musulmans sont aussi tenus de faire des dons aux plus démunis pendant cette période, le zakat.

Aïd-el-Fitr : fin du ramadan

À la fin du ramadan, la fête de l'Aïd donne aussi lieu à une des plus grandes prières communes de l'année. Pour l'occasion, des organismes louent souvent des salles qui peuvent contenir plusieurs milliers de personnes. Il est traditionnel ce jour-là de cuisiner un grand repas de fête.

Aïd-el-Adha/Aïd-el-Kébir (fête du sacrifice ou du mouton) : 70 jours après la fin du ramadan

Aussi accompagnée d'une prière, cette fête du sacrifice est célébrée en famille. Beaucoup de Maghrébins se rendent dans des fermes près de Montréal où un mouton est sacrifié selon les rites musulmans. Certains des abattoirs ont d'ailleurs des employés musulmans à qui le rite est confié (c'est le cas de l'abattoir Louis Lafrance, à Grand-Mère, et de l'abattoir Zampini, à L'Épiphanie). Une fois le rituel complété, on rentre à la maison avec le mouton. Le mouton est mangé au moins 24 heures plus tard.

Naissance du Prophète : date changeante

Historiquement, Mahomet serait né le 8 juin du calendrier grégorien. Mais dans le grand monde musulman, son anniversaire est célébré selon le calendrier lunaire et donc, il change de date chaque année dans notre calendrier. La naissance du Prophète est accompagnée de prières et de repas traditionnels.

Chez les juifs :

Les juifs d'origine maghrébine fêtent eux aussi les grandes célébrations juives, allant de la Hanoucca à la Pâque juive. (Voir chapitre 3, Le Montréal juif.)

 ÉVÉNEMENTS

Festival de musique du Maghreb : mars

Organisé par le Festival international Nuits d'Afrique, ce festival de trois jours invite des vedettes du Maghreb à monter sur scène au Kola Note, mais met surtout en vedette des artistes issus de la grande communauté maghrébine montréalaise. Les dates changent chaque année. On peut retrouver la programmation complète sur le site de Nuits d'Afrique. À noter : le festival a aussi une maison de disques qui met à l'honneur des artistes africains, incluant ceux de l'Afrique du Nord, qu'ils vivent ici ou outre-Atlantique.

514 499-9239
www.festivalnuitsdafrique.com

Festival du monde arabe : fin octobre-début novembre

Ce festival, qui fêtait son dixième anniversaire en 2009, met en vitrine la grande culture arabe, d'où qu'elle émane. Par le fait même, la musique et les arts maghrébins tiennent dans la programmation de ce festival une place de choix. Plusieurs vedettes internationales et des artistes montréalais issus des communautés maghrébines figurent aussi dans la programmation. Aujourd'hui connue à travers la francophonie, la chanteuse Lynda Thalie y a fait ses débuts.

514 747-0000 • www.festivalarabe.com

Festival des musiques traditionnelles du Maghreb : novembre

Organisé par les responsables du journal *Maghreb Canada Express*, ce festival de musique met en vedette des virtuoses de la musique traditionnelle maghrébine. En 2008, l'événement a eu lieu au théâtre Corona.

514 576-9067

Carnet d'adresses

 MANGER

Le Mogador (marocain)

Ce troquet de La Petite-Patrie a tout pour plaire. De l'atmosphère, de bien jolies décorations, un service personnalisé et des tagines qui sentent

merveilleusement bon. Et quand vous verrez l'addition, vous sourirez de toutes vos dents. N.B. : Un des cuisiniers, Ali, prépare apparemment des tagines berbères extraordinaires…

310, rue Beaubien Est • 514 279-3530
www.mogador.ca • Ⓜ Beaubien

Au Tarot (algérien)

Heureux les habitants du Plateau et de Rosemont qui peuvent se faire livrer l'excellent couscous du Tarot à une fraction du prix chargé en salle à manger. Mais cette dernière est néanmoins une bonne option. Cette adresse de la rue Marie-Anne est un incontournable autant pour la semoule que pour les bricks tunisiens.

500, rue Marie-Anne Est • 514 849-6860
www.restaurantautarot.ca • Ⓜ Mont-Royal

Couscous Kamela (algérien)

On se sent en vacances en entrant dans ce restaurant de la rue Marie-Anne, qui a des airs de *beach shack*. Mais on n'y vend pas de la malbouffe, plutôt des spécialités maghrébines, bien apprêtées et pas chères du tout.

1227, rue Marie-Anne Est
514 526-0881 • Ⓜ Mont-Royal

L'étoile de Tunis

La famille Zrida, qui tient cet établissement depuis 20 ans, est originaire d'une île au large de la Tunisie. Ça se voit sur le menu, qui offre plus de poissons que la majorité des restaurants maghrébins. À essayer aussi : l'*ojja*, un mijoté qui redonne ses lettres de noblesse à la tomate.

6701, avenue De Chateaubriand
514 276-5518 • Ⓜ Beaubien

Dans le Petit Maghreb :
Samaka

Les Maghrébins adorent le poisson sous toutes ses formes : frit, grillé ou en tagine. Ils le mangent en plein air dans les ports d'Alger ou d'Agadir. Le Vieux-Montréal n'a pas (encore) son marché de poisson, mais dans cette poissonnerie-restaurant du boulevard Jean-Talon, on oublie que la mer Méditerranée est loin, loin, loin.

4025, rue Jean-Talon Est
514 374-6363 • Ⓜ Saint-Michel

Walima

Ce petit restaurant halal sert tous les classiques marocains, du tagine au poulet aux olives jusqu'au couscous du vendredi.

3550, rue Jean-Talon Est
514 593-8681 • Ⓜ Saint-Michel

Pizzeria Al Madina

La spécialité de cette pizzeria tunisienne n'est pas que la pizza. Quotidiennement, des plats tunisiens sont ajoutés au menu sur lequel figure le Mecca Cola, la boisson gazeuse qui a été mise en marché dans le monde musulman pour faire un pied de nez à l'administration Bush. Tous les jours, on peut aussi commander une fricassée, un surprenant sandwich tunisien fait de pain frit et de thon épicé.

3731, rue Jean-Talon Est
514 593-0088 • Ⓜ Saint-Michel

SORTIR, BOIRE UN VERRE

Les Bobards

Propriété d'un Montréalais d'origine algérienne, Les Bobards présentent beaucoup d'artistes du Maghreb, installés ici ou de passage. Du coup, l'endroit est devenu un repaire pour bon nombre de jeunes immigrants dégourdis en quête d'une piste de danse, de camaraderie ou d'une bonne soirée de flirt. Quand un des grands « hot » du raï algérien tombe sur la table tournante du DJ, rares sont ceux qui restent assis au bar.

4328, boulevard Saint-Laurent
514 987-1174 • www.lesbobards.qc.ca
Ⓜ Mont-Royal

Le Soleil de Marrakech

Cette adresse du quartier Snowdon est à la fois un restaurant, une salle de spectacle et une discothèque. Donc, si vous décidez de venir y passer une soirée, attendez-vous à devoir prendre une bouchée dans chacune des vocations de l'endroit. Permis oblige, même ceux qui arrivent à minuit doivent acheter quelque chose à manger.

5131, boulevard Décarie
514 485-5238 • Ⓜ Snowdon

Un thé au Sahara – galerie, salon de thé

Oui, Tunisie et Repentigny riment. Dans ce sympathique endroit, les Ben Saieh concoctent pâtisseries fraîches, thé à la menthe et boissons à saveur orientale.

358, rue Notre-Dame, local 160,
Repentigny • 450 932-0773

FAIRE L'ÉPICERIE

Épicerie-boucherie L'Olivier

En plein cœur du marché Jean-Talon, cette épicerie et boucherie tunisienne est une des vitrines les plus connues du Maghreb à Montréal. Olives, citrons confits, merguez, sauce harissa : on y trouve tout le nécessaire pour se concocter un tagine. Même les plats pour le faire cuire.

260, place du Marché-du-Nord,
Marché Jean-Talon • 514 278-8910

La Bastille

On n'a pas encore mis le pied dans cette épicerie algérienne que déjà, on sent le poulet qui dore lentement sur le gril. Ouverte en 2001 par un Montréalais originaire d'Oran, en Algérie, cette épicerie-boucherie est bien connue des Maghrébins qui peuvent s'y ravitailler en viande halal et autres délicatesses de l'Afrique du Nord.

3465, rue Jean-Talon Est
514 593-7770 • Ⓜ Saint-Michel

Ad-Deyafa, boucherie et traiteur

La réputation de cette boucherie la précède. On peut y trouver tous les classiques de la cuisine maghrébine, en passant des olives aux citrons confits, en plus d'une boucherie bien nantie. Le service traiteur est particulièrement prisé. Et que dire du salon de thé!

5588, rue Jean-Talon Est • 514 257-6144

Marché Badre

Bien établie, cette épicerie vend à la fois fruits et légumes, pâtisseries orientales et viande halal. Difficile de ne pas saliver en y entrant à la vue du poulet qui grille sur le charbon de bois.

5905, rue Bélanger Est • 514 252-1408

Pâtisseries

Les Africains du Nord ont fait de la pâtisserie un art de haute voltige. Miel, fleur d'oranger, eau de rose et noix multiples se marient bellement dans des délices aux noms évocateurs tels que les cornes de gazelle. Montréal a maintenant plusieurs excellentes pâtisseries maghrébines, dont un grand nombre dans le Petit Maghreb. Peu chères, elles valent le déplacement. Legs de la période coloniale, la plupart préparent aussi les pâtisseries françaises traditionnelles, dont les éclairs au chocolat.

La table fleurie

Pendant le ramadan, la file devant cette réputée pâtisserie algérienne s'étire sur des dizaines de mètres. Les odeurs qui y flottent sont divines. Les pâtes d'amandes y sont immenses.

3704, rue Jean-Talon Est
514 593-1999 • Ⓜ Saint-Michel

Le grand Maghreb

Propriété de Khendaf Abdel Ghani, élevé dans une famille de pâtissiers algériens, cette jeune boulangerie en pleine expansion prépare tout autant le pain frais, agrémenté d'épices, que les pâtisseries marocaines et françaises. Les prix sont très raisonnables.

3567, rue Jean-Talon Est
514 376-4996 • Ⓜ Saint-Michel

La belle bleue

Beaucoup de Maghrébins ne jurent que par cette boulangerie, qui se trouve à l'ouest du Petit Maghreb. On y vient pour les pains salés au fromage tout autant que pour les pâtisseries orientales.

1866, rue Jean-Talon Est
514 723-4951 • Ⓜ Fabre

Boulangerie Salem

Cette boulangerie est un immense four qui fonctionne 24 heures sur 24. On peut donc venir y chercher une baguette toute chaude à n'importe quelle heure du jour ou de la nuit. Pendant le ramadan, l'endroit est particulièrement populaire, notamment parce qu'on y vend un pain couvert d'anis.

3846, rue Jean-Talon Est
514 593-4592 • Ⓜ Saint-Michel

Thamar

Les propriétaires de cette confiserie sont des mordus de dattes. Ils transforment la noble dame du désert en bouchées-cocktail et en desserts alléchants, que vous pouvez déguster dans leur établissement d'Ahuntsic ou que vous pouvez rapporter chez vous.

168, rue Fleury Ouest • 514 937-2222
www.thamar.ca

MAGASINER

Kif Kif Import

Magasin consacré au commerce équitable, Kif Kif vend autant des meubles que des objets de décoration et des aliments du Maghreb, mais aussi de l'Inde et du Népal. Le propriétaire, Eli Ben David, enseigne le commerce international à l'UQAM et pratique lui-même cet art complexe. Il organise fréquemment des événements spéciaux dans son grand local de l'avenue du Mont-Royal.

**30, avenue du Mont-Royal Ouest
514 844-3021 • Ⓜ Mont-Royal**

El-Bahdja

Le propriétaire de ce magasin ne s'en cache pas : il fait la majorité de son chiffre d'affaires grâce à son service de transferts vidéo. Votre famille vous a envoyé la vidéo du mariage d'un cousin de la fesse gauche en version PAL ? El-Bahdja se fera un plaisir de vous en préparer une version NTSC pour votre lecteur nord-américain. Ce petit établissement, niché dans un sous-sol, vend aussi tout un assortiment de musique maghrébine et quelques t-shirts à l'effigie de l'Algérie.

**3387, rue Jean-Talon Est
514 727-6159 • Ⓜ Saint-Michel**

Richbond

Entrer dans ce magasin de meubles, c'est mettre un pied directement dans un salon marocain. Et il y en a pour tous les goûts : les amoureux du bling-bling, les mordus du traditionnel ou les sympathisants de la simplicité zen. On y trouve aussi des lits baldaquins dignes des *Mille et une nuits*.

**40, rue Jean-Talon Ouest
514 278-3777 • www.richbond.ca
Ⓜ Jean-Talon ou De Castelnau**

Multivisions

Vous cherchez un Coran, un hidjab, des disques de Yusuf Islam (ex-Cat Stevens), des babouches pour la mosquée ou un réveille-matin avec des sonneries de muezzins criant la prière ? Passez faire un tour dans cette incontournable boutique du Montréal musulman. Tenu par un sympathique Algérien nommé Moncef Barbouch, Multivisions vend tout ce qui se rapporte de près ou de loin à l'islam, dans une palette allant du très kitsch au haut de gamme religieux. On y a même dégotté un foulard islamique rose pour petites filles, à l'effigie de Barbie. C'est tout dire...

**357, rue De Castelnau • 514 745-22765
www.multivisionsinc.com • Ⓜ Jean-Talon**

Magasiner en ligne
Makhfi ou l'art de la calligraphie

La calligraphie est un art millénaire dans les pays du grand monde arabe. Mais pour cette boîte de designers montréalais, l'ancienneté de l'art ne l'empêche pas d'être absolument cool. Sur leur site web, on peut retrouver toute une collection de t-shirts ornés d'inscriptions diverses, toutes aussi jolies les unes que les autres.

www.makhfi.net

 # MÉDIAS
Journaux
Atlas.Mtl

Dirigé par le journaliste d'origine marocaine Abdelghani Dades, *Atlas.Mtl* est un bimensuel publié en français et destiné à toute la grande communauté maghrébine, mais portant une attention particulière aux nouvelles en provenance du Maroc. Sur le site web, on trouve un lien qui permet d'écouter la radio marocaine.

**10392, Grande Allée • 514 962-8257
www.atlasmedias.com**

Maghreb Canada Express

Ce mensuel francophone, sous la direction de Abderrahmane El-Fouladi, contient beaucoup de textes d'opinion, mais aussi des nouvelles des communautés maghrébines du Québec.

530, rue de l'Église • 514 576-9067

Alfa

Journaliste connu dans son pays d'origine, l'Algérie, Moustapha Chelfi est à la tête de ce mensuel qui a aujourd'hui un tirage de 15 000 exemplaires. «Quand j'ai lancé le journal en 1996, j'en distribuais 1 000. Aujourd'hui, les 15 000 exemplaires partent comme des pastèques en été. Ça montre comment la communauté maghrébine a pris de l'expansion en 10 ans», note-t-il. Depuis 2009, il publie aussi un annuaire maghrébin regroupant commerces, organisations, professionnels, mosquées.

10780, rue Laverdure, bureau 308
514 531-1382 • www.journalfa.ca

Magazines

Femmes arabes – Arabiyat

Ces deux revues, toutes deux mises sur pied par Khadija Darid, sont les deux faces d'une même pièce. Sur la première face, on trouve *Femmes arabes*, un magazine en français qui a pour but de présenter des femmes d'exception issues de l'immigration. Sur l'autre face, *Arabiyat*, les arabophones ont accès à des articles tantôt sur l'éducation des enfants, tantôt sur l'histoire du Québec. À quelques reprises, *Femmes arabes* a participé à l'organisation d'un défilé de mode arabe, *Caftans*.

C.P. 231, succursale Victoria
Westmount • www.femmesarabes.ca
www.arabiyat.com • 514 787-0066

Radio

Taxi Maghreb – Montreal Labess
Radio Centre-ville 102,3 FM

Taxi Maghreb est animé par Lamine Foura, *Montreal Labess* (qui signifie «ça va» en arabe) par Haissa Lamri. Les deux émissions alternent tous les samedis soirs à 22 h 30, mais elles ont un thème commun : le Montréal maghrébin sous toutes ses coutures.

Samedi, 22 h 30
www.radiocentreville.com

Programmes maghrébins
Radio Moyen-Orient 1450 AM

Cinq heures de programmation sont consacrées chaque semaine à la communauté maghrébine. L'émission *Onde de choc* est présentée sur cette station le mardi de 20 h à 21 h, suivie de *Musique et culture maghrébine* de 21 h à 22 h. *Étoile nord-africaine* est en ondes le jeudi de 19 h à 21 h.

www.1450am.ca

Émission tunisienne
CFMB 1280 AM

En ondes depuis 1999, l'émission tunisienne se déroule à la fois en anglais et en français. Il y est question des dernières nouvelles en Tunisie. Le tout, entrecoupé de musique du bled.

Dimanche, 18 h • www.cfmb.ca

La voix des Marocains de Montréal
CFMB 1280 AM

C'est la voix de Youssef Marzouk qui porte les nouvelles de la communauté marocaine 30 minutes par semaine. On trouve certaines vieilles émissions sur le site d'Atlas Médias, dont celle consacrée à la députée de La Pinière, Fatima Houda-Pépin.

www.atlasmedias.com/radio.htm

Télévision

La Caravane du Maghreb – CJNT 14

Coanimée par Lamine Foura et Rabia Chaouchi, l'émission qui jongle avec le français et l'arabe parle culture, religion, immigration.

Samedi, 18 h

Internet
Le portail Ksari

Anciennement appelé Algeroweb, ce portail est mis à jour quotidiennement. On y trouve des nouvelles, mais aussi des annonces personnelles, des portraits d'artistes et de « movers et shakers » de la communauté maghrébine.

www.ksari.com

Blednet

Alimenté par Omar Abdelkhalek, ce blogue est très suivi par les Montréalais d'origine maghrébine, et tout particulièrement par les Algéro-Montréalais.

www.blednet.com

Échos du Maghreb

Ce journal électronique publie des nouvelles sur la communauté maghrébine montréalaise, des reportages touristiques sur l'Algérie et le Maroc, tout autant que des analyses de la laïcité québécoise.

www.echosmaghreb.over-blog.com

En savoir plus
Associations

Maroc
Association de jeunes professionnels marocains

Cette association dynamique, fondée en 2002, met en lien les professionnels issus de la communauté marocaine en organisant des activités de réseautage et sociales. Sa présidente, Yasmine

Alloul, a soulevé la polémique en disant publiquement en décembre 2008 que le taux de chômage dans la communauté maghrébine n'est pas dû au racisme de la société d'accueil québécoise, mais plutôt à l'attitude de certains nouveaux arrivants.

514 409-6379 • www.ajpm.ca

Réseau des femmes d'affaires marocaines du Canada

Ce réseau, présent à travers le Canada, mais dont le siège social est à Montréal, regroupe des femmes entrepreneures, des professionnelles et des universitaires originaires du Maroc. Chaque année, le réseau, qui porte aussi le nom d'Association des femmes marocaines du Canada, participe à l'organisation d'un Carrefour d'affaires au féminin qui met en lien les femmes d'affaires de toutes origines. En 2007, il a eu lieu au Maroc.

514 812-0265
www.femmesmarocaines.ca

Algérie
Centre culturel algérien

Créé en 1999, le Centre culturel algérien est l'une des plus anciennes organisations maghrébines, plusieurs autres ayant disparu au cours des dernières années, et la seule à posséder un local. Les services qui y sont offerts sont multiples et vont de l'accompagnement des nouveaux immigrants jusqu'à l'organisation de voyages aux chutes Niagara. On y offre aussi de l'aide pour remplir les déclarations de revenus. « Tous les Maghrébins sont bienvenus », explique Ahmed Mahidjiba, le président de l'organisation. Le centre abrite notamment une station de radio qui diffuse ses émissions sur internet à l'adresse **www.salamontreal.com/index.php**

2348, rue Jean-Talon Est, bureau 307
514 721-4680 • www.ccacanada.qc.ca
Ⓜ Iberville

Tunisie
Espace de la famille tunisienne

Mis sur pied par le consulat de Tunisie, cet espace abrite 11 organisations communautaires, dont l'Association tunisienne des mères du Canada. Ouvert du mardi au dimanche, il se consacre particulièrement à l'éducation culturelle des petits Québécois de parents tunisiens. Ici, ils peuvent apprendre l'arabe, mais aussi la danse et la musique folklorique tunisiennes.

6000, chemin de la Côte-des-Neiges, local 190 • 514 735-7660
www.espaceftm.org • Ⓜ Côte-des-Neiges

Communauté mauritanienne de Montréal

Cette organisation met sur pied des événements communautaires, dont des concerts et un grand méchoui annuel.

122, chemin de la Côte-des-Neiges
514 999-3482 • www.maurican.com

Écoles
Aziza, studio de danse baladi

Aziza Constantini-Roy a dansé toute sa vie. Depuis 25 ans, elle fait danser les Montréalaises au rythme de son pays natal, l'Algérie. Attachée à la tradition, elle enseigne le baladi classique ainsi que les danses folkloriques tunisiennes. Sa troupe, le Ballet Aziza, fait des spectacles lors de mariages et d'événements culturels. «Mes danseuses sont toutes québécoises, mais quand les gens les voient danser, ils me demandent toujours si elles viennent d'arriver de la Tunisie», dit fièrement la professeure.

Au studio Veena Yoga (514 867-7458)
178, rue Jean-Talon Est
514 593-4477 • Ⓜ Jean-Talon

Studio danse de Montréal

C'est le Marrakech Lounge – nom donné au hall d'entrée – qui accueille tous ceux qui viennent dans ce studio de danse, où l'on enseigne aussi bien la danse balinaise que le hip-hop. Deux ou trois fois par année, les adeptes du baladi se parent de leurs plus beaux atours pour venir s'y déhancher dans le cadre des Nuits arabesques, accompagnées de musiciens *live*. Le reste de l'année, l'école Maya Baladi donne des cours dans les locaux de ce studio (www.mayabaladi.net).

7240, rue Clark
www.studiodansemontreal.com
514 223-3918 • Ⓜ De Castelnau

Ambassadeur du désert
Nazir Bouchareb

L e jour, Nazir Bouchareb travaille pour Xerox. Le soir, il fait entendre la voix du désert.

À la tête de la formation Salaam, qu'il a mise sur pied il y a 10 ans, il est aujourd'hui l'un des principaux ambassadeurs, en sol hivernal, de la musique gnaoua.

Comme le jazz, cette musique est née de l'adversité qu'ont vécue des esclaves africains après leur déracinement de leur Afrique subsaharienne natale. « Ils utilisaient la musique pour chanter leurs émotions », explique Nazir Bouchareb.

Organisés en confrérie, leurs descendants, qui vivent dans le nord de l'Afrique et qui sont devenus des maîtres de la musique que leur ont enseignée leurs aïeuls, sont aujourd'hui ceux qui portent le nom de Gnaoua. Armés du *guembri* (un luth-tambour), de *qraqeb* (des crotales) et de *ganga* (tambours), les Gnaoua invoquent les esprits à qui ils confient peurs et espoirs. En résulte une musique, rythmée et hypnotisante, utilisée pour induire une transe chez les fidèles des Gnaoua.

Nazir Bouchareb n'est pas un descendant d'esclave africain. Il est né à Rabat, au sein d'une famille marocaine qui aimait la musique et qui lui a appris les percussions dès son plus jeune âge. « Petit, j'avais peur des tambours du gnaoua. Ils avaient une sonorité si profonde », se rappelle-t-il aujourd'hui en riant, puisque depuis, il a appris à en jouer, mais aussi à en fabriquer. Ses professeurs ont été de vieux artisans de Marrakech et d'Essaouira.

LA COMMUNAUTÉ MUSICALE

Quand il a immigré à Montréal en 1993 – une ville qui lui a immédiatement plu –, Nazir Bouchareb n'a pas d'abord cherché du côté des Maghrébins de Montréal pour se bâtir un réseau de contacts. Il s'est plutôt tourné vers la grande famille musicale. À peine quatre mois après son arrivée, il créait le groupe Nomade avec un immigré algérien et un Montréalais de religion juive. Les trois amis jouaient toutes les semaines dans un bar du Plateau.

C'est d'une suite de rencontres que Salaam est né quatre ans plus tard. Ainsi que le groupe Arabesque, au sein duquel Nazir Bouchareb joue de la musique classique arabe.

Bon an, mal an, le musicien monte des dizaines de fois sur scène. Dans les bars, les festivals, mais aussi dans les mariages et autres célébrations. Les sons du désert ne manquent pas de fans à Montréal. « Mon public, ce ne sont pas que les membres de la communauté maghrébine. Beaucoup d'entre eux sont trop fermés pour mettre le nez dans les hebdomadaires culturels pour savoir où Salaam donne des spectacles. »

Une fois l'an, Nazir Bouchareb reprend l'avion vers le Maroc. Encore une fois, c'est la musique qui le pousse à bouger. Il débarque à Essaouira, un port de mer où le vent souffle aussi fort que la musique gnaoua pendant le festival annuel. Il fait le plein de chaleur pour l'hiver qui l'attend à Montréal.

Le Montréal **berbère**

12 295
(composé de Berbères
du Maroc, d'Algérie,
de Tunisie, d'Égypte
et de Mauritanie)

amazigh, arabe

islam (78,9 %)

Les Berbères, ou le peuple amazigh – un terme qui signifie «homme libre» –, sont les autochtones de l'Afrique du Nord. Historiquement, les Imazighen (pluriel de «Amazigh») occupaient toute la zone comprise entre les îles Canaries et l'Égypte. Parmi les diverses nations berbères, les Touaregs sont les seuls à vivre en nomades, les autres groupes, dont les Kabyles d'Algérie, étant historiquement sédentaires.

Aujourd'hui, on retrouve les Imazighen surtout au Maroc et en Algérie. Leur population actuelle est évaluée à quelque 25 millions. À l'origine, les Berbères possédaient leurs propres langues, mais l'arrivée des Arabes dans la région au moment de l'expansion de l'Islam les arabisa, reléguant le tamazight, la langue berbère, au foyer familial. Cependant, autant au Maroc qu'en Algérie aujourd'hui, un grand mouvement culturel et politique revendique la reconnaissance et la revitalisation des cultures et langues berbères. Certains groupes vont beaucoup plus loin et demandent le départ des Arabes d'Afrique du Nord de leurs terres ancestrales.

1 DANS LE CALENDRIER

**Nouvel An berbère (Ennayer) :
12-13 janvier**

En 2009, les Berbères ont salué l'arrivée de l'année amazighe 2959. Chaque année, le Centre amazigh de Montréal organise une grande fête. En 2009, elle a eu lieu au collège Jean-de-Brébeuf. Pour l'occasion, un grand couscous a été servi.

Pour sa part, l'Association internationale pour la fraternité amazighe a organisé au Centre culturel algérien une journée d'activités culturelles berbères : des débats et un concours oral pour les enfants ont été suivis du partage d'un plat traditionnel berbère, l'Ishewwiqen.

**Printemps berbère (Tafsut Imazighan) :
20 avril**

Cette fête, plus politique, a pour but de commémorer les luttes des peuples imazighen. Le groupe berbère Tafsut organise un concert. En 2009, il a eu lieu à la salle Le Château, sur la rue Saint-Denis.

Centre amazigh de Montréal

Très active au sein des Berbères d'Algérie – elle organise des cours de langue et plusieurs événements chaque année –, cette association fondée en 1999 est néanmoins discrète. Il est impossible de trouver un nom ou un numéro de contact sur le site web, pourtant à jour.

www.amazigh-quebec.org

Association internationale pour la fraternité amazighe (AIFA)

Cette association, abritée par le Centre culturel algérien, organise plusieurs célébrations, dont le Timechret, une fête traditionnelle kabyle qui est ici reprise dans un village québécois transformé en village berbère, l'espace d'un jour.

514 223-0415
www.berberes.net

Sous la tente

En Mauritanie, si quelqu'un vous invite sous sa « tente », vous risquez d'avoir des surprises. Peuple du désert par excellence, les Mauritaniens n'ont jamais renié leur mode de vie millénaire, et même les bungalows et les immenses palaces de Nouakchott, la capitale, sont pour eux des « tentes ». Pas surprenant, donc, qu'en ouvrant son restaurant, Atigh Ould lui ait donné le nom de Khaïma, nom traditionnel mauritanien désignant l'abri des nomades du Sahara. Et quand il vous accueille à l'entrée du restaurant, vous comprenez vite que c'est bien chez lui que le propriétaire au large sourire vous a convié. La cuisine n'est pas que mauritanienne – il a aussi pigé dans la gastronomie marocaine et cuisine une pastilla remarquable. Son jus d'hibiscus, vendu dans plusieurs épiceries fines, a aussi plusieurs adeptes.

La Khaïma
142, avenue Fairmount Ouest • 514 948-9993

LIEUX DE CULTE

Les musulmans d'origine maghrébine de Montréal fréquentent en général les mosquées les plus proches de leur lieu de résidence et de travail, se mélangeant pour la prière à la grande communauté musulmane montréalaise. Cependant, quelques organisations religieuses, dont le leadership est d'origine maghrébine, assument un rôle particulier.

Association musulmane de Montréal-Nord (Maroc)

Cette association, qui opère déjà une mosquée sur la rue d'Amiens, projette de construire un centre culturel marocain, qui serait à la fois un lieu de culte et de loisirs. Chaque année, pendant le ramadan, la mosquée reçoit la visite d'un imam, envoyé par les autorités marocaines. Le but de ces émissaires est d'unifier la pratique musulmane marocaine (sunnite malécite) à Montréal et de contrer le développement de groupes sectaires. La prière commune a lieu tous les vendredis à 13 h.

Mosquée Noor Al Islam
4675, rue d'Amiens
514 325-7322
www.ammn.org
Ⓜ Saint-Michel

Mosquée Aboubakr Essedik

Cette mosquée, située tout près du marché Jean-Talon, est particulièrement populaire auprès des Montréalais d'origine maghrébine. «Quatre-vingt-quinze pour cent des gens qui viennent ici sont nés au Maghreb», précise l'imam d'origine tunisienne, Habib El Merzougi. Sous la mosquée, un commerçant d'origine tunisienne a ouvert un restaurant, le Takwa (qui signifie «piété») où les fidèles peuvent casser la croûte après la prière.

371, rue Jean-Talon Est
514 278-4333
Ⓜ Jean-Talon

Mosquée Al-Qods

Cette mosquée a été rendue célèbre par Saïd Jaziri, un imam tunisien qui multipliait les apparitions à la télévision et qui projetait de construire une grande mosquée montréalaise. Cependant, après avoir découvert des omissions dans son dossier d'immigration, les autorités canadiennes ont décidé de le renvoyer en Tunisie. Depuis, la mosquée qu'il a fondée et qui était fréquentée par plusieurs Maghrébins a vu plusieurs imams se succéder.

2465, rue Bélanger Est
514 729-5737
Ⓜ Iberville

Se faire du **bien**...

Lieu de socialisation par excellence, le hammam constitue un arrêt obligatoire pour tous ceux qui voyagent dans le grand Maghreb. Mais nul besoin de se rendre à Tunis ou à Marrakech pour s'offrir une bonne séance de purification. Aucun besoin de s'envoler vers l'Afrique du Nord pour s'offrir une journée de détente et une bonne savonnée: le spa Beauté du monde a son propre hammam et son salon de thé marocain. Quelques jours par semaine, il est possible de privatiser l'espace pour une fête entre copines. Mais les hommes y sont bienvenus aussi... sauf le dimanche.

455, rue Drummond, local 2B
514 841-1210
Ⓜ Peel

Café et testostérone

Vous aimez le soccer? Eux aussi. Vous aimez les discussions politiques enflammées? Eux aussi. Le café bien tassé? Eux aussi. Sur la rue Jean-Talon, une bonne douzaine de cafés maghrébins se côtoient. Tous sentent la testostérone à plein nez: des groupes d'amis sont attablés, jasant et sirotant un café ou regardant un match de foot sur une des télévisions reliées à un satellite. On y voit bien peu de femmes, même si elles n'y sont pas interdites de séjour. Tous les nommer demanderait un chapitre entier, mais voici néanmoins quelques adresses.

Café 5 juillet (algérien)

Le nom de ce café en dit long. Le 5 juillet est le jour de l'Indépendance algérienne. Jour où le Front de libération nationale a eu raison des troupes françaises.

3864, rue Jean-Talon Est • 514 376-6996 • Ⓜ Saint-Michel

Le Fennec (marocain)

Un des plus populaires du Petit Maghreb.

3343, rue Jean-Talon Est • 514 729-1616 • Ⓜ Saint-Michel

Sidi Bou Saïd (tunisien)

Le plus ancien des cafés tunisiens.

3388, rue Jean-Talon Est • 514 725-9793 • Ⓜ Saint-Michel

Hassan Serraji
Combattre le marasme

O riginaire du Maroc, Hassan Serraji avait 32 ans quand il est arrivé à Montréal, ses valises remplies d'ambition. «Le soir de mon arrivée, des Marocains que je connaissais ici m'ont raconté comment ils avaient eu de la difficulté. Comment c'était impossible de vivre ici. J'ai pleuré», se rappelle-t-il. Mais il a vite séché ses larmes. Il voulait réussir son immigration et il allait travailler fort pour y arriver. Il a trouvé un premier emploi : aider d'autres immigrants à comprendre le fonctionnement de la société québécoise pour se trouver un boulot.

Mais son rêve est ailleurs : «Je veux être journaliste à temps plein.» Il a vite compris que pour faire sa place dans un des grands médias montréalais, il devait d'abord faire ses classes... et marcher hors des sentiers battus.

C'est de cette idée qu'est né *Réussir ici*, un magazine qu'Hassan Serraji et trois amis d'origine algérienne ont lancé à l'automne 2007. Hassan Serraji en est le rédacteur en chef, alors que Mehdi Benboubaker, arrivé au Québec en 2004, en est l'éditeur. En plus d'exercer le métier qui le passionne, Hassan Serraji tente de ne pas s'éterniser sur les problèmes d'intégration au Québec, mais plutôt de mettre en lumière des solutions, souvent trouvées par des immigrants qui les ont précédés.

Les efforts de l'équipe de *Réussir ici* ont vite été remarqués. En 2007, le magazine a reçu un prix d'entrepreneuriat. Hassan Serraji, lui, continue d'en apprendre plus sur sa nouvelle ville et sur ses habitants. Il sait que son but n'est plus aussi éloigné qu'il y a cinq ans.

514 573-6454 • www.reussirici.com

Fait à Montréal : **les pains berbères**

I nitiative d'un Montréalais d'origine tunisienne et de sa conjointe, les pains berbères se retrouvent dans les étalages de la plupart des épiceries montréalaises depuis deux ans. Mourad Ghariani ne cache pas qu'il n'est pas lui-même berbère ; mais, élevé dans une famille d'entrepreneurs en agroalimentaire, il a toujours eu un petit faible pour les pains plats qu'on lui servait pendant son enfance. La version québécoise des pains berbères n'a rien de traditionnel : on ajoute au mélange de blé, d'avoine et de graines de lin des figues, des dattes ou encore du romarin. Bientôt, les Aliments Magrébia comptent lancer un pain au curcuma et à l'ail. De quoi secouer un peu les petits-déjeuners traditionnels.

Les Aliments Magrébia • 1963, rue des Carrières • 514 271-8000
www.magrebia.com

Ressources générales

Montréal possède une grande quantité de médias, d'entreprises culturelles, d'événements et d'organismes qui ratissent le Montréal multiple dans son entier. En voici un bref aperçu...

 ÉVÉNEMENTS

Les Syli d'or: février-avril

Organisé par les Nuits d'Afrique et présenté au club Balattou, ce concours s'adresse à tous les musiciens «world» de Montréal. Pour découvrir les nouveaux talents.

514 499-9239 • www.festivalnuitsdafrique.com

Semaine d'actions contre le racisme
et Festival de films sur les droits de la personne: mars

Chaque année, c'est d'abord le poster, toujours original, de cette semaine d'actions qu'on remarque. Organisée par l'organisme Images interculturelles, cette semaine regorge toujours d'activités liées à la lutte contre les discriminations. Depuis quelques années, elle est bonifiée par un festival de films sur les droits de la personne, qui est la réponse montréalaise au grand festival de films de Human Rights Watch qui se tient tous les ans à New York.

514 842-7127 • www.inforacisme.com

Festival Musique Multi-Montréal: avril

Un incontournable qui nous a fait connaître des artistes comme Lhasa, Carlos Placeres, Jeszcze Raz ou Vincent «Freeworm» Letellier. Présenté depuis 20 ans par Musique Multi-Montréal (MMM), un organisme dédié à la diffusion des musiques du monde.

514 856-3787 • www.musiquemultimontreal.com

Week-ends du monde: juillet

Cet événement multiculturel conjugue musique, danse et gastronomie des quatre coins du monde, pendant deux fins de semaine au parc Jean-Drapeau. Un peu folklorique, mais néanmoins une bonne introduction pour toute la famille au Montréal ethnique.

514 872-6120 • www.parcjeandrapeau.com

Carnet d'adresses
Galeries, musées

Centre d'histoire de Montréal

L'histoire de Montréal passe un peu beaucoup par l'immigration. Pas étonnant que le sujet soit amplement couvert par le Centre d'histoire de Montréal. Intéressant : le CHM offre aussi des visites commentées pour les nouveaux arrivants.

335, Place D'Youville • 514 872-3207 • www.ville.montreal.qc.ca/chm • Ⓜ Square-Victoria

Musée McCord

Avec ses expos sur la présence autochtone, la communauté irlandaise ou les peintres juifs de Montréal, le musée McCord est une de nos institutions muséales les plus « culturellement ouvertes ».

690, rue Sherbrooke Ouest • 514 398-7100 • www.mccord-museum.qc.ca/fr/ • Ⓜ McGill

MAI (Montréal arts interculturels)

Le MAI s'autodéfinit comme « la maison des artistes et de l'art interculturel où le métissage culturel s'exprime à travers un mélange de genres et de styles inédits ». En d'autres mots, cet espace multifonctionnel, planté au cœur du ghetto McGill, est la vitrine la plus avant-gardiste de la diversité culturelle et artistique montréalaise. Expositions, concerts, projections, spectacles : les événements s'y succèdent toutes les semaines et ne se ressemblent pas.

3680, rue Jeanne-Mance • 514 982-1812 • www.m-a-i.qc.ca
Ⓜ Sherbrooke ou Place-des-Arts

Diversité artistique Montréal

Cet organisme fait la promotion de la diversité dans les arts au Québec. En ligne, on retrouve les biographies de centaines d'artistes montréalais, toutes origines confondues.

www.diversiteartistique.org

Village ethnic

La vitrine des artistes du Montréal culturel. Certains sujets sont directement reliés au site artwebpromo.com, spécialisé dans la vente d'œuvres d'art ethniques de fabrication locale.

514 945-1691 • www.villageethnic.ca

Tours de ville

L'Autre Montréal, Collectif d'animation urbaine

Depuis 25 ans, L'Autre Montréal offre des circuits de découverte urbaine animés, qui se font à pied ou en autobus. Certaines visites se penchent plus particulièrement sur la question de la diversité culturelle et religieuse. Une porte d'entrée très utile pour découvrir un temple sikh ou une mosquée. Consultez le site web pour plus de détails.

514 521-7802 poste 225 • www.autremontreal.com

Kaléidoscope

Explorer le Chinatown à pied. Le quartier grec en autobus. Le coin portugais en vélo. Connaître la Petite Italie et son histoire. Parcourir la *Main* au gré de ses vagues d'immigration. Kaléidoscope offre un bon éventail de visites guidées dans tous les formats possibles, groupes, personnes seules, scolaires etc.

514 990-1872 (pour particuliers) • 514 277-6990 (pour groupes)
www.tourskaleidoscope.com

Amarrages sans frontières

Visites sur mesure du Montréal multiculturel. Cet organisme fondé en 1994 ratisse les quartiers incontournables (chinois, portugais, italien) mais explore aussi des zones moins reconnues comme le Rosemont ukrainien, le Villeray ethnique ou le Montréal polonais.

514 272-7049 • www.amarragessansfrontieres.com

Bibliothèques

Bibliothèque nationale du Québec

Le 2e étage est destiné aux nouveaux arrivants. On y trouve plusieurs ouvrages de référence utiles.

475, boul. De Maisonneuve Est • 514 873-1111 • www.banq.qc.ca • Ⓜ Berri-UQAM

Bibliothèque interculturelle

Située dans Côte-des-Neiges (malheureusement un peu loin du métro), cette bibliothèque abrite aussi un centre communautaire très fréquenté par de nombreuses organisations ethniques. La commission Bouchard-Taylor y a d'ailleurs tenu un de ses fameux forums populaires. La bibliothèque offre tous les services des autres bibliothèques en plus de garder des livres en différentes langues (notamment le vietnamien, l'arabe, l'ourdou, le tamoul et l'hindi). On y retrouve aussi des ouvrages sur l'histoire des communautés culturelles et des livres d'apprentissage de diverses langues.

6767, chemin de la Côte-des-Neiges • 514 868-4715 (adultes) • 514 868-4716 (jeunes)
Ⓜ Plamondon ou Côte-des-Neiges

 MÉDIAS

Journaux

Le Jumelé

Ce journal trimestriel se spécialise dans le croisement interculturel et l'ouverture d'un dialogue entre les immigrants, la société d'accueil et les diverses communautés ethniques. Disponible dans les bureaux d'Accès Montréal et les CLSC. À noter que la publication en ligne est affichée deux mois après l'imprimé.

514 272-6060 • www.tcri.qc.ca/jumele.html

Internet

Média Mosaïque

Ce très efficace webzine couvre l'actualité multiethnique montréalaise de façon assidue, qu'il s'agisse de culture, de politique ou de faits de société. Loin d'être un simple véhicule publicitaire, *Média Mosaïque* émaille ses reportages de commentaires, de réflexions et de critiques diverses, en plus de s'étendre à la webtélé et à la blogosphère.

514 991-0263 • www.mediamosaique.com

En savoir plus

Centres d'études

Centre Métropolis Montréal

Ce consortium regroupe des chercheurs de six universités québécoises. Ces derniers mettent en commun leurs travaux sur les questions d'immigration, d'intégration et de gestion de la diversité. La plupart des rapports de recherche sont mis en ligne. Des heures de lecture en perspective.

514 499-4084 • im.metropolis.net

Centre d'études ethniques des universités montréalaises

Ce centre regroupe 34 chercheurs universitaires montréalais qui se spécialisent dans les questions ethniques.

514 343-7244 • www.ceetum.umontreal.ca/index.htm

Chaire de recherche sur l'immigration, l'ethnicité et la citoyenneté

Cette chaire de recherche est basée à l'Université du Québec à Montréal. Elle est responsable d'un Observatoire international sur le racisme et les discriminations qui publie notamment tous les mois la *Veille de l'Observatoire*. Ce document est une mine d'or pour se tenir à jour sur les questions d'immigration, d'intégration et de racisme.

514 987-3000, poste 3318 • www.criec.uqam.ca

ONG

Table de concertation des organismes travaillant auprès des personnes refugiées ou immigrantes (TCRI)

Il y a plus de 130 organismes communautaires qui travaillent auprès des nouveaux immigrants, des communautés culturelles et des réfugiés. Ils sont tous liés à la TCRI. Cette organisation ombrelle milite depuis 1979 pour les droits des nouveaux arrivants auprès des différents paliers de gouvernement. Incontournable.

518, rue Beaubien Est • 514 272-6060 • www.tcri.qc.ca

Conseil des réfugiés

Composé d'organismes qui côtoient et prennent en charge les revendicateurs du statut de réfugié, le Conseil canadien des réfugiés est la principale voix qu'ont les demandeurs d'asile pour les défendre.

6839, rue Drolet, bureau 302 • 514 277-7223 • ccrweb.ca/fr

Fondation de la tolérance

Créée en 1995, cette fondation travaille principalement dans le milieu scolaire pour sensibiliser les jeunes à l'impact néfaste de l'intolérance, des préjugés et du racisme.

514 842-4848 • www.fondationtolerance.com

Vision diversité

Cet organisme à but non lucratif fait la promotion de la diversité québécoise à travers nombre d'initiatives culturelles et économiques, que ce soit à Montréal ou en région. Dynamique.

514 733-9500 • www.visiondiversite.com

Remerciements des auteurs

L a réalisation de ce livre n'aurait pas été possible sans l'aide et le soutien de dizaines et de dizaines de personnes.

Les auteurs ont donc de nombreux remerciements à faire.

D'abord à Philippe Cantin, le vice-président de *La Presse*, qui a cru à ce projet dès ses premiers balbutiements. À nos patrons respectifs au journal qui ont été compréhensifs lors de nos longues absences.

À Serge Théroux pour y avoir cru. Richard Prieur pour y avoir cru. Martin Balthazar pour y avoir cru. Et, enfin, Pascal Assathiany et Jean Bernier pour y avoir cru et pour avoir mené le projet à bon port!

Aux photographes de *La Presse* et à Lousnak Abdalian et Joannie Lafrenière pour leur collaboration en images.

À la ministre de l'Immigration et des Communautés culturelles, Yolande James, pour son soutien.

Remerciements de Jean-Christophe Laurence

Moïse Mougnan, Jeanne Sabiti Zamuda, Henriette Kandula, Idorenyin Amana, Eulalie, Jean-Marie Mousenga. Jorge Rodriguez, Jose Del Pozo, Omar Alexis, Francine Dansereau, Camilo Aguilar, Gustavo Aguilar, Patricia Aguilar, Mary Caceres, Carlos Ramos, Roberto Iraheta, Yuri Berger, Apparecida de Almeida, Mariano Franco, Kiko, Hector Andres Brito, Cristina Boyles, Hada Lopez, Julien Thonet, Maria Quezada. Samuel Pierre, Frantz Voltaire, Mildrid Bien-Aimé, Marie-Christine Jeanty, Maguy Métellus, Fabienne Colas, Egbert Gaye, Richard Lafrance. Nina Duque, Joaquin Duque, Pedro Munoz, Julia Blanco, Michael Kenneally, Kester Dyer, François Lubrina, Mary Griffith, Franco Ruccolo, Carla Oliveira, Manuel Meune, Ilias Hondronicolas, Lambros Kampéridis, Giovanni Rapana, Mary Johnston Cox, Simon Jolivet, Pasquale Iacobacci, Angelo Finaldi, Paul-André Linteau, Julie Bélanger. Pierre Anctil, David Lazzar, Daniel Amar, Émilie Dubreuil. Roxanne «motivator» Arsenault, Jean «Ouanani» Arsenault, Laurence «Larry» Daneault, Pierre-Étienne Lessard, Laura-Julie Perreault (quelle équipe!), Lorraine, ma Montréalaise multiple, mon père l'immigrant, ma mère la voyageuse, Marguerite mon pays.

Remerciements de Laura-Julie Perreault

Un merci tout spécial à ceux qui m'ont prise par la main pour me montrer le meilleur de leur Montréal: Hassan Serraji, Nikolaï Kupriakov, Monsieur Ha, Raymond Tsim, Raouf Najm, Jules Nadeau, Irfan et Anna Boko, Andréa Blanar, Noriko Ishii, Samdup Thubten.

À tous ceux qui ont partagé leurs connaissances, leurs contacts et leur vécu: André Dudomaine, Samian, Joey Saganach, Cédric Sam, Janet Lumb, Laïlama Yaqqubi, Musée Pointe-à-Callière, Musée d'histoire de Montréal, Yuli Turovski, Simon Kouklewski, Stefan Nitoslawski, Andréa de Gosztonyi, Simona Hodos, Joseph Naklé, Gaby Bedros, Abdel Katouche, Mark Batchoun, Wafaa El-Hadidy,

George Saad, Stefan Kristof, Mheir Karakachian, Nawroz Khademi, Farouk Ramesh, Shahrzad Arshadi, Kiya Tabassian, Fisun Ercan, Centre communautaire irakien, Naïm Kattan, Restaurant Le Portugais, Xi Xi Li, William Dere, Marie Boti, Malcolm Guy, Zhao Jian, Warren See, Michel Wong Kee Song, Thien Vu Dang, Évelyne Kalugai, Jennifer Sakai, Lakshmi Nguon, Communauté coréenne du Grand Montréal, Ramani Belindra, Sadiqa Sediqi, Jooneed Khan, Manjeet Singh, Caroline Tabah, Mark Bradley, Sloane, Lamine Foura, Abdelghani Dades, Nazir Bouchareb, Moustapha Chelfi, Annick Germain.

Aux amis et parents qui ont beaucoup écouté, partagé leurs idées, ouvert leurs carnets d'adresses et testé les grandes et moins grandes tables de Montréal avec moi : Caroline de la Motte et la bande des copains-copines, Valérie Villeneuve, Martin Chamberland, Heidi Hollinger, Alexandre Trudeau, Benoît Aquin, Arash Abizade, Robert Bellizi, Elsa Da Costa, Patricio Henriquez, Nika Khanjani, Shubhen et Samrudhi Sarangi, ma sœur, Caroline-Anne Perreault, mon beau frère, Philippe Rivet, mes incomparables parents, Luc et Brigitte Perreault. À mon parrain et ma marraine, Paul et Lucie Drouin, ainsi qu'à ma cousine Isabelle Drouin, pour m'avoir les premiers donné la piqûre du Montréal multiple.

Crédits photographiques

© Hrair Abdalian, page 156 ; © David Boily / La Presse, pages 12, 26 ; © Bernard Brault / La Presse, pages 184, 246 ; © Martin Chamberland / La Presse, page 90 ; © Ivanoh Demers / La Presse, page 257 ; © Jean-Charles Hubert, page 62 ; © Joannie Lafrenière, pages 3, 7, 320, 348, 355 ; © Rémi Lemée / La Presse, page 376 ; © Lousnak, pages 96, 98, 108, 122, 165, 171, 175, 214, 239, 285, 414 ; © Robert Mailloux / La Presse, pages, 17, 76, 145, 303 ; © Alain Roberge / La Presse, page 298 ; © François Roy / La Presse, pages 21, 56, 240, 253, 288 ; © Patrick Sansfaçon / La Presse, pages 192, 273 ; © Robert Skinner / La Presse, pages 280, 390, 416 ; © André Tremblay / La Presse, pages 37, 78, 226, 366.

Table des matières

INTRODUCTION
Tous immigrants, tous montréalais 5
Comment consulter ce guide 7

CHAPITRE 1
LE VÉRITABLE MONTRÉAL DE SOUCHE : LE MONTRÉAL AUTOCHTONE 9
• Dans la grande réserve : Samian 17

CHAPITRE 2
PREMIÈRES SEMENCES : LE MONTRÉAL D'EUROPE DE L'OUEST 19
Le Montréal « canadien-français québécois d'Amérique du Nord francophone » 22
• Se plonger dans le passé 27
Le Montréal anglais 29
Le Montréal écossais 32
Le Montréal irlandais 35
Le Montréal français 40
Le Montréal allemand 44
Le Montréal italien 48
• Le *bocce*, hiver comme été 56
• « Switcher » à l'anglais : les Italo-montréalais et la langue 57
Le Montréal grec 58
Le Montréal portugais 66
• Les « clubs sociaux » 72
Le Montréal espagnol 73

CHAPITRE 3
BEAU, BON... CACHÈRE : LE MONTRÉAL JUIF 77
• Le bagel 87
• C'est quoi donc, le cachère ? 88
• Schwartz's : Montréal dans un smoked meat 88
• Yahvé hockey 89
• Juifs hassidiques : différents mais semblables 92
• Métal cachère : l'improbable double vie du rabbin David Lazzar 95

CHAPITRE 4
**UN BRIN D'EST DANS L'OUEST : LE MONTRÉAL D'EUROPE DE L'EST
ET D'EUROPE CENTRALE** 97
Le Montréal de la Russophonie 99
• *Na Zdarovie !* Un anniversaire dans la Russie de province, à Côte-des-Neiges 106
• Yuli Turovski : à l'impossible, le maestro est tenu 107
• Des sardines pour Markov 109
Le Montréal ukrainien 111
Le Montréal polonais 116
• Stefan Nitoslawski : aller-retour pour Lodz 121

Le Montréal hongrois 123
• Un air de bal 127
Le Montréal roumain 128

CHAPITRE 5
DE L'EAU DE ROSE DANS LE SAINT-LAURENT:
LE MONTRÉAL DU MOYEN- ORIENT 131

Le Montréal libanais 136
• Shisha, politique et shawarma 143
Le Montréal syrien 144
Le Montréal égyptien 146
Le Montréal arménien 150
• Lousnak: dans la lumière d'Ararat 156
Le Montréal afghan 157
Le Montréal iranien 160
• Shahrzad Arshadi: l'héroïne de l'ombre 165
• Nowrouz: premier jour du printemps 166
• Persévision: club vidéo iranien 167
Le Montréal turc 168
• Ambassadrice culinaire 171
Le Montréal kurde 172
• Une pizza kurde avec ça? 174
• Café Gitana 174
Le Montréal palestinien 176
Le Montréal irakien 178

CHAPITRE 6
DES BAGUETTES AU PAYS DES FOURCHETTES:
LE MONTRÉAL DE L'ASIE DE L'EST ET DU SUD-EST 179

Le Montréal chinois 183
• Comme les Chinois 191
• Esprit entreprenant 191
• Se faire du bien... 192
• Le Falun Gong 193
• Chinatown de banlieue 194
Le Montréal vietnamien 195
• Petit fait cocasse 199
• De réfugié politique à réfugié artistique 200
Le Montréal philippin 202
• La dynamo philippine 207
Le Montréal japonais 208
• Dans l'antre de Mama San 213
Le Montréal coréen 216
Le Montréal cambodgien 222
• Lakshmi Nguon: J'ai vu... 226
Le Montréal tibétain 227
• Samdup Thubten: réincarnations multiples 230
Le Montréal laotien 232

Le Montréal thaïlandais 234
Le Montréal indonésien 236
Le Montréal malaisien 237
Le Montréal mongol 238
• Des steppes de Mongolie aux pierres du Vieux-Montréal 238

CHAPITRE 7
MASALA SUR LA *MAIN*: LE MONTRÉAL DU SOUS-CONTINENT INDIEN 241

• Cricket toutes! 246
• Les ismaéliens 247
Le Montréal indien 248
• Yoga et méditation 256
• Le beat bhangra de Brossard 258
• Bollywood: Montréal entre dans la danse 260
Le Montréal pakistanais 261
• Ouvrir les nouveaux horizons: Sadiqa Sediqi 264
Le Montréal bangladais 266
Le Montréal sri-lankais 269
• Mollywood, mon amour 274

CHAPITRE 8
LOIN DES PALMIERS: LE MONTRÉAL ANTILLAIS 275

• Carifête 279
Le Montréal jamaïcain 281
Le Montréal trinidadien 286
• Brother Leeroy: un vieux joyeux troubadour 288
Le Montréal haïtien 290
• Le vaudou sort de l'ombre 298
• Le phénomène des bals 301
• Joe Trouillot 302
• Le boom du cinéma haïtien... à Montréal 304

CHAPITRE 9
LATINORDICOS: LE MONTRÉAL D'AMÉRIQUE LATINE 307

• Le Barrio latino: histoire d'un quartier 316
• Salsa Montréal 319
Le Montréal mexicain 321
Le Montréal guatémaltèque 325
Le Montréal salvadorien 328
Le Montréal colombien 331
Le Montréal brésilien 334
• Danser à la brésilienne 337
Le Montréal argentin 339
• Vous dansez le tango? 341
Le Montréal chilien 343
Le Montréal péruvien 345
• El Chasqui: le success-story péruvien 348
• Nancy Hurtado: croire aux miracles 349

Le Montréal cubain 350
Le Montréal dominicain 353
• Un peu de desrizado s.v.p.! 354
• La double vie de Kiko 355
Le Montréal vénézuélien 356

CHAPITRE 10
MA PALABRE AU CANADA: LE MONTRÉAL AFRICAIN 359

• Club Balattou 366
AFRIQUE DE L'OUEST FRANCOPHONE 367
Le Montréal sénégalais 367
Le Montréal burkinabé 370
Le Montréal malien 371
AFRIQUE DE L'OUEST ANGLOPHONE 372
Le Montréal ghanéen.. 373
• Ghanacan: Ogbonos, fufu, ndolé, agusis 376
Le Montréal nigérian 377
AFRIQUE DE L'EST ANGLOPHONE 379
Le Montréal kényan 380
Le Montréal zimbabwéen... 382
Le Montréal éthiopien 383
LE MONTRÉAL CONGOLAIS (RDC) 385
• Métro Charlevoix: bienvenue au petit Congo 389
• Les églises: mon pasteur est meilleur que le tien! 390
• Ngandas, ou manger comme chez soi 391
• Rétro Congo! 391
RWANDA/BURUNDI 393
Le Montréal rwandais 393
Le Montréal burundais 395
L'AFRIQUE DE L'OCÉAN INDIEN 396
Le Montréal malgache... 396
Le Montréal mauricien 398
Le Montréal réunionnais 400

CHAPITRE 11
COUSCOUS MONT-ROYAL: LE MONTRÉAL MAGHRÉBIN 401

• Ambassadeur du désert: Nazir Bouchareb 413
Le Montréal berbère 415
• Sous la tente 416
• Se faire du bien... 418
• Café et testostérone 418
• Hassan Serraji: combattre le marasme 419
• Fait à Montréal: les pains berbères 419

RESSOURCES GÉNÉRALES 420

REMERCIEMENTS DES AUTEURS 425

CRÉDITS PHOTOGRAPHIQUES 426

Ce livre a été imprimé sur du papier certifié FSC.

MISE EN PAGES ET TYPOGRAPHIE :
OLIVIER LASSER ET AMÉLIE BARRETTE

ACHEVÉ D'IMPRIMER EN AVRIL 2010
SUR LES PRESSES DE TRANSCONTINENTAL GAGNÉ
À LOUISEVILLE (QUÉBEC).